Oscar bestsellers

Dello stesso autore

nella collezione Oscar

Akropolis
Aléxandros. Il figlio del sogno
Aléxandros. Le sabbie di Amon
Aléxandros. Il confine del mondo
I Celti in Italia
(con Venceslas Kruta)
I cento cavalieri
Chimaira
Gli Etruschi in Val Padana
(con Luigi Malnati)
Il faraone delle sabbie
I Greci d'Occidente
(con Lorenzo Braccesi)
Mare greco
(con Lorenzo Braccesi)
L'oracolo
Palladion
Le paludi di Hesperia
Lo scudo di Talos
Storie d'inverno
(con Giorgio Celli e Francesco Guccini)
La torre della solitudine

nella collezione Omnibus

Il tiranno

VALERIO MASSIMO MANFREDI

L'ULTIMA LEGIONE

OSCAR MONDADORI

I edizione Omnibus marzo 2002
I edizione Oscar bestsellers settembre 2003

ISBN 88-04-52118-X

Questo volume è stato stampato
presso Mondadori Printing S.p.A.
Stabilimento NSM - Cles (TN)
Stampato in Italia - Printed in Italy

Ristampe:

2 3 4 5 6 7 8 9 10

2004 2005 2006 2007

www.librimondadori.it

L'ultima legione

a Dino

Fecisti patriam diversis gentibus unam.
RUTILIO NAMAZIANO, *De reditu suo, 63*

VALLUM HADRIANI
CARVETIA
CASTRA VETERA
CASTRA LEGIONUM
HIBERNI
BRITANNI
FRANC
REGNUM SIAGRII
BURGUN
VISIGOTHAE
LUTETIA PARISIORUM
ARGENTORATUM
SALTUS MESIATUM
The Ilands
of Britaine
The
Germa
ocean
The Sea of Britaine
The Sea
of Cantabria
Celtica
Aquitania
Narbonensis
SPAINE
Baleares insule
Corsica
Sardinia
THE
Land Sea

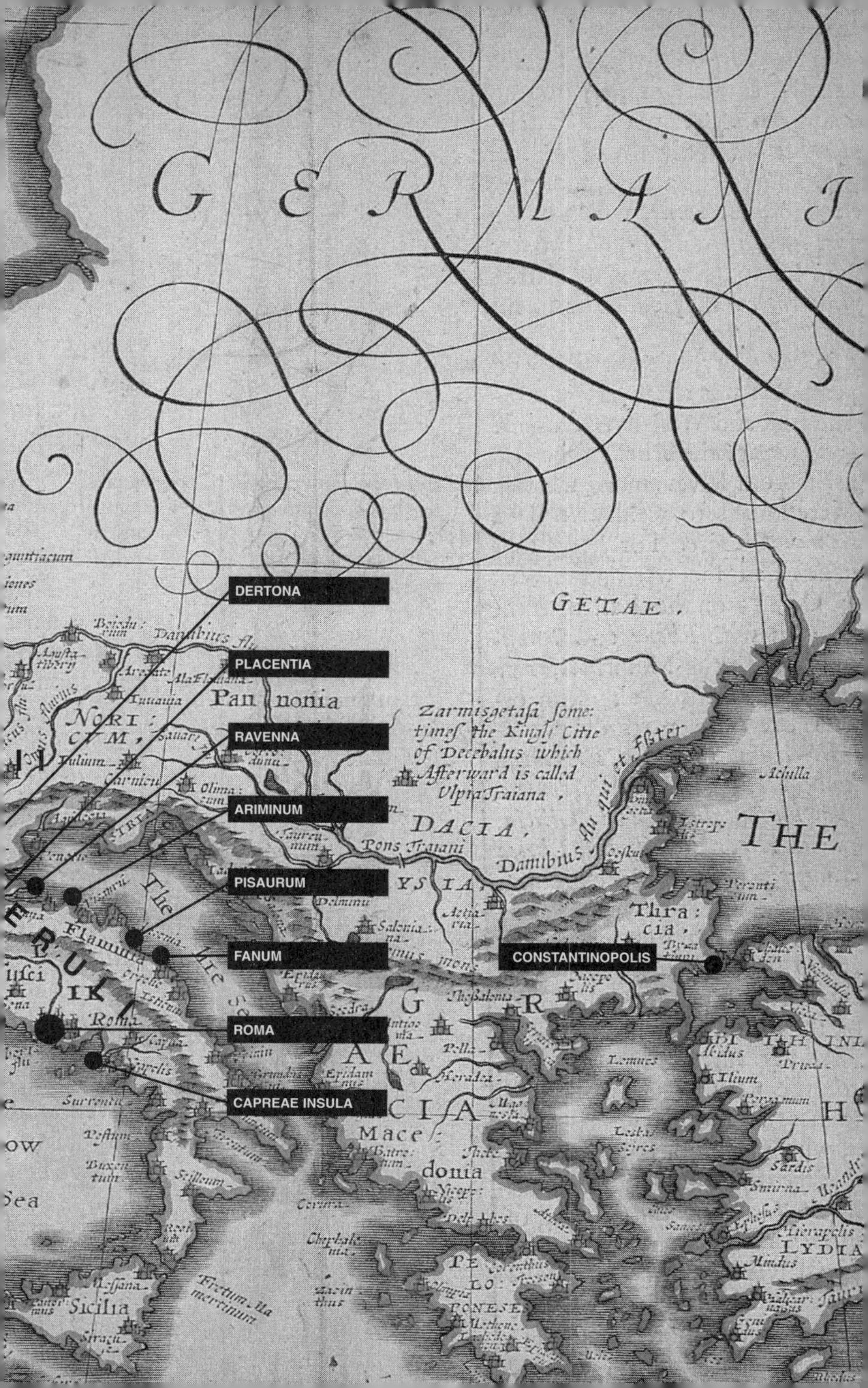

DERTONA
PLACENTIA
RAVENNA
ARIMINUM
PISAURUM
FANUM
ROMA
CAPREAE INSULA
CONSTANTINOPOLIS
GETAE.
Pannonia
Zarmisgetasa some:
tymes the Kingly Citie
of Decebalus which
Afterward is called
Vlpia Traiana,
DACIA,
Pons Traiani
Danubius
Thracia
THE
Roma
Macedonia
Sicilia
LYDIA

Ringraziamenti

Al momento di dare alle stampe *L'ultima legione* desidero ringraziare Carlo Carlei e Peter Rader con i quali ho sviluppato questa idea narrativa nella prospettiva di una trasposizione filmica: i loro preziosi contributi hanno significativamente arricchito questa storia.

Prologo

Queste sono le memorie di Myrdin Emreis, druido del bosco sacro di Gleva che i Romani chiamarono Meridius Ambrosinus, scritte affinché i posteri non dimentichino le vicende delle quali sono l'ultimo testimone.

Ho varcato ormai da tempo le soglie dell'estrema vecchiezza e non so spiegarmi perché la mia vita continui a protrarsi oltre i limiti che solitamente la natura assegna agli esseri umani. Forse l'angelo della morte si è dimenticato di me, o forse vuole lasciarmi quest'ultimo lasso temporale affinché io faccia penitenza dei miei peccati che sono molti e gravi. Soprattutto di presunzione. Perché molto ho presunto della intelligenza datami da Dio e per vanità ho lasciato che prendessero piede fra la gente leggende sulla mia chiaroveggenza o addirittura su poteri che possono essere attribuiti solo al Supremo Creatore e all'intercessione dei Santi. Oh, sì, mi sono dedicato anche ad arti proibite, quelle scritte dagli antichi sacerdoti pagani di questa terra sulle cortecce degli alberi, senza ritenere tuttavia di fare alcun male. Infatti non può essere male ascoltare le voci della nostra Antica Madre, della natura sovrana, le voci del vento tra le fronde, del chioccolio delle fonti in primavera e dello stormire delle foglie in autunno, quando i colli e le pianure si ammantano di colori rutilanti nei quieti tramonti che anticipano l'inverno.

Nevica. Grandi fiocchi bianchi danzano nell'aria e un manto candido copre le colline che fanno corona a questa valle silenziosa, a questa torre solitaria. Sarà così il paese della Pace Eterna?

È questa l'immagine che per sempre vedremo con gli occhi dell'anima? Se così fosse sarebbe dolce la morte, soave il passaggio all'estrema dimora.

Quanto tempo è passato! Quanto tempo dai giorni tumultuosi di sangue e di odio, dagli scontri, dalle convulsioni di un mondo agonizzante che ho visto crollare e che credevo immortale ed eterno. E ora, mentre sono vicino a compiere l'estremo passo, sento il dovere di tramandare la storia di quel mondo morente e di come l'ultimo fiore di quell'albero disseccato fosse trasportato dal destino in questa terra remota per mettervi radici e per dare origine a una nuova era.

Non so se l'angelo della morte mi lascerà il tempo e non so se questo vecchio cuore reggerà al rivivere sentimenti così forti che quasi lo schiantarono quando era ben più giovane. Ma non mi lascerò scoraggiare dall'enormità dell'intrapresa. Sento che l'onda dei ricordi sale come la marea fra le scogliere di Carvetia, sento tornare visioni lontane che credevo svanite, come un antico affresco sbiadito dal tempo.

Credevo che impugnare la penna e cominciare a tracciare segni su questo vello intonso sarebbe stato sufficiente a ricreare la storia, a farla scorrere come un fiume fra i prati, quando la neve si scioglie in primavera, ma mi sbagliavo. Troppa è la ressa dei ricordi, troppo forte il groppo che mi serra la gola, e la mano cade impotente sulla pagina bianca. Dovrò prima evocare quelle immagini, ridare forza a quei colori, alla vita e alle voci affievolite dagli anni e dalla lontananza. Ricreare anche ciò che personalmente non vidi, come fa il drammaturgo che rappresenta nelle sue tragedie scene che non ha mai vissuto.

Nevica sui colli di Carvetia. Tutto è bianco e silenzioso e l'ultima luce del giorno si spegne lentamente.

PARTE PRIMA

I

Dertona, campo della Legione Nova Invicta, Anno Domini 476, ab Urbe condita 1229

La luce cominciò a penetrare la nube che copriva la valle, e i cipressi si ersero d'un tratto come sentinelle sul crinale dei colli. Un'ombra curva sotto un fascio di sterpi apparve al limitare di un campo di stoppie e subito si dileguò come un sogno. Il canto di un gallo risuonò in quel momento da un casolare lontano annunciando un giorno grigio e livido, poi si spense come se la nebbia lo avesse inghiottito. Solo voci d'uomini attraversavano la bruma.

«Fa freddo.»

«E questa umidità penetra fin dentro le ossa.»

«È la nebbia. Non ho mai visto in vita mia una nebbia così fitta.»

«Già. E non hanno ancora portato il rancio.»

«Forse non c'è rimasto più nulla da mangiare.»

«E nemmeno un po' di vino per riscaldarci.»

«E non riceviamo la paga da tre mesi.»

«Io non ne posso più, non sopporto più questa situazione. Imperatori che cambiano quasi ogni anno, i barbari in tutti i posti di comando e ora l'assurdità più grande di tutte: un moccioso sul trono dei Cesari, Romolo Augusto! Un ragazzino di tredici anni che non ha nemmeno la forza di reggere lo scettro dovrebbe reggere le sorti del mondo, almeno dell'Occidente. No, davvero, io la faccio finita, me ne vado. Alla prima occasione lascio l'esercito e me ne vado in una qualche isola a pascolare capre o a coltivarmi un pezzo di terra. Non so voi, ma io ho deciso.»

Un soffio di vento, una brezza sottile, aprì un varco nella foschia e rivelò un gruppo di soldati raccolti attorno a un braciere. Attendevano di smontare dall'ultimo turno di guardia. Rufio Vatreno, spagnolo di Sagunto, veterano di molte battaglie, comandante del corpo di guardia, si rivolse al suo compagno, l'unico che non aveva ancora detto una parola: «Tu che dici, Aurelio? La pensi anche tu come me?».

Aurelio frugò con la punta della spada nel braciere, ravvivando la fiamma che salì crepitando e liberando un turbine di scintille nella foschia lattiginosa.

«Io ho sempre fatto il soldato, ho sempre servito la legione. Che altro potrei fare?»

Vi fu un lungo silenzio: gli uomini si guardarono in faccia l'un l'altro presi da un sentimento di smarrimento e di inesprimibile angoscia.

«Lascialo perdere» disse Antonino, un sottufficiale anziano, «non lascerà mai l'esercito, ne ha sempre fatto parte. Non ricorda nemmeno che cosa facesse prima di arruolarsi, semplicemente non ricorda di essere stato altrove. Non è così, Aurelio?»

L'interpellato non rispose, ma il riverbero delle braci ormai spente rivelò per un istante nel suo sguardo un'ombra di malinconia.

«Aurelio sta pensando a ciò che ci attende» commentò Vatreno. «La situazione è di nuovo fuori controllo. Per quello che ne so le truppe barbariche di Odoacre si sono ribellate e hanno attaccato Pavia dove era trincerato Oreste, il padre dell'imperatore. Ora Oreste ha ripiegato su Piacenza e conta su di noi per ridurre i barbari alla ragione e puntellare il trono traballante del suo piccolo Romolo Augusto. Ma non so se basterà. Anzi, non lo credo proprio, se volete il mio parere. Quelli sono il triplo di noi e...»

«Avete sentito anche voi?» lo interruppe uno dei soldati che in quel momento stava più vicino alla palizzata.

«Viene dal campo» rispose Vatreno volgendo lo sguardo a perlustrare l'accampamento semideserto, le tende coperte di brina. «Il turno di guardia è finito: deve essere il picchetto della sorveglianza diurna.»

«No!» disse Aurelio. «Viene da fuori. È un galoppo.»

«Cavalleria» aggiunse Canidio, un legionario di Arelate.

«Barbari» terminò Antonino. «Non mi piace.»

I cavalieri sbucavano in quel momento dalla nebbia lungo la stretta strada bianca che dalle colline raggiungeva l'accampamento, imponenti sui massicci destrieri sarmatici coperti di scaglie metalliche. Calzavano elmi conici borchiati di ferro e irti di cimieri, lunghe spade pendevano loro dai fianchi e le lunghe capigliature bionde o rossicce fluttuavano nell'aria nebbiosa. Portavano mantelli neri e brache della stessa lana grezza e scura. La foschia e la distanza li facevano sembrare demoni fuggiti dagli inferi.

Aurelio si sporse dalla palizzata per osservare il drappello che si avvicinava sempre di più. «Sono ausiliari eruli e sciri dell'esercito imperiale» disse, «gente di Odoacre, maledizione. Non mi dicono niente di buono. Che fanno qui a quest'ora senza che nessuno ci abbia avvertito? Io vado a riferire al comandante.»

Si precipitò giù per la scala e attraversò di corsa l'accampamento verso il pretorio. Il comandante Manilio Claudiano, un veterano di quasi sessant'anni che da giovane aveva combattuto con Aezio contro Attila, era già in piedi e quando Aurelio entrò nella sua tenda stava agganciando il fodero della spada al cinturone.

«Generale, una squadra di ausiliari eruli e sciri si sta avvicinando. Nessuno ci ha avvertito del loro arrivo e la cosa mi preoccupa.»

«Preoccupa anche me» rispose l'ufficiale. «Fai schierare la guardia e aprire la porta, sentiamo cosa vogliono.»

Aurelio corse alla palizzata e chiese a Vatreno di appostare un reparto di arcieri, poi scese al posto di guardia, schierò la forza disponibile, fece aprire la porta pretoria e uscì assieme al comandante. Intanto lo stesso Vatreno faceva svegliare la truppa con un allarme a voce, uomo a uomo, senza rumore e senza squilli di tromba. Il comandante uscì completamente armato e con l'elmo in testa, segno manifesto che si considerava in zona di guerra. Alla sua destra e alla sua sinistra era schierata la guardia su cui svettava con la testa e tutte le spalle Cornelio Batiato, un gigante etiope nero come un tizzone che non lo lasciava mai un momento. Imbracciava uno scudo ovale costruito su misura dall'armiere per coprire il suo corpo smisurato. Dalle spalle gli pendevano a sinistra la spada romana, a destra un'ascia barbarica a due tagli.

Il drappello dei barbari a cavallo era ormai a poche decine di passi e l'uomo che li guidava alzò il braccio per dare l'alt. Aveva una folta chioma di capelli rossi che gli scendevano ai lati del capo, annodati in lunghe trecce, un mantello orlato di pelliccia di volpe gli copriva le spalle e il suo elmo era decorato da una corona di piccoli teschi d'argento. Doveva essere un personaggio di un certo spicco. Si rivolse al comandante Claudiano senza scendere da cavallo, in un latino rozzo e gutturale: «Il nobile Odoacre, capo dell'armata imperiale, ti ordina di passarmi le consegne. Da oggi assumo io il comando di questo reparto». Gettò ai suoi piedi una pergamena chiusa da un laccio di cuoio e aggiunse: «Qui c'è il tuo ordine di congedo e la tua destinazione di riposo».

Aurelio fece per chinarsi a raccoglierla ma il comandante lo fermò con un gesto perentorio. Claudiano era di antica famiglia aristocratica che poteva vantare la diretta discendenza da un eroe dell'età repubblicana e il gesto del barbaro aveva per lui il significato di un insulto gravissimo. Rispose, senza scomporsi: «Non so chi tu sia e non mi interessa saperlo. Prendo ordini solo dal nobile Flavio Oreste, comandante supremo dell'armata imperiale».

Il barbaro si volse verso i suoi e gridò: «Arrestatelo!». Quelli obbedirono, spronarono i cavalli e si lanciarono in avanti con le spade sguainate: era evidente che l'ordine era di uccidere tutti. La guardia reagì e contemporaneamente dagli spalti del campo si affacciò un reparto di arcieri con le frecce già incoccate, che a un cenno di Vatreno tirarono con precisione micidiale. I cavalieri della prima fila furono quasi tutti colpiti, ma questo non fermò gli altri che balzarono a terra per offrire meno bersaglio e si avventarono in massa sulla guardia di Claudiano. Batiato si gettò a sua volta nella mischia, caricando come un toro e menando fendenti di insostenibile potenza. Molti di quei barbari non avevano mai veduto un negro e arretravano terrorizzati alla sua vista. Il gigante etiope tranciava spade, sfondava scudi, faceva volare teste e braccia roteando la mannaia e gridando: «Sono l'Uomo Nero! Odio questi porci lentigginosi!». Ma nella foga dell'assalto si era proiettato troppo in avanti e Claudiano era rimasto scoperto sul fianco sinistro. Aurelio, che aveva captato con la coda dell'occhio il movimento di un guerriero nemico, si liberò di un avversario per coprire il comandante ma il suo scudo non arrivò in tempo a proteggere il bersaglio e la picca del barbaro si conficcò nella spalla di Claudiano. Aurelio gridò: «Il comandante è ferito, il comandante è ferito!». Ma intanto le porte dell'accampamento si erano spalancate e la fanteria pesante di linea caricò compatta in pieno assetto da combattimento. I barbari furono respinti e i pochi superstiti, balzati a cavallo, si diedero a fuga precipitosa. Poco dopo, superata la linea delle colline, si presentavano davanti al loro comandante, uno Sciro di nome Mledo che li guardò con sdegno e disprezzo. Avevano un aspetto miserando: le armi ammaccate, le vesti lacere, sporche di sangue e di fango. Colui che li guidava disse a testa bassa: «Si sono rifiutati. Hanno detto di no».

Mledo imprecò, poi chiamò il suo attendente e diede l'ordine di chiamare l'adunata: in breve il suono dei corni si alzò attraverso la coltre di nebbia che ancora copriva il paesaggio come un sudario.

Il comandante Claudiano venne disteso con cautela sul tavolaccio dell'infermeria e un chirurgo si accinse a svellere la picca conficcata nella sua spalla. L'asta era già stata segata per limitare i danni delle oscillazioni, ma il ferro era incastrato subito sotto la clavicola e c'era il pericolo che avesse leso il polmone. A un lato, un assistente arroventava un ferro sui carboni preparandosi a cauterizzare la ferita.

Intanto dagli spalti risuonavano richiami e squilli di allarme. Aurelio lasciò l'infermeria e corse su per le scale fino a trovarsi a fianco di Vatreno, che fissava immobile l'orizzonte. L'intera linea visibile delle colline di fronte a loro nereggiava di guerrieri.

«Dèi» mormorò Aurelio, «sono migliaia.»

«Torna dal comandante a riferirgli quello che sta succedendo. Non credo che abbiamo molta scelta sul da farsi, ma digli comunque che aspettiamo ordini.»

Aurelio rientrò nell'infermeria nell'attimo in cui il chirurgo strappava la punta della picca dalla spalla del duce ferito, e vide il suo volto da antico patrizio contrarsi in una smorfia di dolore. Si avvicinò. «Generale, i barbari ci attaccano: sono migliaia e si dispongono a circondare il nostro accampamento. Quali sono i tuoi ordini?»

Dalla ferita il sangue zampillava copioso sulle mani e sulla faccia del chirurgo e dei suoi assistenti che si prodigavano per tamponare, mentre un altro si avvicinava tenendo in mano il ferro rovente. Il chirurgo lo immerse nella ferita e il comandante Claudiano mugolò stringendo i denti per non gridare. Un odore acre di carne bruciata saturò il piccolo ambiente, e un fumo denso si alzò dal ferro rovente che continuava a sfrigolare nella ferita.

Aurelio disse ancora: «Comandante...».

Claudiano tese verso di lui la mano che aveva libera: «Ascolta... Odoacre ci vuole sterminare perché rappresentiamo un ostacolo che deve rimuovere a ogni costo. La nostra legione è un relitto del passato ma fa ancora paura: è composta solo di romani, italici e provinciali e lui sa che non gli obbedirà mai. Per questo ci vuole tutti morti. Va', corri da Oreste, avvertilo che siamo circondati, che abbiamo disperato bisogno di aiuto...».

«Manda un altro, ti prego» rispose Aurelio. «Io vorrei restare: ho qui tutti i miei amici.»

«No, obbedisci. Solo tu puoi riuscire. Va', corri, finché

abbiamo ancora il controllo del ponte sull'Olubria: sarà certamente il loro primo obiettivo per tagliarci fuori dalla strada per Piacenza. Va', prima che il cerchio si chiuda, e non ti fermare per nessun motivo. Oreste è nella sua villa fuori della città con l'imperatore suo figlio. Noi cercheremo di resistere.»

«Tornerò» rispose Aurelio. «Tenete duro più che potete.» Si volse. Dietro di lui Batiato fissava in silenzio il suo comandante ferito e mortalmente pallido disteso sul tavolaccio tutto rosso di sangue. Non ebbe cuore di dirgli nulla. Corse fuori e raggiunse Vatreno sul ballatoio: «Mi ha ordinato di andare a cercare rinforzi: tornerò appena posso. Resistete, resistete, possiamo farcela». Vatreno accennò di sì con il capo senza proferire parola. Si vedeva bene che nel suo sguardo non c'era speranza e che si preparava soltanto a morire da soldato.

Aurelio non riuscì a dire altro. Si ficcò due dita in bocca e fischiò. Rispose un nitrito e poi un baio sellato corse al trotto verso gli spalti. Aurelio gli balzò in groppa spronandolo verso la porta posteriore. Vatreno diede ordine di togliere i paletti ai battenti, che si aprirono solo per lasciare uscire il cavaliere già lanciato al galoppo e subito si richiusero dietro le sue spalle. Vatreno lo seguì con lo sguardo mentre rimpiccioliva lontano, in direzione della testa di ponte sull'Olubria. Il drappello a guardia del passaggio si rese subito conto di quanto stava accadendo, anche perché un folto gruppo di cavalieri barbari si era staccato dal grosso dell'armata e correva a briglia sciolta verso di loro.

«Ce la farà?» chiese Canidio scrutando dagli spalti.

«A tornare? Sì, forse» rispose Vatreno. «Aurelio è il migliore che abbiamo.» Ma il tono e l'espressione della sua voce non erano altrettanto ottimisti.

Volse di nuovo lo sguardo a osservare Aurelio che percorreva a fortissima andatura lo spazio ancora libero fra l'accampamento e il ponte e vide che un altro drappello di cavalieri barbari spuntava ora da sinistra, coordinando il proprio movimento con gli altri che convergevano da destra per tagliare la strada al fuggitivo. Ma Aurelio era veloce come il vento e il suo cavallo divorava il terreno pianeggiante fra il campo e il fiume. Stava disteso, quasi appiattito sulla groppa per non esporsi troppo ai dardi che presto sarebbero cominciati a piovere su di lui.

«Corri, corri» ringhiava Vatreno fra i denti. «Corri, bello, così, così...» Ma si rese conto in quel medesimo istante che gli assalitori erano troppo numerosi e che avrebbero subito travolto la testa di ponte. Bisognava dare al compagno più vantaggio. Gridò: «Catapulte!», e gli armieri, che già avevano capito, puntarono i loro ordigni verso la cavalleria barbarica che convergeva da destra e da sinistra verso il ponte.

«Tirate!» gridò ancora Vatreno, e sedici catapulte scagliarono i loro dardi verso la testa dei due squadroni colpendo nel mucchio. I primi fra gli inseguitori stramazzarono al suolo e quelli che venivano subito dietro furono coinvolti nella disastrosa caduta. Altri furono stritolati dal peso dei cavalli e altri ancora, sui lati, caddero sotto il tiro degli armati che presidiavano il ponte. Prima si abbatté su di loro un nugolo di frecce scagliate in orizzontale ad altezza d'uomo, e poi un fitto lancio di giavellotti in parabola. Molti caddero trafitti, mentre i cavalli inciampavano e rotolavano trascinando e maciullando sotto di sé i cavalieri, ma i loro compagni si allargarono per offrire meno bersaglio e continuarono nella loro corsa urlando furenti per lo smacco subito.

Aurelio era ormai a tiro di voce dei suoi compagni schierati sul ponte. Riconobbe Vibio Quadrato, un suo compagno di tenda, e gridò: «Copritemi! Vado a cercare aiuto, tornerò!».

«Lo so!» gridò Quadrato e alzò il braccio segnalando di aprire un passaggio per Aurelio. Il cavaliere passò come un fulmine fra i compagni e il ponte rullò sotto gli zoccoli del possente destriero lanciato in corsa sfrenata. Il reparto si richiuse immediatamente dietro di lui, gli scudi si serrarono agli scudi con un secco scatto metallico. I primi uomini in ginocchio, i secondi in piedi, facevano sporgere solo le punte delle lance puntando le aste a terra. I cavalieri barbari si gettarono sul coraggioso manipolo, la loro furia si abbatté come un'onda di tempesta contro quell'ultimo baluardo di romana disciplina: costretti a serrarsi gli uni agli altri per l'angustia del ponte, alcuni degli assalitori si urtarono violentemente rotolando al suolo, altri proseguirono al centro scagliandosi con spaventosa violenza contro il piccolo presidio che arretrò sotto l'urto ma tenne. Molti cavalli si ferirono sulle picche, altri imbizzarriti s'impennarono catapultando in avanti i loro cavalieri, mandandoli a infilzarsi sulle punte ferrate. Poi il combattimento divenne scontro feroce, uomo contro uomo, spada contro spada. I difensori sapevano che ogni istante guadagnato per il cavaliere che si allontanava avrebbe potuto significare la salvezza per l'intero reparto, e sapevano anche quali orribili torture li aspettavano se fossero stati presi vivi. Si battevano quindi con tutte le forze incitandosi gli uni gli altri a gran voce.

Aurelio, intanto, giunto ormai all'estremo limite della pianura, si volse indietro prima di immergersi nel fitto di una foresta di querce che gli si parava dinnanzi, e l'ultima cosa che vide furono i suoi compagni ormai travolti dall'impeto insostenibile dei nemici.

«Ce l'ha fatta!» esultò Antonino dal ballatoio dell'accampamento. «È nel bosco, non lo prendono più. Abbiamo ancora una speranza!»

«È vero» rispose Vatreno. «I nostri compagni sul ponte si sono fatti massacrare per coprirgli la ritirata.»

In quel momento giunse Batiato dall'infermeria.

«Come sta il comandante?» chiese Vatreno.

«Il chirurgo lo ha cauterizzato, ma dice che la picca gli ha perforato un polmone. Sputa sangue e la febbre sta montando.» Strinse i pugni ciclopici e contrasse le mascelle: «Il primo che mi capita sotto, giuro che lo massacro, lo stritolo, gli mangio il fegato...».

I compagni lo guardarono con una sorta di ammirato

stupore: sapevano benissimo che quelle non erano solo parole.

Vatreno cambiò discorso. «Che giorno è oggi?»

«Le None di novembre» rispose Canidio. «Fa differenza?»

«Tre mesi fa a quest'ora Oreste si accingeva a presentare suo figlio al Senato e ora già deve difenderlo dall'attacco di Odoacre. Se Aurelio ha fortuna potrebbe arrivare a notte fonda. I rinforzi potrebbero partire all'alba ed essere qui in due giorni. Se Odoacre non ha già fatto occupare tutti i passi e i ponti, se Oreste dispone ancora di truppe fedeli da mettere subito in marcia, se...»

Le sue parole furono interrotte dagli squilli di allarme che venivano dalle torrette di guardia e dalle grida delle scolte: «Attaccano!».

Vatreno reagì come a un colpo di frusta. Chiamò l'alfiere: «Esponete l'insegna! Tutti gli uomini ai posti di combattimento! Macchine in posizione di tiro! Arcieri alla palizzata! Legionari della Nova Invicta, questo campo è un lembo di Roma, terra sacra degli antenati. Difendiamolo a tutti i costi! Mostrate a queste belve che l'onore romano non è morto!».

Impugnò un giavellotto e raggiunse il suo posto sugli spalti. Nello stesso istante dalle colline esplose il grido della marea barbarica e migliaia e migliaia di cavalieri fecero tremare la terra con la loro carica furibonda. Trascinavano carri e affusti su ruote con pali acuminati da scagliare contro le difese del campo romano. I difensori si addossarono alla palizzata tendendo le corde degli archi, stringendo spasmodicamente i giavellotti nel pugno. Pallidi di tensione, le fronti bagnate di nebbia e di freddo sudore.

II

Oreste accolse personalmente gli ospiti all'ingresso della sua villa sulla collina: maggiorenti della città, senatori, alti ufficiali dell'esercito con le famiglie al seguito. Le lampade erano accese, la cena stava per essere servita: tutto era pronto per festeggiare il tredicesimo compleanno di suo figlio e la ricorrenza del terzo mese dalla sua ascesa al trono. Era stato a lungo in dubbio se rimandare il banchetto, data la drammatica situazione che era venuta a crearsi per la ribellione di Odoacre e dei suoi ausiliari eruli e sciri, ma alla fine si era risolto a mantenere immutato il programma per non spargere il panico. Il suo reparto più agguerrito, la Nova Invicta, addestrata alla maniera delle antiche legioni, si avvicinava a marce forzate; suo fratello Paolo avanzava da Ravenna alla testa di altre truppe scelte e la ribellione sarebbe stata presto circoscritta.

Ma la moglie Flavia Serena appariva preoccupata e di pessimo umore. Oreste aveva cercato di nasconderle fino a quel momento il disastro della caduta di Pavia, ma cominciava a temere che lei sapesse molto di più di quanto lasciava intendere.

Accigliata e malinconica, se ne stava in disparte presso la porta del tablino e quel suo atteggiamento suonava come un duro rimprovero per Oreste: Flavia si era sempre detta contraria all'ascesa al trono di Romolo e la festa la infastidiva oltre modo. Oreste le si avvicinò cercando di nascondere il suo dramma interiore e il suo disappunto. «Perché te ne stai in disparte? Sei la padrona di casa e la madre dell'imperatore, dovresti essere al centro dell'attenzione e della festa.»

Flavia Serena guardò il marito come se avesse detto frasi prive di senso, e gli rispose duramente: «Hai voluto realizzare le tue ambizioni esponendo un bambino innocente a un pericolo mortale».

«Non è un bambino: è quasi un ragazzo ed è stato allevato nel migliore dei modi per essere un grande sovrano. Di questo abbiamo discusso già molte volte e speravo che almeno oggi mi avresti risparmiato il tuo malumore. Guarda: nostro figlio è felice. Anche il suo precettore Ambrosinus è soddisfatto: è un uomo saggio del quale anche tu ti sei sempre fidata.»

«Tu vaneggi, Oreste: la costruzione che hai creato già cade in pezzi. Le truppe barbariche di Odoacre, che avrebbero dovuto sostenere il tuo potere, si sono ribellate e stanno seminando dovunque morte e distruzione.»

«Costringerò Odoacre a trattare e a stipulare un nuovo accordo. Non è la prima volta che succedono queste cose. Nemmeno a loro conviene provocare il collasso dell'Impero da cui ricevono terre e stipendi.»

Flavia Serena sospirò e abbassò lo sguardo per qualche istante, poi fissando il marito: «È vero quello che Odoacre va dicendo? È vero che gli avevi promesso come ricompensa un terzo dell'Italia e che poi sei venuto meno alla tua parola?».

«È falso. Lui... lui ha male interpretato una mia affermazione...»

«Questo non cambia di molto la situazione: se sarà lui a prevalere, come pensi che potresti proteggere nostro figlio?»

Oreste le prese le mani fra le sue. Il rumore della festa sembrava scemato come se tutto fosse lontano, attutito dall'angoscia che montava fra di loro come un incubo notturno. Un cane abbaiò in lontananza e Oreste avvertì un tremito percorrere le mani della sua sposa. «Stai tranquilla» le disse. «Non abbiamo nulla da temere, e perché tu sappia che puoi fidarti di me ti dirò una cosa che non ti avevo mai detto prima: in questi anni ho costituito in gran segreto un reparto speciale, un'unità da combattimento leale e coesa, costituita solo da italici e provinciali e addestrata come le legioni di un tempo. L'ho posta agli ordini di Manilio Claudiano, un ufficiale della vecchia aristocrazia, un uomo che morirebbe anziché venire meno alla sua parola. Questi soldati hanno fornito prove di incredibile valore in più punti della nostra frontiera e ora, per ordine mio, si stanno avvicinando a marce forzate. Potrebbero essere qui entro due o tre giorni. E anche mio fratello Paolo sta marciando da Ravenna alla testa di un altro contingente. E adesso, ti prego, vieni, raggiungiamo i nostri ospiti.»

Flavia Serena sembrò convincersi per un momento che quelle parole rispondessero a verità perché, in cuor suo, non voleva altro che crederci ma, mentre cercava di ritrovare il sorriso per prendere parte al ricevimento, l'abbaiare del cane risuonò più forte e a quello rispose quasi subito un coro di latrati. I presenti si guardarono in faccia l'un l'altro e in quell'attimo di silenzio un grido d'allarme giunse dal cortile e poi il suono lungo dei corni chiamò l'adunata per la guardia. Subito dopo un ufficiale irruppe nella sala e corse verso Oreste. «Siamo attaccati, signore! Sono centinaia, li guida Wulfila, il luogotenente di Odoacre!»

Oreste sfilò una spada da una panoplia che pendeva dal muro e gridò: «Presto, tutti si armino, siamo attaccati! *Ambrosine*, prendi il ragazzo e sua madre e nascondetevi nella legnaia. Non vi muovete di là per nessuna ragione finché non venga io a prendervi. Presto, presto!».

E già si udivano grandi colpi al portone, colpi fragorosi di ariete che facevano tremare l'intera cinta della villa. I difensori corsero sul ballatoio per respingere l'assalto ma decine di scale si appoggiavano in quel momento al parapetto e centinaia di guerrieri entravano sciamando da ogni parte, lanciando grida selvagge. Il portone cedette di schianto sotto i colpi dell'ariete e un cavaliere gigantesco si slanciò all'interno con un balzo acrobatico della sua cavalcatura. Oreste lo riconobbe e gli si gettò contro brandendo la spada e gridando: «Wulfila, maledetto infame!».

Ambrosinus intanto aveva raggiunto il nascondiglio trascinandosi dietro il ragazzo frastornato e terrorizzato, ma nel trambusto e nella fretta non si era reso conto che Flavia Serena non li aveva seguiti. Da una fessura nella porta Romolo assistette al compiersi del dramma, vide gli ospiti falciati uno dopo l'altro cadere al suolo nel proprio sangue, vide il padre affrontare quel gigante ispido con la forza della disperazione, lo vide ferito, cadere sulle ginocchia, rialzarsi, brandire ancora la spada, battersi strenuamente fino all'ultimo lampo di energia e poi crollare trafitto, passato da parte a parte. Il moto convulso delle sue palpebre scomponeva ogni movimento di quella tragedia, lo frantumava in mille schegge acuminate che gli si conficcavano nella memoria. Udì la madre gridare: «Maledetti! Siate maledetti!», e vide Ambrosinus precipitarsi fuori per proteggerla mentre lei gridava ancora in preda all'orrore, strappandosi i capelli e graffiandosi il viso, inginocchiata accanto al marito morente. Anch'egli allora si gettò allo scoperto, deciso a morire con i genitori piuttosto che rimanere solo in quel mondo feroce. Vide il gigantesco guerriero bagnare la mano nel sangue di suo padre e tingersi la fronte di una striscia vermiglia e si mise a correre verso il punto in cui era caduta la spada di Oreste per brandirla coraggiosamente contro il nemico, ma Ambrosinus gli andò incontro passando leggero e quasi impercettibile tra la pioggia di dardi, fra i combattenti avvinghiati in feroci corpo a corpo, e si parò fra lui e la spada di un barbaro che irrompeva in quel momento. La lama avrebbe ucciso ambedue se Wulfila non avesse parato il colpo. «Idiota» ringhiò rivolto al guerriero, «non vedi chi è?»

L'altro abbassò la spada, confuso. «Prendili tutti e tre» gli ordinò Wulfila. «Li portiamo via. A Ravenna.»

La battaglia era terminata, i difensori erano stati sopraffatti e passati a fil di spada fino all'ultimo uomo. Degli ospiti, alcuni si erano salvati fuggendo dalle finestre nella campagna buia, altri si erano nascosti nei quartieri dei servi, sotto i letti o nei magazzini in mezzo alle masserizie. Molti, nella foga del primo attacco, erano stati falciati senza pietà. Anche i musici, che avevano allietato la festa con le loro melodie, erano morti e giacevano con gli occhi spalancati tenendo ancora fra le mani gli strumenti. Le donne venivano stuprate ripetutamente e sottoposte a ogni possibile ignominia; gli uomini erano forzati ad assistere all'oltraggio perpetrato sulle loro spose o sulle loro figlie prima di essere a loro volta gettati a terra e scannati come pecore.

Nel giardino interno le statue erano abbattute dai loro piedistalli, le siepi e gli arbusti erano stati divelti, le fontane erano piene di sangue e c'era sangue dovunque sui pavimenti e sulle pareti decorate di affreschi. Ora i barbari terminavano l'opera saccheggiando tutto quanto vi era di prezioso nella sontuosa residenza: candelabri, arredi, vasellame. Altri, che non avevano potuto mettere le mani su alcun oggetto di valore, per spregio mutilavano e sconciavano i cadaveri oppure orinavano e defecavano sui magnifici pavimenti musivi. Ovunque si udiva, assieme alle urla scomposte di quei selvaggi ubriachi di strage, il crepitare del fuoco che cominciava a divorare la sventurata dimora.

I tre prigionieri furono trascinati via e messi su un carro trainato da una coppia di muli. Wulfila gridò: «Andiamocene, andiamo via, ho detto, abbiamo molta strada da fare!».

I suoi uomini abbandonarono a malincuore la villa ormai ridotta a un rudere e si incolonnarono uno dopo l'altro al trotto dietro al piccolo convoglio. Sul carro, Romolo piangeva in silenzio, nel buio, abbracciato alla madre. In meno di un'ora era piombato dai fasti della dignità imperiale alla condizione più miseranda. Suo padre era stato massacrato sotto i suoi occhi ed egli era prigioniero di quelle belve, completamente in loro potere. Ambrosinus, seduto dietro di loro, se ne stava muto e come stordito per il dolore e si voltava di tanto in tanto a guardare la grande villa rurale in preda alle fiamme, le volute di fumo e scintille che si innalzavano verso il cielo spandendo sull'orizzonte un bagliore sinistro. Aveva salvato solo la bisaccia con cui era giunto in Italia tanti anni prima e uno solo fra le migliaia di libri contenuti nella biblioteca: l'*Eneide* splendidamente illustrata che i senatori avevano regalato a Romolo. Di tanto in tanto passava la mano sulla copertina di cuoio del volume e gli pareva quasi che il destino non fosse stato del tutto crudele se gli aveva lasciato la compagnia, forse profetica, dei versi di Virgilio.

Aurelio si trovò più volte la strada sbarrata nella sua cavalcata notturna. Odoacre aveva messo presidi ai ponti e ai valichi e squadre di soldati barbari dell'armata imperiale pattugliavano le strade consolari cosicché il cavaliere dovette più volte deviare dalla sua strada, affrontare guadi resi vorticosi dalle piogge autunnali o sentieri impervi fra le montagne. Quando ricominciò a scendere verso la pianura si rese conto che il suo cavallo non ce l'avrebbe fatta, che il generoso animale sarebbe morto se lo avesse ancora spinto al galoppo. Era coperto di schiuma e di sudore, aveva il respiro corto e gli occhi vitrei per la tremenda fatica. Gli venne allora in soccorso il destino, che gli fece scorgere in lontananza delle luci e poi un edificio dall'aspetto familiare: una stazione di cambio sulla via Postumia, miracolosamente intatta e apparentemente efficiente. Quando fu nelle vicinanze sentì cigolare l'insegna che pendeva da una barra di ferro murata nella parete esterna. Era mezzo arrugginita ma si distingueva ancora la figura di un sandalo e una scritta in bei caratteri capitali: *"Mansio ad sandalum Herculis"*. Davanti all'edificio una pietra miliare recava la scritta *m.p.XXII*: ventidue miglia alla stazione successiva, ammesso che esistesse ancora.

Aurelio balzò da cavallo ed entrò ansimando: c'era all'interno un impiegato del servizio postale che sonnecchiava su una seggiola mentre alcuni avventori, sdraiati sui loro mantelli sul pavimento, dormivano profondamente. Aurelio lo scosse. «Servizio imperiale» disse, «massima urgenza e priorità assoluta: è questione di vita o di morte per molte persone. Fuori c'è il mio cavallo, è stremato: ho bisogno di un cavallo fresco, subito.»

L'impiegato si riscosse, aprì gli occhi e si rese subito conto, appena ebbe messo a fuoco l'uomo che aveva dinanzi, che quelle parole dovevano essere vere. Il volto di Aurelio era deformato dalla fatica, i lineamenti stravolti per la tensione e per lo sforzo. «Vieni con me» gli disse e, precedendolo, prese da una credenza un pezzo di pane e una fiasca di vino e glieli porse perché potesse mandar giù un sorso e mangiare un boccone mentre percorrevano il corridoio e scendevano le scale verso le stalle: era chiaro che non si sarebbe fermato nemmeno un istante per ristorarsi. Le poste della stalla erano in gran parte vuote, ma nella penombra, appena distinguibili, c'erano tre o quattro cavalli. Il gestore della stazione alzò la lanterna a illuminarli. «Prendi quello» disse indicando un morello ben piantato dal pelo liscio e lucente, «è un animale magnifico. Si chiama Juba. Apparteneva a un alto ufficiale che non è più tornato a riprenderlo.» Aurelio diede un ultimo morso alla pagnotta, ingollò ancora un sorso di vino, poi balzò in groppa all'animale e lo spronò su per la rampa gridando: «Ah! Ah! Juba!». Sbucò all'aperto con un gran balzo, come un'anima dannata che uscisse dagli inferi, e si lanciò a galoppo sfrenato. Attraversò la via consolare e imboccò un sentiero che biancheggiava nella campagna al chiarore incerto della luna. Anche il gestore uscì all'aperto, con un registro e uno stilo in una mano e la lanterna nell'altra, gridando: «La ricevuta!». Ma Aurelio era già lontano e il galoppo di Juba si perdeva nella campagna.

L'uomo ripeté a bassa voce, come se parlasse da solo: «Mi devi firmare la ricevuta». Lo riscosse un nitrito sommesso e si accorse del baio di Aurelio, fumante di sudore. Lo prese per le briglie e lo condusse verso la stalla. «Vieni, bello, o ti prenderai un accidente. Sei tutto sudato, e avrai anche fame, non avrai mangiato niente, ci scommetto, come il tuo padrone.»

Un pallido chiarore cominciava appena a diffondersi all'orizzonte quando Aurelio giunse in vista della villa di Flavio Oreste. Subito si rese conto di essere giunto troppo tardi: una densa colonna di fumo nero si levava dall'edificio mezzo in rovina e dovunque, intorno, c'erano i segni di una selvaggia devastazione. Legò il cavallo a un albero e si avvicinò cautamente al riparo di un muretto di recinzione fino a trovarsi nelle immediate vicinanze dell'ingresso principale. Vide a terra i battenti del portone divelti e bruciacchiati, e nel cortile d'ingresso decine di cadaveri coperti di sangue raggrumato. Molti erano di soldati della guardia imperiale, ma non erano pochi nemmeno quelli dei guerrieri barbari caduti nei feroci corpo a corpo. La lotta doveva essere stata di spaventosa violenza e ognuno giaceva là dove la morte lo aveva sorpreso, con ancora sul volto l'espressione che l'orrore e l'ultimo spasimo d'agonia vi avevano impresso.

Non si sentiva alcun suono se non il crepitare delle fiamme e ogni tanto il rumore secco di un trave che crollava al suolo o di tegole che cadevano dal tetto consumato dal fuoco, frantumandosi sul pavimento. Aurelio avanzò in mezzo a quella desolazione guardandosi intorno smarrito e incredulo e, man mano che la tragedia gli si dispiegava davanti in tutta la sua spaventosa realtà, l'angoscia gli montava nell'animo soffocandolo nella morsa di un'intollerabile oppressione. Il fetore della morte e degli escrementi ammorbava le stanze interne che ancora non erano state divorate dal fuoco; i cadaveri delle donne denudate e violate, quelli delle fanciulle ancora impuberi, giacevano con le gambe sconciamente aperte accanto ai corpi dei loro padri e mariti sgozzati. Il sangue era ovunque: sui pavimenti di marmo intarsiato, sulle pareti finemente affrescate, negli atri, nei bagni, nel triclinio, sulle mense e sugli avanzi di cibo, inzuppava i tendaggi, i tappeti, le tovaglie.

Aurelio cadde in ginocchio cacciando un grido di furore impotente e di disperazione. Stette a lungo in quella posizione, con la fronte che quasi gli toccava le ginocchia, finché d'un tratto fu riscosso dal suono di un gemito. Possibile? Possibile che qualcuno fosse ancora vivo in quell'atroce carnaio? Si alzò di scatto, si asciugò in fretta le lacrime che gli rigavano il volto e si diresse verso quel lamento. Veniva dal cortile, da un uomo disteso a faccia in giù in una gran chiazza di sangue. Gli si inginocchiò accanto e lo rivoltò lentamente, in modo da poterlo vedere in faccia. L'uomo, benché prossimo alla morte, riconobbe le insegne e l'uniforme. Mormorò: «Legionario...».

Aurelio si avvicinò ancora di più. «Chi sei?» gli chiese.

L'uomo ansimava penosamente e ogni respiro doveva costargli terribili sofferenze. Rispose: «Sono Flavio... Oreste».

Aurelio trasalì. «Comandante» disse. «O dèi... Comandante, sono della Nova Invicta.» E quel nome gli suonò come una beffa della sorte.

Oreste tremava, battendo i denti per il gelo della morte che gli invadeva il corpo. Aurelio si tolse il mantello, lo ricoprì, e quel gesto di pietà parve per un istante rincuorarlo, restituirgli un barlume di energia. «Mia moglie, mio figlio...» disse. «Hanno preso l'imperatore. Ti prego, avverti la legione. Dovete... liberarli.»

«La legione è stata attaccata da forze soverchianti» rispose Aurelio. «Ero venuto a chiedere rinforzi.»

Sul volto di Oreste si dipinse un'espressione di profondo sgomento, e tuttavia, mentre lo fissava con occhi pieni di lacrime, nella sua voce tremò ancora un poco di speranza. «Salvali» disse, «ti imploro.»

Aurelio non riuscì a sostenere l'intensità accorata di quello sguardo e abbassò gli occhi dicendo: «Io... sono rimasto solo, comandante».

Oreste sembrò ignorare completamente le sue parole. Con le ultime forze rimaste cercò di sollevarsi, si aggrappò con le mani all'orlo della sua corazza. «Ti scongiuro legionario» rantolò, «salva mio figlio, salva l'imperatore. Se lui muore, Roma muore. Se Roma muore, tutto è perduto.» La sua mano scivolò al suolo, inerte, e gli occhi persero ogni espressione, nell'attonita fissità della morte.

Aurelio gli passò le dita sulle palpebre, per chiuderle, poi riprese il suo mantello e uscì mentre il sole, ormai sopra l'orizzonte, illuminava dietro di lui, in tutto il suo orrore, lo scenario del massacro. Raggiunse Juba che brucava tranquillo l'erba del prato, lo sciolse, montò in sella e lo spinse verso settentrione, sulle tracce del nemico.

III

La colonna guidata da Wulfila procedette per tre giorni in un viaggio malagevole attraverso i valichi appenninici coperti di neve e poi nella pianura nebbiosa. I prigionieri erano duramente provati per la fatica e per l'insonnia, al limite della resistenza. Nessuno di loro aveva avuto una sola notte di riposo: solo qualche ora di torpore interrotto dagli incubi della strage. Flavia Serena cercava di farsi forza, sia per l'educazione severa che aveva ricevuto dalla sua famiglia di origine, sia per sostenere con il proprio comportamento il figlio Romolo. Di tanto in tanto il ragazzo le appoggiava la testa in grembo e chiudeva gli occhi, ma appena cedeva al sonno la visione del massacro emergeva dalla sua mente sconvolta e la madre sentiva le membra di lui contrarsi dolorosamente, quasi poteva vedere l'orrore delle immagini che passavano sotto le sue palpebre. Poi, d'un tratto, il ragazzo si risvegliava con un grido, con la fronte imperlata di sudore freddo, con lo sguardo atterrito.

Ambrosinus gli toccava la spalla con la mano e cercava di trasmettergli un po' di calore. «Fatti coraggio» gli diceva, «fatti forza, ragazzo mio, il destino ti ha imposto la prova più dura e crudele, ma io so che ce la farai.»

Una volta, mentre Romolo si era lasciato andare al sonno, gli si avvicinò e gli bisbigliò qualcosa all'orecchio, e per un poco il respiro del ragazzo si fece più lungo e regolare, l'espressione del volto più distesa.

«Che cosa gli hai detto?» gli chiese Flavia Serena.

«Gli ho parlato con la voce di suo padre» rispose enigmatico Ambrosinus. «Era quello che voleva udire e ciò di cui aveva bisogno.»

Flavia non disse nulla e riprese a fissare la strada che costeggiava ora le vaste lagune costiere, le acque orlate di spume livide, oppresse da un cielo plumbeo. Giunsero nei pressi di Ravenna la sera del quinto giorno, mentre scendeva l'oscurità. La colonna percorreva uno dei tanti argini che attraversavano la laguna fino al gruppo di isole su cui era sorta anticamente la città, ora saldate a una lunga duna costiera. In quell'ora la nebbia si alzava e strisciava sulla superficie delle acque fino a raggiungere la riva, per spandersi poi sulla terraferma lambendo gli alberi scheletriti, le capanne isolate dei pescatori e dei contadini. Si udiva di tanto in tanto il verso di qualche animale notturno o l'abbaiare solitario di un cane da un casolare lontano. Il freddo e l'umidità penetravano fin dentro le ossa, la stanchezza si sommava, quasi insopportabile, a quell'acuto disagio.

Le torri di Ravenna si ersero d'improvviso davanti a loro come giganti nella foschia. Wulfila gridò qualcosa nella sua lingua gutturale: la porta si aprì e i cavalieri entrarono al passo nella città deserta e nebbiosa. Gli abitanti sembravano scomparsi: tutte le porte erano sbarrate, tutte le finestre erano chiuse. Si udiva solo lo sciabordare dell'acqua nei canali se una barca avanzava, come un fantasma, spinta da lento remeggio. Si fermarono all'ingresso del palazzo imperiale di mattoni rossi, ornato, sulla facciata, di colonne di pietra istriana. Wulfila ordinò che la madre fosse separata dal figlio e che il ragazzo venisse condotto nel suo appartamento.

«Lascia che vada con lui» chiese prontamente Ambrosinus. «È terrorizzato, stremato: ha bisogno di qualcuno che gli tenga compagnia. Sono il suo precettore e so come aiutarlo: ti supplico, potente signore.»

Wulfila, lusingato da quell'appellativo cui non era abituato, annuì con un suono inarticolato e Ambrosinus poté seguire il suo discepolo mentre lo conducevano via. Romolo si volse indietro gridando: «Madre! Madre!». Flavia Serena gli lanciò uno sguardo accorato e dolente ma pieno di dignità, una muta esortazione a non abbandonarsi alla disperazione, poi si allontanò fra due guardie lungo un corridoio con il passo fermo, le spalle dritte, le braccia incrociate sul petto a coprire ciò che le vesti lacerate lasciavano senza veli.

Odoacre era già stato avvertito e l'attendeva seduto sul trono d'avorio degli ultimi Cesari; bastò un suo cenno per far capire a Wulfila e alle guardie che voleva restare solo con la donna. C'era una seggiola preparata ai piedi del trono e Odoacre la invitò a sedersi, ma Flavia Serena restò in piedi, con la schiena eretta e gli occhi fissi nel vuoto. Pur con le vesti strappate, i capelli raggrumati, le macchie di sangue che ancora le imbrattavano la tunica, pur con la fronte annerita di fuliggine e le guance segnate di graffi, riusciva a irradiare il fascino di una femminilità indomita e orgogliosa, a manifestare una bellezza offesa e sfregiata ma ancora intatta nei lineamenti superbi e delicati a un tempo, nel candore del collo, nella perfezione delle spalle e del seno che le mani raccolte sul petto non riuscivano a nascondere del tutto. Sentiva su di sé lo sguardo del barbaro anche se non lo vedeva e si sentiva avvampare di sdegno e di rabbia impotente. Solo il pallore della stanchezza, del digiuno e dell'insonnia nascondeva come un sudario le sue emozioni.

«So che mi disprezzi» disse Odoacre. «Barbari, ci chiamate, come se voi foste migliori, invece siete una razza sfinita da secoli di vizio, di potere e di corruzione. Ho fatto uccidere tuo marito perché lo meritava, perché mi aveva tradito venendo meno alla sua parola. Dovevo dare un esempio perché tutti capissero che non si può ingannare impunemente Odoacre, e l'esempio doveva essere così tremendo da incutere spavento a chiunque. E non contare su tuo cognato Paolo: le mie truppe lo hanno circondato e annientato. Ma basta, ora, con il sangue: non intendo infierire su questo paese. Voglio che rinasca, che rifioriscano le opere, il lavoro nei campi e nelle botteghe. Questa terra merita di meglio che Flavio Oreste e il suo imperatore bambino. Merita un vero sovrano che la guidi e la protegga come un marito guida e protegge la moglie. Quel sovrano sarò io e voglio che tu sia la mia regina.»

Flavia, che era rimasta immobile e silenziosa fino a quel momento, finalmente reagì e la sua voce era tagliente come una lama. «Non sai ciò che dici. Io discendo da coloro che per secoli vi hanno combattuti e ricacciati nelle selve a vivere come le bestie cui somigliate in tutto. Mi ripugna il vostro fetore, la vostra ignoranza, la vostra selvatichezza, mi ripugna la vostra lingua e il suono della vostra voce, simile più all'abbaiare dei cani che a espressione umana, mi fa schifo la vostra pelle che non sopporta la luce del sole, i vostri capelli di stoppa e i vostri baffi sempre sporchi di avanzi di cibo. È questo il vincolo coniugale che desideri? Questo lo scambio di sentimenti? Puoi ammazzarmi anche adesso, non mi importa. Io non ti sposerò mai!»

Odoacre serrò le mascelle: le parole sferzanti di Flavia lo avevano ferito e umiliato. Sapeva che non c'era forza né potere in grado di vincere quel disprezzo, ma dentro avvertiva forte il sentimento che lo aveva posseduto fin da giovane, quando era entrato nell'esercito imperiale: l'ammirazione per quelle città antichissime, per i fori e le basiliche, le colonne e i monumenti, le strade, i porti e gli acquedotti, le insegne e gli archi, le solenni iscrizioni di bronzo, i bagni e le terme, le case, le ville, così belle da sembrare residenze di dèi piuttosto che di uomini. L'Impero era l'unico mondo in cui valesse la pena vivere per un essere umano. La guardò e la trovò desiderabile più che mai, come quando l'aveva vista la prima volta, poco più che ventenne, andare sposa a Flavio Oreste. Gli era sembrata allora lontana, splendente e irraggiungibile come la stella che contemplava bambino sdraiato nel carro nomade dei suoi genitori sotto il cielo notturno, nella pianura sterminata. Ora lei era alla sua mercé e avrebbe potuto averla in qualunque momento, anche in quello stesso istante. Ma non era questo che desiderava, non ancora. Disse: «E invece farai quello che dico io se vuoi salvare tuo figlio, se non vuoi vederlo morire davanti ai tuoi occhi. E adesso vattene».

Le guardie entrarono e la condussero via, verso l'ala occidentale del palazzo. Ambrosinus guardò dal buco della serratura quando udì parlottare le guardie che la scortavano e chiamò a sé Romolo. «Guarda» disse, «tua madre.» E contemporaneamente gli fece cenno di non fiatare portando il dito indice alle labbra, mentre si spostava per permettergli di guardare a sua volta.

Il piccolo corteo uscì presto da quel ristretto campo di visuale, ma Ambrosinus appoggiò l'orecchio alla porta e contò i passi finché sentì lo scatto di una serratura e il rumore di una porta che si richiudeva. «Ventiquattro. La camera di tua madre dista ventiquattro passi dalla nostra e dovrebbe essere dall'altra parte del corridoio. Probabilmente ci troviamo nei quartieri del gineceo imperiale. Ci sono stato una volta un paio di anni fa e anche tua madre lo conosce abbastanza bene. Questo potrebbe essere un vantaggio.»

Romolo accennò di sì con la testa, abituato com'era a seguire le elucubrazioni del suo maestro anche quando non ne capiva del tutto lo scopo o il significato, ma non mostrò alcun particolare interesse a quell'affermazione. La porta della loro camera era sbarrata dall'esterno ed era guardata da un guerriero armato d'ascia e di spada: che possibilità poteva mai esserci di stabilire un qualunque contatto con sua madre? Si lasciò andare sul letto, esausto per le troppe emozioni e la troppa fatica: la natura prese il sopravvento ed egli cadde in un sonno profondo. Ambrosinus lo coprì con un panno, gli fece una leggera carezza sul capo e poi si distese lui stesso sull'altro letto, cercando un po' di riposo. Non volle spegnere la lucerna perché sentiva che le tenebre gli avrebbero suscitato immagini da cui sarebbe stato difficile difendersi e perché preferiva mantenere un sia pur minimo presidio di vigilanza in quella notte popolata di ombre sanguinose.

Non avrebbe saputo dire quanto tempo era passato quando un rumore colpì il suo orecchio seguito da una specie di tonfo sordo. Romolo era ancora profondamente addormentato e non si era accorto di nulla: così pesante era il suo sonno che il ragazzo era ancora esattamente nella posizione in cui si era assopito. Ambrosinus si alzò e udì ancora un altro rumore, questa volta uno scatto secco e metallico direttamente a contatto con la sua porta. Si avvicinò al ragazzo e lo scosse energicamente: «Svegliati, presto, sta arrivando qualcuno».

Romolo riaprì gli occhi dapprima senza rendersi conto di dov'era, ma fu ripreso dalla dolorosa consapevolezza della sua condizione non appena ebbe girato lo sguardo sulle pareti del suo carcere. Intanto la porta si era aperta cigolando ed era apparsa una figura ammantata e con il volto coperto da un largo cappuccio. Lo sguardo di Ambrosinus cadde immediatamente sulla punta della spada che quello impugnava e istintivamente si parò fra lui e il ragazzo. Ma l'uomo si scoprì il volto:

«Presto» disse, «sono un soldato romano della Nova Invicta e sono venuto per salvare il ragazzo. Presto, non c'è tempo.»

«Ma io come faccio a...» cominciò Ambrosinus.

«Non importa. Ho promesso di salvare lui, non te.»

«Non ti conosco, non so chi sei e...»

«Mi chiamo Aurelio e ho appena ammazzato la guardia» disse mostrando il cadavere dietro di sé. Poi lo afferrò per i piedi e lo trascinò all'interno.

«Non vengo senza mia madre» disse prontamente Romolo.

«Allora muoviamoci, per tutti gli dèi» replicò Aurelio. «Dov'è?»

«Laggiù» rispose Ambrosinus, e aggiunse, fornendo la prova di essere anch'egli indispensabile a quella spedizione: «E so da dove possiamo andarcene. C'è un passaggio verso il matroneo della basilica imperiale».

Si diressero verso la camera in cui doveva essere rinchiusa Flavia Serena e Aurelio applicò la punta della spada fra la porta e lo stipite, sconficcando il chiavistello. Ma in quell'attimo sopraggiunse la guardia per il cambio e si mise a gridare correndo verso di loro con la spada sguainata. Aurelio fronteggiò il barbaro, lo sbilanciò con una finta e lo colpì al fianco passandolo da parte a parte. L'uomo si accasciò inerte e il legionario entrò nella camera di Flavia dicendo: «Presto, mia signora, sono venuto a liberarvi, presto, non c'è un istante da perdere».

Flavia vide il suo ragazzo e Ambrosinus ed ebbe un tuffo al cuore: il destino le offriva un insperato aiuto.

«Di là» disse Ambrosinus, «possiamo passare dal corridoio del matroneo: non credo che i barbari lo conoscano.» E si avviò in fretta, ma le grida della guardia avevano richiamato altri uomini dal fondo del corridoio. Aurelio vide una grata di ferro e la richiuse dietro di sé appena in tempo, poi corse di nuovo avanti con i suoi compagni di fuga. Risuonavano ormai dietro di loro grida da ogni parte, si vedevano torce correre nel buio nella corte e dietro le finestre, si udiva un rumore di armi e richiami concitati ovunque. Poi, d'un tratto, quando ormai Ambrosinus era prossimo ad aprire la porticina nascosta che dava nel corridoio del matroneo, sbucò da una scala laterale, affiancato da due compagni, un guerriero gigantesco: Wulfila. Ambrosinus si trovò separato dai compagni. In preda all'angoscia si nascose dietro l'arcata che celava la porticina del matroneo, assistendo impotente all'attacco. I tre si scagliarono su Aurelio che si parò a difesa di Flavia e Romolo. Ambrosinus chiuse gli occhi, strinse nella mano sinistra il gioiello che gli pendeva dal collo, un rametto di vischio in argento, e concentrò tutta la potenza del suo spirito sul braccio di Aurelio che saettò fulmineo decapitando un avversario con un fendente. La testa cadde fra le gambe e per un attimo il corpo sussultò per le ultime contrazioni del cuore, sprizzando un largo getto di sangue dal collo mozzo prima di crollare all'indietro. Aurelio fermò con il pugnale stretto nella sinistra il colpo di Wulfila e si gettò da un lato allungando il piede fra le gambe del terzo uomo già lanciato all'attacco, poi, con un nuovo scatto belluino, ruotò su se stesso e subito la lama del suo coltello si conficcò fra le scapole dell'aggressore caduto, lo inchiodò rantolante al pavimento. Allora Aurelio fronteggiò il nemico più temibile: le spade s'incrociarono con clangore assordante in una scarica di colpi micidiali, spandendo una cascata di scintille. Erano entrambi acciai di gran tempra e la forza spaventosa del barbaro s'infrangeva sull'abilità e sull'agilità del Romano.

Si udivano ormai le grida delle guardie sempre più vicine, e Aurelio si rese conto che doveva liberarsi dell'avversario in un modo o nell'altro o sarebbe presto caduto nelle loro mani per subire una morte orrenda. Le spade si bloccarono l'una contro l'altra fra i petti dei due guerrieri, ognuno tentando di tagliare la gola dell'altro, ognuno serrando con la mano libera il polso del nemico. E in quell'attimo, a quella distanza così ravvicinata, gli occhi si fissarono negli occhi, quelli di Wulfila dilatati da improvviso stupore. «Chi sei?» gridò. «Ti ho già visto, Romano!»

Al barbaro sarebbe bastato immobilizzare Aurelio ancora per qualche istante, e i compagni lo avrebbero raggiunto ponendo fine al combattimento e risolvendo quell'interrogativo, però Aurelio si liberò colpendolo al volto con un formidabile urto della testa. Arretrò per assestare un affondo ma scivolò sul sangue copioso dei nemici abbattuti e cadde a terra. Wulfila gli venne sopra per finirlo, ma Romolo, che fino a quel momento era rimasto aggrappato convulsamente alla madre, paralizzato dal terrore, riconosciuto l'assassino di suo padre si riscosse di un tratto, si divincolò e raccolse la spada di uno dei guerrieri caduti per lanciarsi contro Wulfila. Questi intuì la minaccia con la coda dell'occhio e scagliò il pugnale, ma Flavia si era già gettata in avanti per proteggere il figlio e lo ricevette in pieno petto. Romolo si mise a urlare in preda all'orrore e Aurelio approfittò della distrazione dell'avversario per vibrare un fendente: Wulfila scartò con il capo all'indietro evitando la morte, ma non un largo sfregio che gli tagliò la faccia dall'occhio sinistro alla guancia destra. Urlò di rabbia e di dolore continuando a mulinare la spada, mentre Aurelio strappava il ragazzo dal cadavere della madre e lo trascinava giù per la scala da cui erano sbucati i suoi aggressori.

Ambrosinus si riscosse per seguirli, ma vide arrivare un folto drappello di guardie e di nuovo arretrò nell'ombra dell'arco sparendo dietro la porta del matroneo. Si trovò all'interno della lunga balconata marmorea che dava sulla navata centrale della basilica dominata da un grande mosaico absidale con l'immagine di un Pantocrator, appena visibile nel pallido riflesso dell'oro. Scese con passo rapido fino alle balaustre, attraversò il presbiterio e le sacrestie imboccando uno stretto corridoio ricavato nell'intercapedine del muro esterno della chiesa: immaginava dove Aurelio sarebbe sbucato e come avrebbe tentato di fuggire e trepidava per la sorte del ragazzo esposto a un pericolo mortale.

Ad Aurelio infatti non era rimasta che una via di fuga: quella che attraversava i bagni del palazzo. Uscì in una vasta sala coperta da una volta a botte a malapena illuminata da un paio di lucerne a olio. Nel pavimento si apriva una grande vasca piena d'acqua che l'incuria dei nuovi padroni aveva lasciato intorbidare, coperta da un tappeto di alghe. Aurelio cercò di aprire la porta che dava sulla strada ma era chiusa dall'esterno. Si rivolse allora al ragazzo: «Sai nuotare?». Romolo accennò di sì mentre il suo sguardo si fissava con disgusto su quella specie di fogna maleodorante.

«Allora vienimi dietro, dobbiamo risalire la condotta di scarico che comunica con il canale esterno. Poco distante c'è il mio cavallo. L'acqua diventerà subito nera e fredda ma puoi farcela, ti aiuto io. Su, trattieni il respiro e andiamo.»

Si calò nella vasca e aiutò Romolo a scendere, poi i due si immersero e Aurelio cominciò a risalire la condotta. Ben presto toccò con le mani la paratia che separava la vasca dal canale di scarico. Era chiusa. Si sentì perduto, pensò che avrebbe dovuto tentare da solo. Pochi istanti e il ragazzo sarebbe annegato: avvertiva già, attraverso l'acqua nera, le vibrazioni del suo panico disperato. Riuscì a infilare le mani alla base della paratia e cominciò a spingerla in alto con tutte le forze finché non sentì che cedeva, poco per volta. Allora afferrò alla cieca il ragazzo e lo spinse di sotto, dall'altra parte, poi passò a sua volta e lasciò ricadere la paratia. Poco dopo, con i polmoni che quasi gli scoppiavano, emerse in superficie accanto a Romolo. Il ragazzo batteva i denti per il freddo e doveva essere prossimo a svenire, non poteva lasciarlo immerso nell'acqua ad aspettare che lui tornasse con il cavallo. Lo spinse sulla riva, fradicio e tremante, poi si issò a sua volta trascinandolo rapidamente al riparo dietro l'angolo meridionale del palazzo.

«La nebbia sta salendo» gli disse, «siamo fortunati. Fatti coraggio, possiamo farcela: ora non ti muovere.»

Il ragazzo dapprima non rispose: sembrava non avere più alcun contatto con la realtà. Poi disse con voce appena percettibile: «Dobbiamo aspettare Ambrosinus».

«Lui è adulto» ribatté Aurelio, «saprà cavarsela. Sarà tanto se riusciremo a uscire di qua. I barbari ci stanno già cercando all'esterno.» Si sentiva infatti che gli inseguitori stavano uscendo a cavallo dalle scuderie dell'ala settentrionale del palazzo per pattugliare le strade. Aurelio corse via lungo un vicolo fino a trovare il suo Juba, legato all'interno di un vecchio magazzino del pesce mezzo in rovina.

Lo prese per le briglie e tornò sui suoi passi cercando di non fare il minimo rumore, ma quando era ormai a poca distanza udì un grido nella lingua degli Eruli: «Eccolo, è là. Fermati! Fermati!». E subito dopo vide Romolo correre via dal suo nascondiglio lungo il lato orientale del palazzo. Lo avevano scovato!

Balzò a cavallo e si lanciò in avanti irrompendo nel vasto spiazzo aperto antistante il palazzo imperiale illuminato da molte torce accese, e vide Romolo correre a perdifiato inseguito da un gruppo di guerrieri eruli. Spronò ancora di più il suo animale e passò in mezzo agli inseguitori falciandone due, a destra e a sinistra, con la spada, e prima che gli altri si rendessero conto di quanto stava accadendo li sorpassò. Raggiunse Romolo e gli passò una mano sotto l'ascella sollevandolo da terra e incitando a gran voce la sua cavalcatura: «Vai, Juba! Ah! Ah!». Ma mentre stava per issare il ragazzo davanti a sé sulla sella uno degli inseguitori prese la mira con l'arco, scoccò e gli conficcò una freccia nella spalla.

Aurelio strinse i denti e cercò di resistere, però la contrazione dei muscoli gli procurò uno spasmo lancinante e dovette lasciare la presa. Romolo cadde a terra, ma Aurelio non si arrese: attanagliò con le gambe i fianchi del cavallo imprimendogli una torsione all'indietro e spronò all'incontrario per raccogliere il ragazzo con il braccio ancora sano. Ma in quello stesso attimo Ambrosinus irruppe all'aperto da una porta secondaria e si gettò su Romolo schiacciandolo a terra per fargli scudo con il proprio corpo. Aurelio capì che non aveva più scelta e si infilò con un ultimo scarto in una stretta via laterale, scavalcò con un balzo acrobatico un canale che gli si parava di traverso e proseguì a folle andatura verso un punto della cinta muraria dove una vecchia breccia mai del tutto riparata gli consentì di raggiungere la sommità come percorrendo una rampa e di scendere, non senza grande difficoltà, dall'altra parte.

Un gruppo di guerrieri barbari a cavallo, brandendo torce accese, uscì invece da una delle porte per chiudergli la via di fuga. Aurelio riuscì a imboccare per primo l'argine che attraversava la laguna e cercò di mettere la maggior distanza possibile fra sé e i più immediati inseguitori: la nebbia avrebbe fatto il resto. Ma il lancinante dolore alla spalla non gli permetteva più di governare il suo cavallo, che perdeva lentamente velocità. Intravide nell'oscurità una folta macchia di alberi e di cespugli, tirò le redini, scivolò a terra e cercò di nascondervisi scendendo dall'argine dentro l'acqua, sperando che gli inseguitori passassero oltre, ma quelli intuirono la mossa e si fermarono a loro volta. Erano almeno una mezza dozzina: fra poco lo avrebbero visto e non avrebbe più avuto scampo.

Sguainò la spada e si preparò a morire da soldato, ma nello stesso istante un sibilo fendette l'aria e uno dei barbari crollò al suolo trafitto da una freccia. Un secondo ebbe il collo trapassato e cadde all'indietro vomitando sangue. Gli altri si resero conto che, con le torce accese in mano, erano gli unici bersagli visibili nell'oscurità, e fecero per gettarle via, ma un terzo dardo colse nel ventre un altro cavaliere strappandogli un urlo di dolore. I restanti si diedero alla fuga terrorizzati da quel nemico invisibile nascosto dalla nebbia e dalla palude.

Aurelio cercò di arrampicarsi sull'argine e di trascinarsi dietro il suo cavallo, ma scivolò all'indietro ormai privo di forze. Il dolore si fece insopportabile, la vista gli si offuscò e gli parve di affondare nella nebbia in una caduta senza fine. In un breve lampo di coscienza credette di vedere una figura incappucciata chinarsi su di lui e di udire il lento gorgogliare dell'acqua battuta da un remo. Poi più nulla.

IV

Ambrosinus si alzò da terra e aiutò a sua volta il ragazzo: completamente fradicio, con le vesti sporche di alghe e di fango, i capelli incollati alla fronte, tremava dal freddo e aveva le labbra livide. Si tolse il mantello e glielo avvolse attorno alle spalle dicendo: «Vieni, torniamo dentro». Passò in mezzo alle guardie di Wulfila che li minacciavano con le spade sguainate, a testa alta, sorreggendo il ragazzo. Gli sussurrava qualche parola di incoraggiamento mentre attraversavano i corridoi e salivano le scale verso la loro camera di detenzione. Romolo non diceva nulla, andava avanti con passo incerto, spesso inciampando nei brandelli della veste lacerata o nel mantello, troppo lungo per la sua statura. Aveva le membra ancora intirizzite e l'animo tormentato dall'immagine di sua madre trafitta dal pugnale dello stesso assassino di suo padre. Dentro di sé odiava l'uomo che lo aveva illuso con la speranza di liberarlo e invece era stato solo causa di altre e più terribili disgrazie, l'aveva esposto a un futuro ancora più angoscioso. A un tratto alzò lo sguardo verso il suo maestro con un'espressione sgomenta e chiese: «Mia madre... È morta... non è vero?».

Ambrosinus esitò a rispondere.

«È morta?» insistette il ragazzo.

«Io... Io temo di sì» rispose cingendogli le spalle con un braccio e attirandolo a sé. Ma Romolo si divincolò gridando: «Lasciami, lasciami! Voglio mia madre! Voglio vederla! Dove l'avete messa? Voglio vederla!». E si slanciava contro i guerrieri barbari battendo furiosamente i pugni contro i loro scudi. Quelli ridacchiavano prendendolo in giro e spingendolo gli uni contro gli altri. Ambrosinus cercò di afferrarlo e di calmarlo ma il ragazzo sembrava fuori di sé. Non c'era un solo spiraglio di luce nella sua vita, non una via di scampo dagli orrori in cui era precipitato. Tale era la sua disperazione che c'era da temere che potesse uccidersi.

«Fategli vedere la madre» implorò Ambrosinus, «forse si sfogherà e dopo starà più tranquillo. Per favore, se sapete dove l'hanno messa, lasciate che la veda. È solo un ragazzo spaventato, abbiate pietà.»

I barbari smisero di ridere e Ambrosinus li fissò in volto, uno dopo l'altro: tale forza s'irradiava dai suoi occhi azzurri, tale inquietante potenza dalle sue pupille dilatate, che alcuni chinarono il capo come soggiogati da un'energia misteriosa. Poi quello che sembrava comandare il drappello rispose: «Ora non è possibile. Dovete rientrare nelle vostre stanze, questi sono gli ordini. Ma riferirò al mio comandante le tue richieste e ti farò sapere».

Romolo sembrò finalmente acquietarsi, vinto dalla spossatezza, e i due furono ricondotti nella loro camera. Ambrosinus non disse nulla perché, qualunque cosa avesse detto, non avrebbe potuto che peggiorare la situazione. Romolo si era seduto a terra in fondo alla camera, con il capo appoggiato all'indietro contro il muro e lo sguardo fisso. Ogni tanto gli sfuggiva un lungo sospiro dolorante, e allora il suo precettore si alzava e gli si avvicinava per spiarne l'espressione, per capire quale parte del suo spirito fosse vigile e quale invece preda del delirio. Così, nel torpore di un sonno agitato e intermittente, trascorse quanto restava della notte. Quando un poco di chiarore lattiginoso si diffuse nella stanza attraverso un paio di feritoie nella parte più alta del muro, si udì un rumore alla porta e poi il battente si aprì ed entrarono due ancelle.

Portavano un catino d'acqua, vesti pulite, un vasetto d'unguento e un vassoio con del cibo. Si avvicinarono a Romolo, appoggiarono tutto su un tavolo, poi fecero un profondo inchino e gli baciarono la mano con grande deferenza. Romolo si lasciò lavare e vestire, ma rifiutò il cibo nonostante le insistenze di Ambrosinus. Una delle ancelle, una ragazza di forse diciotto anni, molto delicata e graziosa, gli versò in una coppa del latte caldo con del miele e disse: «Ti prego, mio signore, bevi almeno questo, ti darà un po' di forza».

«Ti prego» insistette anche l'altra, di poco più grande, e la premura nel suo sguardo era intensa e sincera. Romolo allora prese la coppa e bevve a lunghi sorsi. Poi l'appoggiò sul vassoio e disse: «Vi ringrazio».

Ambrosinus pensò che in condizioni normali Romolo non avrebbe mai ringraziato una serva: forse quella situazione di estremo dolore e solitudine gli faceva apprezzare il calore umano, da qualunque parte provenisse. Quando le ragazze si avviarono per uscire le accompagnò e chiese loro se avessero notato movimenti particolari o andirivieni sospetti nel palazzo dopo che loro erano rientrati. Le ragazze accennarono di no.

«Abbiamo bisogno del vostro aiuto» disse Ambrosinus. «Qualunque informazione possiate darmi può essere preziosa, forse anche cruciale. Ne va della vita dell'imperatore.»

«Faremo ciò che possiamo» rispose la ragazza, «ma non comprendiamo la loro lingua e non riusciamo a capire quello che dicono.»

«Potreste portare dei messaggi?»

«Ci perquisiscono» rispose la ragazza con un lieve rossore, «ma possiamo riferire, se volete dirci qualcosa. Sempre che non ci facciano seguire. C'è un'aria di grande sospetto e di grande ostilità nel palazzo nei confronti di chiunque sia di stirpe latina.»

«Capisco. Ciò che vorrei sapere è se questa notte è stato catturato un soldato romano, un uomo sui quarantacinque anni, aitante, capelli scuri, un poco brizzolati sulle tempie, occhi nerissimi. È ferito alla spalla sinistra.»

Le ragazze si consultarono con uno sguardo e risposero che no, non avevano visto nessuno che corrispondesse a quella descrizione.

«Se doveste vederlo, vivo o morto, vi prego di farmelo sapere al più presto. Un'ultima cosa: chi vi ha mandate?»

«Il maestro di palazzo» rispose la ragazza più grande. «Il nobile Antemio.»

Ambrosinus annuì: era un vecchio funzionario ed era sempre stato fedele all'imperatore, chiunque fosse, senza chiedersi altro. Evidentemente gli sembrava giusto servire anche Romolo, finché non ci fosse stato un successore.

Le ragazze uscirono e il loro passo leggero si confuse con quello più pesante delle guardie che le scortavano. Romolo si rintanò in un canto della stanza e si chiuse in un ostinato silenzio rifiutandosi di accettare qualunque sollecitazione alla conversazione da parte del suo maestro. Non riusciva a trovare la forza di risalire dal baratro in cui era precipitato e, a giudicare dall'espressione fissa e attonita dello sguardo, continuava a sprofondarvi senza freno. Ogni tanto i suoi occhi immobili luccicavano per una intima commozione e le lacrime prendevano a scorrere lentamente sulle sue guance bagnandogli la veste.

Passò ancora del tempo. Doveva essere vicino il mezzogiorno quando la porta si aprì nuovamente e l'uomo al quale Ambrosinus si era rivolto la notte prima apparve sulla soglia e disse a Romolo: «Ora puoi vederla, se lo desideri». Il ragazzo si riscosse immediatamente dal suo torpore e lo seguì senza nemmeno attendere il suo maestro, che si accodò in silenzio al piccolo corteo. Non aveva parlato fino a quel momento perché sapeva che non c'erano parole che potessero gettare luce in quell'abisso di tenebra e perché era convinto che i ragazzi fossero in fondo protetti dalla natura, l'unica in grado di guarire ferite così dolorose.

Si mossero in direzione dell'ala meridionale del palazzo fino ai quartieri, ora deserti, delle guardie palatine. Qui cominciarono a scendere le scale e Ambrosinus si rese conto che si andava verso la basilica imperiale, da dove era passato solo poco tempo prima entrando dai matronei. Attraversarono la navata e scesero in una cripta parzialmente occupata dall'acqua salmastra della laguna. L'altare centrale e il piccolo presbiterio sorgevano come un'isoletta collegata al pavimento esterno da una passerella di mattoni. Chi la percorreva attraversava così lo specchio cristallino dell'acqua sotto il quale luccicava un antico mosaico che rappresentava la danza delle stagioni. Il corpo di Flavia Serena era composto sopra il piano marmoreo dell'altare. Bianca come la cera, rivestita di una coperta di lana bianca che ricadeva dai due lati, aveva i capelli composti e il volto pulito e leggermente imbellettato. Qualche ancella del palazzo doveva essersi presa cura del cadavere e lo aveva composto come meglio aveva potuto.

Romolo le si avvicinò lentamente, la contemplò a lungo come se quelle fredde spoglie potessero per miracolo rianimarsi sotto il calore del suo sguardo, poi gli occhi gli si riempirono di lacrime e si abbandonò a un pianto dirotto, appoggiando la fronte al marmo gelato. Ambrosinus, che gli si era avvicinato pur senza osare toccarlo, lasciò che desse libero sfogo ai suoi sentimenti. Alla fine lo vide asciugarsi il volto e mormorare sottovoce qualcosa che non riuscì a comprendere. Poi Romolo alzò il capo e si volse agli astanti, soldati barbari alle dipendenze di Wulfila, e il suo precettore rimase colpito dalla fermezza del suo sguardo quando disse: «Pagherete per questo. Pagherete tutti. Che Dio vi maledica, razza di cani rabbiosi».

Nessuno di loro capì le parole del ragazzo, espresse in un latino aulico e arcaico come la maledizione che aveva proferito, e il precettore se ne sentì sollevato, ma in alto, da una piccola loggia dell'abside in comunicazione con i matronei, Odoacre aveva osservato la scena affiancato dalle sue guardie e da uno dei suoi servitori. «Che cosa ha detto?» gli chiese.

«Ha maledetto tutti voi» rispose sommariamente il servo. Odoacre ebbe un ghigno di compatimento, ma dietro di lui Wulfila, seminascosto nell'ombra, sembrava la testimonianza fisica di quell'anatema. Il largo sfregio inflittogli dalla spada di Aurelio gli deturpava il volto, e i punti di sutura che il chirurgo di palazzo gli aveva applicato rendevano ancora più ripugnanti il volto tumefatto, le labbra enfiate contratte in una smorfia grottesca.

Odoacre si rivolse alle guardie che lo affiancavano: «Riconducete il ragazzo nella sua camera e portatemi il vecchio: lui deve saperla lunga sull'incursione di questa notte». Lanciò un'ultima occhiata al corpo di Flavia Serena e nessuno poté vedere in quell'oscurità l'espressione di profondo rimpianto che gli passò, per un istante, nello sguardo. Poi volse le spalle e si allontanò seguito da Wulfila, alla volta degli appartamenti imperiali. Una delle guardie scese nella cripta e mormorò qualcosa al comandante: subito dopo Romolo venne separato dal suo maestro, condotto via dal nuovo venuto. Gli gridò dietro: «*Magister!*». E poi, quando Ambrosinus si volse: «Non mi abbandonare!».

«Non temere. Ci rivedremo presto. Fatti forza, nessuno deve più vederti piangere, nessuno, per nessun motivo. Hai visto uccidere entrambi i tuoi genitori, non può esservi nella vita alcun dolore più grande di questo. Ora non puoi che risalire da dove sei precipitato e io ti aiuterò.» E riprese il cammino dietro i suoi custodi.

Odoacre lo attendeva nell'appartamento imperiale, in quello che era stato lo studio del precedente imperatore Giulio Nepote e dello stesso Flavio Oreste.

«Chi era l'uomo che ha tentato di liberare i prigionieri questa notte?» chiese subito. Ambrosinus percorse con lo sguardo i lunghi scaffali colmi di rotoli e di libri ricordando che egli stesso ne aveva consultati parecchi nei pochi mesi in cui era stato membro della famiglia imperiale in quella grandiosa dimora, e questo irritò grandemente il suo interlocutore che gridò: «Guardami, mentre ti parlo! E rispondi a quello che ti chiedo!».

«Non so chi fosse» fu la tranquilla risposta. «Non l'avevo mai visto prima.»

«Non prendermi in giro: nessuno tenterebbe un'impresa del genere senza un previo accordo. Tu sapevi che avrebbe agito e forse sai dove si trova ora. Ti conviene dirlo: ho il modo di farti parlare se voglio.»

«Non ne dubito» rispose Ambrosinus, «ma nemmeno tu puoi farmi dire ciò che non so. Ti basta interrogare gli uomini della scorta: dal momento in cui abbiamo lasciato la villa nessuno che non fosse uno dei tuoi barbari è mai stato in contatto con noi. Non c'era un solo Romano nel gruppo che hai incaricato del massacro e nessuno fra gli uomini di Oreste è scampato all'eccidio, e tu lo sai bene. Inoltre io stesso ho impedito a quell'uomo di condurre a termine l'ultimo tentativo di portare via il ragazzo.»

«Perché non volevi esporlo ad altri pericoli.»

«Infatti. E perché non avrei mai condiviso un simile modo di agire! Un'impresa disperata, una battaglia persa in partenza. E il prezzo è stato spaventoso. Certo non era quella la sua intenzione, ma purtroppo quello è stato il risultato. La mia signora, l'imperatrice madre, sarebbe ancora viva se non fosse stato per quel gesto sconsiderato. Io non avrei mai approvato una simile follia e per un motivo molto semplice...»

«E quale sarebbe questo motivo?»

«Detesto i fallimenti. Certo, è un uomo di grande coraggio e quel tuo cane da guardia se ne ricorderà per un pezzo: gli ha tagliato la faccia da una parte all'altra. Capisco che voglia vendicarsi, ma io non posso aiutarvi, e se anche mi tagli a pezzi non otterrai nulla più di quello che ho detto.»

Parlò con tale calma e tale sicurezza che Odoacre ne rimase impressionato: un simile uomo gli sarebbe stato utile, un uomo di cervello e di profonda saggezza che lo consigliasse nei meandri della politica e negli intrighi della corte in cui presto si sarebbe trovato invischiato. Ma il tono con cui aveva pronunciato le parole «la mia signora, l'imperatrice madre», non lasciava dubbi sulle sue convinzioni e sul destinatario della sua fedeltà.

«Che ne farai del ragazzo?» gli chiese a quel punto Ambrosinus.

«Questo non ti riguarda» rispose Odoacre.

«Risparmialo. Non può nuocerti in alcun modo. Non so perché quell'uomo abbia tentato di liberarlo, ma non può essere per te motivo di preoccupazione. Era solo: se si fosse trattato di un complotto la scelta del tempo e del luogo sarebbe stata diversa, non credi? Gli uomini più numerosi, gli aiuti predisposti lungo il cammino, la via di fuga preparata: e invece ho dovuto io indicargli da dove avremmo potuto fuggire.»

Odoacre rimase stupito da quella spontanea ammissione e al tempo stesso dalla logica stringente di quelle parole. «Ma allora come ha fatto ad arrivare fino ai vostri appartamenti?»

«Non lo so, ma posso immaginarlo.»

«Parla.»

«Quell'uomo conosce la vostra lingua.»

«Come puoi esserne certo?»

«Perché l'ho sentito parlare con i tuoi guerrieri» rispose Ambrosinus.

«E da dove sono usciti?» insistette Odoacre. Nessuno dei suoi uomini, infatti, era riuscito a spiegarsi come Romolo e Aurelio fossero stati trovati fuori del palazzo quando tutte le vie di fuga erano precluse.

«Questo non lo so, perché siamo stati separati dall'incursione delle tue guardie. Ma il ragazzo era bagnato e emanava un odore orribile. Una fognatura, direi. Ma a che scopo indagare? Non avrai paura di un ragazzo che ha appena tredici anni. Inoltre quell'uomo era solo, solo ti dico, ed è stato ferito gravemente. A quest'ora potrebbe essere morto. Risparmia il ragazzo, ti scongiuro. È poco più che un bambino: che male può farti?»

Odoacre lo fissò negli occhi e si sentì improvvisamente inquieto, come pervaso da un inspiegabile senso di insicurezza. Abbassò lo sguardo come simulando di meditare poi disse: «Ora vattene. La mia decisione non si farà attendere. Non sperate che l'episodio di questa notte possa ripetersi».

«E come potrebbe?» rispose Ambrosinus. «Un uomo anziano e un ragazzo guardati a vista da decine di guerrieri... Ma se posso darti un consiglio...»

Odoacre non voleva umiliarsi a chiederlo, ma dentro di sé era curioso di udire che cosa avrebbe detto quell'uomo capace di sconvolgergli l'animo con un semplice sguardo. Ambrosinus capì e continuò a parlare: «Se sopprimi il ragazzo compi un gravissimo atto di arbitrio, e il tuo potere non verrà mai riconosciuto dall'imperatore d'Oriente che ha molti sostenitori anche in Italia, molte spie, e anche molti soldati. Un Romano può togliere il potere a un altro Romano, ma non...» ed esitò un istante prima di pronunciare la parola, «... non un barbaro. Persino il grande Ricimero, tuo predecessore, si è sempre nascosto, per governare, dietro pallide figure imperiali. Dunque risparmia il ragazzo e apparirai magnanimo e generoso: ti attirerai le simpatie del clero cristiano, che è molto potente, e l'imperatore d'Oriente fingerà che non sia accaduto nulla. Non gli importa di chi comanda in Occidente perché comunque non può modificare lo stato delle cose, ma per lui è fondamentale salvare la forma, le apparenze. Ricordati di ciò che ho detto: salva le apparenze e potrai gestire il potere in questo paese finché vivrai».

«Le apparenze?» ripeté Odoacre.

«Ascolta. Venticinque anni fa Attila impose un tributo all'imperatore Valentiniano III il quale non ebbe altra scelta che pagare. Ma sai come? Nominò Attila generale dell'Impero e gli pagò il tributo sotto forma di stipendio. In sostanza l'imperatore dei Romani era tributario di un capo barbaro, ma le apparenze erano salve e, con quelle, l'onore. Uccidere Romolo sarebbe una crudeltà inutile e politicamente un errore madornale. Sei un uomo di potere, ora. È tempo che tu impari come si amministra.» Fece un leggero cenno del capo e si volse per andarsene senza che Odoacre pensasse a trattenerlo.

Ambrosinus uscì, e quasi nello stesso istante una porta laterale dello studio si aprì e apparve Wulfila. «Devi ucciderlo, subito» disse facendo sibilare la voce fra i denti, «o episodi come quello di questa notte continueranno a ripetersi.»

Odoacre lo guardò e quell'uomo che pure in passato aveva compiuto per suo ordine ogni genere di nefandezze gli parve improvvisamente lontano e quasi del tutto estraneo, un barbaro con il quale sentiva di non avere più nulla in comune.

«Tu conosci solo il sangue e il massacro» gli replicò. «Ma io voglio governare, capisci? Voglio che i miei sudditi si dedichino ai loro affari e alle loro occupazioni, non ai complotti e alle congiure. Dunque prenderò la decisione che più di ogni altra mi sembrerà giusta.»

«Ti sei fatto intenerire dai guaiti di quel bamboccio e confondere dalle chiacchiere di quel ciarlatano. Se non te la senti, me ne occupo io.»

Odoacre alzò la mano come per colpirlo ma si fermò davanti al volto martoriato di Wulfila. «Non osare sfidarmi» gli disse duramente. «Tu puoi solo obbedire, senza discutere. E adesso vattene, ho bisogno di riflettere. Quando avrò deciso ti farò chiamare.»

Wulfila se ne andò, sbattendo la porta. Odoacre restò solo nello studio passeggiando in su e in giù, rimuginando fra sé le parole di Ambrosinus. Poi, a un tratto, chiamò un servo e gli ordinò di convocare alla sua presenza Antemio, il maestro di palazzo. Il vecchio giunse con passo sollecito e Odoacre lo fece sedere.

«Ho preso la mia decisione per quanto riguarda il destino del giovane chiamato Romolo Augusto» cominciò.

Antemio alzò gli occhi acquosi e apparentemente inespressivi. Teneva sulle ginocchia un pagillare e una penna nella mano destra e si apprestava ad annotare quanto gli veniva detto. Odoacre riprese a parlare: «Ho compassione di quel povero ragazzo, che non ha colpa della fellonia di suo padre, e ho deciso di risparmiargli la vita».

Antemio non riuscì a trattenere un sospiro di sollievo, ma subito Odoacre proseguì: «Tuttavia, l'episodio di questa notte è la chiara dimostrazione che la sua vita è in pericolo o che qualcuno potrebbe usarlo per seminare guerra e discordia in questo paese, che ha solo bisogno di pace e di tranquillità. Lo manderò quindi in un luogo sicuro vigilato da persone fidate e gli assegnerò una pensione adeguata al suo rango. Le insegne imperiali verranno inviate a Costantinopoli all'imperatore Basilisco in cambio della nomina, per me, di *magister militum* dell'Occidente. Un solo imperatore è più che sufficiente per il mondo».

«Una saggia decisione» commentò Antemio. «La cosa più importante infatti è...»

«... salvare le apparenze» concluse per lui Odoacre. Antemio lo guardò stupito: quel rozzo soldato imparava in fretta le regole della politica.

«Il suo precettore potrà andare con lui?» chiese il vecchio.

«Non ho niente in contrario. Il ragazzo potrà così dedicarsi agli studi e la cosa non può fargli che bene.»

«Quando dovranno partire?» chiese Antemio.

«Prima è e meglio è: non voglio altri guai.»

«E posso conoscere la destinazione?»

«No. Solo il comandante della scorta ne verrà messo al corrente.»

«Ma devo predisporre un viaggio lungo o breve?»

Odoacre esitò un momento poi rispose: «Un viaggio abbastanza lungo».

Antemio annuì e si ritirò con un inchino di ossequio, dirigendosi verso il suo appartamento. Odoacre venne raggiunto poco dopo da un gruppo di ufficiali di cui soprattutto si fidava e che componevano il suo consiglio ristretto, e tra essi Wulfila, che mostrava ancora i segni dell'irritazione dopo l'ultimo colloquio a tu per tu con il suo signore. Odoacre fece loro servire il pranzo e, quando tutti si furono seduti e ognuno ebbe preso la sua porzione di carne, chiese il loro parere su dove inviare il ragazzo al confino. Qualcuno propose l'Istria, qualcun altro la Sardegna. A un tratto uno dei presenti disse: «Secondo me sono destinazioni troppo lontane e difficili da controllare. C'è un'isola nel mare Tirreno, aspra e inospitale, povera di ogni cosa ma abbastanza vicina e abbastanza lontana dalla costa. Su una roccia a strapiombo, del tutto inaccessibile, sorge una vecchia villa in parte in rovina ma ancora abitabile». Si alzò e andò verso il muro su cui era dipinta una mappa dell'Impero indicando un punto nel golfo di Napoli: «Capri».

Odoacre non rispose subito. Evidentemente meditava sulle varie proposte. Poi disse: «Questa mi sembra la destinazione migliore, abbastanza isolata ma non troppo difficile da raggiungere in ogni caso. Il ragazzo verrà scortato da un centinaio di guerrieri, fra i migliori. Non voglio sorprese né imprevisti: quindi fate i preparativi necessari, vi farò sapere io quando sarà il momento di partire».

La cosa era decisa e si cambiò argomento di conversazione. Tutti erano di ottimo umore: la consapevolezza di essere nella stanza del potere supremo e la prospettiva di una vita agiata sostenuta da vasti possedimenti, servi, donne, armenti, ville e palazzi li rendevano euforici e inclini al bere oltre misura. Quando Odoacre li congedò i più erano ubriachi e furono aiutati dai servi a raggiungere i loro alloggi per un riposo pomeridiano, usanza tipica di quella terra e a cui anche loro cominciavano con facilità ad abituarsi.

Wulfila, che invece era ancora abbastanza sobrio grazie alla sua capacità di sopportare il vino, venne trattenuto.

«Ascolta» gli disse Odoacre, «ho deciso di affidarti la custodia del ragazzo perché sei l'unico di cui possa fidarmi per questa missione. Mi hai già detto che cosa pensi in proposito e ora ti dico io ciò che penso: se dovesse succedergli qualcosa, qualunque cosa, tu ne saresti ritenuto responsabile e la tua testa varrebbe meno degli avanzi che ho dato da mangiare ai cani. Mi hai capito bene?»

«Ti ho capito benissimo» rispose Wulfila, «e penso che dovrai pentirti della decisione di risparmiare il ragazzo, ma hai tu il comando.» Proferì quelle ultime parole con il tono di voce di chi avrebbe voluto concludere: "... per ora". Odoacre comprese ma non volle aggiungere altro.

Quando venne il giorno della partenza, due ancelle entrarono nella stanza di Romolo poco prima dell'alba per svegliarlo e prepararlo al viaggio.

«Dove ci portano?» chiese il ragazzo.

Le ancelle si scambiarono un cenno d'intesa, poi, rivolte ad Ambrosinus che si era subito alzato, dissero: «Non lo sappiamo ancora, ma Antemio è sicuro che andrete a sud e dalla quantità delle provviste ritiene che si tratterà di almeno una settimana di viaggio, forse più. Potrebbe essere Gaeta o Napoli, o forse anche Brindisi, ma questa meta la ritiene meno probabile».

«E dopo?» chiese Ambrosinus.

«Non vi sarà un dopo» rispose l'ancella. «Il luogo di destinazione, qualunque esso sia, sarà per sempre.»

Ambrosinus distolse lo sguardo cercando di nascondere le sue emozioni. Le ragazze baciarono le mani a Romolo sussurrando: «Addio, Cesare, che Dio ti protegga».

Poco dopo, scortati dagli uomini di Wulfila, Romolo e Ambrosinus furono condotti all'esterno dal lato della basilica. La porta era aperta e si vedeva, in fondo alla navata, un feretro circondato da lampade accese: si stavano preparando le esequie solenni di Flavia Serena. Antemio, guardato a vista da un uomo di Odoacre, si avvicinò, salutò Romolo con grande deferenza e disse: «Purtroppo non ti è concesso di assistere alle esequie di tua madre che io stesso ho preparato con la massima cura, ma forse è meglio così. Buon viaggio, mio signore, che Dio ti aiuti».

«Grazie» disse Ambrosinus ad Antemio salutandolo a sua volta con un cenno del capo. Salì sulla carrozza e tenne aperta la porta per fare salire Romolo, ma il ragazzo avanzò di qualche passo fin sulla soglia della basilica. Gettò un lungo sguardo al corpo di Flavia Serena e mormorò: «Addio, mamma».

V

L'immagine cominciò lentamente a prendere forma ed era dapprima un luccichio confuso, un riflesso verdastro, poi prese contorni più netti ed evidenti nel pallido sole del mattino: una grande vasca piena d'acqua, un mascherone in forma di satiro a bocca aperta che lasciava gocciolare un rivolo gorgogliante nella grande piscina. In alto s'incurvava una volta stillante da cui pendevano ciuffi di capelvenere e da cui filtrava la luce da larghe crepe creando strani effetti luminosi sulle pareti e sulla superficie dell'acqua. Attorno alla vasca c'erano dei piedistalli con i resti mutilati di statue. Un antico ninfeo abbandonato.

Aurelio fece per alzarsi a sedere e il suo gesto improvviso gli strappò un lamento. Alcune rane si tuffarono spaventate nell'acqua stagnante.

«Calmo» risuonò una voce alle sue spalle, «hai un bel buco in quella spalla, e potrebbe riaprirsi.»

Aurelio si volse e d'un tratto gli tornarono alla memoria le scene della sua fuga nella laguna, l'immagine del ragazzo terrorizzato, il volto di quella donna stupenda che impallidiva nella morte, e la fitta nel suo animo fu più acuta e dolorosa di quella del corpo. Davanti a lui c'era un uomo sulla sessantina, con la pelle grinzosa bruciata dalla salsedine, che indossava una tunica di lana grezza lunga fino alle ginocchia e copriva la calvizie con un berretto pure di lana.

«Chi sei?» gli chiese.

«Quello che ti ha rimesso in sesto. Mi chiamo Giustino e una volta ero un medico rispettato. Ti ho cucito alla meglio con del filo da rete e ti ho lavato con dell'aceto, ma eri molto malconcio: completamente inzuppato di sangue. Devi averne perso parecchio in laguna mentre ti trasportavano con la barca.»

«Ti ringrazio...» cominciò a dire Aurelio, ma in quell'istante udì un passo provenire dal fondo del vasto edificio. Si volse e vide una ragazza vestita come un uomo, con pantaloni e una casacca di pelle di cervo e i capelli tagliati corti. Portava un arco a tracolla e teneva per la cinghia una faretra.

«È lei che devi ringraziare» disse l'uomo indicandola. «È lei che ti ha salvato la pelle.» Poi raccolse la sua bisaccia e la catinella di stagno con cui gli aveva lavato la ferita e se ne andò salutando con un lieve cenno del capo.

Aurelio si guardò la spalla arrossata, il cui gonfiore si diffondeva fino al petto e al gomito. Aveva anche un gran male di testa e le tempie gli martellavano. Si lasciò ricadere sul pagliericcio su cui giaceva mentre la ragazza si avvicinava e si sedeva in terra accanto a lui.

«Chi sei?» chiese Aurelio. «Quanto tempo è passato?»

«Un paio di giorni.»

«Ho dormito per due giorni e due notti?»

«Diciamo che sei stato privo di conoscenza per due giorni e due notti. Giustino mi ha detto che avevi la febbre altissima e deliravi. Dicevi strane cose...»

«Mi hai salvato la vita. Ti ringrazio.»

«Eravate cinque contro uno. Mi è sembrato giusto riequilibrare le forze.»

«Una mira incredibile, di notte, con la nebbia...»

«L'arco è l'arma ideale in questo ambiente così instabile e sfuggente.»

«Il mio cavallo?»

«Lo avranno preso. O mangiato. Sono tempi duri.»

Aurelio cercò il suo sguardo ma lei lo sfuggì.

«Hai dell'acqua? Brucio dalla sete.»
La ragazza gli versò da bere da un orcio di terracotta.
«Vivi in questo luogo?»
«Questo è uno dei miei rifugi: è un bel posto, non trovi? Grande, spazioso, ben riparato. Ma ne ho degli altri...»
«Intendo dire: vivi nella laguna?»
«Da quando ero una bambina.»
«Come ti chiami?»
«Livia. Livia Prisca. E tu chi sei?»
«Aureliano Ambrosio Ventidio, ma gli amici mi chiamano Aurelio e così puoi chiamarmi tu.»
«Hai una famiglia?»
«Non ho nessuno. Né ricordo di aver mai avuto nessuno.»
«È impossibile. Hai un nome, e quell'anello che porti non è forse un anello di famiglia?»
«Non lo so. Qualcuno potrebbe avermelo regalato o potrei averlo rubato, chi può dirlo? L'unica mia famiglia è sempre stata l'esercito, i miei compagni di reparto. Più indietro, non ricordo.»
La ragazza sembrò non dare peso a quelle parole. Forse la febbre e il dolore della ferita avevano sconvolto la mente di quell'uomo. O forse semplicemente non voleva ricordare. Gli chiese: «E i tuoi compagni, dove sono ora?».
Aurelio sospirò. «Non lo so. Ma è probabile che siano tutti morti. Erano combattenti straordinari, i migliori: i legionari della Nova Invicta.»
«Hai detto la Nova Invicta? Non credevo che esistesse davvero. Le legioni appartengono al passato, al tempo in cui gli uomini si scontravano in campo aperto e in formazione chiusa: fanti contro fanti, cavalieri contro cavalieri... Comunque tu ti sei salvato. È strano... In città corre voce che un delinquente disertore ha tentato di rapire l'imperatore, nientemeno. C'è una grossa taglia per chi aiuta a catturarlo.»
«E tu vorresti guadagnartela, non è così?»
«Se avessi voluto lo avrei già fatto, non credi? Ti saresti

risvegliato in una prigione o sotto un patibolo, o saresti morto durante il trasporto. Non ci saremmo nemmeno conosciuti.»

Proferì quelle parole con un tono di leggera ironia. Aveva preso ad armeggiare con una rete da pesca e sembrava evitare di guardare negli occhi il suo ospite: non si capiva se per un atteggiamento ruvido da ragazza selvatica o se per timidezza. Aurelio tacque per un po' come se ascoltasse i richiami degli uccelli palustri che si preparavano a migrare, e il monotono gocciolare dell'acqua nella grande vasca verde. Gli vennero in mente i suoi compagni che non era riuscito a salvare né ad aiutare, sommersi da una marea di nemici: ne immaginava i corpi insepolti, crivellati di ferite, preda dei cani randagi e degli animali selvatici. Vatreno, Batiato, Antonino, il comandante Claudiano. Gli si strinse il cuore e gli salirono le lacrime agli occhi.

«Non ci pensare» disse la ragazza come se lo stesse guardando in viso. «I superstiti di un massacro si sentono sempre in colpa. A volte per il resto dei loro giorni. In colpa di essere vivi.»

Aurelio non rispose e quando riprese a parlare cercò di cambiare discorso. «Ma come puoi vivere in un posto come questo? Una ragazza sola in una palude?»

«Siamo costretti a vivere come barbari per poter continuare a vivere da Romani» rispose Livia a voce bassa, come parlando a se stessa.

«Conosci gli scritti di Salviano!»

«Anche tu, vedo.»

«Già... brandelli di conoscenza che vengono dal mio passato. Parole... a volte immagini...»

Livia si alzò in piedi e gli si avvicinò. Aurelio sollevò lo sguardo a osservarla: un raggio di luce, che aveva attraversato la nebbia mattutina, filtrava da una crepa del muro e si spandeva sul capo e sulla figura snella di lei come un'aura diafana, come un riflesso ialino. Era senza dubbio affascinante, forse addirittura bella. D'un tratto il suo sguardo cadde sul petto di lei, su una medaglia con un'aquila d'argento ad ali spiegate che le pendeva dal collo. Lei se ne accorse e cambiò subito espressione. Lo fissò con uno sguardo interrogativo, quasi indagatore. Aurelio vide come in un lampo l'immagine dilatata, distorta, di una città in fiamme. Sul mare di fuoco gli sembrava di vedere quel collare con l'aquila scendere lentamente come una foglia che volteggia nell'aria. Livia lo riscosse: «Ti ricorda qualcosa?».

Aurelio distolse lo sguardo: «Che cosa?».

«Questa» rispose la ragazza, e prese in mano la medaglia chinandosi in avanti e alzandola all'altezza degli occhi di lui: un cerchietto di bronzo poco più grande di una moneta da un solido, su cui spiccava la piccola aquila d'argento.

«No» rispose secco Aurelio.

«Ne sei certo?»

«Perché dovrebbe?»

«Perché mi è sembrato che tu l'avessi riconosciuta.»

Aurelio si girò sul suo giaciglio e si coricò di lato. «Sono stanco» disse, «sfinito.»

Livia non aggiunse altro: si volse e scomparve sotto un arco in un ambiente laterale. Poco dopo si udirono dei belati, quindi la ragazza ricomparve con un secchio di latte e gliene versò una tazza. «Bevi» disse, «è appena munto e tu non mangi nulla da giorni.»

Aurelio bevve e il lieve calore del latte gli invase il corpo e la mente con un insostenibile senso di spossatezza: si adagiò sul suo paglericcio e si assopì. Livia si sedette vicino a lui e rimase per qualche tempo a guardarlo. Cercava qualcosa nei suoi lineamenti ma non avrebbe saputo dire cosa, e questa difficile situazione le dava un disagio profondo: il disagio che si prova quando si è presi da una speranza improvvisa e al tempo stesso dalla consapevolezza che quella speranza è insensata, che il suo avverarsi è impossibile. Scosse il capo, come per scacciare un pensiero fastidioso, raggiunse la sua barca, la spinse in acqua e si allontanò nella laguna fino dentro a un canneto, e allora si adagiò sul fondo aspettando. Era distesa supina sulla sua rete da pesca e guardava il cielo che s'incupiva lentamente. Stormi di anatre e di oche selvatiche passavano alte in lunghe teorie sullo sfondo di grandi nubi gonfie arrossate dagli ultimi raggi del tramonto, e se ne potevano a volte udire i richiami. Dalle campagne, dalle rogge e dai canali veniva il monotono gracidare delle rane, sulla distesa delle acque si dispiegava lento e solenne il volo di un airone cenerino.

La natura autunnale e la vista degli uccelli che si preparavano a migrare le mettevano malinconia, benché avesse assistito tante volte a quell'evento. In quei momenti avrebbe voluto anche lei volare lontano, verso un altro mondo, al di là del mare, dimenticare quella tetra palude, la sagoma familiare eppure sempre inquietante delle mura di Ravenna affogate nella nebbia per tanti mesi all'anno, l'umidità, la pioggia uggiosa e il vento freddo dell'Est che raggelava le membra penetrando fin dentro le ossa. Ma ogni volta, quando tornava la primavera e tornavano le rondini al loro nido fra i ruderi, quando il sole faceva brillare sotto la superficie dell'acqua una miriade di pesciolini d'argento, allora sentiva in sé rinascere la speranza che il mondo potesse ricominciare, rinascere anch'esso, in qualche modo.

Aveva sempre vissuto come un maschio, si era abituata a sopravvivere in un ambiente duro, difficile e spesso ostile, a difendersi e a offendere senza esclusione di colpi, a indurire il corpo e l'animo, ma non aveva mai dimenticato le sue radici, i pochi anni che aveva trascorso serenamente in seno alla sua famiglia, nella sua città natale. Ricordava i traffici, i mercati, le navi nel porto, i giorni di fiera, le cerimonie di tante religioni diverse. Ricordava i magistrati amministrare la giustizia seduti nel foro sui loro scranni, avvolti in candide vesti, solenni come statue; i sacerdoti cristiani celebrare la messa nella chiesa scintillante di mosaici; ricordava gli spettacoli nel teatro e le lezioni dei maestri nelle scuole. Ricordava che cos'era stata la civiltà. Finché un giorno era apparsa un'orda di barbari da Oriente, piccoli e feroci, con gli occhi allungati, con i capelli raccolti in code simili a quelle dei loro ispidi cavalli. Le sembrava di udire ancora il lungo lamento dei corni echeggiare dalle mura lanciando l'allarme, rivedeva i soldati correre sugli spalti, prendere posizione, prepararsi a una lunga, durissima resistenza. Il comandante della guarnigione era lontano per una missione. Il comando fu assunto da un ufficiale giovanissimo. Poco più che un ragazzo. Molto più che un eroe.

Il rumore di un remo la riscosse dai suoi pensieri, si alzò a sedere e tese l'orecchio. Una barca si avvicinava, accostava alla riva, faceva scendere a terra un paio di uomini: uno avanti negli anni, ben vestito e dal portamento dignitoso; l'altro sulla cinquantina, non molto alto, snello, dai lineamenti fini, che Livia aveva già visto altre volte, una specie di guardia del corpo del vecchio. Uscì allora dal canneto, si avvicinò a sua volta e balzò a terra. «Antemio» lo salutò, «credevo che non saresti arrivato più.»

«Non è stato facile allontanarmi dalla città. Mi tengono d'occhio e non voglio destare sospetti. Ho dovuto attendere finché non mi si è offerto un valido pretesto. Ho notizie importanti, ma anche tu hai qualcosa da riferirmi, se non sbaglio.»

Livia lo prese sottobraccio e lo accompagnò più in là, in direzione di un casolare abbandonato che affondava nell'acqua stagnante fin quasi all'altezza delle prime finestre. Preferiva non farsi sentire da nessuno.

«L'uomo che ho salvato l'altra notte è lo stesso che ha tentato di rapire l'imperatore dal palazzo imperiale.»

«Ne sei certa?»

«Come di essere qui. Era inseguito da un gruppo di barbari delle truppe di Odoacre. Inoltre, quando gli ho detto che in città si ricercava un disertore che aveva tentato di rapire l'imperatore, non ha nemmeno cercato di negare di essere lui.»

«Chi è?» chiese Antemio.

«Dice di essere un legionario della Nova Invicta. Forse un ufficiale, non so.»

«Il reparto che Oreste aveva fatto addestrare in segreto per farne il pilastro del nuovo Impero. È stato annientato.»

Livia rivide lo sguardo angosciato di Aurelio mentre ricordava il sacrificio dei suoi compagni. «È vero che non si è salvato nessuno?» chiese.

«Non lo so. Forse qualcuno, se avevano bisogno di schiavi. Domani dovrebbe rientrare l'esercito che Odoacre ha inviato a sterminarli, al comando di Mledo. Se c'è qualche superstite si vedrà. L'incursione di quel soldato è stata un disastro: certo, ha ammazzato una decina di barbari, il che non può che farmi piacere, ma ha causato, sia pure involontariamente, la morte della madre dell'imperatore, Flavia Serena, e ha sparso un grande allarme nel palazzo. I barbari sospettano di tutto e di tutti. Per un poco ho temuto che l'imperatore fosse in pericolo di vita, ma fortunatamente Odoacre ha deciso di non sacrificarlo.»

«Molto generoso da parte sua. Ma la cosa non mi lascia tranquilla. A quanto ne so, Odoacre non fa nulla per nulla, e quel ragazzino può rappresentare per lui soltanto dei problemi.»

«Ti sbagli» le disse Antemio, «Odoacre ha capito come funziona la politica. Se lui uccide l'imperatore si troverà esposto all'odio e al disprezzo della popolazione romana, allo scandalo del clero cristiano che lo paragonerà a Erode, e in Oriente apparirà evidente che vuole la porpora per sé. Se invece salva il ragazzo passa per uomo magnanimo e clemente e non desta pericolose diffidenze a Costantinopoli.»

«Ma tu credi che a Costantinopoli importi a qualcuno di Romolo Augusto? Zeno appoggiava il vecchio imperatore d'Occidente, Giulio Nepote, e lo ha ospitato per il suo esilio nelle sue proprietà in Dalmazia dopo che Flavio Oreste lo aveva deposto. Da quello che ne so si facevano beffe del ragazzo, laggiù. Lo chiamavano *Momylos*, invece che Romolo, imitando la pronuncia di un bambino piccolo.»

«Ma Zeno è stato deposto e regna Basilisco, che in questo momento si trova a Spalato, a un solo giorno di navigazione da qui. Ho mandato una piccola delegazione. Camuffati da pescatori, i miei inviati lo incontreranno al massimo fra due giorni e presto sapremo la risposta.»

«Che cosa gli hai chiesto?»

«Di concedere rifugio all'imperatore.»

«E tu credi che acconsentirà?»

«Gli ho fatto un'offerta interessante. Io penso di sì.»

Il sole tramontava sulla vasta laguna silenziosa, e una lunga teoria di guerrieri a cavallo si stagliò sul grande disco rosseggiante che affondava nella campagna piatta e fosca.

«L'avanguardia di Mledo» disse Antemio. «Domani saprò per certo se qualche compagno del tuo guerriero si è salvato.»

«Perché lo fai?» chiese Livia.

«Che cosa?»

«Questo tentativo di salvare il ragazzo. Non può dare alcun vantaggio nemmeno a te, mi sembra.»

«Non in particolare. Ma sono sempre stato fedele alla famiglia di Flavia Serena. La fedeltà è una virtù tipica dei vecchi: si è troppo stanchi per cambiare comportamento e ideali...» Sospirò. «Ho servito suo padre per anni e avrei fatto il possibile per aiutarla se ne avessi avuto il tempo, se quel soldato non si fosse immischiato.»

«Forse anche lui aveva le sue buone ragioni.»

«Voglio sperarlo, e mi farà piacere conoscerle se riuscirai a farlo parlare.»

«E se Basilisco si mostrerà interessato a concedere asilo al ragazzo, che cosa farai?»

«Lo libererò.»

Livia, che in quel momento lo precedeva di un passo, si volse di scatto verso di lui: «Che cos'è che farai?».

«Te l'ho detto: lo libererò.»

Livia scosse la testa e lo guardò con una smorfia beffarda. «Non sei troppo anziano per queste avventure? E dove troverai gli uomini per una simile impresa? Hai detto che Odoacre gli salverà la vita. È già molto, non credi? Conviene lasciare le cose come stanno.»

«So che mi aiuterai» continuò Antemio come se lei non avesse parlato.

«Io? Non ci penso nemmeno. Ho già rischiato la pelle salvando quel disgraziato. Non mi va di sfidare la sorte in una partita senza speranza.»

Antemio la prese per un braccio. «Anche tu hai un sogno, Livia Prisca, e io posso aiutarti a realizzarlo. Ti darò una somma enorme: ne avrai abbastanza da pagare chiunque ti sia necessario per il buon compimento dell'impresa e te ne rimarrà per dare un forte impulso alla realizzazione dei tuoi progetti. Certo, tutto è prematuro per il momento: prima dovremo avere la risposta di Basilisco. Ora vieni, torniamo indietro, la mia assenza potrebbe essere notata.»

Si avvicinarono alla barca di Antemio. Seduto sulla riva lo aspettava il suo accompagnatore.

«Stefano è il mio segretario e guardia del corpo, la mia ombra, potrei dire. È al corrente di tutto. In futuro potrebbe essere lui a tenere i contatti.»

«Come vuoi» rispose Livia, «ma penso che tu sia troppo fiducioso: Basilisco non darà un soldo per la vita di Romolo.»

Antemio rispose soltanto: «Vedremo». Salì sulla barca e Stefano si mise ai remi. Livia restò immobile sulla riva a guardarli mentre sparivano nelle ombre del crepuscolo.

VI

La colonna percorse un argine che attraversava la laguna da nord a sud lungo la dorsale di un antico cordone di dune costiere, fino a raggiungere la terraferma. Da quel punto aveva inizio una strada di terra battuta che andava a congiungersi, dopo alcune miglia, alla via lastricata chiamata Romea perché da molti anni costituiva l'itinerario preferito dai pellegrini che da tutta Europa confluivano a Roma per pregare sulle tombe degli apostoli Pietro e Paolo. In testa avanzava Wulfila in sella al suo cavallo da battaglia, armato di ascia e spada, il torso coperto da una cotta di maglia rinforzata da piastre metalliche sulle spalle e sul petto. Cavalcava in silenzio, apparentemente assorto nei suoi pensieri, ma in realtà al suo sguardo grifagno nulla sfuggiva di ciò che si muoveva nei campi e lungo la strada. Alla sua destra e alla sua sinistra due guardie gli proteggevano i fianchi e scrutavano ogni angolo del vasto territorio che si apriva davanti a loro.

Due drappelli, ciascuno di una dozzina di guerrieri, battevano la campagna sui due lati della strada a una distanza di forse mezzo miglio dalla colonna principale per prevenire ogni possibile incursione. Dietro avanzava una trentina di cavalieri, poi il carro con i prigionieri. Da ultimo, alquanto distanziata, la retroguardia composta di una ventina di uomini chiudeva la colonna.

All'interno della carrozza Ambrosinus sedeva di fronte

a Romolo e di tanto in tanto gli faceva osservare particolari del paesaggio: villaggi, o casolari, o antichi monumenti in rovina. Tentava di animare la conversazione ma con scarso risultato: il ragazzo rispondeva a monosillabi o si chiudeva in se stesso. Allora il precettore estraeva dalla bisaccia il volume dell'*Eneide* e si metteva a leggere interrompendosi talvolta per gettare un'occhiata all'esterno. Oppure prendeva un pagillare, apriva il calamaio da viaggio, vi intingeva la penna e cominciava a scrivere e scrivere, in silenzio, a volte per ore. Quando il carro attraversava un centro abitato una delle guardie ordinava di abbassare la cortina: nessuno doveva vedere chi c'era all'interno.

Il viaggio era stato programmato con grande diligenza e, quando il convoglio si arrestò la prima sera al venticinquesimo miglio della strada, la vecchia stazione di posta mezzo in rovina appariva parzialmente riattata: c'era una luce accesa all'interno e qualcuno stava preparando la cena per gli ospiti. Le guardie si accamparono in disparte e si cucinarono il loro cibo: una polenta di miglio condita con lardo e insaporita con carne salata. Ambrosinus si sedette davanti a Romolo mentre l'oste serviva un po' di carne di maiale con lenticchie stufate, pane raffermo e una brocca di acqua di pozzo. «Non è una gran cena» osservò, «ma devi mangiare. Per favore, il viaggio è lungo e tu sei molto debole. Devi assolutamente recuperare le forze.»

«Per che cosa?» chiese il ragazzo, guardando svogliatamente la pietanza che fumava nel piatto.

«Perché la vita è un dono di Dio e non possiamo gettarla via.»

«È un dono che non ho chiesto» rispose Romolo. «E ciò che mi aspetta è una prigionia senza fine, non è così?»

«Nessuno può predisporre piani senza fine in questo nostro mondo. Vi sono continui mutamenti e turbolenze e rivolgimenti. Chi oggi siede su un trono domani potrebbe mordere la polvere, chi piange potrebbe vedere presto un'alba di speranza... Dobbiamo sperare, Cesare, non dobbiamo arrenderci alla sventura. Mangia qualcosa, ti prego, fallo per me che ti voglio bene.»

Il ragazzo bevve soltanto un sorso d'acqua, poi disse con voce atona: «Non chiamarmi Cesare. Io non sono più nulla e forse non lo sono mai stato».

«Ti sbagli: tu sei l'ultimo di una grande stirpe di signori del mondo. Tu fosti acclamato nel Senato di Roma e io ero presente, l'hai forse dimenticato?»

«Quanto tempo fa?» lo interruppe il ragazzo. «Una settimana? Un anno? Io non lo ricordo più. È come se non fosse mai successo.»

Ambrosinus non volle insistere su quell'argomento. «C'è una cosa che non ti ho mai detto... una cosa molto importante.»

«Che cosa?» chiese Romolo distrattamente.

«Come ti ho incontrato la prima volta. Avevi soltanto cinque anni ed eri in pericolo di vita, sotto una tenda, in mezzo a un bosco dell'Appennino, in una buia notte d'inverno, se ricordo bene.»

Il ragazzo alzò il volto mostrando suo malgrado curiosità per quella vicenda. Il precettore aveva il dono del grande narratore. Gli bastavano poche parole per costruire un'atmosfera, per dare corpo alle ombre, vita ai fantasmi del passato. Romolo prese un pezzo di pane e lo intinse nello stufato di lenticchie sotto lo sguardo compiaciuto di Ambrosinus, che cominciò a mangiare a sua volta.

«Allora che cosa accadde?» chiese Romolo.

«Eri intossicato. Avevi ingerito dei funghi velenosi. Qualcuno, per errore o forse intenzionalmente, li aveva messi nel tuo cibo assieme a quelli buoni... Mangia anche un po' di carne.»

«E non potrebbe essere avvelenata questa cena?»

«Non lo credo. Se avessero voluto sopprimerti lo avrebbero già fatto, per questo non devi temere. Dunque, io transitavo di là per caso: ero stanco, affamato, stremato per il lungo viaggio, intirizzito dal freddo quando vidi la luce in quella tenda in mezzo al bosco e sentii qualcosa dentro di me. Un'emozione strana, come un'improvvisa rivelazione. Entrai, senza che nessuno mi fermasse, quasi fossi un fantasma invisibile. Forse Dio stesso mi aiutò, mi velò di caligine agli occhi delle guardie e mi ritrovai all'interno della tenda. Tu giacevi nel tuo lettino. Eri così piccolo... e pallido, e con le labbra livide. I tuoi genitori erano disperati. Riuscii a salvarti somministrandoti un emetico e da allora fui parte della tua famiglia, fino a questo momento.»

Gli occhi di Romolo si riempirono di lacrime al sentire nominare i suoi genitori, ma si sforzò di non piangere. Disse: «Sarebbe stato meglio lasciarmi morire». Ambrosinus cercò di infilargli in bocca un po' di carne e Romolo la trangugiò. «Come mai ti trovavi in quel luogo?» chiese.

«Come mai? Questa è una lunga storia e se vorrai te la racconterò strada facendo. Ma ora finisci di mangiare e poi andiamo a riposare: domani dovremo alzarci all'alba e viaggiare tutto il giorno.»

«*Ambrosine...*»

«Dimmi, figliolo.»

«Perché vogliono tenermi prigioniero per tutta la vita? Perché mio padre mi ha fatto nominare imperatore? È a causa di questo?»

«Io credo di sì.»

«Ascolta» disse allora Romolo illuminandosi improvvisamente in volto. «Forse potremmo trovare una soluzione: io sono pronto a rinunciare a tutto, a qualunque titolo e possedimento, a qualunque insegna e dignità. Voglio soltanto essere un ragazzo come tutti gli altri: ce ne andremo via, io e te, da qualche parte. Lavoreremo, faremo i cantastorie nelle piazze, tu sei bravissimo, *Ambrosine,* ci guadagneremo da vivere in qualche modo e non daremo fastidio a nessuno. Vedremo tanti posti nuovi, viaggeremo oltre mare fino al paese dei Pigmei, fino alle montagne della Luna. Ci pensi? Ci pensi? Va' a dirglielo, per favore. Digli che... che rinuncio a tutto, anche a...» Chinò il capo per non mostrare l'espressione della vergogna sul suo volto. «Anche a vendicare mio padre. Digli che voglio dimenticare tutto, tutto. E che non sentiranno mai più parlare di me. Purché ci lascino andare. Su, vai a dirglielo.»

Ambrosinus lo guardò con tenerezza. «Non è così semplice, Cesare.»

«Sei un ipocrita: mi chiami Cesare ma non obbedisci ai miei ordini.»

«Lo farei se fosse possibile, ma non lo è. Questi uomini non hanno il potere di concederti nulla. Solo Odoacre potrebbe, ma Odoacre è a Ravenna e ha già dato ordini che nessuno si sognerebbe di discutere. E non osare mai più chiamarmi ipocrita. Sono il tuo maestro e mi devi rispetto. Ora, se non ti dispiace, finisci la tua cena e vattene subito a letto senza discutere.»

Romolo obbedì e Ambrosinus lo guardò masticare di malavoglia un ultimo boccone di pane prima di sparire nella stanza attigua per coricarsi. Trasse dalla bisaccia il suo pagillare e si rimise a scrivere al chiarore ormai flebile della lucerna. Dall'esterno venivano le esclamazioni e gli schiamazzi dei barbari che cominciavano a riprendersi dalla stanchezza del viaggio e a cui la birra che bevevano in abbondanza riscaldava gli spiriti. Ambrosinus tese l'orecchio. Era un bene che il ragazzo dormisse o che comunque non capisse la loro lingua: molti avevano preso parte al massacro della villa di Oreste e si vantavano dei saccheggi, degli stupri, delle violenze e delle offese di ogni sorta che avevano inflitto alle loro vittime. Altri facevano parte dell'armata di Mledo, la stessa che aveva annientato la Nova Invicta, la legione di Aurelio. Questi ultimi raccontavano storie di atrocità, di torture, di mutilazioni perpetrate sui prigionieri ancora vivi, una sequela di orrori, di crudeltà oltre ogni immaginazione: Ambrosinus pensò con angoscia che quelli sarebbero stati i reggitori del mondo chissà per quanto tempo. Mentre era immerso in questi cupi pensieri apparve a un tratto Wulfila, la sua figura gigantesca torreggiò improvvisamente sul bivacco. I grandi baffi spioventi, le lunghe basette, la criniera ispida e le trecce che gli ricadevano sul petto lo rendevano simile a una delle divinità nordiche venerate fra i Suebi o i Chatti o gli Scani, e Ambrosinus spense con un rapido soffio la lucerna perché sembrasse che tutti dormissero all'interno della stazione di posta. Poi si accostò al muro e tese l'orecchio continuando a sbirciare dalla finestra semiaperta.

Wulfila gridò qualcosa, un'imprecazione probabilmente, e tutti ammutolirono. Quindi proseguì: «Vi avevo detto di non fare chiasso e di non attirare l'attenzione. Meno ci facciamo vedere e meglio è».

«Andiamo, Wulfila!» disse uno dei suoi. «Di che hai paura? Se anche ci sente qualcuno che cosa può mai succedere?» E ai compagni: «Io non ho paura di nessuno, e voi?».

«Taci» ordinò Wulfila seccamente, «e anche voialtri, piantatela. Disponete i turni di guardia su due linee a distanza di cento passi l'una dall'altra. Se qualcuno dovesse abbandonare per qualunque motivo il posto di guardia sarà passato per le armi immediatamente. E gli altri a dormire. Domani marceremo fino a notte fatta per accamparci alla base dell'Appennino.» Gli uomini obbedirono: alcuni raggiunsero i loro posti di guardia mentre gli altri stendevano le coperte in terra e vi si sdraiavano per la notte. Ambrosinus si affacciò alla porta e si sedette su uno sgabello, subito guardato a vista da una delle sentinelle. Lui non la degnò di uno sguardo e alzò gli occhi al cielo a osservare le costellazioni: Cassiopea era ormai bassa sull'orizzonte e Orione splendeva alta, quasi al centro del cielo. Cercò la stella polare, la stella della Piccola Orsa, e pensò alla sua fanciullezza quando il suo maestro, un saggio di età veneranda, gli insegnava a orientarsi, a riconoscere la propria strada nelle tenebre in aperta campagna o sulle onde del mare, a prevedere le eclissi di luna e a leggere nei moti eterni delle stelle l'avvicendarsi delle stagioni sulla terra. Pensò al ragazzo e il cuore gli si gonfiò di commozione. Era riuscito a fargli mangiare qualcosa e gli aveva sciolto nell'acqua una polvere per farlo dormire tranquillo: sarebbe bastato per indurlo a tornare alla vita? E se vi fosse mai riuscito, quale futuro avrebbe mai potuto offrirgli? Quanti giorni, mesi e anni avrebbero trascorso nella prigione che era stata loro destinata? Una prigione senza fine? Quante volte ne avrebbero misurato a lenti passi l'angusto spazio? E per quanto tempo sarebbero riusciti a sopportare la presenza odiosa dei loro persecutori? D'un tratto gli risuonarono in mente, eco di un tempo lontano, i versi di una poesia:

Veniet adulescens a mari infero cum spatha
pax et prosperitas cum illo,
aquila et draco iterum volabunt
Britanniae in terra lata.

Pensò a un segno che gli giungeva dal passato in quel momento di tristezza infinita e di completo abbandono. Ma che segno poteva mai essere? E chi glielo mandava?

Li recitò ancora, lentamente e sottovoce, quasi canticchiando, e per un poco si sentì in petto il cuore lieve come un uccello che stesse per spiccare il volo. Rientrò nel tugurio cadente che un tempo era stata una stazione del *cursus publicus*, piena di traffico e brulicante di avventori, ora fredda e deserta. Accese la lucerna alle braci del focolare ed entrò nella camera per coricarsi vicino a Romolo. Alzò la lampada per illuminargli il volto. Dormiva e il respiro era lento e regolare, la sua vita di adolescente fluiva dolcemente sotto la pelle dorata. Era bellissimo e nei lineamenti superbi e delicati riconobbe le fattezze della madre, l'ovale statuario di Flavia Serena. Ricordò il corpo di lei disteso sul marmo gelato sotto la volta della basilica imperiale e giurò in cuor suo che avrebbe costruito per quel ragazzo un grande futuro, a qualunque costo, anche a costo della sua stessa vita. L'avrebbe offerta volentieri per amore della donna che per la prima volta gli era apparsa al capezzale del suo bambino malato, in quella fredda, lontana notte d'autunno in un bosco dell'Appennino. Non osò nemmeno sfiorarlo con una carezza. Spense la lampada e si distese sul giaciglio con un lungo sospiro. Il suo cuore si adagiò in una strana e inconsapevole serenità, come la superficie di un lago in una notte senza vento.

Aurelio si voltò sul giaciglio ancora immerso nel dormiveglia: non era sicuro, in cuor suo, che il rumore che aveva udito venisse dal sogno piuttosto che dalla realtà. Certo stava sognando, e non aveva ancora aperto gli occhi quando mormorò senza voce: «Juba». Il nitrito si fece più forte e netto, accompagnato da uno sciabordare di zoccoli nell'acqua. Gridò allora: «Juba!». E il nitrito che gli rispose era autentico ed esprimeva tutta la gioia di chi ha ritrovato un amico che credeva perduto.

«Juba, bello, bello mio, vieni, vieni» continuò a chiamare vedendo il suo cavallo coperto di fango, grigio e spettrale nella nebbia mattutina, che avanzava con l'acqua alle ginocchia verso di lui. Gli andò incontro e lo abbracciò commosso. «Come hai fatto a trovarmi? Come hai fatto? Lasciati vedere: guarda, guarda come sei conciato, tutto sporco, pieno di croste... Avrai fame, poveretto, avrai fame... Aspetta, aspetta.» Raggiunse l'anfratto che Livia usava a mo' di dispensa e tornò con un secchiello pieno di farro in cui il cavallo affondò avidamente il muso. Aurelio prese uno straccio, lo inzuppò nell'acqua pulita e cominciò a strofinargli il mantello fino a farlo luccicare. «Non ho la striglia, amico, non ce l'ho, ti devi accontentare. È sempre meglio di nulla, no?»

Quando ebbe terminato l'opera si allontanò un poco per contemplarlo: era magnifico, gambe lunghe e snelle, garretti sottili, petto muscoloso, testa altera, froge vibranti, collo arcuato adorno di una stupenda criniera. Ripulì anche la sella e aggiustò le staffe, e quando vide il cavallo sazio e dissetato, bardato diligentemente di tutto punto, pensò che quello fosse un segno che gli inviavano i suoi sconosciuti antenati dall'aldilà. Prese il cinturone con la spada e se lo mise a tracolla, indossò i calzari chiodati e prese Juba per la briglia dirigendosi verso il punto in cui l'acqua era più bassa.

«Non dimentichi nulla?» disse una voce alle sue spalle. E l'eco riflesso dalla grande volta rispose: «Nulla?».

Aurelio si volse sorpreso e poi imbarazzato: Livia era ritta davanti a lui con in mano una fiocina, indossava una sorta di perizoma di pelle conciata e due fasce incrociate sul petto, ed era appena uscita dall'acqua che le grondava ancora dal corpo muscoloso. Gettò a terra davanti a sé la rete che teneva nell'altra mano, piena di grossi cefali ancora guizzanti e un'enorme anguilla che si divincolava come un serpente attorno al manico della fiocina.

Aurelio disse: «È tornato il mio cavallo».

«Lo vedo» rispose Livia. «E vedo anche che stai per togliere il disturbo. Avresti almeno potuto aspettare che tornassi e magari dire grazie.»

«Ti avevo lasciato la mia armatura» disse indicando la corazza, lo scudo e l'elmo abbandonati in un canto della grande sala. «Ci puoi fare parecchio...»

Livia sputò per terra. «Di quella ferraglia ne trovo quanta ne voglio e dove voglio.»

«Sarei tornato prima o poi, per ringraziarti, ti avrei lasciato un messaggio se avessi avuto di che scrivere. Non sopporto gli addii, il distacco... Non avrei saputo cosa dire e...»

«Non c'è niente da dire. Te ne vai e basta. Ti levi dai piedi con la tua roba e non ti fai mai più vedere. Niente di più facile.»

«Non è come credi. In questi giorni io...» Levò gli occhi da terra lentamente lungo il corpo di lei, come se temesse di incontrarne direttamente lo sguardo. «Io non ho mai avuto nessuno che si occupasse di me in questo modo, una ragazza come te, così giovane e coraggiosa e... tu sei come nessun'altra fra quelle che ho incontrato nella mia vita... Temevo che aspettando ancora sarebbe stato per me ogni giorno più... più duro. Temevo che sarebbe stato troppo difficile.» Livia non rispose.

Ora lo sguardo di Aurelio saliva verso il volto di lei, ma si fissò ancora una volta per un istante appena sul ciondolo che la ragazza portava al collo, sulla piccola aquila d'argento. E Livia lo notò e quando lui finalmente la fissò negli occhi fu meno aspra di quanto lui si sarebbe aspettato. Lo guardò con un misto di curiosità e di ruvido affetto e poi disse: «Non occorre che tu mi racconti queste stupidaggini. Se vuoi andartene, vattene. Non mi devi nulla».

Aurelio non riuscì a dire una parola.

«Dove pensi di andartene?» riprese a dire Livia.

«Non lo so» rispose Aurelio. «Via. Lontano da questi luoghi, lontano dal fetore della loro barbarie e della nostra corruzione, da questa inarrestabile decadenza, lontano dai miei ricordi, lontano da tutto. E tu? Resterai per sempre in questa palude?»

Livia gli si avvicinò. «Non è come credi» disse. «In questa palude sta sorgendo una speranza. E non è una palude, è una laguna, c'è dentro la vita e il respiro del mare.»

Juba sbuffò sommessamente e raspò il terreno come se non capisse tutto quell'indugio. Livia afferrò con la mano la medaglia che le pendeva dal collo e la strinse fra le dita. Aurelio scosse il capo. «Non ci sono speranze da nessuna parte. Solo distruzioni, saccheggi, sopraffazioni.»

«Allora perché hai tentato di rapire quel bambino?»

«Non volevo rapirlo. Volevo liberarlo.»

«Difficile da credere.»

«Che tu lo creda o no, suo padre mi ha chiesto di farlo in punto di morte. Sono arrivato alla villa di Piacenza dopo il massacro. Venivo dal campo della mia legione ormai circondata da un numero enorme di nemici, venivo a chiedere aiuto... Lo trovai che respirava ancora. Mi implorò con l'ultimo alito di vita di salvare suo figlio. Che cosa potevo fare?»

«Pazzo. Per fortuna che non ci sei riuscito. Che cosa ne avresti fatto, poi?»

«Non lo so. Lo avrei portato con me da qualche parte. Gli avrei insegnato a lavorare, ad allevare le api, a piantare olivi, a mungere le capre. Come un vero Romano del tempo antico.»

«E non ti piacerebbe riprovarci?» risuonò una voce alle sue spalle.

«Stefano! Che ci fai qui?» chiese Livia. «I patti erano: mai di giorno e mai qui.»

«È vero. Ma c'è un motivo urgente. Sono partiti.»

«Per dove?»

«Non si sa. Hanno preso la Romea verso Fano. Secondo me prenderanno la Flaminia diretti a sud, da qualche parte. Cercheremo, appena possibile, di saperne di più.»

«Di che state parlando?» chiese Aurelio.

«Di liberare un ragazzo» rispose Stefano. «E abbiamo bisogno del tuo aiuto.»

Aurelio lo guardò stupefatto e scosse la testa incredulo mentre diceva: «Un ragazzo... Lui?».

Stefano annuì. «Lui: Romolo Augusto Cesare, imperatore dei Romani.»

VII

Aurelio fissò stupefatto il suo interlocutore, poi si volse verso il suo cavallo e si diede ad aggiustargli le cinghie della sella come se stesse per partire. «Non ci penso nemmeno» rispose.

«Perché?» chiese Stefano. «L'hai fatto tu stesso, tentando un'azione disperata, e ora che ti offriamo appoggio e sostegno per la stessa identica impresa e con molte più probabilità di riuscita ti rifiuti?»

«Prima era diverso. L'ho fatto perché mi sembrava giusto e perché credevo di avere una speranza di successo agendo completamente di sorpresa, e stavo per riuscirci. Io non conosco i vostri scopi e non conosco voi. E comunque dopo la mia incursione la sorveglianza sarà stata intensificata. Nessuno può riuscire ad avvicinarsi a quel ragazzo, ne sono certo. Odoacre gli avrà messo attorno un esercito.»

Stefano si avvicinò: «Rappresento un gruppo di senatori che mantengono contatti diretti e importanti con l'Impero d'Oriente. Siamo convinti che sia l'unico modo per impedire che l'Italia e l'Occidente sprofondino completamente nella barbarie. Alcuni nostri inviati hanno raggiunto Basilisco a Spalato, in Dalmazia, e sono tornati con un messaggio importante. L'imperatore è disposto a offrire ospitalità e protezione a Romolo a Costantinopoli e a corrispondergli un appannaggio degno del suo rango.»

«E la cosa non vi insospettisce?» chiese Aurelio. «Basilisco, per quanto ne so, non è che un usurpatore. Come potete fidarvi della sua parola? Chi ci dice che non tratterà il ragazzo peggio di quanto non lo tratterebbe questo barbaro?»

«Questo barbaro ha fatto massacrare i suoi genitori» rispose secco Stefano. Aurelio si volse verso di lui e si trovò di fronte il suo sguardo fermo e apparentemente impassibile. Aveva un accento orientale che gli ricordava la parlata di certi suoi commilitoni provenienti dall'Epiro.

«Inoltre» riprese a dire quello, «egli è destinato a una eterna prigionia in un luogo isolato e inaccessibile, condannato a vivere con incubi e terrore per il resto dei suoi giorni, aspettando il momento in cui un qualunque mutamento d'umore dei suoi carcerieri ne decreti la fine. Hai idea degli insulti, delle violenze e delle infamie cui può essere sottoposto un fanciullo in balia di quei bruti?»

Aurelio rivide per un attimo lo sguardo di Romolo nel momento in cui lui, trafitto alla spalla da un freccia, era stato costretto ad abbandonarlo: uno sguardo di disperazione, di rabbia impotente, di amarezza infinita. Stefano dovette accorgersi che qualcosa stava facendo breccia nel suo animo e continuò: «Anche a Costantinopoli abbiamo amici, alcuni dei quali sono molto influenti, e abbiamo quindi il modo di proteggerlo efficacemente».

«E Giulio Nepote?» insistette Aurelio. «È sempre stato lui il candidato dell'Impero d'Oriente al trono d'Occidente. Perché dovrebbero cambiare idea e abbandonarlo?»

Livia tentò di intervenire, ma Stefano la fermò con un'occhiata. «Nepote non interessa più a nessuno e quindi verrà lasciato invecchiare nella sua villa in Dalmazia, isolato dal resto del mondo. Noi abbiamo un progetto assai più ambizioso per questo ragazzo, ma per realizzarlo è necessario che egli sia al riparo dai pericoli, che riceva un'educazione e un addestramento adeguati, che cresca nella casa imperiale in una posizione tranquilla e sicura, che non dia ombra né sospetto a nessuno finché non venga per lui il momento di reclamare il suo retaggio.»

Livia decise a quel punto di intervenire a modo suo. «Lascia perdere» disse rivolta a Stefano, «la paura è paura. Ha tentato una volta, ha rischiato di morire e non ha intenzione di farlo ancora. Normale.»

«È così» confermò Aurelio senza batter ciglio.

«Appunto» ribatté Livia. «Possiamo benissimo cavarcela da soli. Sono io che ho salvato lui, non lui che ha salvato me, dopo tutto. Che direzione ha preso il convoglio?»

«Sud» rispose Stefano. «Sono sulla strada di Fano.»

«Allora vogliono attraversare l'Appennino.»

«Probabile ma non sicuro. Comunque lo sapremo presto.»

Aurelio riprese ad aggiustare le cinghie del cavallo come se quella conversazione non lo riguardasse più. Livia finse di non notarlo e riprese a parlare con Stefano: «È vero che Mledo è rientrato?».

«Sì.»

«Hai notato dei prigionieri?»

Aurelio si volse di scatto e aveva nello sguardo speranza, trepidazione, paura. Era bastata una frase a disintegrare il suo apparente equilibrio.

«Una cinquantina, direi, al massimo. Ma potrei sbagliarmi: era quasi scuro.»

Aurelio si avvicinò: «Hai riconosciuto... qualcuno?».

«E come avrei potuto?» rispose Stefano. «L'unico che ho notato era un gigante nero, un Ercole etiope, un colosso di quasi sei piedi, carico di catene, che...»

«Batiato!» esclamò Aurelio illuminandosi in volto. «Non poteva essere che lui!» Si avvicinò a Stefano e lo afferrò per la veste. «È un mio amico e compagno d'armi da molti anni. Ti scongiuro, dimmi dove lo hanno portato: forse ci sono altri miei compagni con lui.»

Stefano lo guardò con un ghigno di compatimento. «Vuoi tentare un'altra impresa disperata?»

«Vuoi aiutarmi sì o no?»

«Strana domanda, per uno che ha appena opposto un rifiuto a una richiesta di aiuto.»

Aurelio accennò con il capo. «Sono pronto a tutto, ma dimmi dove li hanno portati, se lo sai.»

«A Classe. Ma questo non significa molto. C'è il porto, a Classe, e di là si può andare in qualunque parte del mondo.»

Aurelio accusò il colpo: la gioia di sapere vivo il compagno di tante peripezie era stata subito sopraffatta dalla coscienza di non poter fare nulla per lui. Livia vide la disperazione e l'avvilimento nel suo sguardo e ne ebbe compassione. «Non è improbabile che li portino a Miseno: laggiù c'è un'altra base della flotta imperiale, è quasi in disarmo ma qualche volta hanno ancora bisogno di rematori. E c'è anche il più importante mercato di schiavi della penisola. Puoi tentare di raggiungere la base e poi raccogliere informazioni. Con un po' di tempo e di pazienza potresti saperne di più. E poi il tuo amico è così grosso che non passerà di certo inosservato. Ascolta» riprese la ragazza con tono più calmo e conciliante, «io andrò a sud per seguire il convoglio che trasporta l'imperatore. Puoi seguirmi per un po', se credi. Quando le nostre vie si separeranno, tu andrai per la tua strada e io per la mia.»

«E cercherai di liberare il ragazzo... da sola?»

«Questi non sono più fatti tuoi, mi pare.»

«Non è detto.»

«E che cosa potrebbe farti cambiare idea?»

«Se io trovo i miei compagni, voi mi aiutereste a liberarli?»

Stefano intervenne: «C'è una grossa ricompensa, diecimila solidi d'oro, se porterete il ragazzo al vecchio porto di Fano sull'Adriatico dove vi aspetterà una nave che lo trasporterà in Oriente, ogni primo giorno di luna nuova, all'alba, per due mesi, a fare conto dalla luna di dicembre. Con tutti quei soldi potrai ricomprarteli, i tuoi amici, se riuscirai a sapere dove sono. La nave è facilmente riconoscibile: isserà a poppa uno stendardo con il monogramma di Costantino».

«Se invece li trovassi prima, potrebbero aiutarci nell'impresa» disse Aurelio, «sono i migliori combattenti che tu possa immaginare, ma prima di tutto sono soldati romani, leali all'imperatore.»

Stefano annuì soddisfatto e si rivolse a Livia: «Che cosa devo riferire allora ad Antemio?».

«Digli che partiamo oggi stesso e che lo terrò informato come meglio potrò.»

«Riferirò» rispose Stefano. «Allora, buona fortuna.»

«Ne abbiamo bisogno» rispose Livia. «Ti accompagno, voglio assicurarmi che nessuno ti veda.»

Raggiunsero la barca di Stefano, un piccolo legno a fondo piatto, adatto alla navigazione lagunare. Lo aspettava un servo seduto ai remi. Livia si arrampicò, con impressionante agilità, su un grosso salice che protendeva i suoi rami sull'acqua e scrutò tutto intorno: non c'era anima viva nella zona e scese facendo cenno a Stefano che tutto era tranquillo. L'uomo salì sulla barca ma Livia lo trattenne un istante. «Che cosa ha offerto Antemio a Basilisco per indurlo ad accettare la sua proposta?»

«Questo non lo so. Antemio non mi dice tutto, ma a Costantinopoli è noto che nulla succede in Occidente senza che lui ne sia al corrente: solo questo vale a conferirgli un prestigio e un peso enormi.»

Livia annuì, e a sua volta l'altro le chiese: «Quel soldato... Credi veramente che sia affidabile?».

«Da solo vale come un piccolo esercito. Riconosco un combattente quando lo vedo, riconosco lo sguardo di un leone, sia pure ferito. E in più il suo è uno sguardo che mi ricorda qualcosa...»

«Che cosa?»

Livia increspò le labbra in un sorriso agro. «Se lo sapessi avrei dato un volto e un nome all'unica persona che ha lasciato un segno nella mia vita e nella mia anima, a parte mio padre e mia madre che non ho più da molto tempo.»

Stefano fece per dire qualcosa ma Livia gli aveva già voltato le spalle e si allontanava con il suo passo leggero e silenzioso, da predatore. Il servo affondò i remi in acqua, inarcò la schiena e la barca si allontanò lentamente dalla riva.

La colonna che scortava il carro di Romolo attraversò la campagna lungo un sentiero stretto e malagevole, tagliando fuori Fano e il gran numero di curiosi che certamente avrebbero fatto ala al suo passaggio e disturbato la marcia. La consegna del silenzio e della segretezza doveva essere molto severa, e Ambrosinus non mancò di notare la manovra digressiva. «Credo» disse a Romolo, «che il nostro itinerario ci conduca al valico sull'Appennino. Fra un po' rientreremo sulla Flaminia e attraverseremo la parte più alta percorrendo una galleria scavata nella montagna. La chiamano *forulus* ed è una straordinaria opera di ingegneria, che fu ideata ai tempi dell'imperatore Augusto e completata dall'imperatore Vespasiano. Tutta questa zona, aspra e montuosa, è da tempo infestata dai briganti ed è pericoloso avventurarsi da soli verso il valico. Le autorità hanno tentato molte volte di estirpare questa piaga costituendo anche dei corpi speciali di vigilanza, ma senza grandi risultati. È la miseria che produce briganti: per lo più contadini impoveriti dall'esosità delle tasse e dalle carestie, cui non resta altra scelta che darsi alla macchia.»

Romolo sembrava guardare i fitti boschi di querce e di frassini che fiancheggiavano il sentiero o i pastori che qua e là vigilavano il pascolo di qualche magra vaccherella. Eppure ascoltava e la sua risposta fu a tono: «Imporre tasse che mandano in rovina la gente non è solo ingiusto: è stupido. Un uomo rovinato non paga più nessuna tassa, e se diventa un brigante obbliga lo Stato a spendere ancora di più per rendere sicure le strade».

«La tua osservazione è perfetta» si compiacque Ambrosinus, «ma forse è troppo semplice perché possa essere messa in pratica. I governanti sono avidi e i burocrati sono spesso stupidi, e questi due problemi danno luogo a conseguenze spaventose.»

«Ma deve pur esserci una spiegazione a tutto questo. Perché un governante deve essere per forza avido e un burocrate per forza stupido? Tu mi hai insegnato tante volte che Augusto, Tiberio, Adriano, Marco Aurelio furono principi saggi e onesti che punivano i governatori corrotti. Ma forse nemmeno questo è vero: forse l'uomo è sempre stato stupido, avido e cattivo.»

In quel momento passò a cavallo Wulfila e raggiunse al galoppo un colle in posizione dominante, per scrutare il paesaggio intorno e sorvegliare i movimenti dei suoi guerrieri. La brutta ferita che lo deturpava cominciava a cicatrizzare ma il volto era ancora gonfio e arrossato, i punti di sutura distillavano un liquido purulento e forse era per questo che il suo umore era sempre pessimo. Bastava niente per scatenare la sua collera, e Ambrosinus aveva evitato di metterlo in sospetto o di suscitare in qualunque modo la sua diffidenza. Anzi, stava maturando un piano per conquistarne la fiducia e forse la gratitudine.

«È comprensibile che tu abbia in questo momento una visione del mondo così negativa» rispose a Romolo. «Ci sarebbe da stupirsi del contrario. In realtà molte volte il destino umano, e con esso quello dei popoli e degli imperi, è condizionato da cause ed eventi che sono fuori dal controllo dell'uomo. L'Impero si è difeso per secoli dagli attacchi dei barbari: tanti imperatori sono stati elevati alla dignità della porpora dai loro soldati al fronte e al fronte sono morti con la spada in pugno, senza avere mai visto Roma o aver discusso alcunché con il Senato. L'attacco a volte era molteplice, a ondate, su varie direttrici e portato da diversi popoli contemporaneamente. Per questo venne costruito, a costi elevatissimi, un grande vallo, lungo oltre tremila miglia, che si estendeva dai monti della Britannia fino ai deserti della Siria. Poi si arruolarono centinaia di migliaia di soldati: fino a trentacinque legioni servirono sotto le armi, quasi mezzo milione di uomini! Nessuna spesa, nessun sacrificio sembrò ai Cesari troppo grande pur di salvare l'Impero e con esso la civiltà. Ma così facendo non si accorgevano che le spese enormi si facevano insopportabili, che le tasse impoverivano i contadini, gli allevatori, gli artigiani, distruggevano i commerci e i traffici, riducevano perfino la natalità. Perché mettere al mondo dei figli, si chiedeva la gente, per farli vivere nella miseria e nelle privazioni? Poi, a un certo punto, non fu più possibile respingere le invasioni e così si pensò di stanziare i barbari all'interno dei nostri confini e di arruolarli nell'esercito per farli combattere contro altri barbari... Fu un errore fatale, ma forse non c'era alternativa: la miseria e l'oppressione avevano ucciso nei cittadini l'amor di Patria e fu giocoforza ricorrere a dei mercenari che ora sono i nostri padroni.»

Ambrosinus tacque, rendendosi conto che non stava soltanto impartendo una lezione di storia al suo pupillo, ma rievocando eventi assai prossimi e reali, eventi che lo avevano toccato direttamente e in modo assai doloroso. Quel fanciullo triste che aveva di fronte era l'ultimo imperatore d'Occidente, dopo tutto. Un attore, suo malgrado, e non uno spettatore di quella immane tragedia.

«Ed è questo che ti vedo scrivere di tanto in tanto? È storia?» gli chiese Romolo.

«Non ho l'ambizione di scrivere la storia: altri possono farlo meglio di me, in una lingua migliore e più elegante. Voglio soltanto lasciare un ricordo della mia vicenda personale e degli eventi di cui sono stato diretto testimone.»

«Avrai tempo per farlo, anni e anni di prigionia. Perché hai voluto seguirmi? Avresti potuto restare a Ravenna, o tornartene nella tua Patria d'origine, in Britannia. È vero che lassù le notti sono senza fine?»

«Alla prima domanda conosci già la risposta. Sai che ti voglio molto bene e che ero devotissimo alla tua famiglia. Quanto alla seconda, non è proprio così...» cominciò a rispondere Ambrosinus, ma Romolo lo interruppe:

«È questo che vorrei per me: una notte senza fine, un sonno senza sogni.»

Il ragazzo aveva gli occhi vuoti mentre diceva quelle parole e Ambrosinus non seppe che cosa rispondere.

Viaggiarono così per tutto il giorno, il maestro cercava di spiare ogni mutamento d'umore del suo pupillo e al tempo stesso di non perdere il controllo su quanto accadeva attorno. Si fermarono solo al tramonto. Le giornate si erano fatte ormai molto brevi e le ore di marcia erano limitate. I soldati barbari accesero il fuoco, alcuni di loro si sparsero a cavallo per la campagna e tornarono dopo qualche tempo con alcune pecore sgozzate che pendevano dalle selle e con galline legate per le zampe a mazzi. Dovevano aver saccheggiato qualche isolata fattoria nella campagna. In breve quelle facili prede vennero preparate e ripulite e messe sulle braci a cuocere. Wulfila si sedette su un masso in disparte, aspettando la sua razione. Scuro in volto, i lineamenti deformi erano esasperati in modo drammatico dal riflesso delle fiamme. Ambrosinus, che non lo perdeva d'occhio un istante, gli si avvicinò a lenti passi e in piena luce, per non destare alcun sospetto, e quando gli fu abbastanza vicino da farsi sentire disse: «Sono un medico e un esperto di farmaci, posso fare qualcosa per quella ferita. Deve farti molto male».

Wulfila fece un gesto come di chi scaccia un insetto molesto, ma Ambrosinus non si mosse e continuò come se nulla fosse stato: «So cosa pensi: molte altre volte sei stato ferito e prima o poi la ferita si è rimarginata e il dolore è passato. Ma in questo caso è diverso: il volto è la parte più difficile da guarire perché è sul volto che affiora l'anima più che in qualunque altra parte del corpo. La sensibilità è molte volte più grande e così pure la vulnerabilità. Quella ferita è infetta e se l'infezione si sparge ti devasterà il volto, ti renderà una maschera irriconoscibile».

Si volse e tornò verso il carro ma la voce di Wulfila lo richiamò: «Aspetta». Allora Ambrosinus prese la sua sacca, si fece dare del vino dai soldati, lavò ripetutamente la ferita, spremette il pus fino a che vide sangue pulito, tolse i punti e bendò dopo aver applicato un decotto di malva e di crusca di grano.

«Non pensare un solo istante che io te ne sia grato» disse Wulfila quando Ambrosinus ebbe finito.

«Non l'ho certo fatto per questo.»

«Per cosa, allora?»

«Tu sei una belva. Il dolore non può che renderti più feroce. L'ho fatto nel mio interesse, Wulfila, e in quello del ragazzo.»

Tornò verso il carro per riporre la sacca. Un soldato giunse poco dopo con della carne arrostita infilata su uno spiedo, e il vecchio e il ragazzo mangiarono. Faceva freddo, non solo per la stagione autunnale ormai avanzata e per l'ora della notte, ma anche per l'altitudine, tuttavia Ambrosinus preferì chiedere un'altra coperta anziché preparare il giaciglio, come facevano gli altri, in prossimità del fuoco. Il calore, infatti, rendeva il loro fetore insopportabile. Romolo mangiò e bevve anche, dietro le insistenze del suo maestro, un po' di vino, e questo gli mise in corpo una certa energia e voglia di vivere. Si stesero uno vicino all'altro sotto il cielo stellato.

«Hai capito perché l'ho fatto?» chiese Ambrosinus.

«Pulire la faccia di quel macellaio? Sì, lo immagino: i cani feroci vanno lisciati per il verso del pelo.»

«Più o meno.»

Restarono a lungo in silenzio ad ascoltare il crepitare del fuoco cui i soldati continuavano ad aggiungere ramaglia secca, e a osservare le falistre che salivano turbinando nel cielo.

«Preghi, prima di addormentarti?» chiese a un certo punto Ambrosinus.

«Sì» rispose Romolo. «Prego lo spirito dei miei genitori.»

VIII

Livia spronò il suo cavallo lungo uno strettissimo sentiero che s'inerpicava verso il crinale della montagna, poi si fermò e aspettò Aurelio che saliva da un altro itinerario attraverso il bosco. Di lassù si poteva dominare agevolmente lo sbocco della galleria della Flaminia che attraversava da parte a parte la montagna, e i due balzarono a terra appostandosi dietro a una macchia di arbusti di faggio. Non passò molto tempo che un gruppo di cavalieri eruli sbucò dalla galleria, poi apparve il loro comandante alla testa di una trentina di armati e quindi il carro, seguito dalla retroguardia.

Aurelio trasalì riconoscendo Wulfila e guardò istintivamente l'arco che Livia portava a tracolla.

«Levatelo dalla testa» disse la ragazza intuendo il suo pensiero. «Anche se riuscissi ad abbatterlo gli altri non ci darebbero scampo, e forse sfogherebbero la loro ira sul ragazzo.» Aurelio si morse le labbra.

«Verrà il momento» insistette Livia. «Ora dobbiamo avere pazienza.»

Aurelio osservò per qualche tempo la sagoma traballante del carro fino a vederla sparire dietro una curva della strada. Livia gli appoggiò una mano sulla spalla. «Mi sembra che fra voi due la questione sia di vita o di morte, anzi, solo di morte, non è così?»

«Ho ammazzato alcuni dei suoi uomini più fedeli, ho

cercato di portare via il prigioniero affidato alla sua custodia e quando lui ha tentato di impedirmelo gli ho tagliato la faccia, ne ho fatto un mostro per il resto dei suoi giorni: ti sembra che basti?»

«Questo per quanto riguarda te. E da parte sua?»

Aurelio non rispose. Masticava un filo d'erba secca e guardava in basso verso la valle.

«Non dirmi che non vi eravate mai incontrati prima d'ora.»

«È possibile, ma io non lo ricordo. Di barbari ne ho incontrati in quantità in tanti anni di guerra.» E in quell'attimo si rivide faccia a faccia con Wulfila nel corridoio del palazzo imperiale, spada contro spada, e la voce rauca dell'avversario che diceva: «Io ti conosco, Romano, ti ho già visto!».

Livia gli si mise davanti e lo scrutò negli occhi con un'insistenza impietosa. Aurelio distolse lo sguardo.

«Tu hai paura di guardare dentro di te e nemmeno vuoi che altri lo faccia. Perché?»

Aurelio si volse di scatto. «Tu ti spoglieresti qui, nuda, davanti a me?» le disse piantandole in viso due occhi di fuoco. Livia sostenne il suo sguardo senza batter ciglio. «Sì» rispose, «se ti amassi.»

«Ma non mi ami. Né io amo te. Giusto?»

«Giusto» rispose Livia con voce altrettanto ferma.

Aurelio prese Juba per la cavezza e aspettò che la ragazza slegasse a sua volta il suo baio, poi le disse: «Abbiamo uno scopo comune e una missione da compiere che ci terrà per qualche tempo vicini. Abbiamo bisogno di una grande coesione e dobbiamo poter contare l'uno sull'altra con piena sicurezza. Ciascuno di noi deve quindi evitare di creare disagio e malanimo nell'altro. Capisci ciò che intendo?».

«Perfettamente» rispose Livia.

Aurelio cominciò a scendere a piedi a mezza costa tenendo Juba per le briglie. «Se vogliamo fare un tentativo» disse, cambiando discorso, «deve essere durante il percorso: una volta che il convoglio sarà giunto a destinazione l'impresa diverrà impossibile.»

«In due contro settanta? Non mi sembra una buona idea. E la tua ferita non è ancora rimarginata. No. Non possiamo rischiare di fallire una seconda volta.»

«E allora che cosa proponi? Avrai pure un piano. O andiamo avanti così come capita?»

«Per prima cosa dobbiamo sapere quale sarà il luogo di destinazione, poi studieremo come penetrarvi e come portare via il ragazzo. Non c'era altra possibilità: non c'erano uomini da arruolare a Ravenna, e se anche ci fossero stati, talmente numerose sono le spie di Odoacre che il complotto sarebbe stato scoperto subito. Anche se a te può sembrare strano, il nostro vantaggio sta appunto nel fatto che nessuno sa che esistiamo, nessuno sospetta che due viandanti possano tentare un'impresa del genere. Tu stavi per riuscire nel tuo tentativo proprio perché nessuno si aspettava una simile eventualità. Se arruoleremo uomini sarà molto lontano da Ravenna, dove nessuno sa nulla di noi.»

«E con quale danaro li arruolerai?»

«Il danaro sarà disponibile per noi in vari luoghi d'Italia. Antemio ha depositi in molte banche e io ho una sua lettera di credito. Sai che cos'è, vero?»

«No. Ma l'importante è che tu possa disporre di danaro. Non ho perso la speranza di ritrovare i miei compagni.»

«Nemmeno io. So quanto è importante per te.» Lo disse con un tono che tradiva un coinvolgimento dei suoi sentimenti più forte del cameratismo guerriero che li univa già da qualche giorno.

Avanzarono così per diverse tappe percorrendo all'incirca venti miglia al giorno, sempre tenendosi a notevole distanza dal convoglio. La stessa sorveglianza dei barbari attorno al carro sembrava essersi in parte allentata: la sicurezza di quella massiccia scorta, la possente presenza di Wulfila, la mancanza assoluta di qualunque minaccia per quanto lo sguardo poteva spingersi contribuivano ad allentare la tensione e, talvolta, la stessa disciplina.

Attraversarono l'Appennino e discesero la valle del Tevere.

«Se dovessimo trovare i miei compagni» disse a un certo punto Aurelio, «mi aiuteresti a riscattarli?»

«Immagino di sì. Dipende da quanti ne troveremo, ammesso che li troviamo. Non farti troppe illusioni, ti ripeto. Miseno è una possibilità, ma solo una possibilità come altre.»

«È strano: da un lato, vorrei ritrovarli, dall'altro ne ho paura... Paura di sapere da loro che fine hanno fatto gli altri.»

«Hai fatto ciò che hai potuto» disse Livia, «non tormentarti. Ciò che è stato è stato e non lo possiamo cambiare.»

«È facile per te. La legione era la mia vita. Tutto quello che avevo.»

«Non hai mai avuto una famiglia?»

Aurelio scosse il capo.

«Una moglie... un'amante?»

Aurelio distolse lo sguardo. «Incontri occasionali e sporadici. Nessun legame. Difficile unirsi a qualcuno, quando non si hanno radici.»

Avanzarono al passo per un tratto senza dire altro, poi Livia ruppe di nuovo il silenzio. «Una legione» riprese a dire. «Sembra incredibile, è dai tempi della riforma dell'imperatore Gallieno che delle vecchie legioni è rimasto a malapena il nome e poi nemmeno quello negli ultimi quarant'anni. Che senso aveva rimettere in campo una legione?»

«E invece era un'operazione straordinaria. In primo luogo il suolo italiano non si presta quasi mai al dispiegamento di vasti contingenti di cavalleria, inoltre l'impatto sarebbe stato formidabile: Oreste voleva che la gente rivedesse un'aquila d'argento scintillare al sole, voleva che i Romani recuperassero il loro orgoglio, rivedessero i fanti marciare con le antiche armature e i grandi scudi, i reparti far tremare il terreno sotto il loro passo cadenzato. Voleva la disciplina contro la barbarie, l'ordine contro il caos. Noi tutti eravamo orgogliosi di farne parte, il nostro comandante era un uomo di antiche virtù e di incredibile valore, austero e giusto, geloso del suo onore e di quello dei suoi uomini.»

Livia lo guardò: gli scintillavano gli occhi e la voce gli vibrava di una intensa commozione mentre proferiva quelle parole. Avrebbe voluto capire di più dei suoi sentimenti, ma vide che il convoglio, in lontananza, sembrava aver rallentato, e fece cenno al compagno di fermarsi. «Non è nulla» disse poco dopo. «Un branco di pecore che attraversa la strada.»

Ripresero ad avanzare al passo tenendosi ai bordi di una fascia boscosa che fiancheggiava la strada a una distanza di tre, quattrocento piedi.

«Continua, ti prego» disse.

«Gli uomini vennero scelti uno per uno da altri reparti, ufficiali e soldati, ausiliari e tecnici, in gran parte italici e provinciali. Vennero accettati anche dei barbari ma in numero molto limitato e solo uomini di provata fede, al servizio dello Stato da più generazioni. Furono concentrati in una località segreta del Norico e addestrati per quasi un anno per molte ore al giorno. Quando la legione uscì in battaglia la prima volta in campo aperto l'effetto fu micidiale, penetrò nello schieramento nemico con la potenza di una macchina da guerra causando perdite massicce agli avversari. Avevamo mantenuto il meglio della tecnica antica e il meglio di quella moderna.»

«E tu? Dove fosti arruolato?»

Aurelio cavalcò per un poco come assorto, tenendo lo sguardo fisso davanti a sé. Si mantenevano a mezza costa fra i boschi per non essere sorpresi dagli esploratori di Wulfila, i quali battevano ora incessantemente i fianchi della valle per prevenire eventuali attacchi di sorpresa. In quei luoghi così aspri e selvaggi si preoccupavano più per i briganti che per improbabili soccorritori del ragazzo.

«Te l'ho detto» rispose Aurelio a un tratto, «sono sempre stato parte della legione. Non ricordo altro.» E il tono della sua voce indicava chiaramente che l'argomento era chiuso.

Avanzarono così, in silenzio, e Livia di tanto in tanto si staccava per procedere su un itinerario leggermente più a monte o più a valle perché non poteva sopportare l'ostinato mutismo del suo compagno. Quando si riunivano, scambiava con lui poche parole sull'itinerario o sulle difficoltà del terreno e poi si allontanava nuovamente. Si capiva chiaramente che Aurelio non riusciva a liberarsi dell'incubo del massacro dei compagni, della distruzione del suo reparto, dell'impossibilità di salvarlo. Al suo fianco cavalcavano spettri, ombre sanguinanti di giovani trucidati nel fiore degli anni, di uomini torturati crudelmente fino all'ultimo respiro. Egli poteva udire le loro urla straziandi, le loro invocazioni dalle profondità degli inferi. Procedettero al passo per diverse ore finché non videro che cominciava a imbrunire e che il convoglio si preparava per la sosta notturna. Livia notò un capanno in cima a una collina, alla distanza di circa un miglio dal campo di Wulfila e lo indicò al compagno. «Lassù forse potremmo fermarci per la notte e mettere al coperto anche i cavalli.» Aurelio assentì con un cenno e spinse Juba verso il bosco, in direzione della collina.

Entrò per primo e si assicurò che non vi fosse nessuno all'interno. Dall'aspetto era un rifugio per i mandriani che conducevano le vacche al pascolo: in un canto c'era della paglia e dietro la costruzione, sotto una specie di rozza tettoia, c'erano alcune balle di fieno e di paglia. Poco distante un rivoletto d'acqua si versava in un abbeveratoio scavato in un masso di arenaria e traboccando colava in basso, fra grosse pietre coperte di muschio, fino a riempire una conca naturale. Dava così origine a un laghetto cristallino che rifletteva il cielo e gli alberi circostanti. Il bosco splendeva al tramonto dei colori d'autunno, viti selvatiche serpeggiavano lungo i tronchi delle querce con le loro grandi foglie vermiglie e con i piccoli grappoli di acini color porpora.

Aurelio governò i cavalli e li legò sotto la tettoia mettendo loro davanti un po' di fieno. Livia raggiunse il laghetto, si spogliò e vi si immerse rabbrividendo al contatto con l'acqua gelida. Ma più forte del freddo doveva essere stato il desiderio di lavarsi. Aurelio fece per discendere il pendio ma intravide il suo corpo nudo guizzare nell'acqua purissima e si fermò a contemplarlo per qualche istante, incantato da quella bellezza scultorea. Poi distolse lo sguardo, confuso e turbato. Avrebbe voluto avvicinarsi e dirle quanto la desiderava, ma non sopportava il pensiero che lei potesse respingerlo. Si avvicinò all'abbeveratoio e si lavò a sua volta, prima il torso e le braccia e poi la parte inferiore del corpo. Quando Livia tornò era avvolta nella sua coperta da viaggio e teneva nella mano destra una fiocina con due grosse trote infilzate.

«C'erano solo queste due» disse, «ed erano probabilmente preparate a morire. Vai giù a prendere i miei panni, sono appesi a un ramo vicino al laghetto. Io intanto accendo il fuoco.»

«Sei pazza. Ci noteranno e manderanno qualcuno a vedere.»

«Non possono controllare ogni filo di fumo che sale dalla campagna» rispose lei. «E poi siamo in posizione dominante: se qualcuno tenta di avvicinarsi lo infilzo come le trote e lo trascino nel bosco: tempo qualche ora e non ne saranno rimaste neanche le ossa. Anche gli animali selvaggi di questi tempi soffrono la fame.»

Livia cucinò le trote meglio che poté e continuò ad alimentare il fuoco con rami di pino che bruciavano con una bella fiamma scoppiettante, ma senza fare fumo. Quando fu ora di cena Aurelio prese per sé il pesce più piccolo ma Livia gli porse il più grosso. «Devi mangiare» disse, «sei ancora debole e quando sarà ora di menare le mani voglio un leone al mio fianco, non una pecora. E ora vai a dormire. Faccio io il primo turno di guardia.»

Aurelio non rispose e si allontanò verso il bordo della radura appoggiandosi al tronco di una quercia secolare.

Livia lo vide così, immobile, con gli occhi fissi e spalancati, affrontare la notte che scendeva dalla montagna con le sue ombre e i suoi fantasmi, e avrebbe voluto andargli vicino, se solo lui glielo avesse chiesto.

Wulfila ordinò di porre il campo nei pressi di un ponte che attraversava un affluente del Tevere. I suoi uomini cominciarono ad arrostire le pecore e i montoni confiscati a un pastore che qualche ora prima aveva attraversato incautamente il loro cammino. Ambrosinus si avvicinò con aria preoccupata. «L'imperatore detesta la carne di pecora» disse.

Il barbaro scoppiò a ridere. «L'imperatore detesta la carne di pecora? Ma che peccato, che cosa terribile! Sfortunatamente il capo delle cucine imperiali non ha voluto muoversi da Ravenna e la scelta delle pietanze è limitata. O mangia pecora o va a letto digiuno.»

Ambrosinus si avvicinò. «Ho visto delle castagne nel bosco: se mi permetti di raccoglierne un poco posso preparargli un dolce molto gustoso e nutriente.»

Wulfila scosse la testa. «Tu non ti muovi da qui.»

«Dove vuoi che vada? Sai benissimo che non abbandonerei il ragazzo per nessun motivo al mondo. Lasciami andare: tornerò fra poco e ne darò anche a te. Ti assicuro che non avrai mai mangiato nulla di così buono.»

Wulfila lo lasciò andare e Ambrosinus accese una lanterna e si addentrò nel bosco. Il terreno sotto i grandi tronchi nodosi era coperto di ricci, molti dei quali, semiaperti, mostravano all'interno i frutti dal bel colore bruno rossiccio come il cuoio conciato. Ne raccolse un certo numero pensando che quei luoghi dovevano essere completamente disabitati, se frutti tanto preziosi venivano lasciati agli orsi e ai cinghiali. Rientrò al campo con la lanterna spenta e si avvicinò furtivamente al punto in cui Wulfila sembrava tenere consiglio con i suoi luogotenenti.

«Quando dovrei partire?» chiedeva in quel momento uno di loro.

«Domani stesso, appena saremo arrivati in pianura. Prenderai con te una mezza dozzina di uomini e ci precederete a Napoli. Lì prenderete contatto con un uomo di nome Andrea da Nola, che vi aspetta nel quartiere delle guardie palatine, e gli direte di preparare il trasporto per Capri. Dovrà prevedere tutta la scorta, più il ragazzo, il suo precettore e le persone di servizio per noi e per loro. Dirai che voglio tutto pronto nel luogo di destinazione finale: quartieri per gli uomini, cibo, vino, abiti, coperte. Tutto. Potrebbero servirci degli schiavi: assicurati che non li prendano da Miseno. Là ci sono alcuni di quelli che Mledo ha catturato a Dertona: non li voglio fra i piedi. Hai capito bene? Se qualcosa andrà storto ne risponderà personalmente. E spiegagli che non sono tenero con gli incapaci.»

Ambrosinus si allontanò con passo leggero ritenendo di aver già udito abbastanza e riapparve nell'accampamento dalla parte opposta, dove gli uomini della scorta stavano girando sul fuoco gli spiedi con quarti di montone. Si mise in un canto e arrostì le sue castagne, poi le sbriciolò in un mortaio, vi aggiunse un po' di mosto cotto dalle provviste del convoglio e preparò una schiacciata che ripassò sul fuoco per renderla croccante. La servì al suo signore con legittimo orgoglio. Romolo lo guardò stupito. «Il mio dolce preferito. Ma come hai fatto?»

«Wulfila sta cominciando a concedermi un minimo di libertà: sa bene che non può trattarmi troppo male, se tiene alla faccia. Sono andato nel bosco e ho raccolto delle castagne, tutto qua.»

«Grazie» rispose Romolo. «Mi fa ricordare dei giorni di festa a casa, quando i nostri cuochi lo preparavano sulla piastra di ardesia in giardino. Mi sembra ancora di sentire il profumo del mosto che bolliva sul fuoco. Non c'è aroma più dolce e più intenso del mosto che cuoce.»

«Mangia» gli disse Ambrosinus, «non lasciarlo raffreddare.»

Romolo addentò la focaccia e il precettore continuò: «Ho delle notizie. So dove ci portano. Ho sentito Wulfila parlare con il consiglio dei suoi capi mentre uscivo dal bosco. La nostra destinazione è Capri».

«Capri? Ma è un'isola.»

«Sì. È un'isola ma non troppo lontana dalla costa. E qualcuno la trova piacevole, specialmente d'estate quando il clima è molto buono. L'imperatore Tiberio vi costruì ville fastose e negli ultimi anni del suo regno abitò nella più bella di esse: la villa Jovis. Dopo la sua morte...»

«Sarà comunque una prigione» lo interruppe Romolo, «dove vivrò il resto dei miei giorni senz'altra compagnia che i nemici più odiosi. Non potrò viaggiare, non potrò conoscere altre persone, non potrò avere una famiglia...»

«Prendiamo ciò che la vita ci porta giorno per giorno, figlio mio. Il futuro è nella mente e nelle mani di Dio. Non arrenderti, non perderti d'animo, non rassegnarti a nulla. Ricordati l'esempio dei grandi del passato, ricorda i precetti e i suggerimenti dei grandi saggi: di Socrate, di Catone, di Seneca. La conoscenza è nulla se non ci dà i mezzi per affrontare la vita. Ascolta, l'altro giorno ho avuto una premonizione: come per miracolo mi è venuta in mente un'antica profezia della mia terra e da allora i miei sentimenti sono mutati. Io sento che non siamo soli e che presto ci saranno altri segni. Credimi, lo sento.»

Romolo sorrise, più di compatimento che di sollievo. «Tu sogni» gli disse, «ma sai fare delle buone focacce e questa è una qualità indiscutibile.» Riprese a mangiare e Ambrosinus lo guardava con tale soddisfazione che dimenticò di non aver quasi toccato cibo fino a quel momento, ma preferì portare quanto era rimasto a Wulfila per mantenere la sua promessa e guadagnare, per quanto possibile, la sua benevolenza.

Il giorno successivo si svegliarono all'alba e assistettero alla partenza del drappello diretto a sud. Poi il convoglio si rimise in moto e non si fermò se non per un breve pasto a metà della giornata. Il clima si faceva più dolce man mano che procedevano verso meridione, le nuvole erano grandi e candide: solcavano il cielo spinte dal vento di ponente e a volte condensavano in grandi cumuli neri inondando la terra con improvvisi e violenti acquazzoni. Poi tornava il sole a illuminare i campi madidi e lucenti. Le querce e i frassini avevano ceduto il terreno ai pini e ai mirti, i meli agli ulivi e alle viti.

«Roma è ormai alle nostre spalle» disse Ambrosinus. «Ci stiamo avvicinando alla meta.»

«Roma...» mormorò Romolo, e pensò a quando era entrato nella curia del Senato, coperto delle vesti imperiali, accompagnato dai suoi genitori. Sembrava che fosse trascorso un secolo, anziché pochi mesi, e si avviava ora a vivere la sua adolescenza e la sua giovinezza, le età più belle nella vita di un uomo, con il cuore oppresso dal lutto e da oscuri presentimenti.

IX

Wulfila notò la venditrice d'acqua quando era ancora a una certa distanza. Stava sulla destra della strada, sullo sterrato: teneva un otre a tracolla e una ciotola di legno nella mano e aveva l'aspetto dei tanti disgraziati e mendicanti che si incontravano lungo la via. Ma da qualche tempo il sole si era fatto più caldo, l'ora meridiana e l'assenza di fonti a lato della strada avevano messo sete sia a uomini che cavalli.

«Ehi, vieni qui!» le disse nella sua lingua quando furono arrivati un poco più vicini. «Ho sete!»

La ragazza comprese dai gesti e dal piglio che quello voleva bere e gli porse la ciotola colma. Benché infagottata malamente in un mantelluccio logoro, la sua bellezza riusciva a trapelare e suscitava i commenti salaci dei guerrieri barbari.

«Ehi, fatti vedere un po' meglio!» le gridò uno cercando di strapparle il mantello dalle spalle, ma lei lo schivò con un movimento leggero e rapido del torso. Cercò ugualmente di sorridere e porse la mano per ottenere un'elemosina in cambio dell'acqua fresca che versava nella ciotola.

«Da quando in qua si paga l'acqua?» gridò un altro guerriero. «Se pago una donna devo avere ben di più.» E le si avvicinò afferrandola e attirandola a sé. Sentì la vita sottile e la curva asciutta dei fianchi, i muscoli tesi sotto la pelle, e la fissò con una espressione di sorpresa dicendo: «Che carne soda! Non sei una che mangia poco e male». Ma in quel momento si udì una voce che diceva: «Ho sete».

La ragazza si rese conto che proveniva dal carro distante pochi passi e si avvicinò, scostando la tenda che copriva il finestrino. Si trovò di fronte un ragazzo di forse dodici, tredici anni, dai capelli castano chiaro, occhi grandi e scuri, vestito di una tunica bianca con le maniche lunghe orlate di ricami d'argento. Di fronte a lui un uomo sulla sessantina, dalla barba grigia, calvo sulla sommità del capo, vestito di un semplice saio di lana grigia, con un piccolo gioiello d'argento che gli pendeva dal collo.

Subito Wulfila richiuse la tenda e trascinò via sgarbatamente la ragazza gridando: «Via di qua!». Ma l'uomo che stava seduto all'interno scostò nuovamente la tenda e disse con voce ferma: «Il ragazzo ha sete». In quel momento i suoi occhi si incontrarono con quelli della ragazza e si rese conto immediatamente che lei non era quello che sembrava: cercava di fargli capire o di prepararlo a qualcosa, ed egli strinse il braccio di Romolo come per comunicargli l'imminenza di un evento inatteso. La venditrice d'acqua si avvicinò e, nel momento in cui era al riparo dallo sguardo di Wulfila, porse al giovanetto la ciotola di legno colma d'acqua e all'uomo un bicchiere di metallo, e mentre beveva gli sussurrò in greco: «*Chaire, Kaisar*», "Ave, Cesare". Il ragazzo riuscì a controllare la sorpresa mentre il suo accompagnatore rispondeva nella stessa lingua: «*Tis eis?*», "chi sei?".

«Un'amica» rispose la ragazza. «Mi chiamo Livia. Dove vi stanno portando?»

Ma nello stesso istante Wulfila intervenne nuovamente trascinandola indietro e ponendo fine a quel colloquio.

All'interno del carro Romolo si rivolse al suo precettore non sapendo come interpretare quello strano incontro: «Chi poteva essere, *Ambrosine*? Come sapeva chi sono?».

Ma l'attenzione dell'uomo era attirata in quel momento

dal bicchiere che aveva in mano. Lo girò di sotto in su scoprendo un sigillo in forma di aquila impresso sul fondo e la scritta

LEG NOVA INV

«Legio Nova Invicta» lesse sottovoce. «Sai cosa significa, Cesare? Che quel soldato ci sta riprovando e non è solo, questa volta. Non so se compiacermene o preoccuparmene, ma il cuore mi dice che si tratta di un segno favorevole, di un evento fausto. Non siamo stati abbandonati al nostro destino e sento che la premonizione che ho avuto qualche giorno fa era veritiera...»

Wulfila intanto spingeva Livia verso il bordo della strada, ma quella gli si rivolse con sguardo supplichevole: «Ma, signore, la mia ciotola. Ne ho bisogno».

«Va bene» disse Wulfila, «ma muoviti.» L'accompagnò indietro fino al carro e dopo che lei ebbe recuperato la sua ciotola la riportò verso il ciglio della strada senza mai lasciarla sola un istante. Livia ebbe solo un attimo per scambiare ancora uno sguardo con i due prigionieri, ma non poté dire una parola. Seguì il carro a lungo con lo sguardo finché scomparve al di là di un piccolo dosso del terreno, e non si mosse prima che il rumore degli zoccoli e delle ruote si fosse completamente dissolto. A quel punto si volse verso la montagna e vide un cavaliere immobile sulla cima di una collina che la osservava: Aurelio. Allora si incamminò e avanzò in mezzo alla macchia seguendo un sentiero tortuoso che la condusse, dopo qualche tempo, alla base della collina. Aurelio le venne incontro tenendo un secondo cavallo per le briglie. Livia balzò in sella.

«Allora?» chiese lui. «Ero sulle spine.»

«Non ce l'ho fatta. Stava per dirmelo quando Wulfila mi ha tirato indietro. Se avessi tentato di chiedere qualcos'altro si sarebbe insospettito e mi avrebbe sicuramente trattenuta. Ma almeno ora sanno che li stiamo seguendo, penso. L'uomo che è con l'imperatore ha uno sguardo acuto, penetrante, sicuramente è un uomo di grande intelligenza.»

«È un maledetto impiccione» rispose Aurelio, «ma è il precettore del ragazzo e dobbiamo comunque considerarlo, qualunque sia il piano che metteremo in atto. E lui, dimmi, lui sei riuscita a vederlo?»

«L'imperatore? Sì, certo.»

«Come sta?» chiese Aurelio senza celare l'ansia nella sua domanda.

«Bene, direi che sta bene, ma ha negli occhi una malinconia infinita. La perdita dei genitori deve pesargli terribilmente.»

Aurelio meditò in silenzio per qualche istante poi disse: «Ora vediamo se riusciamo a stabilire un contatto con lui. La scorta non sembra più così guardinga, forse sono convinti che ormai nessuno pensi più ai prigionieri».

«Gli altri, forse. Non Wulfila: è diffidente, sospettoso, si volge continuamente intorno con uno sguardo da lupo. Ha sempre la situazione sotto controllo, non gli sfugge niente, te lo assicuro.»

«L'hai visto in faccia?»

«Come vedo te, ora. Gli hai lasciato un bel ricordo, non c'è dubbio, e se si è visto allo specchio, anche solo una volta, non vorrei essere nei tuoi panni il giorno in cui cadessi nelle sue mani.»

«Il problema non esiste» rispose Aurelio. «Io non cadrò mai nelle sue mani... vivo.»

Marciarono per tutto il pomeriggio fino al tramonto, quando videro la colonna di Wulfila accamparsi nei pressi di Minturno. L'antica via Appia non era più percorribile. Le paludi un tempo drenate, almeno in parte, dai canali di bonifica fatti scavare dall'imperatore Claudio avevano riconquistato, per mancanza di manutenzione, vaste estensioni di campagna, e la strada era stata sommersa per lunghi tratti. Lo specchio delle acque morte si incendiò nel momento in cui il disco del sole vi affondò lentamente, poi, piano piano, assunse tonalità plumbee riflettendo il cielo che si oscurava. Sul mare, grandi cumuli neri si addensavano salendo lentamente verso il centro del cielo, il tuono rumoreggiava lontano: forse sarebbe arrivata da occidente una tempesta.

L'atmosfera in quell'ora del giorno, appesantita dalle esalazioni palustri e dall'umidità, si faceva soffocante: sia Aurelio che Livia erano bagnati di sudore, ma continuavano ad avanzare per non perdere il contatto con la carovana imperiale che procedeva di buon passo per guadagnare più terreno possibile prima del cadere della notte. A un certo punto Aurelio si fermò per versarsi da bere dalla fiasca e anche Livia gli porse la sua ciotola, poiché aveva esaurito la sua riserva d'acqua potabile con gli uomini di Wulfila. Poi la portò alle labbra bevendo a lunghi sorsi. A un tratto, man mano che il fondo della ciotola si scopriva, Livia notò qualcosa e s'illuminò in volto.

«Capri» disse. «Vanno a Capri.»

«Che cosa?» chiese stupito Aurelio.

«Vanno a Capri. Guarda, te l'avevo detto che quell'uomo è intelligente.» Girò la scodella verso Aurelio mostrandogli la scritta graffita sul fondo con la punta di uno stilo: CAPREAE.

«Capri» ripeté Aurelio. «È un'isola nel golfo di Napoli, aspra e rocciosa, inospitale e selvaggia, abitata solo da capre, per questo la chiamano così.»

«Ci sei stato?»

«No, ma ne ho sentito parlare da certi miei amici che sono originari di quelle parti.»

«Io non credo che sia come dici» ribatté Livia. «Se l'imperatore Tiberio la elesse a sua residenza, non deve essere tanto male. Il clima sarà buono e mite e posso immaginare il profumo del mare mescolato a quello dei pini e delle ginestre.»

«Sarà come dici tu» rispose Aurelio, «ma è sempre una prigione. Vieni, cerchiamo un riparo per la notte un po' più in alto, verso le colline, o le zanzare ci divoreranno vivi.»

Trovarono rifugio in una capannuccia di canne e di paglia eretta dai contadini a sorveglianza dei raccolti e ora da tempo abbandonata. Livia bruciò sul fuoco un po' di farina di farro in fondo a una ciotola di metallo e l'impastò con un po' d'acqua e formaggio grattugiato, e quella fu la loro cena. Seduti vicino a un piccolo fuoco di sterpi mangiarono quasi in silenzio mentre saliva dal basso, attutito dalla distanza, il continuo gracidare delle rane.

«Faccio io il primo turno» disse Livia mettendo l'arco a tracolla.

«Sei sicura?»

«Sì. Non ho sonno, ora, e preferisco dormire quando la notte è inoltrata. Cerca di riposare.»

Aurelio annuì, legò Juba al tronco di un sorbo, entrò nella capanna e si distese sul suo mantello. Osservò per un poco il cavallo mangiare i bei frutti rossi ormai maturi, poi si adagiò su un fianco e cercò di addormentarsi ma il pensiero della sua compagna di avventura gli metteva addosso un'inquietudine e un'eccitazione crescenti. Avrebbe voluto abbandonarsi a quel pensiero, sempre più dominante, che gli scaldava il cuore, ma aveva timore del distacco, inevitabile, quando la missione si fosse conclusa.

Livia osservava nel buio le luci dell'accampamento nemico, giù nella pianura. Passò del tempo, non avrebbe saputo dire quanto, e improvvisamente notò un certo movimento, vide le ombre dei cavalieri barbari passare lungo la palude impugnando torce accese. Una semplice ricognizione, probabilmente, ma quella vista le richiamò alla mente un'altra scena sepolta nella sua memoria: una torma di cavalieri barbari che correvano al galoppo verso la sponda della laguna sullo sfondo di un mare di fiamme, contro un uomo solo che li attendeva immobile. Rabbrividì come se fosse stata investita da un soffio gelato e volse il capo verso la capanna. Aurelio dormiva, ora, spossato dalla lunga giornata di marcia e dalla debolezza per lo scarso cibo. Livia, come presa da un'improvvisa ispirazione, prese un tizzone dal fuoco e gli si avvicinò cautamente, si accucciò vicino a lui e allungò l'altra mano a scoprirgli il petto. Aurelio balzò di scatto con la spada in pugno e gliela puntò alla gola.

«Fermati, sono io» disse Livia ritraendosi.

«Ma che stavi facendo? Ti rendi conto che avrei potuto ammazzarti?»

«Non credevo che ti saresti svegliato, volevo solo...»

«Che cosa?»

«Ti eri scoperto, volevo coprirti.»

«Sai bene che non è vero. E ora dimmi la verità o me ne vado immediatamente.»

Livia si alzò in piedi e andò a sedersi accanto al fuoco. «Io... credo di sapere chi sei.»

Aurelio si avvicinò e per qualche istante parve osservare il movimento delle fiamme azzurrine che lambivano le braci, poi fissò Livia negli occhi. C'era un'ombra fredda nel suo sguardo, come se il suo animo fosse sommerso da una torbida marea di ricordi, come se un'antica ferita avesse ripreso a sanguinare. Volse le spalle di scatto. «Non voglio sentirti» disse con voce atona.

«La notte è solo all'inizio» rispose Livia. «C'è tutto il tempo per una lunga storia. Hai appena detto che volevi la verità, l'hai già dimenticato?»

Aurelio si volse lentamente, chinando il capo in silenzio, e Livia proseguì: «Una notte, tanti anni fa, la città dove ero nata e cresciuta, dove avevo la mia casa e i miei genitori, fu presa d'assalto improvvisamente dopo una lunga resistenza. I barbari si abbandonarono al saccheggio e al massacro. Gli uomini furono passati a fil di spada, le donne stuprate e condotte in schiavitù, le case saccheggiate e date alle fiamme. Mio padre morì tentando di difenderci, fu fatto a pezzi davanti ai nostri occhi, sulla soglia stessa della nostra casa. Mia madre fuggì tenendomi per mano. Corremmo al buio, su un vecchio sentiero di ronda dietro l'acquedotto, in preda al panico e alla disperazione. La via era illuminata qua e là dal bagliore degli incendi, grida, lamenti e urla di follia echeggiavano in ogni angolo, da ogni muro, piovevano dal cielo come una grandine di fuoco. La città era piena di corpi senza vita, il sangue scorreva dappertutto. Io ero stremata e mia madre mi trascinava per un braccio. Giungemmo così sulla riva della laguna dove una barca stracarica di profughi stava per prendere il largo. Era l'ultima: altre barche erano già lontane, stavano sparendo inghiottite dal buio, oltre l'ultimo riflesso dell'incendio». Si fermò un istante scrutando il suo interlocutore fin dentro l'anima con occhi lucidi di lacrime nel riverbero del bivacco, ma non vi trovò null'altro che sgomento.

«Continua» disse Aurelio.

Livia si coprì il volto con le mani quasi volesse proteggere gli occhi da quelle visioni che le bruciavano il cuore, da quelle memorie a lungo confinate nelle profondità della sua mente. Poi si fece forza e continuò: «La barca già si stava allontanando e mia madre si mise a gridare correndo verso l'imbarcazione con l'acqua alle ginocchia, scongiurando di aspettarci...».

Un lampo di angoscioso stupore passò negli occhi di Aurelio e Livia gli si avvicinò ancora, al punto che lui poteva sentire l'odore di salsedine emanare dal suo corpo di sirena. Un'onda di calore gli salì al volto che avvampò, gli parve di essere immerso in un turbine di fiamme e avvertì nuovamente un senso di panico opprimergli il cuore come un macigno. Livia riprese, implacabile: «C'era un uomo seduto a poppa, un giovane ufficiale romano con l'armatura insanguinata. Quando ci vide scese in acqua, aiutò mia madre a salire e mi prese in braccio mentre lei si sedeva nell'unico posto rimasto, poi mi afferrò per la vita e mi spinse in alto verso le sue mani tese. Vedendo l'acqua cupa sotto di me mi spaventai e mi afferrai al suo collo, e fu in quel momento che gli strappai questa». Così dicendo gli mostrò la medaglia con l'aquila d'argento che le pendeva dal collo, e poi continuò: «Mia madre mi prese fra le braccia e mi strinse al petto mentre la barca si allontanava lentamente dalla riva. L'ultima immagine che mi rimase impressa è la figura di lui immobile sulla riva, la sua sagoma scura contro l'inferno di fiamme che divorava la mia città, e una torma di cavalieri barbari che sopraggiungevano al galoppo come demoni, agitando torce fiammeggianti. Quel giovane ufficiale eri tu. Ne sono certa».

Strinse ancora fra le dita la piccola aquila d'argento. «La porto al collo da quella notte e non ho mai perso la speranza di poter ritrovare l'eroe che ci salvò la vita sacrificandosi al nostro posto.»

Tacque e restò immobile davanti al suo compagno in attesa di una risposta, di un segno che confermasse che le immagini di quella notte lontana avevano risvegliato in lui la coscienza del passato, ma Aurelio non diceva nulla: stringeva le palpebre per ricacciare indietro le lacrime, per dominare il terrore, l'angoscia del vuoto, la morsa del freddo e del buio.

«È per questo che il tuo sguardo cade su questa medaglia, istintivamente, perché sai che è tua, che ti apparteneva, è il distintivo del tuo reparto: l'ottava *vexillatio pannonica*, gli eroici difensori di Aquileia!»

Aurelio ebbe un sussulto doloroso a quelle parole, ma si dominò. Aprì gli occhi e fissò la ragazza con tenerezza, le appoggiò le mani sulle spalle e disse: «Quel ragazzo è morto, Livia, è morto, capisci?».

Livia scuoteva il capo mentre le lacrime le rigavano le guance, ma lui continuò: «È morto. Come tutti gli altri. Non vi furono superstiti in quella guarnigione. Lo sanno tutti. Il tuo è un sogno di bambina. Rifletti per un momento: quante probabilità ci sono che quel ragazzo si sia salvato, se la sua situazione fu quella che mi hai descritto? E quante probabilità ci sono che tu lo abbia incontrato di nuovo dopo tanti anni?».

Mentre parlava rivedeva la faccia di Wulfila contratta dal furore e la sua voce che gridava: «Io ti conosco, Romano! Ti ho già visto!». Ma disse ancora: «Queste cose accadono solo nelle favole. Rassegnati».

«Davvero? Allora dimmi, dov'eri la notte che cadde Aquileia?»

«Non lo so, credimi. Quel tempo è troppo lontano, oltre i confini della mia memoria.»

«Ma forse io posso darti una dimostrazione. Ascolta, quando mi ti sono accostata mentre dormivi volevo vedere se...»

«Cosa?»

«Se hai una cicatrice sul petto, proprio alla base del collo. Io... io credo di ricordare che quel soldato avesse una ferita sul petto che sanguinava.»

«Molti soldati hanno cicatrici sul petto. Quelli coraggiosi, intendo dire.»

«E perché il tuo sguardo cade sempre su questa medaglia?»

«Non guardo la medaglia. Guardo... il tuo seno.»

«Vattene!» gridò Livia tremante di rabbia e di delusione. «Lasciami sola! Lasciami sola!»

«Livia, io...»

«Lasciami sola» ripeté a voce bassa.

Aurelio si allontanò e lei si adagiò sulle ginocchia accanto alle ultime braci. Si coprì il volto e pianse, sommessamente.

Rimase così a lungo, finché sentì il freddo penetrarle nelle ossa. Allora alzò il capo e vide Aurelio immobile contro il tronco di una quercia: un'ombra tra i fantasmi della notte.

X

Aurelio si avvicinò al ruscello, si tolse il corsetto e la casacca e cominciò a lavarsi il torso indugiando con le dita sulla cicatrice che gli increspava la pelle proprio sotto la giunzione delle clavicole. L'acqua gelata lo fece sussultare in un primo momento, ma poi gli diede un senso di forza e di rinnovata energia dopo una notte agitata e in parte insonne. A un tratto avvertì una fitta che gli fece serrare gli occhi e stringere i denti in una smorfia di dolore. Ma la fitta non veniva da quella cicatrice: veniva da un callo osseo che gli sporgeva dal cranio nella zona occipitale, forse il segno di una caduta o di un colpo sofferto chissà quando, chissà dove. Con il passare del tempo quel dolore acuto, prolungato e palpitante, si manifestava sempre più frequente e intenso.

«Si stanno muovendo!» gridò Livia. «Dobbiamo partire!»

Aurelio si asciugò senza voltarsi, poi indossò la casacca e il corsetto, sospese la spada alla bandoliera e salì la breve erta fino a raggiungere Juba che brucava tranquillo l'erba umida di rugiada. Balzò in sella e spronò al galoppo, seguito da Livia. Quando si rimisero al passo Aurelio disse: «Il tempo volge al peggio, le mie fitte non sbagliano».

Livia sorrise. «Anche mio nonno diceva così. Me lo ricordo come fosse ora: magro, secco e quasi sdentato, ma era un veterano e aveva combattuto con Eugenio nella battaglia del Frigido salvandosi per miracolo. Aveva le fitte come te quando stava per cambiare il tempo, anche se non sapeva da dove venivano, tante erano le cicatrici e le fratture che aveva nel corpo. Ma non sbagliava: entro sei o sette ore pioveva, o peggio.»

In basso, la lunga teoria dei guerrieri eruli e sciri di scorta al carro del piccolo imperatore e del suo mentore si snodava attraverso gli ultimi lembi di palude. Al loro passaggio gruppi di bufali emergevano dal pantano lucidi e grondanti per allontanarsi di qualche passo. Altri, distesi sulla strada per asciugarsi al sole del mattino, si alzavano, pigri giganti fangosi, all'approssimarsi dei cavalli e si allontanavano verso il prato costellato di cardi violacei e di corolle dorate di tarassaco. La pianura più fertile d'Italia cominciava ad aprirsi davanti a loro con campi gialli di stoppie o bruni di zolle rivoltate dal recente passaggio dell'aratro. Un piccolo santuario in rovina segnava il punto in cui iniziava il territorio di una qualche antica tribù osca e all'incrocio di tre strade un'edicoletta mostrava l'immagine cristiana che da tempo aveva sostituito quella di Ecate Trivia: Maria con il divino Fanciullo stretto fra le braccia.

Procedettero fino a sera, quando il convoglio si arrestò non lontano dalle rive di un torrente e gli uomini cominciarono a piantare le tende per i capi e a preparare per se stessi i giacigli per la notte. I contadini che tornavano a quell'ora dai campi con gli attrezzi sulle spalle e i bambini che giocavano a rincorrersi nella luce dell'ultimo sole si fermavano incuriositi a guardare, poi riprendevano la strada per i loro villaggi da cui cominciavano ad alzarsi sottili volute di fumo. Quando scese l'oscurità Livia indicò delle luci nella pianura a non molta distanza. «Quella è Minturno» disse, «un tempo famosa per il suo vino...»

Aurelio assentì con il capo e quasi automaticamente citò un paio di esametri:

Vina bibes iterum Tauro diffusa palustris
inter Minturnas...

Livia lo guardò sorpresa: era la prima volta che sentiva un soldato citare Orazio in metrica e con la pronuncia classica, ma anche questo faceva parte di un passato che continuava a sfuggirle.

«Dobbiamo stabilire un contatto» disse Aurelio. «Domani dovranno prendere a sud per Napoli o a sud-est per Capua ma, sia in un caso che nell'altro, non avremo più la possibilità di seguirli stando al riparo sulle colline. Dovremo scendere in pianura, allo scoperto, attraversare villaggi e casolari sempre più numerosi dove sarà più facile notarci. I forestieri non passano inosservati.»

«E quella che cos'è?» lo interruppe Livia indicando una luce che ammiccava nei pressi di un macchione di salici a ridosso del torrente. Aurelio la osservò con attenzione e dopo un poco quell'ammiccare intermittente gli richiamò alla mente vecchie cognizioni: si sarebbe detto il sistema di comunicazione in codice in uso nel servizio postale riservato dell'imperatore!

Osservò più attentamente e quei segnali assunsero ben presto un significato. Sconcertante. Dicevano: «*Huc descende, miles gloriose*», "vieni giù, soldato spaccone". Scosse il capo quasi non credesse ai suoi occhi, poi, rivolto a Livia disse: «Coprimi e tieni pronti i cavalli in caso dovessimo darcela a gambe. Io vado giù».

«Aspetta...» disse Livia, ma non fece a tempo a terminare la frase. Aurelio era già scomparso nel folto della vegetazione sottostante. Sentì per qualche tempo il frusciare delle foglie al suo passare, poi più nulla.

Aurelio intanto cercava di non perdere di vista la luce che aveva lanciato quei curiosi segnali, e dopo un poco riuscì a rendersi conto che si trattava di una lanterna impugnata da un uomo anziano. Il lume, tenuto alto per illuminare il sentiero, faceva luccicare la sua calvizie: il precettore! E a poca distanza lo seguiva un guerriero barbaro. Ancora alcuni passi e ne poté udire le voci. «Stai indietro, accidenti a te! Certe cose sono abituato a farle in privato: dove vuoi che scappi, animale! È buio, e poi non abbandonerei mai l'imperatore.»

Il barbaro mugugnò qualcosa e si fermò appoggiandosi

al tronco di un salice. Il precettore avanzò di un poco, appese la lanterna a un ramo e poi appoggiò il mantello su un cespuglio, dandogli una certa postura come di persona accucciata. A quel punto avanzò ancora di qualche passo e subito svanì come se la macchia lo avesse inghiottito. Aurelio, che era ormai molto vicino, rimase sconcertato e non seppe che fare. Non poteva chiamare per non farsi sentire dal barbaro né fare alcun movimento scomposto. Si mosse in direzione del punto in cui lo aveva visto sparire e avanzò ancora in direzione della riva del fiume dove la vegetazione era più fitta e buia. Improvvisamente una voce risuonò sommessa a meno di un passo di distanza.

«Affollato questo posto.»

Aurelio si mosse di scatto e il precettore si trovò la spada alla gola ma non si scompose.

«Tranquillo» disse. «Va tutto bene.»

«Ma come...»

«E zitto. Abbiamo solo il tempo di una cacata.»

«Ma, per Ercole...»

«Sono Ambrosinus, il precettore dell'imperatore.»

«L'avevo capito.»

«Non mi interrompere e stammi a sentire. La sorveglianza è aumentata perché ci avviciniamo alla meta. Ora mi accompagnano dappertutto, anche al cesso. Avrai capito, immagino, che ci portano a Capri. In quanti siete?»

«In due. Io e una... donna, ma...»

«Già, la venditrice d'acqua... Bene, non provarci, sarebbe un suicidio. Se poi quelli ti prendono ti scuoiano vivo. Hai bisogno di qualcuno che ti dia una mano.»

«Abbiamo del danaro: pensiamo di arruolare altri uomini.»

«Stateci attenti, i mercenari sono sempre pronti a cambiare padrone, dovete cercare gente fidata. L'altra notte ho sentito due ufficiali di Wulfila parlare di certi prigionieri romani inviati a Miseno a servire sulle navi. Magari vale la pena dare un'occhiata.»

«Oh, sì, certo» rispose Aurelio. «E non puoi saperne di più?»

«Faccio quello che posso. Comunque cerca di starmi dietro, lascerò altre tracce se riesco. Vedo che sai leggere il codice luminoso... Sai anche usarlo?»

«Certo. Ma come hai fatto a sapere che ero qua?»

«Facile. Ho visto quel bicchiere: era chiaramente un segnale e ho risposto scrivendo in fondo alla ciotola. Poi ho pensato che, se non eri uno stupido, ci avresti seguito dalla parte delle colline, e che avresti notato la lanterna così come io ho notato una volta il vostro fuoco di bivacco. Ora addio, devo andare: anche per uno che soffre di stitichezza è già passato troppo tempo.»

Ambrosinus fece un cenno con il capo e si allontanò. Recuperò mantello e lanterna e raggiunse il suo custode che lo aspettava per riaccompagnarlo al campo.

Romolo, appoggiato a un albero, guardava verso il mare, lo sguardo assente.

«Devi reagire, ragazzo mio» gli disse Ambrosinus. «Non puoi andare avanti così, sei solo all'inizio della tua esistenza e devi tornare a vivere.»

Romolo non si volse nemmeno. «A vivere? Per che cosa?» E si rinchiuse nel suo mutismo.

Ambrosinus sospirò. «Eppure abbiamo una speranza...»

«Una speranza in fondo a un bicchiere, non è così? Una volta era in fondo a un vaso, se ben ricordo. Il vaso di Pandora.»

«Il tuo sarcasmo è fuori luogo. L'uomo che ha già tentato di salvarti è qui, e deciso più che mai a liberarti.»

Romolo accennò con il capo senza entusiasmo, e l'altro continuò: «Quell'uomo ti considera il suo imperatore e deve avere un motivo ben forte e ben importante per insistere in un'impresa così disperata e così pericolosa. Meriterebbe da te assai più che un cenno di sufficienza».

Romolo non rispose a quelle parole, ma dal suo sguardo Ambrosinus capì che avevano fatto breccia.

«Non voglio che affronti ancora inutilmente dei rischi. Ecco tutto. Come si chiama?»

«Aurelio. Se ricordo bene.»

«È un nome abbastanza comune.»

«Già. Ma è lui che non è comune. Si comporta come se comandasse un esercito ai tuoi ordini ed è solo come un cane. Per lui, la tua vita e la tua libertà sono quanto di più prezioso al mondo. Così cieca è la sua fede che è pronto ad affrontare un rischio mortale quando ancora non è rimarginata la ferita che ha riportato nell'ultimo tentativo di salvarti. Pensaci quando ti manca il coraggio di riprendere in mano la tua esistenza, quando ti comporti come se la tua vita non valesse la pena di essere vissuta. Pensaci, piccolo Cesare.»

Si volse e tornò verso la tenda per preparare qualcosa per la cena del suo pupillo, ma prima di entrare rivolse lo sguardo alle colline coperte di boschi e di tenebre e mormorò fra i denti: «Tieni duro, *miles gloriose*, per tutti i diavoli e tutti gli dèi, tieni duro».

«Mi ha chiamato *miles gloriosus*, ti rendi conto?» disse Aurelio ansimando verso la sommità dell'erta. «Come fossi un personaggio da commedia. A momenti gli taglio la gola.»

«Al vecchio, immagino. Era lui?»

«Sì, certo.»

«Legge Plauto, ecco tutto. E anche tu, vedo. Sei un uomo colto, cosa rara per un soldato, specialmente di questi tempi. Ti sei mai chiesto il perché?»

«Ho altro a cui pensare» rispose secco Aurelio.

«Puoi mettermi al corrente o chiedo troppo?»

«Mi ha confermato che vanno a Capri. E mi ha detto anche un'altra cosa: ha sentito dire di certi prigionieri romani mandati a Miseno a servire sulle galere della flotta. Se solo potessi riuscire a trovarli...»

«Questo non è difficile. Con un po' di soldi si ottengono molte informazioni. Che cosa pensi di fare ora?»

«Ho riflettuto mentre risalivo. Ormai siamo sicuri della destinazione e non ci conviene rischiare portandoci allo scoperto in pianura. Dobbiamo precederli e prepararci meglio che possiamo.»

«A te interessa soprattutto ritrovare i tuoi compagni.»

«È nell'interesse di tutti. Ho bisogno di uomini di cui mi possa fidare ciecamente, e non c'era un uomo del mio reparto che non fosse degno della mia completa fiducia. Appena avremo formato il gruppo d'assalto metteremo a punto il piano di incursione.»

«E se mentre noi andiamo avanti loro cambiassero destinazione?»

«Io non lo credo, e comunque dobbiamo correre il rischio. Più rimaniamo a contatto e più aumentano le probabilità di incontri indesiderati, specie in pianura e allo scoperto. Io propongo di andarcene domani stesso per la nostra strada. Possiamo partire dopo aver visto che direzione prendono e precederli di un buon tratto. Noi siamo molto più veloci.»

«Come vuoi. Forse hai ragione. È solo che... non so come dire, finché siamo rimasti nei pressi mi sembrava che lui fosse al sicuro.»

«Sotto protezione. È vero. Anch'io ho provato la stessa sensazione e mi dispiace andarmene, ma penso che comunque sia in buone mani. Quel vecchio pazzo gli vuole sicuramente molto bene ed è più astuto di tutti quei barbari messi insieme. E ora cerchiamo di riposare. Abbiamo cavalcato tutto il giorno e abbiamo mangiato solo una galletta e una crosta di formaggio.»

«D'ora in poi andrà meglio, ma ti avverto: qui mangiano soprattutto pesci.»

«Preferisco un pezzo di bue.»

«Sei un mangiatore di carne, quindi la tua origine è dalla pianura, da una qualche fattoria nella campagna.»

Aurelio non rispose. Detestava quel continuo investigare di Livia sul suo passato. Tolse la sella e il morso al suo cavallo e gli lasciò solo la cavezza perché potesse pascolare liberamente, poi stese al suolo la sua coperta.

«Io invece non mangio altro che pesce» disse Livia.

«Dimenticavo che sei un animale acquatico» rispose Aurelio stendendosi. Livia si sdraiò vicino a lui e per un poco restarono in silenzio a guardare le stelle che brillavano nell'immensa volta del cielo notturno.

«Sogni mai di notte?» chiese a un tratto Livia.

«La notte migliore è quella che trascorre senza sogni.»

«Rispondi sempre con le parole di un altro. Questo è Platone.»

«Chiunque sia sono d'accordo con lui.»

«Non posso credere che tu non faccia mai sogni.»

«Io non faccio sogni. Solo incubi.»

«E che cosa vedi?»

«Orrore... sangue... grida... fuoco soprattutto, fuoco dovunque, un inferno di fiamme eppure una sensazione di gelo, come se il cuore diventasse un pezzo di ghiaccio. E tu? Tu ce l'hai invece un sogno... me l'hai detto. Una città in mezzo al mare.»

«È così.»

«Allora esiste davvero, questa tua piccola Atlantide.»

«Oh, è solo un villaggio di capanne: viviamo di pesca e del commercio del sale ma per ora ci basta. Siamo liberi e nessuno osa avventurarsi nelle nostre acque: barene e pantani, bassifondi che le maree rendono infidi. Profili costieri che mutano da un giorno all'altro, da un'ora all'altra potrei dire...»

«Continua. Mi piace sentirti raccontare.»

«La fondarono i miei compagni di sventura, i profughi di Aquileia, e in seguito altri se ne aggiunsero. Da Grado, Altino, Concordia. Arrivammo quella notte. Eravamo affranti, disperati, esausti. I pescatori conoscevano un gruppo di isolette in mezzo alla laguna separate da un largo canale, come il segmento di un fiume che si sia perduto nel mare. Nell'isola più grande c'era il rudere di un'antica villa in rovina e lì cercammo rifugio. Gli uomini ammucchiarono erba secca e ramaglie preparando dei rudimentali giacigli. Le donne più giovani si stesero ad allattare i loro bambini, qualcuno riuscì ad accendere un fuoco fra quei ruderi coperti di rampicanti. Il giorno dopo i carpentieri cominciarono a tagliare alberi e a costruire delle capanne, i pescatori uscirono al largo a pescare. Era nata la nostra nuova Patria. Eravamo tutti Veneti a parte un Siciliano e due Umbri dell'amministrazione imperiale: la chiamammo Venetia.»

«È un bel nome, dolce» disse Aurelio. «Sembra il nome di una donna. E quanti siete?»

«Quasi cinquecento persone. Sta già crescendo la prima generazione nata nella città, i primi Venetiani. È passato tanto tempo e ormai si comincia a notare il suono di un accento diverso da chi è rimasto in terraferma. Non è meraviglioso?»

«E nessuno vi ha dato disturbo?»

«Più volte, ma ci siamo difesi. Il nostro regno è la laguna, da Altino fino a Ravenna, i nostri uomini ne conoscono ogni angolo, ogni bassofondo, ogni spiaggia, ogni piccola isola. È un mondo indefinibile e ambiguo: né terra né acqua e neppure cielo, quando le nubi basse si confondono con le frange spumose delle onde, ma tutte e tre le cose insieme, spesso invisibile per la nebbia d'inverno o la foschia d'estate, piatto sulla superficie dell'acqua. Ognuna di quelle isole è coperta da un fitto manto boscoso. I nostri bambini dormono cullati dal canto degli usignoli e dai richiami dei gabbiani.»

«Hai un figlio?» chiese Aurelio improvvisamente.

«No. Ma i figli di ciascuno sono i figli di tutti. Dividiamo ciò che abbiamo e ci aiutiamo l'un l'altro. Eleggiamo i nostri capi con il voto di tutti, abbiamo riesumato l'antica costituzione repubblicana dei nostri antenati, quella di Bruto e Scevola, Catone e Claudio.»

«Ne parli come di una vera Patria.»

«Lo è» rispose Livia. «E come la Roma delle origini attrae fuggiaschi e fuoriusciti, perseguitati e diseredati. Abbiamo costruito barche dal fondo piatto che possono arrivare dovunque, come quella che ti ha raccolto la notte della tua fuga da Ravenna, ma stiamo costruendo navi capaci di affrontare il mare aperto. Quasi ogni giorno sorgono nuove abitazioni e verrà il tempo in cui Venetia sarà l'orgoglio di questa terra e una grande città di mare. Ecco, questo è il mio sogno. Per questo forse non ho mai avuto un uomo, né un bambino. E quando persi mia madre, stroncata da una malattia, rimasi sola.»

«Non posso credere che una ragazza così... così bella, non abbia mai avuto...»

«Un uomo? Succede. Forse perché non ho mai incontrato quello che ho in mente. Forse perché tutti si sentono in dovere o in potere di prendersi cura di una ragazza rimasta sola. Ho dovuto dimostrare di bastare a me stessa e questo non attira gli uomini. Li respinge. D'altra parte, tutti nella mia città devono essere pronti a combattere, e io imparai a maneggiare l'arco e la spada prima che a cucinare e a cucire. Anche le donne da noi combattono quando è necessario. Hanno imparato a distinguere il rumore dell'onda spinta dal vento da quello dell'onda spinta dal remo e hanno imparato, quando montano la guardia, a orinare in piedi, come i maschi...»

Aurelio sorrise nell'ombra a quelle parole così rudi, ma Livia continuò: «Tuttavia abbiamo bisogno di uomini come te per costruire il nostro futuro. Quando avremo compiuto questa missione, non ti piacerebbe stabilirti con noi?».

Aurelio tacque non sapendo cosa rispondere a una simile inattesa richiesta, poi, dopo qualche attimo di silenzio, rispose: «Vorrei poterti dire quello che provo in questo momento ma sono come uno che cammina al buio su un terreno sconosciuto, non può muovere che un passo per volta. Cerchiamo intanto di liberare quel ragazzo, sarà già tanto».

Le sfiorò le labbra con un bacio. «E ora cerca di riposare» disse. «Farò io il primo turno di guardia.»

XI

Arrivarono nei pressi di Pozzuoli due giorni dopo, sul far della sera. Ormai le giornate si erano molto accorciate e il sole tramontava presto, in un alone di vapori rossastri. La regione più bella d'Italia sembrava ancora abbastanza simile a un paese felice: non si vedevano qui i segni delle spaventose devastazioni del Nord né la desolazione e la miseria delle regioni centrali. La fertilità straordinaria dei campi, che consentiva due raccolti all'anno, faceva sì che vi fosse sufficiente cibo per tutti e che se ne potesse vendere a caro prezzo anche nei luoghi in cui scarseggiava. C'erano ancora verdure negli orti e perfino fiori nei giardini, e la presenza barbarica era meno percettibile che nel Settentrione. La gente era gentile e premurosa, i bambini chiassosi e un po' assillanti e dovunque si percepiva ancora il forte accento greco dei napoletani. Livia notò che quando la indicavano dicevano "*chilla femina*" invece che "*illa foemina*". A Pozzuoli comprarono del cibo al mercato che si teneva nei giorni pari della settimana all'interno dell'anfiteatro. L'arena, un tempo intrisa del sangue dei gladiatori, era adesso popolata di bancarelle che vendevano rape e ceci, zucche e porri, cipolle e fagioli, verze, radicchi e inoltre ogni sorta di frutta di stagione fra cui spiccavano fichi, mele rosse, verdi e gialle e melograni d'un bel rosso fiammante. Alcuni, spaccati in due ad arte, mostravano all'interno i chicchi simili a rubini. Una vera festa per gli occhi.

«Sembra di rinascere» disse Aurelio. «Tutto è così diverso qui.»

«Ci eri mai stato?» chiese Livia. «Io sì. Un paio di anni fa con uomini di Antemio per scortare il vescovo di Nicea fino a Roma.

«No» rispose Aurelio. «Non sono mai arrivato a sud di Palestrina. Il nostro reparto è sempre stato schierato a nord: nel Norico o in Rezia o in Pannonia. Il clima qui è così mite, la terra così profumata, la gente così affabile. Sembra un altro mondo.»

«Ora ti rendi conto del perché la gente che arriva in questo paese non vuole più andarsene?»

«Già» rispose Aurelio. «E se devo essere sincero mi piacerebbe molto di più stabilirmi qui, potendo scegliere, piuttosto che nella tua palude.»

«Laguna» lo corresse Livia.

«Laguna o palude non fa molta differenza. Da dove pensi che partiranno?» chiese poi cambiando improvvisamente discorso.

«Dal porto di Napoli. Senza dubbio. È di là la via più breve per Capri. E là ci sono i magazzini per rifornirsi di tutto quanto è necessario a una lunga permanenza.»

«Allora muoviamoci. Non abbiamo poi molto tempo, e questa terra è tentatrice. Anche Annibale e il suo esercito si lasciarono rammollire dall'ozio e dai piaceri della vita in questi luoghi.»

«Gli ozi di Capua...» assentì Livia. «Conosci Tito Livio e Cornelio Nepote. Hai ricevuto come me l'educazione tipica di una buona famiglia della media se non dell'alta società. D'altra parte, se il nome che porti è il tuo...»

«È il mio!» troncò Aurelio.

Raggiunsero il porto di Napoli nella tarda mattinata del giorno seguente e si mescolarono alla folla che gremiva il mercato e le banchine, per ascoltare ed eventualmente carpire qualche informazione. Mangiarono pane e pesce arrostito al banco di un venditore ambulante e ammirarono la bellezza del golfo e la mole imponente del Vesuvio, da cui usciva un pennacchio di fumo che il vento piegava verso oriente. Sul far della sera videro giungere il corteo imperiale: le armature, gli scudi e gli elmi dei guerrieri barbari sembravano arnesi mostruosi nell'atmosfera pacifica, festosa e multicolore del porto. I bambini si intrufolavano fin quasi fra le zampe dei cavalli, altri si accostavano ai guerrieri cercando di vendere loro dolci, semi tostati e uva passa. Quando Romolo scese dal suo carro gli si affollarono intorno affascinati dal suo aspetto, dalle vesti ricamate, dai tratti aristocratici del volto e da quella sua espressione malinconica. Né Aurelio né Livia poterono resistere a quella vista. Copertisi il volto l'uno con un cappello di paglia a larghe tese, l'altra con uno scialle, si incamminarono lungo il molo e, restando al riparo nell'ombra del portico che lo fiancheggiava fino in fondo, riuscirono a vedere da distanza molto ravvicinata l'imperatore fanciullo attorniato dai suoi giovani sudditi.

«Verresti a giocare con noi?» chiedeva uno.

«Sì, vieni, abbiamo una palla!» diceva un altro.

Uno gli porse un frutto. «Vuoi una mela? È buona, sai?»

Romolo sorrideva un po' impacciato, non sapendo che cosa rispondere, ma Wulfila scese da cavallo e scacciò tutti con la sua voce sgraziata e il suo aspetto terribile. Un gruppo di facchini finiva di scaricare le merci destinate alla residenza di Capri, ultima prigione dell'imperatore d'Occidente. Poi si accostarono un paio di grosse imbarcazioni e cominciarono a prendere a bordo uomini e merci. Da ultimo salì il ragazzo accompagnato dal suo precettore.

Ambrosinus sollevò l'orlo della veste nel momento di salire a bordo, scoprendo le ginocchia ossute, e volse intorno lo sguardo come se cercasse qualcosa o qualcuno. Per un brevissimo istante i suoi occhi incontrarono quelli di Aurelio nell'ombra del portico, sotto la tesa del cappello, e l'espressione del suo volto, il cenno fuggevole del capo mostrarono che lo aveva riconosciuto.

La barca sciolse gli ormeggi, i marinai si diedero voce per le manovre, e mentre alcuni recuperavano l'ancora e le cime, altri mettevano la vela al vento. Livia e Aurelio uscirono dall'ombra e si portarono fino alla punta del molo seguendo a lungo con lo sguardo la figura di Romolo ritto a poppa, sempre più piccolo man mano che la distanza aumentava. Il vento gli arruffava i capelli e gli gonfiava la veste e forse gli asciugava le lacrime sul viso in quel vespro malinconico e lattiginoso.

«Povero ragazzo» disse Livia.

Aurelio continuava a tenere fissi gli occhi sulla barca ormai lontana, e gli parve che il ragazzo a un certo punto alzasse la mano come in un saluto.

«Forse ci ha visti» disse.

«Forse» gli fece eco Livia. «Ma vieni ora, torniamo indietro. Meglio non farci notare.»

Aurelio si fermò davanti alla locanda "Parthenope", come recitava l'insegna su cui spiccava una figura malamente decifrabile che nelle intenzioni dell'artista avrebbe dovuto rappresentare una sirena. «Avevano solo una camera disponibile» disse mentre salivano le scale, «dovrai dividerla con me.»

«Abbiamo dormito in situazioni peggiori e non mi sembra di essermi mai lamentata» rispose Livia. Lo guardò con un'espressione ambigua e aggiunse: «E inoltre fra noi non c'è altro che un patto d'armi, e dunque non corriamo alcun pericolo dormendo nella stessa stanza. Non è così?».

«È così» rispose Aurelio, ma l'espressione del suo volto e della sua voce dicevano altro.

Livia prese una lucerna ed entrò. La camera era abbastanza piccola e disadorna, ma quasi decorosa. Il mobilio era costituito da due brandine e una cassapanca. In un canto c'erano un orcio pieno d'acqua e un catino. In un incavo del muro il vaso da notte con il suo coperchio di metallo. Sulla cassapanca era appoggiato un vassoio con un pezzo di pane, una piccola forma di formaggio e due mele. Si lavarono le mani e mangiarono in silenzio.

Quando ormai si preparavano a coricarsi si sentì bussare alla porta.

«Chi è?» chiese Aurelio, e si appiattì contro il muro accanto allo stipite mettendo mano alla spada.

Nessuno rispose. Aurelio fece cenno a Livia di aprire e si tenne pronto con l'arma stretta nel pugno. Livia brandì il suo pugnale nella mano sinistra, alzò lentamente il chiavistello con la destra e poi con movimento velocissimo spalancò il battente. Il corridoio era deserto, a malapena illuminato da una lucerna appesa al muro.

«Guarda» disse Aurelio indicando qualcosa sul pavimento. «Qualcuno ha lasciato un messaggio.»

Per terra c'era un piccolo foglio ripiegato di pergamena. Livia lo raccolse e lo aprì. C'erano poche righe vergate in corsivo e un minuscolo *sphraghís*, un sigillo di fattura orientale con tre lettere greche intrecciate.

«La firma di Antemio» disse Livia raggiante. «Ero certa che non ci avrebbe lasciati soli.»

«Che cosa dice?» chiese Aurelio.

«Stefano ha depositato il danaro che ci serve presso un banchiere di Pozzuoli. Potremo assoldare degli uomini, e anche inviare notizie ad Antemio tramite i corrieri delle lettere di credito. È il nostro sistema di comunicazione riservato, e ha sempre funzionato molto bene.»

«Io devo cercare i miei compagni, se esiste anche solo una speranza. Se ne fosse salvato uno solo, io lo voglio trovare.»

«Calmati. Faremo tutto quello che si può, ma le probabilità sono limitate.»

«Ambrosinus mi ha detto che prigionieri romani sarebbero stati condotti a Miseno.»

«Ed è là che andremo, ma non puoi attenderti nulla di certo né di agevole. Se anche alcuni dei tuoi sono là, sono schiavi, lo capisci? Schiavi. Probabilmente incatenati. Certamente guardati a vista. Liberarli potrebbe esporci a rischi molto elevati e compromettere la missione più importante.»

«Non esiste una missione più importante. Mi hai capito bene?»

«Mi avevi dato la tua parola.»

«Anche tu.»

Livia chinò il capo e si morse le labbra: non c'era via di uscita. Aurelio era evidentemente irremovibile.

Si misero in viaggio l'indomani poco prima dell'alba. Un vento freddo di tramontana aveva spazzato via la foschia: nel cielo limpido brillava bassa, quasi sulla superficie del mare, una falce di luna. Capri si stagliava nettamente all'orizzonte, aspra e rocciosa, coperta in alto da un fitto manto di vegetazione. A sud il pennacchio di fumo che usciva dalla bocca del Vesuvio si faceva sempre più grosso e scuro e segnava il cielo azzurro con una lunga striscia, nera come il velo di una prefica.

Al sorgere del sole incontrarono il banchiere di Antemio, un tale Eustazio, in una chiesetta isolata fuori dalle mura, un sacello dedicato al martire Sebastiano, e l'immagine del santo legato a un palo e trafitto dalle frecce colpì Aurelio come una scudisciata. La sua memoria mutilata sussultò cercando freneticamente un contatto impossibile, scatenando l'angoscia nelle profondità del suo animo, ma si fece forza, cercando di nascondere le sue emozioni.

«Ci servono delle informazioni» disse Livia fingendo di non accorgersene.

«Contate su di me» rispose Eustazio, «per tutto quello che posso.»

«Ci risulta che alcuni soldati romani prigionieri siano stati condotti a Miseno per servire sulle navi.»

«Il porto militare è in gran parte in disarmo» rispose Eustazio, «e le poche navi di questa stagione sono in secca per le riparazioni. I rematori vengono usati per altri scopi.»

«Quali?» chiese ansiosamente Aurelio.

«Alcuni alle miniere di zolfo o alle saline, altri vengono fatti combattere come gladiatori in spettacoli clandestini. Il giro delle scommesse è vertiginoso. Io ne so qualcosa.»

«Se si trattasse di soldati?» insistette Aurelio.

«Se mi parli di soldati, è più facile che li troverai là.»

«Dove?»

«All'interno della *piscina mirabilis*.»

«Che cos'è?»

«La vecchia cisterna che forniva acqua potabile alle navi della flotta imperiale. Immagina una gigantesca basilica sotterranea a cinque navate, un'opera impressionante. Ora l'acquedotto è stato deviato e quell'immenso ipogeo è il nascondiglio ideale per queste orge vergognose. E posso assicurarvi che non sono pochi i cristiani che vi assistono puntando somme enormi sui campioni più quotati. Vi servirà un lasciapassare» aggiunse. E diede loro una piccola tessera di osso levigato con inciso il segno del tridente, il sigillo dell'ammiragliato.

Livia prese il danaro e la tessera, firmò una ricevuta e vergò alcune righe di comunicazione per Antemio in linguaggio cifrato, quindi salutò e fece per rimettersi in viaggio.

«E un'altra cosa» disse il banchiere. «Se trovate posto sistematevi al Gallus Aesculapi, è una taverna sulla vecchia darsena. Lì è il ritrovo degli allibratori e degli scommettitori... Se qualcuno di loro dovesse chiedervi: "Ti va un bagno in piscina?", rispondete: "Non chiedo di meglio". È la parola d'ordine dei frequentatori riconosciuti. Cos'altro... Ah, sì: c'è la pena di morte per chi organizza e anche per chi assiste a giochi di gladiatori, lo sapete, non è vero?»

«Lo sappiamo» rispose Aurelio. «È una vecchia legge di Costantino che rispetta chi vuole.»

«È vero, ma state attenti ugualmente. Quando conviene, le leggi vengono fatte rispettare, e allora sono guai per chi si trova sotto il filo della scure. Buona fortuna!» concluse Eustazio.

Proseguirono senza sosta per tutta la giornata. Passarono accanto al lago Lucrino, poi al lago Averno e giunsero a Miseno dopo il tramonto. Non fu difficile trovare il *Gallus Aesculapi*, che si affacciava sulla vecchia darsena del *Portus Iulius*. Il grande bacino esagonale era in parte interrato e la bocca di porto era sufficiente per fare uscire al massimo una nave per volta. Le navi da guerra erano cinque in tutto, due delle quali, piuttosto malconce, rivelavano i segni di una lunga incuria. Erano alle dipendenze di un *magister classis* il cui logoro stendardo penzolava inerte da un pennone. Quella che un tempo era stata la base della squadra imperiale, un bacino capace di contenere duecento navi da battaglia, era adesso una specie di morta gora sparsa di relitti putrescenti.

Livia e Aurelio entrarono nella taverna dopo il calare del sole e ordinarono una zuppa di pollo e di verdura. L'aria risuonava delle strida dei gabbiani e dei richiami delle donne che radunavano per la cena i loro bambini dispersi per i vicoli a giocare. Il locale era già piuttosto affollato: un oste calvo e rubizzo serviva vino bianco agli avventori seduti ai tavoli, alcuni intenti a giocare ai dadi, altri agli astragali, altri alla morra. Quel luogo era evidentemente il regno del gioco e delle scommesse. Ma dov'erano gli allibratori? Livia si guardò intorno e notò alcuni tavoli raggruppati vicino all'unica finestra, attorno ai quali erano seduti individui loschi, avanzi di galera, facce segnate da cicatrici, braccia tatuate come quelle dei barbari. Diede un colpo con il gomito ad Aurelio.

«Li ho visti» rispose lui. Chiamò l'oste e gli disse: «Sono nuovo di queste parti, ma il posto mi piace e vorrei fare amicizia con questa brava gente. Vorrei che tu offrissi una caraffa del migliore a quei signori laggiù».

L'oste annuì e portò la caraffa che fu accolta con un'ovazione. «Ehi, forestiero! Vieni qua a bere con noi e portati anche quella pollastrella. Bisogna dividere tutto con gli amici, no?»

«Dammi del danaro» disse Aurelio sottovoce a Livia. Poi si avvicinò al tavolo con un mezzo sorriso e disse:

«Meglio di no. Quella non è una pollastrella. È una lupacchiotta, e morde».

«Oh, andiamo» disse un secondo alzandosi dal tavolo, un ceffo patibolare con una boccaccia di denti marci, «vieni anche tu a far festa, bellezza!» Si avvicinò a Livia che stava ancora seduta e le piantò una mano sulla spalla allungandole le dita verso il seno, ma lei, fulminea, gli afferrò con la sinistra i testicoli e glieli strizzò con tutta la forza delle sue dita d'acciaio, con la destra sfilò il pugnale dalla cintura e glielo puntò alla gola balzando in piedi di scatto. Il disgraziato urlava ma non poteva muoversi, con quel coltello quasi piantato nel collo, né liberarsi. Livia strinse ancora di più finché l'uomo svenne per il dolore e rovinò al suolo. La ragazza infilò il pugnale nella cintura e si sedette cominciando a mangiare la sua zuppa come se niente fosse accaduto.

«Ve lo avevo detto che morde» disse Aurelio impassibile. «Posso sedermi?»

Gli altri gli fecero posto allibiti. Si versò da bere e posò ostentatamente qualche moneta d'argento sul tavolo. «Mi dicono che qui si possono fare dei bei guadagni con le scommesse, se uno ha la soffiata giusta.»

«Vuoi giocare pesante, a quel che vedo» disse quello che sembrava il capo.

«Se ne vale la pena.»

«Quanto a questo sei capitato nel posto giusto, ma per entrare ci vuole un santo protettore: sai che cosa intendo?»

Aurelio estrasse la tessera con il tridente e la mostrò per un istante riponendola immediatamente. «Come questo?»

«Vedo che sei bene introdotto. Ti piace andare a letto presto la sera?»

«Io? Sono un nottambulo incallito.»

«Ti andrebbe un bagno in piscina verso mezzanotte?»

«Non chiedo di meglio.»

«Quanto vuoi puntare?»

«Dipende. C'è qualcuno su cui si può rischiare una buona giocata?»

L'uomo si alzò, lo prese per un braccio e lo tirò da parte come per confidargli un gran segreto. «Ascolta, c'è un gigante etiope, alto come una torre, un vero Ercole che fino ad oggi ha massacrato tutti i concorrenti.» Aurelio ebbe un tuffo al cuore. Avrebbe voluto urlare: "Batiato!", ma soffocò il grido dentro di sé, e l'immensa gioia che gli inondava l'animo.

«Tutti scommettono su di lui cifre molto alte. Ma vedo che tu non hai problemi di danaro e ti propongo una società. Puntiamo tutto quello che hai sul nero che perde. Io ti garantisco che perderà, e poi ci dividiamo il guadagno, ma mi servono almeno cinque solidi d'oro, altrimenti non ne vale la pena.»

Aurelio estrasse la borsa e la soppesò nella mano. «Ne ho anche di più, ma non sono stupido. Perché mai dovrebbe perdere, questa specie di orso?»

«Per due motivi: il primo è che questa notte dovrà combattere contro tre avversari anziché uno. Il secondo è una sorpresa e lo vedrai da te sul posto. Non ti conosco, bello mio, e non posso rischiare di dirti di più. Anzi, ti ho già detto anche troppo. Allora, questa puntata?»

«Te l'ho detto: non sono stupido. Te li do sul posto, prima che cominci lo spettacolo.»

«Sta bene» disse l'uomo. «A mezzanotte, quando senti squillare la campana dell'ammiragliato.»

«Non mancherò. Ah, una cosa: la vedi quella?» E indicò Livia. «È soltanto un pulcino bagnato al mio confronto. Niente scherzi quindi, intesi? O io te le strappo davvero, le palle, e poi te le faccio mangiare. Adesso raccogli quel maiale che si sta svegliando, prima che lei cambi idea e gli spacchi la testa come una zucca.»

L'uomo grugnì un assenso e andò a occuparsi del suo malconcio compare. Aurelio e Livia sparirono negli angiporti.

«C'è Batiato» disse Aurelio fuori di sé dalla gioia. «Ti rendi conto? C'è Batiato!»

«Calma, ho capito. E chi è Batiato?»

«Un mio compagno di reparto. Era la guardia del corpo del mio comandante, un colosso etiope alto quasi sei piedi, forte come un toro. Uno come lui vale dieci uomini, te lo giuro. Se riusciamo a liberarlo, sono quasi certo che ce la faremo. E se c'è lui, forse ce ne sono degli altri. O dèi, non oso sperarlo...»

«Non farti troppe illusioni. Intanto, come speri di liberarlo?»

Aurelio mise la mano all'impugnatura della spada. «Con questa, che altro?»

«Ah. E ti servirà una mano, immagino.»

«Mi farebbe comodo.»

«Hai uno strano modo di chiedere le cose.»

«Non sto chiedendo nulla. Sto cercando di aiutarti a condurre a termine la tua missione.»

«Vero. Allora muoviamoci, dobbiamo prepararci e munirci di tutto quello che ci serve. Che cosa ti ha detto quell'altro maiale?»

«Che tutti scommettono sul nero che vince, dati i precedenti, e mi ha chiesto una grossa somma da puntare sul nero che perde, e che a farlo perdere ci pensa lui.»

«Forse lo vogliono avvelenare?»

«Dubito. Vale troppo.»

«Drogare?»

«Forse.»

«Comunque questa faccenda non mi piace. Dobbiamo stare all'erta.»

Tornarono alla taverna e si prepararono accuratamente per l'impresa. «Per prima cosa ci servono dei cavalli» disse Aurelio, «tre o quattro se possibile, non si sa mai. Cercherò di occuparmene io: c'è ancora una stazione di posta all'ingresso della città e il mio distintivo militare dovrebbe aiutarmi, ma può servirmi ancora del danaro.»

Livia mise mano alla borsa e Aurelio se ne andò. Tornò a notte inoltrata. «Tutto fatto» disse entrando. «Il capoposto è una brava persona, un funzionario all'antica di quelli che sanno capire senza fare troppe domande. Ci farà trovare i cavalli in un frantoio vicino alla costa, all'altezza della terza pietra miliare. Ho detto che devono arrivare degli amici e che dobbiamo partire domani prima che faccia giorno.»

«E le armi?» chiese Livia.

«È prevedibile che ci siano delle perquisizioni e quindi è meglio che le porti tu, ma dovrai avere l'aspetto di una donna, mi capisci?»

«Ti capisco benissimo» rispose Livia per nulla lusingata. «E quindi vattene fuori per un po' e bussa quando torni.»

Aurelio rientrò dopo un tempo che ritenne ragionevole e rimase stupito per la metamorfosi della sua compagna. La guardò negli occhi, affascinato dallo splendore del suo sguardo appena valorizzato da un sottile segno di bistro, e avrebbe voluto dirle che era stupenda, ma un rintocco vibrò nell'aria in quello stesso istante dalla parte del mare.

«La campana dell'ammiragliato» disse Livia. «Andiamo.»

XII

La gente arrivava alla spicciolata, in silenzio e a piccoli gruppi, nel buio più completo, uomini la più parte ma anche donne e perfino ragazzi. Giunti davanti all'ingresso venivano perquisiti e, se trovati in possesso di un'arma, erano costretti a lasciarla in consegna ai sorveglianti. L'unica luce era quella di una piccola lanterna che serviva a controllare le tessere d'ingresso, simili a quella che Aurelio aveva ricevuto a Pozzuoli dal banchiere Eustazio.

Aurelio e Livia si misero in fila aspettando il loro turno. Livia si era pettinata i capelli e aveva indossato un velo che le conferiva una certa grazia femminile. A un tratto si udì un brusio correre fra la gente e poi un rumore di passi pesanti e un tintinnare di catene, e tutti si aprirono per lasciar passare il gruppo dei combattenti che avrebbero dovuto affrontarsi in duello quella notte. Fra loro spiccava un gigante che soverchiava gli altri dalle spalle in su: Batiato! Aurelio si avvicinò benché Livia cercasse di trattenerlo, e quando fu vicino alla lucerna si scoprì il capo e disse: «Ehi, sacco di carbone, ho scommesso una montagna di soldi su di te, vedi di non deludermi».

Batiato si voltò dalla sua parte al suono di quella voce e si trovò di fronte il vecchio compagno d'armi. Gli occhi gli brillarono di meraviglia nella semioscurità e mancò poco che l'emozione li tradisse entrambi, ma Aurelio gli fece un rapido cenno e si ricoprì immediatamente. Il lanista diede uno strattone alla catena e Batiato si avviò giù per la gradinata che conduceva nelle viscere dell'immensa cisterna. Poco dopo Aurelio vide anche Vatreno e non poté trattenere le lacrime. Un pezzo della sua vita trascorsa riemergeva d'improvviso in quel luogo buio e tetro, compagni che credeva perduti gli apparivano vivi e vicini portandogli a un tempo una gioia immensa e una paura terribile. Paura che tutto riaffondasse nel nulla, paura di essere inadeguato a quel compito, che il suo tentativo potesse fallire come già era fallito quello di liberare Romolo a Ravenna. Livia intuì quello che gli stava passando per la mente, gli strinse forte il braccio e gli sussurrò all'orecchio: «Ce la faremo, sono sicura che ce la faremo. Coraggio ora, entriamo».

Il sorvegliante stava per mettere le mani su Livia ma Aurelio si fece avanti. «Ehi, lasciala stare, questa è la mia fidanzata, non quella troia di tua madre.»

L'uomo grugnì qualcosa indispettito e poi disse: «Tu però ti fai perquisire e mi fai vedere il lasciapassare, se non vuoi che ti levi la voglia di fare lo spiritoso». E mise la mano a una specie di clava che gli pendeva dalla cintura.

Aurelio mostrò la tessera e alzò le mani sbuffando mentre l'altro lo perquisiva.

«Puoi andare» disse dopo che lo ebbe trovato in regola. E si volse a controllare alcuni altri avventori che salivano in quel momento verso l'ingresso.

Intanto Aurelio e Livia cominciarono a scendere la lunga gradinata che portava al fondo della cisterna, e si trovarono di fronte ad uno spettacolo incredibile. Alla luce di decine di torce appariva la grandiosa *piscina mirabilis*, un serbatoio capace di contenere acqua sufficiente per una intera città. Era diviso in cinque navate sostenute da archi altissimi. Le pareti e il fondo erano accuratamente levigati, il pavimento aveva una doppia inclinazione convergente al centro verso la fossa limaria, una canaletta chiusa da una paratia che anticamente veniva aperta di tanto in tanto per espellere all'esterno la leggera fanghiglia che si depositava sul fondo con il passare del tempo. In alto, vicino al soffitto sulla parete orientale, si vedeva la presa dell'acquedotto un tempo destinata a riempire la cisterna, ora chiusa da una paratia. Una lunga sbavatura rugginosa e un lieve gocciolamento indicavano che c'era ancora acqua nella mandata dell'acquedotto ma che veniva probabilmente deviata verso qualche collettore laterale. Sulla parete opposta, a ovest, si apriva l'antica presa di prelievo che alimentava i serbatoi per la flotta con l'acqua di superficie, la più limpida e pura. Ora tutto quell'enorme impianto, che un tempo dissetava i marinai e i soldati della più possente flotta del mondo, era solo una voragine vuota, serbatoio di una violenza cieca e sanguinaria, bordello degli istinti più sordidi.

Aurelio notò vicino a uno dei pilastri alcuni secchi d'acqua con degli spazzoloni da macello che dovevano servire a lavare il sangue. In fondo, addossata alla parete sud, una specie di baracca di legno coperta da una tettoia che doveva fungere da spogliatoio per i gladiatori.

Livia passò al suo compagno spada e pugnale e tenne per sé il resto delle armi. «Dove devo piazzarmi?» gli chiese.

Aurelio si guardò intorno. «La cosa migliore è che tu torni vicino all'ingresso. Di lassù domini tutta la situazione e mi tieni aperta la via di fuga. Mi raccomando, non perdermi mai di vista: appena mi vedi attaccare, colpisci chiunque mi sbarri la strada. Conto su di te.»

«Sarò il tuo angelo custode.»

«Che cos'è?»

«Una specie di genio alato di noi cristiani. Pare che ciascuno di noi ne abbia uno che lo protegge.»

«Qualunque cosa che mi copra il sedere mi sta bene. Ecco laggiù il mio allibratore. Su, va'.»

Livia salì leggerissima la lunga gradinata e si appiattì nell'ombra vicino alla porta d'ingresso appena socchiusa. Tolse l'arco di sotto il mantello e appoggiò in terra la faretra colma di dardi acuminati. Aurelio si avvicinò all'allibratore, che gli disse: «Ah, il nostro misterioso amico con tanti soldi. Allora, ci stai a scommettere sul nero che perde?».

«L'ho appena visto: fa paura, un vero Ercole. E cosa dovrebbe domarlo?»

«È un segreto, non te lo posso dire.»

«Tu mi dici il segreto, io caccio i denari.» E fece tintinnare la borsa che teneva in mano. L'uomo vi gettò uno sguardo avido. «Se ti dico che è sicuro è sicuro. Guarda, questa è la mia quota.» E indicò un mucchietto di solidi d'oro. Altri allibratori vicino a lui gridavano: «Avanti gente, avanti con le scommesse che lo spettacolo sta per incominciare: chi scommette sull'Ercole nero?». E mentre crescevano il brusio e l'eccitazione sempre di più, un gruppo di inservienti cominciò a montare una specie di transenna di ferro che delimitava il campo per il combattimento. Contemporaneamente si vide un gruppo di armati in fondo alla sala che prendevano posizione. Aurelio li notò e cercò di attirare l'attenzione di Livia su di loro con gesti eloquenti della mano. Livia fece cenno che sì, li aveva notati.

La prima coppia di combattenti entrò nello spazio transennato e iniziò il duello fra le incitazioni sempre più accese della folla assiepata. L'atmosfera si stava surriscaldando, e quei combattimenti preliminari dovevano servire a preparare l'evento più atteso della serata: l'ordalia dell'Ercole nero! Ormai non c'era più molto tempo: a cosa alludeva l'allibratore con quella sua frase sibillina? Aurelio pensò di farlo parlare a ogni costo, magari puntandogli il pugnale alle costole: nella calca nessuno l'avrebbe notato. Vide che una gran massa di danaro si stava accumulando sul suo tavolo e fu preso dal panico: doveva essere veramente sicuro che il nero avrebbe perso. I loro sguardi si incrociarono per un attimo e quello gli fece un cenno come per dire: "Allora, ti decidi?".

Vide che le guardie erano distratte dal combattimento che si stava facendo, di momento in momento, sempre più furibondo, ma ben presto il duello sembrò volgere a una rapida conclusione. Colpito a una spalla, uno dei due combattenti vacillò e l'avversario gli inflisse il colpo di grazia. L'urlo delirante della folla rimbombò in mille echi rifratti e spezzati fra gli archi e i pilastri.

Ma proprio in quell'istante l'udito di Aurelio, addestrato a distinguere rumore da rumore nel pieno di una battaglia, percepì un certo trambusto venire dalla sua sinistra, dalla parte degli spogliatoi. Scivolò allora lungo le pareti e si avvicinò abbastanza da vedere. Quattro uomini avevano legato Vatreno e lo stavano imbavagliando, mentre la sua armatura e il suo elmo con la celata venivano indossati da un altro gladiatore della stessa corporatura e della stessa altezza.

Ecco il trucco! Si erano accorti che Batiato non portava mai attacchi mortali all'uomo che indossava quella tenuta e viceversa, e volevano punire l'inganno: Batiato sarebbe stato colto di sorpresa dal colpo mortale inferto da un nemico mascherato da amico e gli scommettitori avrebbero vinto una somma enorme. Ringraziò in cuor suo gli dèi che gli stavano facendo quel magnifico regalo, e si acquattò in un angolo ad aspettare pazientemente. Vide che facevano uscire Batiato. Coperto solo da un perizoma, l'imponente muscolatura luccicante di sudore, imbracciava un piccolo scudo rotondo e una daga saracena ricurva. Al suo apparire la folla alzò un boato, mentre gli inservienti portavano via il gladiatore caduto. Dietro di lui il falso Vatreno si apprestava a seguirlo. Era il momento. Aurelio entrò come un fulmine nello spogliatoio sorprendendo le due guardie: decapitò la prima con un solo fendente e affondò il pugnale fino all'elsa nel petto della seconda. L'una e l'altra si accasciarono senza un gemito.

«Vatreno, sono io!» disse sciogliendo l'amico e togliendogli il bavaglio.

«Per Ercole! Da dove sbuchi? Presto, Batiato è in pericolo.»

«Lo so, andiamo.»

Si precipitarono all'esterno e Livia, da qualche tempo in

preda all'angoscia per aver perso di vista Aurelio, lo localizzò. Incoccò la freccia e tese la corda del suo arco, pronta a colpire.

Vatreno e Aurelio si fecero largo tra la folla vociante, cercando di arrivare in prima fila. Batiato si batteva contro i tre avversari ma era evidente che i suoi colpi si abbattevano con diversa violenza sui due che aveva ai lati che non su quello che aveva davanti, che doveva sembrargli in tutto simile al suo amico.

Arrivarono nell'attimo in cui il falso Vatreno, dopo una serie di colpi spettacolari ma fuori bersaglio, tipici di una finta schermaglia, d'un tratto vibrò inatteso un colpo mirato e centrale direttamente alla base del collo. Nello stesso istante il vero Vatreno gridò a squarciagola: «Batiato, attento!». Il gigante si rese conto in un lampo, schivò evitando la morte ma non una ferita che gli lacerò la pelle sulla spalla sinistra. Aurelio aveva già abbattuto la transenna e trafitto uno dei due avversari, Vatreno abbatté il secondo mentre Batiato, riconosciuto l'amico che gli stava a fianco a viso scoperto, recuperato l'equilibrio si gettò sul suo sosia falciandolo con un sol colpo di spada. Poi tutti e tre si lanciarono in avanti ad armi protese fendendo la folla che ancora non si era resa conto di quanto stava accadendo, e corsero verso la gradinata.

«Di qua!» gridava Aurelio. «Da questa parte! Presto, presto!» Scoppiò uno spaventoso parapiglia. La gente, terrorizzata, correva gridando in tutte le direzioni. Le guardie si gettarono all'inseguimento, ma Livia vigilava. Le prime due furono trapassate con micidiale precisione, una nel petto, la seconda in mezzo alla fronte; una terza fu inchiodata al suolo a pochi passi dalla rampa. Le altre, una ventina, riuscirono a raggiungere la base della scala e a gettarsi all'inseguimento gridando a loro volta e lanciando l'allarme. In alto, il custode si affacciò sul ballatoio ma Livia, appiattita contro il muro, lo spinse da dietro e lo fece precipitare di sotto. Il suo urlo s'interruppe solo al brutale contatto con il pavimento, cento piedi più in basso.

L'uscita era vicina quando la porta, di scatto, si chiuse dall'esterno con un rumore di chiavistelli. Le guardie erano ormai in cima alla scala e i quattro dovettero volgersi e fronteggiarle. Batiato afferrò il primo che gli capitò sotto tiro e lo scaraventò sugli altri come un pupazzo mandandoli a rotolare giù per la scala. Poi si volse verso la porta e gridò: «Indietro!». Gli amici si fecero da parte ed egli si lanciò in avanti come un ariete. Sconficcata dai cardini, la porta si abbatté al suolo e i quattro uscirono all'aperto. Una delle guardie era rimasta schiacciata sotto la porta, un'altra si diede alla fuga alla sola vista del demonio nero che emergeva da una nube di calcinacci.

«Da questa parte, seguitemi, presto!» gridò Livia. Ma Aurelio si diresse verso la paratia della condotta di alimentazione gridando: «Volevano un bagno in piscina e l'avranno, per Ercole!».

«Non c'è tempo» gridava Livia. «Andiamo! Andiamo!»

Ma Aurelio era già all'argano e Batiato gli fu subito al fianco. L'ingranaggio era inceppato per la ruggine ma la forza del gigante lo sbloccò con uno scatto secco. La paratia si alzò e l'acqua precipitò all'interno con fragore di cascata. Le urla disperate della folla uscirono dallo stretto imbocco della porta superiore come un coro di anime dannate dagli abissi dell'inferno, ma già i due amici si precipitavano dietro Livia e Vatreno che correvano giù per la china verso i cavalli.

Un grido li raggiunse: «Aspettateci! Veniamo con voi!».

«Chi sono?» chiese Aurelio voltandosi indietro.

«Due compagni di sventura» rispose Batiato ansimando. «Muovetevi! Non c'è un istante da perdere!»

Aurelio e Livia recuperarono le loro cavalcature e guidarono gli altri al frantoio ai bordi di un boschetto di olivi, dove aspettavano altri tre cavalli.

«Non avevo previsto una compagnia così numerosa. I due più leggeri, insieme» ordinò Aurelio. «Batiato, quello è il tuo!» E indicò un massiccio destriero pannonico, dal mantello scuro.

«Lo credo bene!» gridò Batiato balzandogli in groppa. Si udì in quel momento un suono di tromba lanciare acuti squilli di allarme.

«Via!» gridò Livia. «Via! Fra pochi attimi ci saranno addosso!»

Partirono al galoppo attraverso il bosco di ulivi fino a raggiungere una grotta scavata nel tufo, un riparo per le pecore che pascolavano di notte fra le stoppie. Di là, nascosti completamente alla vista, videro la campagna popolarsi di ombre a cavallo, ardere di fiaccole accese che fendevano il buio in tutte le direzioni come meteore impazzite: grida, ordini rabbiosi, richiami echeggiarono in ogni anfratto. Ma i vecchi compagni d'arme non vedevano e non sentivano niente. Pazzi di gioia, ancora increduli, si stringevano in quel momento in un abbraccio potente e commosso, si riconoscevano al buio senza vedersi, dall'odore, dal suono delle voci rotte dall'emozione, dalla durezza rocciosa dei corpi, come vecchi mastini che tornano da una battuta notturna. Aureliano Ambrosio Ventidio, Rufio Elio Vatreno, Cornelio Batiato, soldati di Roma, Romani per romano giuramento.

PARTE SECONDA

XIII

Ripartirono immediatamente al galoppo in direzione di Cuma, l'antica e gloriosa colonia greca ridotta ormai da tempo a un modesto villaggio di pescatori. Livia sembrava conoscere piuttosto bene quel territorio e si muoveva nella semioscurità della notte con grande velocità e sicurezza. La fuga di quattro schiavi, l'uccisione di una mezza dozzina di guardie e l'enorme trambusto alla *piscina mirabilis* dovevano aver suscitato un vespaio incredibile ed era quindi opportuno trovare al più presto un luogo sicuro e fuori mano. Batiato era talmente enorme che avrebbe attirato l'attenzione dovunque fossero andati ed era necessario trovare il modo per farlo passare inosservato. Nel frattempo meglio evitare locande, taverne e luoghi pubblici. Livia li sistemò nella zona della città morta, in un punto a lei noto: l'antico antro della Sibilla cumana, un luogo tetro che si diceva frequentato da presenze demoniache. Un demonio nero in più non avrebbe fatto che confermare le dicerie popolari.

Si fermarono all'interno della cerchia muraria in rovina e Livia guidò i suoi compagni nell'antro: una specie di galleria artificiale tagliata nella roccia e sagomata in alto a forma di trapezio. Riuscì ad accendere un magro fuocherello, poi si dedicò a ricucire la ferita di Batiato, lo fasciò alla meglio e gli diede un panno per coprirsi. Intanto gli altri cercavano di sistemarsi come potevano in quell'incomodo riparo. Aurelio raccolse una quantità di foglie secche e in parte le gettò sul fuoco ottenendo più fumo che fiamme, in parte le sparse in terra a creare un poco di giaciglio. Livia tolse dalla bisaccia tutto il cibo che aveva, assai poco per la verità: una forma di formaggio, un po' di olive e una pagnotta, e l'offrì per cena a quegli uomini esausti.

«Non è gran che, giusto per ingannare lo stomaco. Domani vedremo che cosa possiamo rimediare. Ora è meglio che andiate a riposare. Non manca più tanto all'alba.»

«Riposare?» disse Batiato. «Stai scherzando, ragazza, abbiamo troppe cose da raccontarci. Dico, hai idea di chi siamo noi? Di quante ne abbiamo passate insieme? Dèi del cielo, non ci posso credere. Questo mi fa: "Ehi, sacco di carbone, non mi deludere, che ho puntato molto su di te". Mi volto per sputare in faccia a quel figlio di una meretrice e chi vedo? Aureliano Ambrosio Ventidio, in carne e ossa, proprio lì davanti a me. Per Ercole, vi giuro che a momenti mi viene un accidente. Mi sono detto: che ci fa qui questo avanzo di galera, questo figlio di un cane, vuoi vedere che è venuto a liberare il suo buon vecchio amico?» Gli tremava la voce mentre parlava, e gli luccicavano gli occhi come a un bambino. «Vuoi vedere, mi sono detto, che si è ricordato di me e mi ha stanato in questo buco schifoso e poi, dico, come ha fatto a trovarmi in fondo a questa fogna, chi gliel'ha detto che ero qui... Dèi del cielo, non ci posso credere. Datemi un cazzotto, che se sogno mi voglio svegliare.»

Vatreno gli diede davvero un gran colpo sulla testa. «Lo vedi che sei sveglio? Va tutto bene, uomo nero! Ce l'abbiamo fatta, ce l'abbiamo fatta. Li abbiamo fottuti tutti quanti. Ve l'immaginate quando sarà arrivato il magistrato, quanti personaggi rispettabili, quante devote matrone avrà trovato ad annaspare nell'acqua, colti in flagrante in un gioco gladiatorio clandestino? Avrei voluto essere un ranocchio per godermi la scena! E vi immaginate quanta gente con il raffreddore domani in città e nei dintorni?»

Aurelio scoppiò a ridere e poi tutti gli altri, in una risata fragorosa e gorgogliante a volte simile a un singhiozzo, una risata liberatoria come il pianto di un bambino che è stato a lungo nella morsa della paura.

Livia li guardava senza parlare. Il cameratismo virile era una manifestazione che l'affascinava, vi vedeva concentrate tutte le virtù migliori dell'uomo: l'amicizia, la solidarietà, lo spirito di sacrificio, l'entusiasmo. Persino il loro turpiloquio castrense, cui non era certo abituata, non la infastidiva in quella situazione.

Poi, d'un tratto, calò il silenzio: il silenzio dei ricordi e dei rimpianti, il silenzio della memoria comune di uomini che avevano affrontato gli stessi pericoli e sofferto gli stessi dolori e le stesse fatiche per anni con l'unico conforto dell'amicizia, della stima e della fede degli uni negli altri. Il silenzio della commozione e della gioia incredula del ritrovarsi contro ogni possibile aspettativa, contro i colpi del destino più avverso. Si potevano quasi vedere i pensieri che passavano nei loro sguardi, negli occhi umidi, nelle fronti scavate; si poteva leggere la loro storia nelle mani callose, nelle braccia piene di cicatrici, nelle spalle segnate dal peso delle armi. Pensavano ai compagni che non c'erano più, che avevano perduto per sempre, al comandante Claudiano ferito e poi trucidato dal furore nemico, privato per sempre dell'onore patrizio di riposare nel mausoleo dei suoi avi.

Fu Aurelio a rompere quel silenzio carico di emozione, quando si rese conto che i compagni erano attirati dall'aspetto e dal portamento di Livia, che non avevano mai visto prima. Certamente si chiedevano chi potesse essere e perché si trovasse con loro in quel luogo.

«Questa ragazza si chiama Livia Prisca» disse, «e viene da un villaggio di poche capanne sulla laguna tra Ravenna e Altino. È lei il nostro capo, anche se mi rendo conto che la cosa potrebbe non piacervi.»

«Stai scherzando» ribatté Vatreno, come riscuotendosi.

«Il capo sei tu, anche se, in teoria, io sono più alto in grado.»

«No. Lei mi ha salvato la vita e mi ha offerto uno scopo, qualcosa per cui combattere. È una donna ma è come se fosse un uomo... per certi versi anche meglio. È... è... Insomma, lei ci paga per compiere una missione. Ma sarò io a guidare questa missione, mi sono spiegato?»

Batiato scosse il testone, perplesso. Livia intervenne, accennando ai due uomini che si erano uniti a loro durante la fuga. «Questi uomini, chi sono? E possiamo fidarci di loro?»

«Vi siamo grati per averci permesso di venire con voi» disse uno dei due. «Ci avete salvato la vita. Il mio nome è Demetrio, sono greco di Eraclea, e sono un prigioniero di guerra. Fui catturato dai Goti a Sirmio mentre pattugliavo il Danubio con la mia imbarcazione, e poi venduto agli Eruli di Odoacre che mi mandarono qui a servire nella flotta perché ero un marinaio. Sono un'ottima spada, vi assicuro, e molto abile nel lancio dei coltelli. Questo è il mio amico e commilitone Orosio. Ha preso parte a campagne militari in mezzo mondo e ha la pelle dura come il cuoio.»

«Sono dei valorosi» confermò Vatreno, «e in tutto questo tempo in cui siamo stati insieme si sono sempre comportati lealmente. Detestano i barbari come noi e sognano soltanto di riconquistare la loro libertà.»

«Avete famiglia?» chiese Aurelio.

«L'avevo» rispose Demetrio, «una moglie e due ragazzi di quattordici e sedici anni, ma non so più nulla di loro da cinque anni. Vivevano nel villaggio vicino ai nostri accampamenti invernali. Mentre ero impegnato in una ricognizione sul fiume gli Alani gettarono un ponte di barche durante la notte, colsero di sorpresa i nostri e li massacrarono. Quando tornai trovai solo cenere e carboni immersi in una fanghiglia nera, sotto la pioggia torrenziale. E cadaveri, cadaveri dovunque. Non dimenticherò quella scena campassi cent'anni. Li rivoltai uno per uno, con l'animo pieno di angoscia, aspettandomi a ogni istante di riconoscere un volto amato...» Non poté continuare oltre.

«Io avevo moglie e una figlia» prese allora a dire Orosio. «Mia moglie si chiamava Asteria ed era bella come il sole. Un giorno, tornando a casa in congedo dopo una lunga campagna in Mesia, trovai la mia città saccheggiata dai Rugi. Me le avevano portate via, tutte e due. Cercai in ogni modo di rintracciare quella tribù, il mio comandante mandò delle guide indigene con un'offerta di riscatto, ma quei selvaggi chiedevano un prezzo esorbitante che non potevo pagare in nessun modo. Sparirono nell'immensità delle loro praterie così come ne erano usciti... Da allora non sogno altro che rimettermi sulle loro tracce. Di notte, prima di addormentarmi, penso a dove potrebbero trovarsi, sotto quale cielo... Mi chiedo quale aspetto avrà ora la mia bambina...» Abbassò il capo senza dire altro.

Erano storie come tante altre in quei tempi, ma Aurelio ne fu scosso ugualmente. Non si era mai rassegnato, non aveva mai condiviso il sogno della città di Dio proclamato da Agostino di Ippona né aveva mai visto città in cielo fra le nubi: l'unica città per lui era l'Urbe dei sette colli, cinta dal muro aureliano, adagiata sul Tevere divino, l'Urbe violata eppure immortale, madre di tutte le terre e di tutte le terre figlia, scrigno delle memorie più sacre. Chiese loro: «E ora dove vorreste andare?».

«Non abbiamo dove andare» rispose Orosio.

«Non abbiamo più nulla. E nessuno» gli fece eco Demetrio. «Se avete voi uno scopo o una meta, per favore, prendeteci con voi.»

Aurelio guardò Livia con sguardo interrogativo e lei annuì. «Mi sembrano buoni soldati» disse. «E abbiamo bisogno di uomini.»

«Ma non è detto che vorranno restare quando gli avremo detto cosa vogliamo fare.»

Gli uomini si guardarono in faccia l'un l'altro a quelle

parole. «Se non ce lo dite non lo saprete mai» disse finalmente Batiato.

«Che cosa sono tutti questi misteri? Su, sputa il rospo!» incalzò Vatreno.

«Di noi vi potete fidare. I nostri amici lo sanno. In combattimento abbiamo sempre cercato di proteggerci a vicenda» insistettero Demetrio e Orosio.

Aurelio scambiò una rapida occhiata con Livia e lei annuì nuovamente. Allora proseguì: «Vogliamo liberare l'imperatore Romolo Augusto da Capri dove è tenuto prigioniero».

«Che cos'hai detto?» chiese incredulo Vatreno.

«Quello che hai sentito.»

«Per Ercole» imprecò Batiato. «Questa è grossa.»

«Grossa? È una pazzia. Sarà guardato a vista da una miriade di guardie» esclamò Vatreno.

«Bastardi lentigginosi» grugnì Batiato. «Li odio.»

«Settanta in tutto. Li abbiamo contati» precisò Livia.

«E noi siamo cinque» disse Vatreno guardando in faccia i suoi compagni, uno per uno.

«Sei» precisò ancora Livia con puntiglio.

Vatreno alzò le spalle.

«Non sottovalutarla» lo avvertì Aurelio. «Ha quasi strappato le palle a uno più grosso di te giù al porto, e se non intervengo io lo scanna come un capretto.»

«Però!» disse Orosio squadrando la ragazza.

«Allora?» chiese Aurelio. «Guardate che siete liberi. Potete andarvene e amici come prima. Mi pagherete da bere quando ci rivedremo in qualche bordello.»

«E come vuoi fare da solo?» disse Batiato.

Vatreno sospirò. «Ho capito. Siamo caduti dalla padella nelle brace, ma almeno qui pare che ci sarà da divertirsi. C'è anche da guadagnare qualcosa, per caso? Io non ho il becco di un quattrino e...»

«Mille solidi d'oro a testa» rispose Livia, «quando l'impresa sarà compiuta.»

«Per gli dèi!» esclamò Vatreno. «Per mille solidi vi porto Cerbero dall'Averno.»

«Allora, che aspettiamo?» chiese Batiato. «Mi pare che siamo tutti d'accordo, no?»

Aurelio alzò la mano in un gesto perentorio e di nuovo si fece silenzio. «È un'impresa difficile» disse, «la più difficile che ciascuno di noi possa mai aver compiuto: penetrare nell'isola, liberare l'imperatore e portarlo attraverso l'Italia fino a un punto della costa adriatica dove una nave sarà in attesa per condurlo al sicuro. Lì verremo tutti pagati da Livia e dalle persone che l'hanno incaricata di attuare questa impresa.»

«E dopo?» chiese Vatreno.

«Chiedi troppo» rispose Aurelio. «A me sembra già molto avervi levati da quell'inferno. Forse ce ne andremo ognuno per la propria strada, o forse l'imperatore ci prenderà con sé, o forse... Ah! lasciamo perdere. Sono stanco morto e voglio dormire. Con la luce del giorno saremo tutti più lucidi. Per prima cosa, comunque, dovremo provvederci di una barca per avvicinarci all'isola e studiare la situazione, poi si vedrà. Chi fa il primo turno di guardia?»

«Il primo e l'unico, data l'ora. Lo faccio io» si offrì Batiato. «Non ho sonno, e poi al buio sono praticamente invisibile.»

Erano esausti, stremati, braccati per ogni dove, minacciati di pene atroci se fossero stati ripresi ma avevano di nuovo il dominio della loro sorte e per nessuna ragione al mondo avrebbero consentito che sfuggisse loro di mano. Piuttosto avrebbero affrontato la morte.

I primi giorni nella nuova residenza di Capri erano sembrati a Romolo quasi piacevoli: i colori dell'isola, il verde profondo dei boschi di pini, delle macchie di mirti e lentischi, il giallo vivido delle ginestre e il grigio argenteo degli oleastri sotto quel cielo di turchese, in quella luce magica e abbagliante, davano la sensazione di trovarsi in una specie di elisio fatato. Di notte la luna faceva scintillare di riflessi tremuli le onde del mare, faceva biancheggiare le spume fra i ciottoli della riva dove frangeva la risacca, o attorno ai grandi pinnacoli rocciosi che si ergevano come torri ciclopiche dal mare. Il vento portava l'odore salmastro fin sugli spalti della grande villa assieme ai mille profumi di quella terra incantata: così Romolo aveva immaginato nelle sue fantasie di fanciullo l'isola di Calipso dove Ulisse aveva dimenticato per sette lunghi anni Itaca, aspra e petrosa.

La brezza della sera portava l'odore del fico, il profumo del rosmarino e del mentastro, assieme ai suoni attutiti dalla distanza: belati, richiami di pastori, strida di uccelli che volteggiavano in ampi giri nel cielo cremisi del tramonto. Le vele tornavano verso il porto come agnelli all'ovile, il fumo si levava in lente spire dalle case assiepate in fondo, attorno alla cala tranquilla.

Ambrosinus aveva subito cominciato a raccogliere erbe e minerali, sempre sorvegliato a vista dalle guardie, a volte in compagnia di Romolo cui cercava di insegnare le virtù di bacche, radici ed erbe. Di notte invece trascorreva lunghe ore a osservare il cielo e i movimenti delle costellazioni, e indicava al suo discepolo la Grande Orsa e la Piccola con la stella del Settentrione. «Quello è l'astro della mia terra» diceva, «la Britannia, un'isola vasta quanto l'Italia intera, verde di boschi e di prati, percorsa da greggi immense, da mandrie di buoi rossi dalle grandi corna nere. Nelle sue estreme propaggini d'estate il sole non tramonta mai, la sua luce continua a illuminare il cielo fino alla mezzanotte, e d'inverno la notte dura sei mesi.»

«Un'isola grande come l'Italia» ripeteva Romolo. «Com'è possibile?»

«È così» ribatteva Ambrosinus, e gli ricordava il periplo dell'ammiraglio Agricola che ai tempi dell'imperatore Traiano l'aveva completamente circumnavigata.

«E oltre... oltre quelle notti interminabili che cosa c'è, *Ambrosine*?»

«Oltre c'è l'estrema fra le terre emerse, Ultima Thule, circondata da una muraglia di ghiaccio alta duecento cubiti, battuta giorno e notte da venti gelati, guardata da serpenti marini e mostri dalle zanne acuminate come pugnali. Nessuno che vi si sia recato ne ha mai fatto ritorno, tranne un capitano greco di Marsiglia di nome Pytheas. Egli descrisse un gorgo immane che ingoia le acque dell'Oceano per ore e ore e poi le vomita fuori con strepito spaventoso assieme a scheletri di navi e di marinai, spingendole fino a sommergere miglia e miglia di coste e di spiagge.» Romolo lo fissava allora con uno sguardo pieno di meraviglia, dimenticando i suoi crucci.

Di giorno si aggiravano per i vasti cortili o sui ballatoi a strapiombo sul mare. Se trovava un sedile all'ombra di un albero, Ambrosinus si sedeva a impartire i suoi insegnamenti all'allievo che lo ascoltava intento. Ma con il passare dei giorni lo spazio destinato alla loro esistenza si faceva sempre più angusto, il cielo sempre più lontano e indifferente, tutto appariva spaventosamente uguale e immutabile: i voli dei gabbiani, le sentinelle armate che facevano la ronda sugli spalti, automi catafratti e impassibili, le lucertole che si crogiolavano all'ultimo sole d'autunno e correvano a nascondersi negli anfratti del muro se il rumore di un passo si avvicinava.

A volte il ragazzo era colto da un'angoscia improvvisa, da una pungente malinconia, e fissava il mare immobile per ore, altre volte era preso dalla rabbia e dalla disperazione e tirava pietre contro il muro, a decine, a centinaia, sotto lo sguardo beffardo dei guerrieri barbari, finché non cadeva affranto, ansimante, madido di sudore. Il suo maestro lo guardava allora con tenerezza, ma non cedeva tuttavia alla commozione. Si avvicinava per riprenderlo, rimbrottarlo, lo esortava a mantenere la dignità degli avi, gli ricordava l'austerità di Catone, la saggezza di Seneca, l'eroismo di Mario, la grandezza incomparabile di Cesare.

Un giorno che lo vide affannato e stremato oltre ogni misura per quel gioco folle e inutile, umiliato per le risate e i lazzi dei suoi carcerieri, gli si avvicinò appoggiandogli una mano sulla spalla e disse: «No, Cesare, no. Risparmia le tue forze per quando impugnerai la spada della giustizia».

Romolo scosse il capo. «A che scopo illudermi? Quel giorno non verrà mai. Li vedi quegli uomini lassù, sul camminamento di guardia? Anche loro sono prigionieri di questo luogo, invecchieranno nella noia e nel tedio finché non ne manderanno altri a sostituirli e altri ancora e io sarò sempre qui, loro cambieranno e io sarò sempre lo stesso, come gli alberi e i muri, diventerò vecchio senza essere mai stato giovane.»

La piuma di un uccello scese lentamente dall'alto. Romolo l'afferrò, la strinse nel pugno e poi aprì nuovamente la mano fissando negli occhi il precettore. «O pensi di costruirmi due ali di piume e cera, come fece Dedalo per Icaro, e spiccare il volo da quassù?»

Ambrosinus chinò il capo. «Magari potessi, ragazzo mio, magari potessi... Ma forse qualcosa posso fare per te, posso insegnarti qualcosa: non permettere che imprigionino la tua anima oltre che il tuo corpo.» Levò gli occhi al cielo. «Guarda quel gabbiano... lo vedi? Ecco, lascia che la tua anima voli con lui, lassù, respira profondamente... così, ancora... ancora.» Gli appoggiò le mani sulle tempie chiudendo gli occhi. «E adesso vola, figlio mio, chiudi gli occhi e vola... sopra queste miserie, oltre le mura di questa dimora cadente, sopra gli scogli e i boschi, vola verso il disco del sole e bagnati nella sua luce infinita.» Abbassò la voce mentre le lacrime gli scendevano lente dagli occhi chiusi. «Vola» diceva con voce sommessa, «nessuno può imprigionare l'anima di un uomo...» Il respiro di Romolo si fece dapprima più frequente come quello di un cucciolo atterrito, poi si calmò e assunse un ritmo lento e regolare come di un sonno tranquillo.

Altre volte, quando tutto era inutile, quando non c'erano parole che avessero un senso per il ragazzo, Ambrosinus andava a sedersi in un angolo del cortile e si dedicava alla stesura delle sue memorie. Romolo se ne stava a sua volta in disparte tracciando segni sulla sabbia con un bastone, ma poi, piano piano, cominciava ad avvicinarsi, lo guardava di sottecchi, cercando di immaginare che cosa scrivesse su quel volume con quella grafia fitta e regolare.

Un giorno gli si presentò davanti all'improvviso e chiese: «Che cosa scrivi?».

«Le mie memorie. E anche tu dovresti dedicarti alla scrittura, o almeno alla lettura. Aiuta a dimenticare gli affanni, libera l'anima dall'angoscia e dalla noia del quotidiano, ci mette in contatto con un mondo diverso. Ho chiesto dei libri per la tua biblioteca e li ho ottenuti. Arrivano oggi da Napoli: non solo filosofia e geometria e manuali di agricoltura, ma anche bellissime storie: le *Etiopiche* di Eliodoro, gli *Amori Pastorali* di Dafni e Cloe, le avventure di Ercole e di Teseo, i viaggi di Ulisse. Vedrai. Ora vado a controllare che tutto venga disposto adeguatamente. Poi ti preparerò la cena. Non allontanarti troppo, non voglio sgolarmi quando sarà ora di chiamarti.»

Ambrosinus appoggiò il suo libro sulla panca su cui era seduto, richiuse accuratamente il calamaio e ripose lo stilo, poi si diresse verso il quartiere dell'antica biblioteca imperiale, un tempo scrigno di migliaia e migliaia di volumi provenienti da tutte le parti dell'Impero, in latino e in greco, in ebraico e in siro, in egizio e fenicio. Ora le grandi nicchie che ospitavano gli scaffali erano come orbite vuote e cieche, spalancate sul nulla. Era rimasto solo un busto di Omero, anch'esso cieco, bianco come un fantasma in quella grande sala buia.

Romolo camminò per qualche tempo lungo il perimetro della vasta corte e ogni qual volta passava vicino al volume di Ambrosinus vi gettava un'occhiata distratta. A un certo punto si fermò e lo fissò intensamente. Forse non era conveniente leggere ciò che vi era scritto, ma se il suo precettore lo aveva lasciato lì, incustodito e senza alcuna raccomandazione, forse avrebbe anche potuto dargli un'occhiata. Si sedette e lo aprì: sul frontespizio era disegnata una croce con le lettere Alfa e Omega alle estremità delle braccia e, sotto, il disegno di un rametto di vischio come quello d'argento che pendeva dal collo di Ambrosinus.

La sera era tiepida e le ultime rondini si radunavano al centro del cielo chiamandosi l'un l'altra, come fossero riluttanti a lasciare i nidi ormai vuoti per migrare verso le terre calde. Romolo sorrise e disse sottovoce: «Andate, andate rondinelle, voi che potete, volate via. Mi ritroverete l'anno venturo in questo stesso luogo, resterò io a custodire i vostri nidi».

Poi voltò pagina e cominciò a leggere.

XIV

Non ero ancora nato quando le ultime aquile delle legioni romane lasciarono la Britannia per non farvi mai più ritorno. L'imperatore aveva bisogno di tutti i suoi soldati e così la mia terra venne abbandonata al suo destino. Per un certo periodo di tempo non accadde nulla. I maggiorenti continuarono a governare le città con gli ordinamenti dei padri, con le leggi e le magistrature dell'Impero, e continuarono a mantenere contatti con la lontana corte di Ravenna sperando che prima o poi le aquile sarebbero ritornate. Ma un giorno i barbari del Nord che abitavano oltre il Grande Vallo invasero le nostre terre seminandovi morte, distruzione e fame con continue incursioni e saccheggi. Chiedemmo ancora aiuto all'imperatore sperando che non ci avesse dimenticati, ma egli non poteva certo ascoltarci: una marea barbarica minacciava le frontiere orientali dell'Impero, cavalieri feroci e instancabili dalla pelle olivastra e dagli occhi obliqui erano giunti dalle sterminate pianure sarmatiche come spettri dalle profondità della notte e avanzavano tutto distruggendo al loro passaggio. Non si riposavano mai né dormivano: bastava loro un breve reclinare del capo appoggiati al collo delle irsute cavalcature, e il loro cibo era carne macerata sotto la sella dal sudore dei cavalli.

Il comandante supremo dell'armata imperiale, un eroe di nome Aezio, respinse i barbari dagli occhi obliqui con l'aiuto di altri barbari in una tremenda battaglia che durò dall'alba al tramonto, ma non poté restituirci le legioni. I nostri inviati lo supplicarono ricordando i legami di sangue, di leggi e di religione che ci avevano uniti per secoli e alla fine, commosso, si risolse a fare qualcosa per noi. Inviò un uomo di nome Germano che dicevano dotato di poteri taumaturgici e gli consegnò l'insegna delle legioni di Britannia: un dragone d'argento con la coda di porpora che sembrava prendere vita con il soffio del vento. Di più non poté fare, eppure la vista di quell'insegna bastò a eccitare gli animi avviliti e a resuscitare l'antico orgoglio sopito. Germano era un condottiero valoroso e carismatico. Il suo sguardo folgorante e febbrile, le sue grida acute come quelle del falco, le sue mani adunche strette all'impugnatura dell'insegna, la sua fede incrollabile nel diritto e nella civiltà compirono il miracolo: egli guidò in battaglia i suoi uomini al grido dell'"alleluia!". I barbari furono respinti e molti cittadini in armi furono ricollocati a vigilare il Grande Vallo, a restaurarne le parti in rovina, a presidiarne i castelli abbandonati. La vittoriosa giornata campale restò famosa come la battaglia dell'Alleluia!

Ma con il passare degli anni la gente tornò alle proprie occupazioni, scarse truppe di cittadini male addestrati vennero lasciate a sorvegliare le Terre Alte dalle torri del Vallo. E i barbari tornarono, attaccarono di sorpresa massacrando i difensori. Li tiravano giù con le loro picche uncinate, li infilzavano come pesci. Poi dilagarono verso meridione, presero d'assalto le città indifese ancora saccheggiando, incendiando, distruggendo. Terribili a vedersi, avevano il volto dipinto di nero e di blu e non risparmiavano né donne né vecchi né fanciulli.

Fu inviata una seconda ambasceria ad Aezio, il comandante supremo dell'armata imperiale, per chiedergli aiuto, ma anche questa volta egli non poté fare altro che mandare Germano, che già aveva saputo infondere forza, vigore e determinazione nell'animo degli abitanti della Britannia. Germano aveva da tempo abbandonato la pratica delle armi, era divenuto vescovo di una città della Gallia e aveva fama di santo. Tuttavia non volle esimersi dal compiere quanto gli veniva richiesto, e per la seconda volta si imbarcò per raggiungere la nostra isola. Riunì altre forze, convinse gli abitanti delle città a forgiare spade e lance, a riprendere l'addestramento e infine a marciare contro il nemico.

Questa volta lo scontro fu di esito incerto, lo stesso Germano venne gravemente ferito.

Fu condotto all'interno della foresta di Gleva e deposto sull'erba ai piedi di una quercia secolare, ma prima di morire fece giurare ai capi dell'esercito che non si sarebbero mai arresi, che avrebbero continuato a difendersi e che, per presidiare il Grande Vallo, avrebbero costituito un corpo permanente e disciplinato come erano un tempo le legioni di Roma. La sua insegna sarebbe stata il dragone che già li aveva condotti una volta alla vittoria.

Fui testimone diretto di questi avvenimenti: ero ancora giovane ma ero stato istruito nelle arti druidiche della medicina oltre che della divinazione e dello studio degli astri, avevo viaggiato in diversi paesi arricchendomi di molte importanti conoscenze e fui chiamato per curare l'eroe morente. Non potei fare nulla per lui se non alleviargli un poco il dolore della ferita, ma ricordo ancora le sue nobili parole, il lampo del suo sguardo che nemmeno la morte incombente sembrava in grado di spegnere. Quando Germano morì, le sue spoglie vennero trasportate in Gallia e sepolte a Lutetia dei Parisii dove ancora ai nostri giorni riposano. La sua tomba è venerata come quella di un santo e meta di pellegrinaggi sia dalla Gallia che dalla Britannia.

Quel corpo di guerrieri scelti che egli aveva voluto venne effettivamente costituito al comando degli uomini migliori, discendenti della più antica nobiltà romana e celtica delle città britanniche, e posto di stanza in un forte del Grande Vallo nei pressi del Mons Badonicus *o Monte Badon, come si dice nel nostro dialetto di Carvetia.*

Passò ancora qualche anno e sembrò veramente che il sacrificio di Germano avesse impetrato la pace per le nostre terre ma era pura illusione: il succedersi di una serie di inverni molto rigidi e di estati assai aride decimò le mandrie dei barbari del Nord spingendoli alla fame e alla disperazione. Attratti dal miraggio delle ricche città della pianura condussero una serie di attacchi in vari punti del Grande Vallo, mettendo a durissima prova la resistenza dei difensori. Mi trovavo allora io stesso al forte del Monte Badon in qualità di medico e di veterinario e fui convocato dal comandante, un uomo di grande dignità e di grande valore chiamato Cornelio Paullino. Lo affiancava il suo luogotenente, Costantino, chiamato Kustennin nella lingua di Carvetia, uomo che aveva rivestito la dignità consolare. Paullino mi parlò con un'espressione di grave preoccupazione e sconforto: «Le nostre forze non basteranno ancora per molto a respingere gli assalti nemici se qualcuno non accorrerà in nostro aiuto. Parti immediatamente assieme ai dignitari che ho scelto per questa missione e recati a Ravenna dall'imperatore. Supplicalo di inviarci truppe di rinforzo, ricordagli la fedeltà delle nostre città e della nostra gente all'antico nome romano, digli che se non manderà un esercito le nostre case verranno bruciate, le nostre donne violate, i nostri figli tratti in schiavitù. Sedete, se necessario, alle porte del palazzo imperiale, giorno e notte, rifiutando cibo e bevanda finché non vi abbia ricevuti. Tu sei il più esperto fra tutti quelli che conosco, l'unico che abbia viaggiato oltremare in Gallia e in Iberia. Parli diverse lingue oltre al latino e conosci i segreti della medicina e dell'alchimia con cui potresti guadagnarti stima e considerazione».

Lo ascoltai senza mai interromperlo, conscio dell'estrema gravità della situazione e della grande fiducia che egli riponeva in me, ma in cuor mio pensavo che una simile spedizione era estremamente rischiosa e con poche possibilità di successo. Le strade insicure, le province dell'Impero in gran parte in mano a popolazioni turbolente, la difficoltà di reperire cibo per me e per i compagni lungo la via mi sembravano ostacoli assai difficili da sormontare. Per non parlare dell'ultima difficoltà: essere ricevuti dall'imperatore e ottenere l'aiuto richiesto.

Risposi: «Nobile Paullino, io sono pronto a fare ciò che tu mi chiedi e a mettere a repentaglio, se necessario, la mia stessa vita per la salvezza della Patria, ma sei certo che questa sia la soluzione migliore? Non sarebbe meglio accordarsi con il nobile Wortigern? Egli è un combattente valoroso di grande forza e coraggio e dispone di guerrieri numerosi e bene addestrati che altre volte, se ben ricordo, hanno combattuto al nostro fianco contro i barbari del Nord. Inoltre egli è di padre celtico e di madre romana e consanguineo della maggior parte degli abitanti di questa terra. E il tuo luogotenente, Costantino, lo conosce molto bene».

Paullino sospirò, come se si fosse aspettato una simile obiezione. «È ciò che già abbiamo tentato di fare ma Wortigern ha chiesto un prezzo troppo alto: il potere su tutta la Britannia, lo scioglimento delle assemblee cittadine, l'abolizione delle antiche magistrature, la chiusura delle aule senatorie dovunque si trovino. Il rimedio, temo, sarebbe peggiore del male, e le città che già hanno dovuto sottomettersi al suo potere soffrono una violenta tirannia e una dura oppressione. Prenderò, se costretto, una simile decisione, ma quando non avrò altra scelta, quando tutte le alternative saranno state esplorate. Inoltre...»

Lasciò sospesa la sua parola come se non osasse dire altro o non volesse, ma io credetti di interpretare il suo inespresso pensiero. «... inoltre» continuai, «tu sei un Romano dai piedi alla radice dei capelli, figlio e nipote di Romani, forse l'ultimo di questa stirpe, e posso capirti anche se penso che sia impossibile fermare il tempo, riportare indietro la ruota della storia.»

«Sbagli» rispose Paullino. «Non pensavo a quello, anche se nel mio cuore ho continuato a sognare che un giorno torneranno le aquile. Pensavo a quando ti portammo dal campo di battaglia Germano ferito a morte, nel bosco di Gleva, perché tu potessi curare la sua ferita...»

«Ricordo bene quel giorno» risposi. «Non potei fare molto.»

«Facesti abbastanza» disse Paullino. «Gli desti il tempo per ricevere da un sacerdote l'estrema unzione e l'assoluzione cristiana e per pronunciare le sue ultime parole.»

«Che solo tu ascoltasti. Le mormorò al tuo orecchio prima di esalare l'ultimo respiro.»

«E che ora intendo rivelarti» continuò Paullino. Si portò una mano alla fronte, come se volesse concentrare in quel luogo la forza della sua memoria e le potenze del suo spirito. Poi disse:

Veniet adulescens a mari infero cum spatha
pax et prosperitas cum illo,
aquila et draco iterum volabunt
Britanniae in terra lata.

«Sembrano i versi di una vecchia canzone popolare» dissi dopo aver riflettuto. «Un giovane guerriero che viene dal mare

portando pace e prosperità: è un tema molto comune. Simili canzoni si diffondono tra il popolo durante i periodi di fame, di guerra e di carestia.»

Ma era evidente che per Cornelio Paullino avevano un altro significato. Disse: «Questo è solo il significato apparente: quelle parole, le ultime uscite dalla bocca di un eroe in punto di morte, devono avere un altro significato, più profondo e più importante, essenziale per la salvezza di questa terra e di noi tutti. L'aquila rappresenta Roma e il dragone è la nostra insegna, l'insegna della legione di Britannia. Io sento che tutto ti diverrà chiaro quando avrai raggiunto l'Italia e l'imperatore. Va', ti supplico, e conduci a termine la tua missione».

Così intense e ispirate erano le sue parole che accettai ciò che mi chiedeva, anche se quegli strani versi non avevano suscitato in me alcuna particolare visione. Davanti al senato di Carvetia, riunito in seduta plenaria sotto la presidenza di Kustennin, giurai che avrei fatto ritorno con un'armata per liberare una volta per tutte la nostra terra dalla minaccia barbarica. Partii l'indomani e, prima di scendere al porto con i miei compagni di viaggio, gettai un ultimo sguardo al forte sul Grande Vallo, al dragone rosso che sventolava sulla torre più alta, alla figura ritta sul ballatoio avvolta in un mantello dello stesso colore: Cornelio Paullino e le sue speranze svanirono lentamente dietro di me nella lieve foschia di un'alba autunnale.

Salpammo con il vento favorevole diretti in Gallia, dove sbarcammo alla fine di ottobre, ma poi il nostro viaggio fu lungo e faticoso così come avevo previsto. Uno dei miei compagni si ammalò e morì dopo essere caduto nelle acque gelide di un fiume, un altro si perse durante una tormenta di neve mentre attraversavamo le Alpi. Gli ultimi due morirono in un'imboscata tesa da un gruppo di briganti in un bosco della Padusa. Fui l'unico a salvarmi, e quando giunsi a Ravenna cercai inutilmente di essere ricevuto dall'imperatore: un imbelle bamboccio nelle mani di altri barbari. A nulla valsero le suppliche e nemmeno il digiuno, così come mi aveva chiesto Paullino. Alla fine, stanchi della mia presenza, i servi mi cacciarono a bastonate dall'atrio del palazzo.

Stremato dalla lunga attesa e dall'inedia me ne andai in pre-

da alla disperazione lontano da quella città e da quegli uomini arroganti, vagai di villaggio in villaggio chiedendo ospitalità ai contadini e ripagando un tozzo di pane secco o un bicchiere di latte con il mio lavoro di medico e di veterinario alternando a seconda dei casi le due professioni. E non v'è dubbio che in certi casi fossi più motivato a far sopravvivere innocenti animali da fatica che esseri umani ottusi e brutali.

Che ne era mai del nobile sangue latino! Le campagne erano infestate da bande di briganti, le fattorie abitate da contadini miserabili vessati da insopportabili gabelle. Sulle vecchie, gloriose strade consolari, quelle che un tempo erano state urbi possenti cinte di bastioni turriti non erano ormai che fantasmi di mura cadenti e semidistrutte fra cui s'insinuavano i cupi tralci dell'edera. Mendicanti macilenti alle soglie delle case dei ricchi contendevano gli avanzi ai cani e si azzuffavano fra di loro per disputarsi brandelli d'intestini maleodoranti di bestie macellate. Non c'erano sui colli le viti e gli olivi d'argento che avevo sognato leggendo fanciullo nelle scuole di Carvetia i poemi d'Orazio e Virgilio, né bianchi buoi dalle corna lunate trainavano aratri a rivoltare la terra, né l'ampio gesto solenne del seminatore completava quell'opera. Solo irsuti pastori inselvatichiti spingevano mandrie di pecore e capre su pascoli aridi, o branchi di porci sotto i boschi di querce spesso contendendo loro le ghiande per la fame.

Dove avevamo mai riposto le nostre speranze! L'ordine, se così si può chiamare, era mantenuto da torme di barbari che componevano ormai in gran parte l'esercito imperiale, più fedeli ai loro capi che ai pochi ufficiali romani. Essi vessavano il popolo assai più di quanto non lo difendessero. L'Impero non era più che una larva, una vuota parvenza come il suo imperatore, e coloro che erano stati i signori del mondo giacevano ora sotto il tallone di oppressori rozzi e arroganti. Quante volte scrutai quei volti abbruttiti, quelle fronti sudicie, grondanti di sudore servile, cercandovi i nobili tratti di Cesare e Mario, i maestosi lineamenti di Catone e di Seneca! Eppure, come un raggio di sole penetra d'un tratto fra una fitta nuvolaglia nel colmo di una tempesta, così talvolta, senza apparente ragione, da quegli sguardi lampeggiava improvvisa la fiera prodezza de-

gli antenati e questo m'induceva a pensare che forse non tutto era perduto.

Nelle città e nei villaggi la religione di Cristo aveva vinto dovunque e il Dio crocefisso guardava i suoi fedeli da altari scolpiti nel sasso e nel marmo, ma nelle campagne, nascosti e quasi protetti dalle fitte boscaglie, ancora si ergevano i templi delle antiche divinità degli avi. Mani sconosciute deponevano offerte davanti ai simulacri spezzati e mutilati e talvolta il suono dei flauti e dei tamburi risuonava dal folto delle selve o dalle vette dei monti per chiamare ignoti fedeli a evocare le Driadi dai boschi, le Ninfe dai ruscelli e dai laghi. Nei luoghi più isolati, nelle profondità delle grotte, fra muschi odorosi, poteva apparire inaspettata l'immagine ferina di Pan dall'unghia fessa, con l'enorme fallo sporgente dall'inguine osceno, testimonianza di orge non dimenticate né spente.

I sacerdoti di Cristo predicavano l'imminenza del suo ritorno e del suo giudizio finale ed esortavano ad abbandonare il pensiero della Città terrena per levare sguardo e speranze alla sola Città di Dio. Così, ogni giorno moriva nei cuori della gente romana l'amore per la Patria, svaniva il culto degli antenati e delle memorie più sacre lasciate agli studi puramente accademici dei retori.

Per anni mi preoccupai solo di sopravvivere giorno per giorno, dimentico del motivo per cui mi ero spinto tanto lontano dalla mia terra, certo che ormai anche lassù, ai piedi del Grande Vallo, tutto fosse in rovina, tutto perduto, morti gli amici e i compagni, spente le speranze di libertà e di dignità del vivere civile. Con quale danaro e quali provviste avrei, infatti, potuto tentare un ritorno, se tutto ciò che guadagnavo bastava a malapena a calmare i morsi della fame? Non mi era rimasto che un desiderio, o forse un sogno: vedere Roma! Nonostante il feroce saccheggio che aveva subito oltre mezzo secolo prima dai barbari di Alarico, l'Urbe si ergeva ancora come una delle più belle città della Terra, protetta dall'egida del Sommo Pontefice più che dalle violate mura di Aureliano, e colà ancora si riuniva il Senato nell'antica curia più per perpetuare una tradizione veneranda che per prendere decisioni che ormai sfuggivano quasi completamente alla sua autorità. Così un giorno mi misi in viaggio in aspetto di sacerdote cristiano, l'unico, forse, che incutesse un qualche timore reverenziale ai briganti e ai ladroni. E fu durante quel viaggio attraverso l'Appennino che la mia sorte mutò d'improvviso come se il Destino si fosse d'un tratto ricordato di me, si fosse accorto che ero ancora vivo e che avrei ancora potuto essere buono a qualcosa in quel desolato paesaggio, in quella terra senza speranza.

Era una sera di ottobre, l'oscurità stava per calare e io preparavo un riparo per la notte accumulando un giaciglio di foglie secche sotto una sporgenza di roccia, quando mi parve di udire un lamento salire dalla foresta. Pensai al verso di un animale notturno o al richiamo dell'assiolo che tanto somiglia al gemito della voce umana, ma poi mi resi presto conto che si trattava del lamento di una donna. Mi levai e seguii quel suono scivolando fra le ombre del bosco, leggero e invisibile come avevo imparato a muovermi nel bosco sacro di Gleva nella mia giovinezza. A un tratto mi si mostrò, al centro di una radura, un accampamento vigilato da soldati in parte romani e in parte barbari, ma tutti equipaggiati e disposti alla maniera romana. Al centro dell'accampamento ardeva un fuoco e una delle tende era illuminata. Il lamento veniva di là. Mi avvicinai e nessuno mi fermò perché in quel momento la mia antica arte di druido mi permetteva di assottigliare il mio corpo, di renderlo quasi una delle tante ombre della notte, e quando parlai ero dentro alla tenda e tutti si volsero stupiti verso di me come se mi fossi materializzato dal nulla. Avevo davanti un uomo dall'aspetto imponente, il volto incorniciato da una barba scura che gli dava l'aspetto di un antico patrizio. La mascella contratta, l'espressione degli occhi scuri e profondi mostravano l'angoscia che gli opprimeva il cuore. Accanto a lui una donna bellissima piangeva dirottamente a fianco di un letto in cui giaceva un bambino di forse quattro o cinque anni apparentemente esanime.

«Chi ha dato ordine di chiamare un sacerdote?» chiese l'uomo guardandomi perplesso. C'era evidentemente nel mio aspetto dimesso, nelle mie vesti sporche e gualcite qualcosa di miserabile e forse di spregevole che più mi accomunava a un mendicante che a un ministro di Dio.

«Non sono un sacerdote... non ancora» risposi. «Ma sono tuttavia esperto nell'arte della medicina e forse posso fare qualcosa per quel bambino.»

L'uomo mi fissò con uno sguardo di fuoco e di lacrime, e rispose: «Quel bambino è morto. Ed era il nostro unico figlio».

«Io non credo» risposi. «Avverto ancora il suo soffio vitale in questa tenda. Lascia che lo esamini.» L'uomo acconsentì con la rassegnazione dei disperati e la donna mi rivolse uno sguardo pieno più di stupore che di speranza.

«Lasciatemi solo con lui, e prima dell'alba, se c'è una sola possibilità residua, ve lo restituirò» dissi meravigliandomi io stesso delle mie parole. Non mi rendevo conto infatti del perché improvvisamente, in quel luogo solitario, avvertissi nel fondo della mia anima rivivere l'antica scienza del sapere romano e l'eredità del potere druidico in un'unica concentrazione di formidabile energia e tranquilla consapevolezza. Era come se per tutti quegli anni io fossi vissuto dimentico di me stesso e della mia dignità e d'un tratto mi rendessi conto di poter restituire colore alle guance esangui di quella creatura, e luce agli occhi che sembravano spenti sotto le palpebre chiuse. Vedevo, evidenti, i segni dell'avvelenamento, ma non potevo sapere quanto avanzato fosse il processo di intossicazione. L'uomo esitò ma fu la donna a convincerlo. Lo trascinò fuori per un braccio sussurrandogli qualcosa all'orecchio. Dovette pensare che io non potevo fargli più male di quanto ormai non gli avesse fatto la malattia di cui lo credeva affetto.

Aprii la mia bisaccia e ne feci l'inventario. In tutti quegli anni non avevo lasciato esaurire la scorta dei miei medicamenti, avevo continuato a raccogliere erbe e radici durante le stagioni adatte e a trattarle secondo le regole, sicché misi a scaldare su un braciere dell'acqua e preparai un infuso potente capace di far reagire l'organismo ormai quasi inerte del bambino, riscaldai dei sassi e li avvolsi in panni puliti disponendoli tutto attorno al suo corpo gelato. Misi l'acqua calda, quasi bollente, in un otre e glielo appoggiai sul petto. Dovevo risvegliare un minimo di vita in quel corpo prima di applicare il rimedio. Quando vidi apparire sulla sua pelle cianotica delle goccioline di sudore gli instillai l'infuso in bocca e nel naso e notai quasi subito una reazione, un contrarsi appena percettibile delle piccole narici.

Fuori, il mondo era immerso nel silenzio, non udivo più nemmeno il pianto della madre: forse quella donna fiera e bellissima si era rassegnata a una perdita tanto dura? Instillai ancora alcune gocce e vidi una reazione più forte e subito dopo una contrazione visibile del ventre. Premetti allora con forza le mani sul suo stomaco e il piccolo vomitò: un fluido verdastro e graveolente che non mi lasciò dubbi. Instillai ancora emetico e seguirono altre contrazioni e poi un conato più forte e ancora un fiotto di vomito seguito da altre convulsioni. Infine il piccolo si adagiò stremato e io lo spogliai e lo lavai ricoprendolo poi di un panno pulito. Era bagnato di sudore ma ora respirava e il suo polso riprendeva, battito dopo battito, un ritmo faticoso che era pur sempre per me più forte e trionfale del rullare di un tamburo. Esaminai il contenuto del suo stomaco e i miei dubbi ebbero piena conferma. Uscii allora dalla tenda e mi trovai di fronte i genitori. Stavano seduti su due sgabelli accanto al fuoco del bivacco e si vedeva nei loro occhi un'eccitazione potente. Avevano udito quei conati e sapevano che erano segni inconfondibili di vita, ma avevano accettato di lasciarmi solo con il bambino e mantenevano fede alla loro promessa.

«Vivrà» dissi con studiata, sommessa enfasi. E aggiunsi subito dopo: «Lo avevano avvelenato».

I due si precipitarono nella tenda e udii i singhiozzi di felicità della madre che abbracciava il suo bambino. Io mi incamminai verso il fondo dell'accampamento, verso il bivacco delle sentinelle, per non turbare un momento di sentimenti così forti e intimi, ma una voce vigorosa mi fermò. Era lui, il padre.

«Chi sei?» chiese. Mi volsi indietro e lo vidi davanti a me che mi fissava. «Come sei giunto fin dentro la mia tenda vigilata da uomini armati? E come hai riportato in vita mio figlio? Sei forse... un santo o un angelo del cielo? O sei forse uno spirito del bosco? Dimmelo, ti prego.»

«Sono solo un uomo, con qualche conoscenza di medicina e di scienze naturali.»

«Ti dobbiamo la vita del nostro unico figlio e non c'è ricom-

pensa adeguata su questa terra. Ma chiedi e, per quanto è nelle mie facoltà, sarai ricompensato.»

«Un pasto caldo e un pane per il mio viaggio di domani saranno ricompensa sufficiente» risposi. «Il premio più grande per me è stato veder respirare quel bambino.»

«Dove sei diretto?» mi chiese.

«A Roma. Vedere l'Urbe e le sue meraviglie è stato sempre il sogno della mia vita.»

«Anche noi siamo diretti a Roma. Dunque, ti prego, resta con noi: così il tuo viaggio sarà senza pericoli, e sia io che la mia sposa speriamo ardentemente che vorrai restare sempre con noi per prenderti cura di nostro figlio. Avrà bisogno di un maestro, e chi più di te potrebbe assisterlo, un uomo di tanta dottrina e di tali miracolose capacità?»

Era quello che speravo di sentirmi dire, ma risposi che ci avrei pensato e che avrei dato una risposta quando fossimo giunti a Roma. Nel frattempo mi sarei adoperato affinché il bambino si riavesse del tutto ma lui, il padre, avrebbe dovuto scovare l'assassino, l'uomo che l'odiava al punto da avvelenare un innocente.

Lui sembrò colpito da un'improvvisa consapevolezza e rispose: «Questo è affar mio. Il responsabile non mi sfuggirà. Ma tu intanto accetta la mia ospitalità e il mio cibo e riposa per quanto resta della notte. Te lo sei meritato».

Disse di chiamarsi Oreste e di essere un ufficiale dell'esercito imperiale, e mentre ancora parlavamo fummo raggiunti da sua moglie, Flavia Serena, che in preda alla commozione giunse persino a prendermi la mano per baciarla. La ritirai in fretta, inchinandomi io davanti a lei e rendendole omaggio. Era la persona più bella e più nobile che avessi mai visto in vita mia. Nemmeno il terrore di perdere il figlio aveva intaccato l'armonia dei suoi lineamenti aristocratici, né offuscato la luce dei suoi occhi color dell'ambra. Solo vi aveva aggiunto l'intensità della sofferenza e della trepidazione. Aveva un portamento altero ma lo sguardo era soave come un crepuscolo di primavera, la fronte purissima era coronata di una treccia di capelli bruni dai riflessi di viola, le dita erano lunghe e affusolate, la pelle diafana. Una cintura di velluto metteva in evidenza i fianchi superbi sotto la veste di lana leggera, e il collo era adorno di un monile d'argento da cui pendeva una sola perla nera. Non avrei mai più visto in tutta la mia vita una creatura di tanta, incantatrice bellezza, e fin dal primo momento in cui la vidi seppi che le sarei stato devoto per il resto dei miei giorni, qualunque fosse la sorte che il futuro ci avesse riservato.

La salutai con un profondo inchino e chiesi il permesso di ritirarmi: ero stanco e provato e avevo speso tutte le mie energie nel duello vittorioso contro la morte. Fui accompagnato a una tenda e mi lasciai andare stremato su un lettino da campo, ma trascorsi le ore che ci separavano dall'alba in una sorta di greve torpore rotto dalle grida strazianti di un uomo sottoposto alla tortura. Doveva essere colui che Oreste sospettava del veneficio. L'indomani non chiesi né volli sapere altro perché sapevo già abbastanza: il padre di quel bambino era sicuramente uomo di grande potere, se si era fatto nemici tanto accaniti da insidiare la vita di suo figlio. Quando partimmo ci lasciammo dietro il cadavere straziato di un uomo legato al tronco di un albero. Prima di sera gli animali del bosco avrebbero lasciato di lui soltanto lo scheletro.

Divenni così il precettore di quel bambino e un membro di quella famiglia e trascorsi diversi anni in una condizione invidiabile, abitando dimore sontuose, incontrando personaggi importanti, dedicandomi ai miei studi prediletti e ai miei esperimenti nel campo delle scienze naturali, e dimenticando quasi completamente la missione per la quale ero giunto in Italia tanto tempo prima. Oreste era spesso assente, impegnato in rischiose spedizioni militari, e quando tornava era accompagnato dai capi barbari che comandavano le unità dell'esercito. Gli ufficiali romani erano ogni anno sempre di meno. I migliori elementi dell'aristocrazia preferivano far parte del clero cristiano e diventare pastori di anime piuttosto che condottieri di armate. Così era stato di Ambrogio, che ai tempi dell'imperatore Teodosio aveva lasciato una brillante carriera militare per divenire vescovo di Milano, e così era stato dello stesso Germano, nostro condottiero in Britannia, che alla fine aveva gettato la spada per impugnare il pastorale.

Ma Oreste era fatto di tempra diversa: appresi con il trascorrere del tempo che in gioventù era stato al servizio di Attila, l'Unno, distinguendosi per la sua saggezza e la sua intelligenza, e non c'era dubbio che il suo obiettivo fosse il conseguimento del potere.

Mi stimava moltissimo e non di rado chiedeva anche i miei consigli, ma il mio compito principale restava l'educazione di suo figlio Romolo. Quasi mi delegò le mansioni paterne, essendo egli assorbito dalla scalata ai supremi vertici militari. Finché un giorno conseguì il titolo di patrizio del popolo romano e il comando dell'esercito imperiale. A quel punto prese una decisione che avrebbe segnato profondamente la vita di noi tutti e in qualche modo aperto una nuova era.

Regnava in quell'anno l'imperatore Giulio Nepote, un uomo imbelle e incapace ma in buoni rapporti con l'imperatore d'Oriente, Zeno. Oreste decise di deporlo e di impadronirsi della porpora imperiale. Mi mise al corrente di quella sua decisione e chiese che cosa ne pensassi. Risposi che era una follia: come pensava che il suo destino sarebbe stato diverso da quello degli ultimi imperatori che si erano succeduti, uno dopo l'altro, sul trono dei Cesari? E a quali tremendi pericoli avrebbe esposto la sua famiglia?

«Questa volta sarà diverso» rispose, e non volle dirmi altro.

«E come puoi essere certo della fedeltà di questi barbari? Tutto ciò che vogliono è danaro e terre: finché sarai in grado di darglieli ti seguiranno, quando non potrai più arricchirli sceglieranno qualcun altro, più ricco e più disponibile alle loro richieste e alla loro sempre crescente avidità.»

«Hai mai sentito parlare della Legione Nova Invicta?» mi chiese.

«No. Le legioni sono state abolite da tempo. Sai bene, mio signore, che la tecnica militare ha subito una forte evoluzione negli ultimi cento anni.» E pensavo, per contro, alla legione che Germano aveva costituito prima di morire ai piedi del Grande Vallo, a presidio del forte del Monte Badon e che forse non esisteva più.

«Ti sbagli» rispose Oreste. «La Nova Invicta è un reparto

scelto, costituito solo di italici e di provinciali, che io ho riorganizzato in gran segreto e che tengo pronta da anni al comando di un uomo integerrimo e di grandi virtù civili e militari. In questo momento si sta avvicinando a marce forzate e presto i soldati si accamperanno a non molta distanza dalla nostra residenza in Emilia. Ma non è questa l'unica novità: non sarò io l'imperatore.»

Lo guardai stupefatto mentre un pensiero terribile cominciava a farsi strada nella mia mente. «No?» chiesi. «E chi sarà allora?»

«Mio figlio» rispose, «mio figlio Romolo, che assumerà anche il titolo di Augusto. Porterà i nomi del primo re e del primo imperatore di Roma. E io gli guarderò lo spalle, mantenendo il comando supremo dell'armata imperiale. Nulla e nessuno potrà nuocergli.»

Non dissi nulla, perché qualunque cosa avessi detto sarebbe stata inutile. Egli aveva già deciso e nulla lo avrebbe fatto recedere dai suoi propositi. Non sembrava nemmeno rendersi conto che stava esponendo suo figlio, il mio allievo, il mio ragazzo, a un pericolo mortale.

Quella notte mi coricai tardi e rimasi a lungo nel mio letto con gli occhi aperti senza riuscire a prendere sonno. Erano troppi i pensieri che mi assillavano e fra questi la visione di quegli uomini che si avvicinavano a marce forzate per fare scudo a un imperatore fanciullo. Legionari dell'ultima legione votati all'estremo sacrificio per il destino dell'ultimo imperatore...

La storia finiva lì e Romolo alzò la testa richiudendo il libro. Si trovò di fronte Ambrosinus. «Una lettura interessante, suppongo. Ti sto chiamando da un bel po' e non ti degni nemmeno di rispondere. La cena è pronta.»

«Scusami, *Ambrosine*, non ti avevo sentito. Ho visto che l'avevi lasciato qui e ho pensato...»

«Non c'è nulla in quel libro che tu non possa leggere. Vieni, andiamo.»

Romolo mise il libro sotto braccio e seguì il maestro verso il refettorio. «*Ambrosine*...» disse a un tratto.

«Sì?»

«Che cosa significa quella profezia?»

«Quella? Be', non è certo un testo complicato da comprendere.»

«No, infatti, ma...»

«Significa

> "Verrà un giovane dal mare meridionale
> con una spada portando pace e prosperità.
> L'aquila e il dragone torneranno a volare
> sulla grande terra di Britannia."

«È una profezia, Cesare, e come tutte le profezie ardua da interpretare, ma capace di parlare al cuore degli uomini che Dio ha scelto per i suoi misteriosi disegni.»

«*Ambrosine...*» disse ancora Romolo.

«Sì.»

«Tu... amavi mia madre?»

L'anziano precettore chinò la testa calva annuendo gravemente. «Sì, l'amavo. Di un amore umile e devoto che non avrei osato confessare nemmeno a me stesso ma per il quale sarei stato pronto a dare la vita in qualunque istante.»

Rialzò lo sguardo verso il ragazzo, e i suoi occhi lampeggiavano come braci quando disse: «Chi l'ha fatta morire pagherà per questo con una morte atroce. Lo giuro».

XV

Ambrosinus era scomparso. Da qualche tempo si era dato all'esplorazione dei settori meno conosciuti della villa, specialmente dei vecchi quartieri non più in uso dove la sua insaziabile curiosità trovava alimento in una quantità di oggetti fra i più disparati e per lui di eccezionale interesse: affreschi, statue, documenti d'archivio, materiali da laboratorio, attrezzi di falegnameria e carpenteria. Passava il tempo ad aggiustare vecchi arnesi in disuso da tempi immemorabili, come il mulino e la fucina, il forno e la latrina ad acqua corrente.

I barbari ormai lo consideravano una specie di eccentrico lunatico, e ridevano al suo passaggio o si facevano beffe di lui. Tutti, tranne uno: Wulfila. Si rendeva conto fin troppo della sua intelligenza per sottovalutarlo. Lo lasciava libero all'interno della villa ma non gli consentiva di uscire dalla cerchia del muro esterno se non sotto stretta sorveglianza.

Romolo pensò che quel giorno si fosse dimenticato di impartirgli la lezione di greco, occupato in qualche attività particolarmente coinvolgente, e si diresse verso la parte inferiore della villa, quella che scendeva lungo il declivio. Laggiù le guardie erano assai poche perché il muro era alto e senza accessi dal basso, e all'esterno dava su un dirupo scosceso. Era una giornata di fine novembre, fresca, ma limpida al punto che si vedevano in lontananza i ruderi dell'Athenaion di Surrentum e in fondo al golfo il cono del Vesuvio, d'un rosso ferrigno contro il blu intenso del cielo. L'unico suono era quello dei suoi passi sull'impiantito di cocciopesto e il brusio del vento tra le fronde dei pini e dei lecci secolari. Un pettirosso spiccò il volo con un leggero frullo d'ali, un ramarro verde smeraldo corse a nascondersi in una crepa del muro: quel piccolo universo salutava il suo passaggio con fremiti appena percettibili.

Fin quasi a mattina, i quartieri dei soldati erano risuonati di schiamazzi per l'arrivo di un carico di prostitute, impedendogli di dormire, eppure il ragazzo non si sentiva stanco a causa dell'insonnia: non poteva esserci stanchezza quando non c'era attività, quando non c'erano progetti, né prospettive, né futuro. In quel momento egli non soffriva in particolar modo né gioiva, non essendocene alcun motivo. Il suo animo vibrava assurdamente e inutilmente a contatto con il mondo circostante come una ragnatela nel vento. Tuttavia quell'aria pulita, quel respiro tranquillo della natura erano piacevoli, e Romolo canticchiava sottovoce una sua cantilena infantile che gli risuonava chissà perché nella mente proprio in quel momento.

Pensava che alla fine avrebbe fatto l'abitudine alla sua gabbia, che ci si abitua a ogni cosa e che in fondo la sua sorte non era peggiore di quella di tanti altri. Laggiù sulla terraferma non c'erano forse stragi e guerre e carestie e invasioni e fame? Cercava di abituarsi a non considerare la presenza di Wulfila, a rimuoverne l'immagine, unico elemento capace di sconvolgere il torpore apatico del suo animo e scatenare nella sua mente dolorose convulsioni, una collera che non poteva permettersi né sostenere, una paura non più giustificata, un senso opprimente di vergogna tanto più fastidioso in quanto inevitabile.

D'un tratto avvertì sul volto la strana sensazione di un getto d'aria, intenso, concentrato, che sapeva di muschio e di stillicidio d'acque nascoste. Si guardò intorno ma non vide nulla. Fece per muoversi e avvertì di nuovo quella sensazione netta, intensa, accompagnata da un sibilo appena percettibile di vento. E improvvisamente si accorse che veniva dal basso, dai fori di una griglia fittile per lo scolo dell'acqua piovana. Si guardò intorno con circospezione: non c'era nessuno in vista. Prese allora lo stilo dalla borsa di scuola che portava a tracolla. Si inginocchiò e cominciò a grattare tutto intorno alla griglia da cui continuava a emanare quel lungo sospiro. Quando ebbe terminato la pulizia fece leva da un lato con un bastoncello, la griglia si sollevò ed egli l'appoggiò di lato sull'impiantito. Si guardò ancora intorno poi infilò la testa nel vano e si trovò di fronte a una visione stupefacente, ancor più impressionante in quanto gli appariva capovolta: sotto di lui un vasto criptoportico, adorno di affreschi e grottesche, si apriva nelle viscere del monte.

Una delle pareti laterali era franata, sicché si era creato una specie di scivolo che consentiva di calarsi fino al pavimento sottostante. Entrò, si tirò la griglia sulla testa e scese, senza troppe difficoltà, fino al pavimento, e un nuovo fantasmagorico spettacolo si aprì davanti ai suoi occhi: dall'alto, una pioggia di raggi luminosi filtrava dalle griglie di scolo illuminando un lungo passaggio lastricato, fiancheggiato ai due lati da una lunga teoria di statue. Il ragazzo avanzava in preda allo stupore e alla meraviglia tra quegli uomini dalle corazze istoriate, i volti scolpiti dalla luce mutevole che spioveva dall'alto, e su ognuno dei piedistalli di marmo trovava incise le imprese compiute, i titoli d'onore, i trionfi sui nemici: erano le statue degli imperatori romani!

A ogni passo Romolo si sentiva sempre più sopraffatto da quell'enorme carico di storia, dalla grandiosa eredità che sentiva gravare sulle sue fragili spalle. Camminava lentamente leggendo le iscrizioni, ripetendo sottovoce quei titoli e quei nomi: «Flavio Costante Giuliano, restauratore dell'Orbe, difensore dell'Impero...; Lucio Settimio Severo, Partico Massimo, Germanico, Partico Adiabenico,

Pontefice Massimo...; Marco Aurelio Antonino, Pio Felice, sempre Augusto, Pontefice Massimo, sei volte Tribuno della Plebe...; Tito Flavio Vespasiano, Augusto; Claudio Tiberio Druso Cesare, Britannico; Tiberio Nerone Cesare, Germanico, Padre della Patria, Pontefice Massimo; Augusto Cesare, figlio del divino Giulio, Pontefice Massimo, console per la settima volta...».

Un lieve strato di polvere si era depositato su quegli imponenti simulacri, sulle sopracciglia, nelle rughe profonde che solcavano le fronti, sui panneggi, sulle armi e sulle decorazioni, ma nessuno di essi portava sfregi o mutilazioni. Quel luogo doveva essere una specie di sacrario creato in segreto chissà da chi, forse da Giuliano, che i cristiani avevano condannato all'infamia con il nome di Apostata e che inaugurava con la propria immagine accigliata e malinconica quella lunga teoria di signori del mondo.

Ora Romolo, tremante di emozione e di stupore, si trovava davanti al muro settentrionale del criptoportico e aveva davanti a sé una lastra di marmo verde decorata al centro con una corona d'alloro a rilievo in bronzo dorato. All'interno campeggiava in lettere capitali la scritta:

CAIVS IVLIVS CAESAR

E sotto, in lettere corsive, un'espressione sibillina: *quindecim caesus*, che Romolo ripeté sottovoce: «Colpito quindici volte». Che voleva mai dire? Cesare era stato colpito con ventitré pugnalate come aveva tante volte letto nei libri di storia, non quindici... E perché mai in una iscrizione celebrativa, in un'epigrafe imponente di marmo prezioso, di bronzo e d'oro, sarebbe dovuto apparire il triste ricordo delle Idi di marzo, l'evocazione dell'eccidio del più grande fra tutti i Romani?

Ma allora, che poteva mai significare quella cifra? In quel momento gli vennero in mente d'un tratto i molti giochi di acrostici e di enigmi che il suo precettore gli aveva mille volte proposto per esercitare il suo acume e la sua perspicacia e per ingannare il tempo. Lo sguardo di Romolo percorse quelle lettere una per una, avanti e indietro e viceversa: doveva esserci una chiave, altrimenti non c'era senso.

Nessun rumore veniva dall'esterno, a parte il monotono cinguettare dei passeri, e in quell'atmosfera vuota e sospesa la mente del ragazzo percorreva freneticamente ogni possibile combinazione per trovare una via d'uscita: si rendeva conto che ben presto qualcuno avrebbe notato la sua assenza e che nella villa si sarebbe scatenato l'inferno, lo stesso Ambrosinus sarebbe stato in pericolo. L'angoscia montante eccitò al massimo la sua mente e d'un tratto il suo pensiero si fissò, si posò come una farfalla su quella scritta scomponendola in una successione di numeri che davano un totale: quindici. Cioè la somma di V, V, V: le "V" di bronzo dorato che apparivano nelle parole CAIVS IVLIVS, mentre la successiva espressione non a caso era in lettere corsive, dove la "u" non poteva essere equivalente alla "v" come nella scrittura capitale. Sì, quella doveva essere la soluzione! Premette con mano tremante e in successione continua le tre V che arretrarono facilmente all'interno della lastra, ma non accadde nulla. Sospirò rassegnato e si volse per tornare da dove era venuto quando una nuova idea gli balenò nella mente: la scritta diceva *quindecim*, ossia la somma dei tre cinque e non la loro successione. Tornò indietro e premette contemporaneamente le tre V nelle parole CAIVS IVLIVS. Le tre lettere arretrarono e subito si udì uno scatto metallico, il rumore di un contrappeso, il cigolio di un argano, e, immediatamente dopo, un soffio d'aria emanò dai margini della lastra: la grande pietra, ruotando su stessa, si era aperta!

Romolo ne afferrò il bordo, a fatica la fece ruotare ancora un poco sui cardini e mise in mezzo una pietra perché non si richiudesse alle sue spalle. Trasse un grande respiro ed entrò.

Una visione ancora più stupefacente colpì i suoi occhi

appena si furono abituati alla semioscurità: davanti a lui c'era una statua, magnifica, scolpita con l'uso di diversi marmi policromi che imitavano i colori naturali, rivestita di vere armi metalliche finemente sbalzate.

Romolo alzò lentamente lo sguardo a esplorarne ogni particolare, dai calzari annodati sui polpacci muscolosi alla corazza istoriata con immagini di gorgoni e pistrici dalle code scagliose, fino al volto austero, al naso aquilino, agli occhi grifagni del *dictator perpetuus*: era Giulio Cesare! E c'era su quelle superfici una strana oscillazione luminosa, come il riflesso di un invisibile moto ondoso, e si rese conto che una luce fantasmagorica, azzurrina, lo illuminava dal basso da un puteale di marmo scolpito che a prima vista aveva scambiato per un'ara votiva. Romolo si sporse oltre l'orlo e vide sul fondo solo un baluginare azzurrino, una luce mutevole. Lasciò cadere un sasso e porse l'orecchio a percepire un rimbalzare e un rotolare per lunghi istanti prima di udire il tonfo della pietra inghiottita dall'acqua. Il passaggio doveva essere lungo, il salto enorme.

Si ritrasse, e girò attorno alla statua osservandola ancora con maggiore attenzione. Vide il cinturone che reggeva il fodero e gli parve di un realismo non riscontrabile in alcun tipo di statuaria, marmorea o bronzea che fosse. Salì su un capitello e allungò la mano tremante a sfiorare e poi a stringere l'impugnatura della spada, cercando di evitare nello stesso tempo lo sguardo accigliato del dittatore che sembrava volesse fulminarlo. Tirò. La spada seguì docilmente la sua mano e cominciò a emergere dal fodero che la conteneva: una lama mai vista prima, affilata come un rasoio, lucente come il vetro, scura come la notte. E portava incise delle lettere che sul momento non riuscì a leggere. Ora la teneva stretta con ambedue le mani a un palmo dal viso e tremava a quella vista come una foglia: aveva di fronte la spada che aveva domato i Galli e i Germani, gli Egizi e i Siri, i Numidi e gli Iberici. La spada di Giulio Cesare!

Il cuore gli batteva all'impazzata e di nuovo gli venne in mente Ambrosinus che doveva essere in preda all'angoscia non vedendolo da nessuna parte, e il furore di Wulfila. Pensò di rimettere la spada al suo posto, ma una forza più grande della sua volontà glielo impedì. Non voleva e non poteva separarsene.

Si tolse il mantello, ve la avvolse e tornò sui suoi passi richiudendo la lastra. Lanciò un ultimo sguardo al dittatore corrucciato prima che sparisse alla vista, e mormorò: «La tengo solo un po'... solo un po' e poi te la riporto...».

Riemerse a fatica dall'ipogeo sbirciando tutto intorno da sotto il gocciolatoio, spiando il momento in cui nessuno potesse vederlo, e sgusciando dietro una fila di cespugli; e poi, nascosto da una fila di panni stesi ad asciugare, guadagnò trafelato la sua camera e nascose l'involto sotto il letto. Fuori l'intera villa risuonava ora di richiami, grida, e di uno scalpiccio diffuso che rivelava un frenetico andirivieni delle guardie che non riuscivano a trovarlo. Scese al piano terreno, passò attraverso le stalle sporcandosi di pula e finalmente uscì all'aperto. Uno dei barbari lo vide immediatamente e gridò: «È qui! L'ho trovato!». E l'afferrò brutalmente per un braccio trascinandolo verso il corpo di guardia. Dall'interno provenivano dei lamenti che Romolo riconobbe subito con una stretta al cuore: Ambrosinus stava pagando duramente la temporanea scomparsa del suo allievo.

«Lasciatelo!» gridò sfuggendo al suo custode e precipitandosi all'interno. «Lasciatelo immediatamente, bastardi!» Ambrosinus, immobilizzato su uno sgabello con le mani legate dietro la schiena, sanguinava abbondantemente dal naso e dalla bocca e aveva la guancia sinistra tumefatta. Romolo gli corse incontro e lo abbracciò stretto. «Perdonami, perdonami, *Ambrosine*» diceva. «Io non volevo, non volevo...»

«Non è nulla, ragazzo mio, non è nulla» rispose il vecchio. «L'importante è che tu sia tornato, ero in pensiero per te.»

Wulfila lo afferrò per le spalle e lo tirò indietro, mandandolo a rotolare sul pavimento. «Dove ti eri cacciato?» urlò.

«Ero nella stalla, e mi sono addormentato sulla paglia» rispose Romolo alzandosi in piedi di scatto e fronteggiandolo coraggiosamente.

«Menti!» gridò l'altro colpendolo con un manrovescio che lo mandò a urtare violentemente contro il muro. «Abbiamo guardato dappertutto!»

Romolo si deterse il sangue che gli colava dal naso e si avvicinò ancora, con un coraggio che lasciò sbalordito Ambrosinus. «Non avete guardato bene» rispose. «Non vedi che ho ancora la pula sui vestiti?»

Wulfila alzò nuovamente la mano per colpire, ma Romolo lo fissò imperterrito dicendo: «Se osi ancora toccare il mio precettore ti scanno come un maiale. Lo giuro».

Il barbaro scoppiò in una risata fragorosa. «E con che cosa? Levati dai piedi, adesso, e ringrazia il tuo Dio che oggi sono di buon umore. Via, ho detto, tu e il tuo vecchio scarafaggio!»

Romolo sciolse i legacci che tenevano Ambrosinus e lo aiutò ad alzarsi. Il maestro vide negli occhi del discepolo una luce di fierezza e di orgoglio quale non aveva mai visto prima e ne rimase impressionato come da un miracolo, da un'apparizione inattesa. Romolo lo sostenne amorosamente, guidandolo verso il suo quartiere, fra le risate e gli sberleffi dei barbari. Ma quel loro gioire euforico e quasi frenetico mostrava che erano stati preda del terrore fino a poco tempo prima. Un ragazzo di tredici anni era sfuggito al controllo e alla vista di settanta fra i migliori guerrieri dell'esercito imperiale per più di un'ora, gettando tutti nel panico.

«Dove ti eri cacciato?» chiese Ambrosinus appena furono soli nel loro appartamento.

Romolo prese un panno umido e cominciò a pulirgli il viso. «In un posto segreto» rispose.

«Cosa? Non ci sono posti segreti in questa villa.»

«C'è un criptoportico sotto il pavimento del cortile inferiore, e io... io ci sono caduto dentro» mentì.

«Non le sai raccontare, le bugie. Dimmi la verità.»

«Ci sono entrato di mia iniziativa, da una griglia di scolo. Ho sentito che ne usciva dell'aria, l'ho sconficcata e mi sono calato di sotto.»

«E che cos'hai trovato laggiù? Spero qualcosa che valesse la pena di tutte le busse che mi sono preso per colpa tua.»

«Prima di rispondere devo farti una domanda.»

«Sentiamo.»

«Che cosa si sa della spada di Giulio Cesare?»

«Strana domanda, in verità. Fammi pensare... Allora, alla morte di Cesare vi fu un lungo periodo di guerre civili: da una parte Ottaviano e Marco Antonio, dall'altra Bruto e Cassio, coloro che avevano organizzato la congiura delle Idi di marzo in cui Cesare era stato assassinato. Come tu dovresti ben sapere vi fu una battaglia finale a Filippi, in Grecia, dove Bruto e Cassio vennero sconfitti e uccisi. Rimasero così Ottaviano e Marco Antonio, che per alcuni anni si spartirono il potere sull'Impero di Roma: a Ottaviano l'Occidente, ad Antonio l'Oriente. Ma ben presto i rapporti fra i due si deteriorarono, perché Antonio aveva ripudiato la sorella di Ottaviano per sposare Cleopatra, l'affascinante regina d'Egitto. Antonio e Cleopatra vennero sconfitti in una grande battaglia navale, ad Azio, e fuggirono in Egitto dove poi si suicidarono, prima l'uno e poi l'altra. Ottaviano rimase solo signore del mondo e accettò dal Senato il titolo di Augusto. A quel punto fece costruire il tempio di Marte Vendicatore nel Foro romano e vi pose la spada di Giulio Cesare. Con il passare dei secoli, quando i barbari arrivarono a minacciare Roma da vicino, la spada fu tolta dal tempio e nascosta. Credo sia stato Valeriano o Gallieno, o forse qualche altro imperatore. Ho anche sentito dire che Costantino l'aveva presa per portarla a Costantinopoli, sua nuova capitale. Si dice anche che, a partire da un certo momento, la spada sia stata sostituita con una copia, ma che fine abbia fatto l'originale nessuno lo sa.»

Romolo lo fissò con uno sguardo enigmatico e trionfale al tempo stesso. «Ora vedrai» disse. Andò alla finestra e alla porta per accertarsi che non vi fosse nessuno nei paraggi, poi si chinò vicino al letto ed estrasse l'involto che vi aveva nascosto, sotto lo sguardo incuriosito del maestro.

«Guarda!» disse. E denudò la spada meravigliosa. Ambrosinus la contemplò stupefatto, senza riuscire ad articolare parola. Romolo la teneva appoggiata sulle due mani aperte e tese e si poteva vedere l'impugnatura d'oro stupendamente modellata in forma di una testa d'aquila con occhi di topazio. L'acciaio forbito della lama brillava nella penombra.

«È la spada di Giulio Cesare» disse Romolo. «Guarda questa scritta: *Cai Iulii Caesaris ensis ca...*» cominciò a compitare.

«Oh, gran Dio» lo interruppe Ambrosinus avvicinando alla lama le dita tremanti. «Oh, gran Dio. La spada calibica di Giulio Cesare! Ho sempre pensato che fosse perduta da secoli. Ma come l'hai trovata?»

«Era proprio sulla sua statua, dentro al fodero, in un posto segreto. Un giorno, quando avranno allentato di nuovo la sorveglianza, ti porterò e ti farò vedere tutto. Non crederai ai tuoi occhi. Ma che parola hai detto prima? Che cos'è una spada calibica?»

«Significa semplicemente "forgiata dai Calibi", un popolo dell'Anatolia famoso per la capacità di produrre un acciaio invincibile. Dicono che quando Cesare vinse la guerra contro Farnace, re del Ponto...»

«Quando disse: *"Veni, vidi, vici"*?»

«Esattamente. Ebbene, dicono che un mastro di forgia cui aveva risparmiato la vita l'abbia fabbricata per lui usando un blocco di siderite, ferro caduto dal cielo. La meteora, trovata su un ghiacciaio dell'Ararat, fu passata per il fuoco, battuta incessantemente per tre giorni e tre notti e poi temprata nel sangue di un leone.»

«Possibile?»

«Più che possibile» rispose Ambrosinus. «Certo. Sapremo subito se quella che hai trovato è la spada più forte del mondo. Su, stringila nel pugno!»

Romolo obbedì.

«E ora colpisci quel candelabro, con tutta la tua forza.»

Romolo vibrò il colpo, la lama roteò nell'aria sibilando ma fallì il bersaglio per un soffio. Il ragazzo si strinse nelle spalle e si preparò per un secondo tentativo, ma Ambrosinus lo fermò con un gesto della mano.

«Ora farò meglio» disse Romolo, «attento...» ma si arrestò interdetto al vedere lo sguardo rapito e commosso del suo maestro.

«Che c'è, *Ambrosine*? Perché mi guardi così?»

Il colpo che aveva mancato il candelabro aveva tagliato in due una ragnatela tesa in un angolo della camera, lasciando al ragno che l'aveva tessuta solo la metà superiore, con un taglio così netto e perfetto da lasciare sbalorditi.

Ambrosinus si accostò incredulo a quel prodigio mormorando: «Guarda, figlio mio, guarda... nessuna spada al mondo avrebbe mai potuto fare questo».

Restò come incantato a osservare il ragno che abbandonava la sua trappola dimezzata, si librava per un attimo nel pulviscolo dorato dentro un raggio di sole che penetrava da una crepa nell'imposta e spariva nell'oscurità. Poi si volse a incontrare lo sguardo di Romolo: negli occhi del ragazzo brillava ora la stessa luce di orgogliosa fierezza di quando aveva preso le sue difese fronteggiando il feroce Wulfila senza batter ciglio. Una luce che non gli aveva mai visto prima... lo stesso riflesso metallico e tagliente che scintillava sul filo di quella lama, negli occhi splendenti dell'aquila. E gli antichi versi fiorirono sulle sue labbra come una preghiera:

Veniet adulescens a mari infero cum spatha...

«Che hai detto, *Ambrosine*?» chiese Romolo riavvolgendo la spada nel drappo.

«Nulla... nulla...» rispose il precettore. «Solo che sono felice... Felice, ragazzo mio.»

«Perché? Perché ho trovato questa spada?»

«Perché è giunto il momento di andarcene da questo luogo. E nessuno potrà impedircelo.»

Romolo non disse nulla: ripose la spada e uscì richiudendo la porta. Ambrosinus si inginocchiò sul pavimento stringendo fra le mani il rametto di vischio che gli pendeva dal collo e pregò, dal più profondo del cuore, che le parole che aveva appena pronunciato divenissero realtà.

XVI

Romolo stava seduto su una panca di legno e stuzzicava un formicaio con uno stecco. La minuscola comunità, già sistemata per l'inverno, era in preda al panico, e le formiche correvano in tutte le direzioni cercando di mettere in salvo le uova della regina. Ambrosinus, che si trovava a passare in quel momento, gli si avvicinò. «Come sta oggi il mio piccolo Cesare?»

«Male. E non chiamarmi così. Io non sono niente.»

«E sfoghi la tua frustrazione su quelle povere creature innocenti? In proporzione hai causato loro una tragedia non minore della caduta di Troia o dell'incendio di Roma ai tempi di Nerone, lo sai?»

Romolo gettò via con stizza il bastoncello. «Voglio mio padre, voglio mia madre. Non voglio essere solo e prigioniero. Perché la mia sorte deve essere così crudele?»

«Credi in Dio?»

«Non lo so.»

«Dovresti. Nessuno è più vicino a Dio dell'imperatore. Egli è il suo rappresentante in terra.»

«Non ricordo un imperatore che sia durato più di un anno dopo la sua assunzione al trono. Forse Dio dovrebbe scegliersi rappresentanti meno effimeri su questa terra, non credi?»

«Lo farà, e la sua potenza segnerà il prescelto in modo inequivocabile. E ora smetti di perdere tempo con le formiche e torna in biblioteca a studiare. Oggi dovrai commentare i primi due libri dell'*Eneide*.»

Romolo alzò le spalle. «Vecchie, inutili storie.»

«Non è vero. Virgilio ci narra la vicenda dell'eroe Enea e di suo figlio Iulo: un ragazzo come te che divenne fondatore della più grande nazione di tutti i tempi. Erano profughi, disperati, eppure seppero risorgere e ritrovare il coraggio e la volontà di costruire per sé e per la loro gente un nuovo destino.»

«Tutto è possibile nel mito. Ma il passato è passato e non torna più.»

«Davvero? Allora perché conservi quella spada sotto il letto? Non è forse anch'essa il relitto di una vecchia, inutile storia?» Gettò uno sguardo alla meridiana al centro del cortile e sembrò ricordarsi improvvisamente di qualche cosa. Girò le spalle e senza dire altro attraversò il cortile scomparendo nell'ombra del portico. Pochi istanti dopo Romolo lo vide salire una scalinata che portava al parapetto del muro di cinta verso il mare, e lì rimanere ritto e fermo mentre il vento gli agitava i lunghi capelli grigi.

Il ragazzo si alzò e si diresse alla biblioteca, ma prima di entrare lanciò un ultimo sguardo ad Ambrosinus, che ora gli parve intento in una delle sue consuete osservazioni. Guardava davanti a sé e contemporaneamente scriveva con lo stilo sul suo inseparabile pagillare. Forse studiava il moto delle onde, o la migrazione degli uccelli, o i fumi che da qualche giorno uscivano sempre più densi dalla cima del Vesuvio, accompagnati da brontolii minacciosi.

Scosse la testa e si avvicinò alla porta della biblioteca per entrare, ma in quell'attimo Ambrosinus gli fece cenno di raggiungerlo. Romolo obbedì e corse dal suo maestro che lo accolse senza dire una parola, indicando semplicemente un punto in mezzo al mare. Davanti a loro, piccola per la distanza, si vedeva una barca di pescatori, un guscio di noce nella distesa azzurra.

«Ora ti mostrerò un gioco interessante» disse Ambrosinus. Prese dalle pieghe della veste uno specchio di bronzo lucidissimo, lo orientò verso il sole e proiettò una piccola falena splendente sulle onde vicino alla barca, poi sulla prua e sulla vela con precisione impressionante. Subito dopo cominciò a muovere il polso con movimenti rapidi e studiati, facendo apparire e sparire a intermittenza il piccolo punto luminoso sul ponte dell'imbarcazione.

«Che stai facendo?» chiese Romolo stupito. «Fai provare anche me?»

«Meglio di no. Sto parlando con gli uomini di quella barca con segnali di luce. Un sistema che si chiama *notae tironianae*. Lo inventò un servo di Cicerone, cinque secoli fa. All'inizio era solo un sistema per scrivere in fretta sotto dettatura, poi venne trasformato in un codice di comunicazione per l'esercito.»

Non aveva finito di parlare che un segnale analogo rispose a intermittenza dalla barca.

«Che cosa dicono?»

«Dicono: "Veniamo a prendervi. Le None di dicembre". Il che significa... fra tre giorni esatti. Te lo avevo detto che non ci avrebbero abbandonati e che non bisogna mai disperare.»

«Non mi stai prendendo in giro...» disse Romolo incredulo. Ambrosinus lo abbracciò. «È vero» rispose con la voce che gli tremava. «È vero, finalmente!»

Romolo riusciva a stento a controllare la sua emozione. Non voleva cedere a questa nuova speranza, nel timore che fosse delusa ancora una volta. Chiese solo: «Da quanto tempo dura questa storia?».

«Da un paio di settimane. Avevamo parecchie cose di cui discutere.»

«E chi ha cominciato per primo?»

«Loro. Mi hanno fatto arrivare un messaggio tramite uno dei servi che va giù al porto a fare la spesa, e così mi sono fatto trovare all'appuntamento con il mio specchio ben lucidato. È stato bello fare due chiacchiere con qualcuno di fuori, finalmente.»

«E non mi hai mai detto nulla...»

Romolo guardò esterrefatto il suo precettore che gli sorrideva ammiccando e poi la piccola barca lontana. Sotto il suo sguardo il dialogo luminoso riprese, interrompendosi soltanto quando un rumore di passi segnalò l'arrivo della ronda. Ambrosinus lo prese per mano e insieme discesero la scalinata e si diressero verso la biblioteca.

«Non volevo illuderti un'altra volta senza una ragione. Ma ora sono convinto che questa impresa potrebbe riuscire. È solo un pugno di disperati, ma hanno un'arma potente...»

«E quale?»

«La fede, ragazzo mio. La fede che smuove le montagne. Non la fede in un Dio sul quale non sono abituati a fare assegnamento. Hanno fede nell'uomo, pur in questa epoca oscura, pur nel crollo di tutti gli ideali e di tutte le certezze. E ora andiamo a studiare, potrei insegnarti le *notae tironianae*, che ne dici?»

Romolo lo guardò ammirato. «Esiste qualcosa che tu non conosca, *Ambrosine*?»

Il volto del maestro si fece improvvisamente pensoso. «Molte cose» disse, «e delle più importanti: un figlio, per esempio; una casa, una famiglia... l'amore di una sposa...» Gli fece una carezza e nei suoi occhi azzurri passò l'ombra di un rimpianto.

La barca proseguì nella sua rotta doppiando la punta settentrionale dell'isola.

«Sei sicuro che abbiano capito?» chiese Batiato.

«Certo che sono sicuro. Non è la prima volta che ci scambiamo messaggi» rispose Aurelio.

«Ecco il promontorio orientale ed ecco la parete nord» disse Vatreno. «Per Ercole, è dritta come un muro: e secondo te noi dovremmo arrampicarci fin lassù, prelevare il ragazzo contro il parere di una settantina di guardie ferocissime, calarci fino al mare, risalire in barca e andarcene *insalutato hospite*?»

«Più o meno» rispose Aurelio.

Livia mollò una scotta mettendo la vela al lasco e la barca si fermò oscillando dolcemente sulle onde. La parete si alzava ora quasi a strapiombo su di loro, nuda e scabra, sormontata in alto dal muro della villa.

«Questo è per noi l'unico punto accessibile» continuò Aurelio, «proprio perché si ritiene impossibile che uno possa salire da qui. Abbiamo visto che la ronda passa solo due volte: una al primo turno di guardia e una al terzo, prima dell'alba. Abbiamo quasi due ore per compiere la nostra missione.» Capovolse una clessidra ad acqua e puntò il dito sui vari livelli rubricati sul vetro. «Un'ora per salire, mezz'ora per prendere il ragazzo, mezz'ora per scendere e levarci di torno e mezz'ora per raggiungere la costa dove ci aspettano i cavalli. Batiato starà alla base a custodire la barca e a manovrare le funi, gli altri andranno su. Livia, a quel punto, si troverà già sul posto, sul camminamento superiore del muro nord della villa.»

«E come?» chiese Vatreno.

Aurelio scambiò un'occhiata d'intesa con Livia. «Con uno stratagemma vecchio come il mondo: quello del cavallo di Troia.»

Batiato scandagliò con lo sguardo la parete palmo a palmo fino al muro sommitale e sospirò. «Per fortuna che io resto a terra. Non vorrei essere nei vostri panni.»

«Nulla di così terribile» disse Livia. «È già stato fatto e da un uomo solo che si arrampicò fin lassù a mani nude.»

«Non ci posso credere» ribatté Batiato.

«Eppure è così. Ai tempi di Tiberio un pescatore voleva regalare all'imperatore un'aragosta enorme che aveva appena pescato, e siccome non lo facevano passare dalla porta principale lui scalò la parete dal mare.»

«Per Ercole!» esclamò Vatreno. «E come andò a finire?»

Livia abbozzò un mezzo sorriso. «Ve lo dirò a missione compiuta. E ora direi di tornare prima che cambi il vento.» Tese la scotta mentre Demetrio manovrava il pennone in modo da porre la vela in favore di vento e la barca virò in ampia curva mettendo la prua a terra. Aurelio lanciò un ultimo sguardo agli spalti della villa e vide distintamente apparire una figura spettrale: un guerriero gigantesco avvolto in un mantello nero gonfiato dalla brezza.

Wulfila.

Tre giorni dopo, sul far della sera, una grossa oneraria entrò nel porticciolo e il capitano diede una voce agli scaricatori lanciando loro la cima di attracco. Da poppa il timoniere lanciò una seconda cima e la barca accostò. Gli scaricatori avvicinarono una passerella e i facchini cominciarono a scaricare i colli più piccoli: sacchi di grano e farina, di fagioli e di ceci, anfore di vino, di aceto e di mosto cotto. Poi fecero avvicinare un sollevatore a bilanciere per i carichi pesanti: sei grandi giare di terracotta da duemila cotili ciascuno, tre piene d'olio d'oliva e tre piene d'acqua potabile per la guarnigione della villa.

Livia, acquattata a poppa fra i sacchi, si assicurò che nessuno guardasse dalla sua parte e si avvicinò a una delle giare. Sollevò il coperchio della prima e la trovò piena d'acqua, vi gettò dentro un rotolo di corda, poi entrò lei stessa e si tirò il coperchio sulla testa. Una certa quantità d'acqua traboccò dall'orlo, ma tutto l'equipaggio era impegnato nelle operazioni di scarico e nessuno vi fece caso. Uno dopo l'altro gli enormi recipienti vennero sollevati con il bilanciere e deposti su un carro trainato da due coppie di buoi. Quando il carico fu completato il carrettiere fece schioccare la frusta gridando: «Ah! Ah!», e il carro si mise in movimento su per la strada erta e stretta che conduceva in alto, alla villa. Arrivò che la parte bassa dell'isola era già nell'ombra, mentre gli ultimi riflessi del sole tramontato ancora facevano rosseggiare i cirri nel cielo e i tetti sulle parti più alte della grande dimora. Il portone venne spalancato e il carro entrò nella bassa corte con gran sferragliare dei cerchioni sull'acciottolato. Oche e galline si misero a starnazzare e a correre da ogni parte, i cani presero ad abbaiare e fu subito un affaccendarsi di servi e di facchini che si preparavano a scaricare.

Il capo della servitù, un vecchio napoletano dalla pelle incartapecorita, diede una voce ai suoi uomini che avevano già preparato il montacarichi sulla loggia superiore, e costoro cominciarono a calare la piattaforma con un argano fino ad accostarla al pianale del carro. La prima delle giare venne coricata sul fianco, fatta rotolare fino alla piattaforma, e poi immobilizzata con corde e zeppe. Il capo della servitù si portò le mani ai lati della bocca e gridò: «Issa!». I servi cominciarono a tirare le maniglie dell'argano e la piattaforma, gemendo e cigolando, si librò dapprima oscillando nel vuoto e poi, piano piano, cominciò a salire verso la loggia superiore.

Dall'altra parte della villa, alla base della parete a strapiombo, Batiato saltò a terra e tirò la barca da poppa fino a ridosso della piccola cala contornata di grossi ciottoli e di rocce appuntite. Il tempo stava cambiando: raffiche di vento freddo increspavano le onde del mare sollevando sbuffi di schiuma, e un fronte di nubi nere avanzava da occidente, attraversato dai bagliori intermittenti dei lampi. Il brontolio del tuono si confondeva con i sordi boati del Vesuvio attutiti dalla distanza.

«Ci mancava anche una tempesta» brontolò Vatreno scaricando due rotoli di funi dalla barca.

«Meglio così» disse Aurelio. «Le guardie se ne staranno rintanate al coperto e noi avremo più libertà di azione. Su, muoviamoci, che il tempo passa.»

Batiato assicurò la cima di poppa a un masso e fece segno a Demetrio perché filasse l'ancora da prua, poi tutti balzarono a terra. Ognuno indossava sopra la tunica un corsetto di cuoio rinforzato o di maglia metallica, pantaloni aderenti, cinturone con spada e pugnale e un elmo di ferro. Aurelio si portò alla base della roccia e tirò un lungo respiro, come faceva sempre quand'era in procinto di affrontare un nemico. Vista dal basso, la prima parte della parete aveva una certa inclinazione, tale da consentire un'arrampicata non troppo malagevole.

«Dobbiamo salire in due fino a quel costone, là dove si vede quella vena di roccia più chiara» disse. «Io porterò la corda con inseriti i pioli che fungerà da scala. Tu, Vatreno, porterai la sacca con i picchetti e il martello. Livia dovrebbe lanciarci dall'alto l'altra fune per consentirci di superare il secondo dislivello, il più ripido. In caso contrario andremo su in ascesa libera: se ce l'ha fatta quel pescatore possiamo farcela anche noi.» Si rivolse a Batiato: «Al nostro ritorno dovrai tenere ben tesa l'estremità inferiore della corda perché non oscilli con il vento: il ragazzo potrebbe spaventarsi o sbilanciarsi e cadere, soprattutto se comincerà a piovere e tutto diventerà molto più scivoloso. Andiamo, finché c'è ancora un poco di luce».

Vatreno lo afferrò per un braccio: «Sei sicuro che la tua spalla tenga? Forse è meglio se va su Demetrio, che è anche più leggero».

«No, vado io. La mia spalla è a posto, non preoccuparti.»

«Sei un testardo, e se fossimo all'accampamento ti farei vedere io chi è che comanda, ma qui decidi tu e va bene così. Su, muoviamoci.»

Aurelio si mise il rotolo di corda a tracolla e cominciò ad arrampicarsi. A poca distanza da lui cominciò a salire Vatreno, con una pesante borsa di cuoio: conteneva il martello e i picchetti da tenda che avrebbe usato per fissare la fune di Aurelio alla roccia una volta raggiunto il primo punto di appoggio.

Nella bassa corte della villa stavano issando la quinta delle grandi giare quando una improvvisa raffica di vento fece ondeggiare la piattaforma. Una seconda raffica impresse un'oscillazione ancora più ampia, sicché l'enorme vaso, ormai a mezza via fra il pavimento del cortile e la loggia superiore, strappò la fragile imbragatura che lo teneva e precipitò scoppiando con gran fracasso all'impatto con il suolo e spandendo ovunque cocci di terracotta e un grande fiotto oleoso. Alcuni degli uomini rimasero feriti, altri furono inzuppati d'olio dalla testa ai piedi, trasformati in grottesche figure gocciolanti e malferme sui piedi. Il capo della servitù imprecò e li prese a calci gridando fuori di sé: «Proprio l'olio dovevamo perdere, maledetti incapaci! Ma io ve lo faccio pagare, e come se ve lo faccio pagare!».

Livia sbirciò da sotto l'orlo del coperchio e subito si abbassò. Dopo un primo momento di confusione la piattaforma venne calata di nuovo e la ragazza si rese conto che stavano bloccando il coperchio e inclinavano il recipiente. Trattenne il fiato finché l'acqua all'interno si fu stabilizzata, poi si mise in bocca una cannula e riprese a respirare. Man mano che la piattaforma saliva, il cigolio di tutta la struttura aumentava assieme alle oscillazioni, e il sibilo del vento che rinforzava giungeva all'interno della giara come un sordo muggito. Livia sentiva il battito del suo cuore aumentare sempre più di intensità nel buio di quell'angusta prigione liquida, in quella sorta di utero di pietra in cui era sballottata a ogni oscillazione, in cui ogni orientamento ed equilibrio era confuso.

Ormai al limite della resistenza, stava per spezzare con la spada la parete del vaso, incurante di ciò che sarebbe potuto accadere, quando sentì che la piattaforma di carico si era finalmente adagiata su un appoggio stabile. Si fece ancora forza, trattenendo il respiro mentre la giara rotolava sul pavimento spinta dagli inservienti e l'aria veniva del tutto a mancare. Si rese poi conto che gli operai la stavano raddrizzando in posizione verticale, presumibilmente vicino alle altre. Alzò allora la testa al di sopra del livello dell'acqua e respirò profondamente, soffiando il liquido fuori dalle narici. Attese che il rumore dei passi degli operai che si allontanavano fosse completamente svanito, estrasse il pugnale e lo infilò nella fessura fra il collo del vaso e il coperchio fino a trovare la corda che ve lo teneva fissato e cominciò a tagliare. Era esausta e aveva le membra intirizzite, quasi paralizzate dal freddo.

A poca distanza, in una camera degli appartamenti imperiali, Ambrosinus e Romolo si preparavano alla fuga indossando vesti comode, calzature di feltro atte a muoversi con rapidità e nel più assoluto silenzio. Il vecchio raccolse quanto poté delle sue cose nella bisaccia da viaggio: del cibo, e in più le sue polveri, le erbe, gli amuleti. E vi aggiunse l'*Eneide*.

«Ma è un peso inutile» disse Romolo.

«Tu credi? E invece è il carico più prezioso, figlio mio» rispose Ambrosinus. «Quando si fugge e ci si lascia tutto alle spalle, l'unico tesoro che possiamo portare con noi è la memoria. Memoria delle nostre origini, delle nostre radici, della nostra storia ancestrale. Solo la memoria può consentirci di rinascere, dal nulla. Non importa dove, non importa quando, ma se conserveremo il ricordo della nostra passata grandezza e dei motivi per cui l'abbiamo perduta, noi risorgeremo.»

«Ma tu vieni dalla Britannia, *Ambrosine*, sei un Celta.»

«È vero, ma in questo momento così terribile in cui tutto crolla e si dissolve, in cui l'unica civiltà di questo mondo è colpita al cuore, non possiamo non dirci romani, anche noi che veniamo dalla più remota periferia dell'Impero, anche noi che fummo abbandonati, tanti anni fa, al nostro destino... E tu, Cesare, tu non porti nulla con te?»

Romolo estrasse la spada da sotto il letto. L'aveva già accuratamente fasciata e legata con una cordicella e vi aveva applicato una cintura che gli consentiva di appenderla dietro le spalle.

«Io porto questa» disse.

Aurelio si trovava a una trentina di piedi dal costone roccioso che tagliava trasversalmente la parete quando un lampo improvviso illuminò a giorno la rupe, seguito dal fragore di un tuono, e subito cominciò a piovere a dirotto. Tutto divenne più difficile, gli appigli più scivolosi, la visione più confusa per l'acqua che inzuppava i capelli ed entrava negli occhi, e a ogni istante che passava il rotolo di corda che Aurelio portava a tracolla si faceva più pesante, inzuppato di una quantità d'acqua sempre maggiore. Vatreno intuì le difficoltà dell'amico e cercò di avvicinarglisi il più possibile. Trovò un punto di appoggio e conficcò un chiodo nella roccia più in alto che poté. Aurelio lo vide, si spostò verso di lui e appoggiò il piede sul chiodo, issandosi in alto fino a ghermire uno spuntone che sporgeva dalla montagna sulla sua destra. Da quel punto in poi la rupe aveva una inclinazione più accentuata e consentiva di avanzare con maggiore sicurezza fino alla piattaforma sottostante la parete a picco. Si trattava di un ciglione calcareo coperto di sfasciume caduto durante i millenni dalla roccia soprastante. Aurelio gettò a terra la fune e si sporse indietro per aiutare anche il suo compagno a salire.

Giunto sul ciglio, Vatreno estrasse la mazza dalla borsa, piantò due chiodi nella roccia, vi assicurò la fune e la srotolò facendola scendere fino al punto di approdo. Batiato l'afferrò e la strattonò energicamente per saggiarla.

«Tiene» commentò Vatreno soddisfatto.

Tesa in quel modo, con una trentina di pioli che l'attraversavano a una distanza di tre piedi all'incirca l'uno dall'altro, aveva quasi l'aspetto di una scala.

«Il ragazzo ce la farà di sicuro» disse Aurelio.

«E il vecchio?» chiese Vatreno.

«Anche lui. È più svelto di quello che tu creda.» Alzò lo sguardo in alto cercando di ripararsi gli occhi dal diluviare della pioggia. «Livia non si vede ancora, maledizione. Che cosa facciamo? Io aspetto ancora un po' e poi vado su da solo.»

«È una pazzia. Non ce la farai mai. Non in queste condizioni.»

«Ti sbagli. Andrò su con i chiodi. Passami la borsa.»

Vatreno lo guardò allibito, ma in quel momento una manciata di sassolini li colpì dall'alto. Aurelio guardò in su e vide una sagoma che faceva ampi gesti con la mano.

«Livia!» esclamò. «Finalmente.»

La ragazza lanciò la sua fune, la cui estremità si fermò a

una certa distanza dalla testa di Aurelio che cominciò ad arrampicarsi spellandosi le mani, le braccia, le ginocchia, lasciando brandelli di pelle sugli spigoli taglienti, fino ad afferrarne l'estremità inferiore. Poi cominciò a salire a prezzo di un'enorme fatica. Il vento che rinforzava a ogni momento faceva oscillare la fune a destra e a sinistra, lo scagliava a volte contro le asperità della rupe strappandogli grida di dolore che si confondevano con l'urlo della bufera. In lontananza, a tratti, poteva vedere sinistri riflessi sanguigni balenare dalla bocca del Vesuvio. La corda, inzuppata d'acqua, si faceva sempre più scivolosa e il peso del suo corpo lo trascinava a volte in giù facendogli perdere in un attimo ciò che con tanta fatica aveva conquistato con uno sforzo prolungato. Ma ogni volta riprendeva a salire, caparbiamente, stringendo i denti, vincendo la fatica e il dolore che tormentava ogni muscolo, ogni articolazione, e le fitte della sua vecchia ferita che gli penetravano nel cranio come pugnalate.

Livia seguiva con spasmodica tensione ogni suo movimento, e quando finalmente Aurelio fu vicino si protese con tutto il busto oltre il parapetto e gli afferrò il braccio tirando più che poteva. Con un ultimo sforzo Aurelio scavalcò il parapetto e strinse a sé la sua compagna in un abbraccio liberatorio sotto la pioggia battente. Fu lei a sciogliersi. «Presto, aiutiamo Vatreno e gli altri.»

In basso, Demetrio e Orosio erano saliti fino al costone roccioso dalla fune a pioli, e di là avevano raggiunto il capo inferiore della corda lanciata da Livia. Uno per uno se la legarono in vita e salirono rapidamente, aiutati dai compagni che tiravano dall'alto. Vatreno giunse per ultimo.

«Ve l'avevo detto che ci saremmo riusciti» esultò Livia. «E ora cerchiamo il ragazzo, prima che passi la ronda.»

XVII

Il ballatoio superiore era deserto e il pavimento di grandi lastre di schisto brillava come uno specchio nella luce improvvisa dei lampi. Raggruppate contro il muro c'erano ancora le giare che erano state issate nel pomeriggio e Livia gettò loro uno sguardo ricordando la sua recente avventura nel ventre di una di esse.

«Dietro quelle giare c'è una piattaforma che dà verso l'interno con un montacarichi» disse. «Potremmo farci calare con l'argano da Orosio e Demetrio fino al cortile e raggiungere la biblioteca. È là che ci attendono, no?»

«Sì» rispose Aurelio, «ma se ci vedono mentre penzoliamo nel vuoto diventiamo un facile bersaglio. Meglio un itinerario interno. Non deve essere troppo difficile raggiungere il cortile e nella biblioteca ci sarà una luce accesa per guidarci.» Si rivolse a Orosio. «Tu resti qui di presidio a tenerci aperta la via di fuga. Conta lentamente fino a mille a partire da quando ci vedrai sparire: se alla fine non saremo ancora arrivati scendi, raggiungi Batiato e prendete il largo. Vi raggiungeremo a terra in qualche modo entro due giorni al massimo, altrimenti vorrà dire che la nostra missione avrà avuto un esito infausto e che sarete liberi di andarvene dove vorrete.»

«Sono sicuro che tornerete sani e salvi» rispose Orosio. «Buona fortuna.»

Aurelio ricambiò l'augurio con un sorriso incerto, poi

fece un cenno ai suoi compagni e imboccò la scala di pietra che portava ai piani inferiori. Lui per primo con la spada in pugno, poi Livia, Vatreno e da ultimo Demetrio.

La tromba delle scale era completamente buia e solo i lampi la rischiaravano di tanto in tanto attraverso le strette feritoie che davano sul cortile interno; poi, a un certo punto, si cominciò a intravedere un lieve alone luminoso irradiarsi sui muri e sui gradini di tufo.

Aurelio fece segno ai compagni di procedere con la massima cautela poi riprese ad avanzare verso la luce. La gradinata terminava in un corridoio illuminato da alcune lucerne a olio appese alla parete in cui si aprivano delle stanze.

Aurelio fece ancora cenno ai suoi di avvicinarsi e bisbigliò: «Davanti a noi c'è un corridoio e quelle porte devono essere camere da letto. Al mio cenno attraversatelo più in fretta che potete e raggiungiamo la seconda rampa che dovrebbe portarci di sotto, al piano terreno. Coraggio, per ora sembra tutto tranquillo».

«Vai» disse Vatreno. «Noi ti veniamo dietro.» Ma, appena Aurelio si fu mosso, una porta si aprì alla sua sinistra e ne uscì un guerriero barbaro assieme a una ragazza seminuda. Aurelio lo aggredì con la spada in pugno e prima che quello avesse il tempo di rendersi conto lo passò da parte a parte. La ragazza si mise a urlare ma Livia le fu subito addosso e le serrò la bocca con le mani. «Zitta! Non vogliamo farti del male, ma se gridi ancora ti taglio la gola. Capito?» La ragazza accennò convulsamente di sì con la testa. Demetrio e Vatreno le legarono polsi e caviglie e la imbavagliarono in pochi attimi, trascinandola in una nicchia buia.

Da basso, nella vecchia sala triclinare, Wulfila, che stava terminando di consumare la sua cena, si riscosse tendendo l'orecchio. «Hai sentito anche tu?» chiese rivolto al suo luogotenente, uno degli Sciri che avevano combattuto agli ordini di Mledo.

«Che cosa?»
«Un grido.»
«Gli uomini se la stanno spassando di sopra con le nuove puttane arrivate ieri da Napoli. Stai tranquillo.»
«Non era un grido di piacere. Era un grido di terrore» insistette Wulfila alzandosi e mettendo mano alla spada.
«E allora? Lo sai che a qualcuno piace fare giochi pesanti. Ci sono abituate: fa parte del loro mestiere. L'unica cosa che mi preoccupa è che queste sgualdrine non finiscano per sfiancarli i nostri guerrieri. Già mi pare che da qualche tempo non pensino che a fottere...»
Non aveva finito di parlare che si udì un altro grido, questa volta di rabbia e di dolore, subito soffocato in un rantolo di morte.
«Maledizione!» imprecò Wulfila raggiungendo la finestra che dava sul cortile. Non c'era che una lanterna accesa dentro la biblioteca ma poté vedere un confuso agitarsi di sagome, un luccicare di lame che saettavano nel buio e poi ancora grida, e rantoli di agonia.
«Ci stanno attaccando. Fai suonare l'allarme, presto, presto!»
L'uomo obbedì: chiamò una guardia e questa soffiò nel corno di guerra, ripetutamente, finché un altro corno non rispose e un altro ancora, finché tutta la villa echeggiò di quel suono tremendo. Un lampo illuminò a giorno il grande cortile e Wulfila riconobbe dall'alto Aurelio nel momento in cui abbatteva uno dei suoi uomini accorso a sbarrargli il passo. Lo fiancheggiavano altre figure, due o tre, e dietro venivano il vecchio con il ragazzo.
«Maledetto» gridò, «ancora lui!»
Si precipitò nel corridoio con la spada in mano urlando come un ossesso: «Lo voglio vivo, portatemelo vivo!».
In basso Aurelio si rese conto di avere solo pochi istanti e guidò i suoi uomini verso la rampa delle scale mentre altri guerrieri giungevano da ogni parte brandendo torce accese. Guadagnarono il corridoio superiore ma lo trovarono bloccato da un folto gruppo di armati. Livia

attaccò da sinistra, Vatreno e Demetrio da destra con colpi micidiali cercando di attirarli lontano dalla scala e permettere ad Aurelio di aprirsi la via verso il ballatoio superiore. Ambrosinus si era appiattito contro il muro e teneva stretto a sé Romolo. Il precettore era in preda al più cupo sconforto: l'impresa era già compromessa sul nascere. A un tratto Aurelio vibrò un gran fendente ma il suo avversario lo evitò e la spada del Romano andò in pezzi contro il pilastro portante della scala. Romolo non ebbe un attimo di esitazione e, mentre Aurelio arretrava difendendosi alla meglio con il pugnale, si divincolò da Ambrosinus e gli lanciò la spada gridando: «Prova questa!».

L'arma favolosa volò, lampeggiante come una folgore nella notte, verso la mano di Aurelio che si levava a ghermirla a mezz'aria. Era stretta saldamente nel suo pugno ora, e subito calò inesorabile.

Nulla poteva resisterle: cascate di scintille sprizzavano nell'impatto con scudi e asce. Tagliava gli elmi e penetrava nei crani come affondasse nella stessa materia e quando si abbatteva sul pilastro ne staccava una miriade di schegge incandescenti emettendo un clangore acuto, assordante. Sbalorditi e sgomenti i superstiti vennero travolti e Livia trascinò subito Romolo e Ambrosinus su per la scala ora sgombra di ostacoli. Aurelio restò per ultimo a coprire le spalle ai compagni e in quella posizione, in mezzo a un mucchio di corpi esanimi, con l'arma splendente e insanguinata stretta nel pugno, lo vide Wulfila. Non vi fu che un fulmineo contatto di sguardi fra i due guerrieri e Aurelio si dileguò immediatamente raggiungendo i compagni sul ballatoio superiore. Prima che gli inseguitori li raggiungessero chiusero e sprangarono la porta dietro di loro. Wulfila, giunto un istante troppo tardi, si abbatté contro la massiccia porta ferrata tempestandola di pugni, schiumante di rabbia, impotente. Gridò: «Presto, alla rampa orientale! Non hanno scampo!». Si precipitarono giù per la scala incontrandosi con un altro gruppo guidato dal suo luogotenente, che accorreva in quel momento.

«Voi, dalla scala esterna dei magazzini, svelti, li prenderemo nel mezzo!» ordinò. Gli uomini obbedirono lanciandosi di corsa nella direzione opposta e sparendo in fondo al corridoio.

Sul ballatoio superiore Aurelio e i compagni corsero verso il parapetto dove Orosio attendeva ansiosamente presidiando l'unica via di fuga.

«Per primo il ragazzo!» ordinò Aurelio. Orosio si sporse all'infuori gridando a pieni polmoni per sovrastare il fragore della tempesta e della mareggiata. Batiato lo sentì e si preparò a ricevere i fuggitivi. Intanto Demetrio, Vatreno e gli altri si disposero a semicerchio tutto intorno a Romolo che si apprestava a scendere. Il ragazzo guardò in basso e si sentì stringere il cuore: la parete, da quella distanza, luccicava come l'acciaio e in fondo era tutto un ribollire di schiume fra gli scogli taglienti; la barca, sballottata dalle onde, sembrava un fragile guscio. Tirò un profondo respiro mentre Orosio cercava di assicurarlo alla fune di discesa con una imbragatura di fortuna ma in quel momento Livia, che si era arrampicata su una sporgenza del parapetto, vide arrivare in lontananza da destra e da sinistra gli uomini di Wulfila e lanciò l'allarme.

«Le giare!» gridò subito dopo balzando a terra. «Lanciamogli contro le giare! La prima e la terza sono piene d'olio!» I compagni accorsero e anche Orosio abbandonò la fune per dare man forte. Inclinarono uno dopo l'altro due grandi vasi e li fecero rotolare in direzioni opposte. Abbandonati a se stessi, i due recipienti oscillarono verso destra e verso sinistra strisciando prima contro il parapetto e poi contro il muro interno finché, con un urto più violento, andarono in frantumi liberando una luccicante ondata oleosa che raggiunse i due gruppi lanciati in piena corsa. I primi scivolarono e caddero, e le torce che reggevano in mano appiccarono il fuoco al liquido suscitando vortici di fiamme alle due estremità del ballatoio. Alcuni dei guerrieri, trasformati in torce umane, si lanciarono in mare e scomparvero tra i flutti, altri si sfracellarono sulle rocce e i loro corpi rimbalzarono da una sporgenza all'altra schiantandosi fra gli scogli come pupazzi disarticolati. Ma ormai altri accorrevano di rincalzo e Aurelio si rese conto che non restava che combattere fino all'ultimo. Strinse i denti e serrò nel pugno la spada che il suo imperatore gli aveva affidato. L'avrebbe scagliata in mare con l'ultima scintilla di energia prima di morire, prima che cadesse in potere dei nemici. Ma mentre i cinque si serravano spalla a spalla, Romolo si riscosse improvvisamente come colto da un'ispirazione. «Seguitemi!» gridò. «Conosco una via di fuga!» E corse verso la porticina ferrata disserrando il chiavistello.

Aurelio capì la sua intenzione, si sporse dal parapetto gridando e facendo ampi gesti a Batiato di mollare l'ormeggio e prendere il largo e lanciò dabbasso la fune perché non avesse dubbi che di là non sarebbero più discesi. Poi corse alla porta e si lanciò dietro ai compagni giù per la scala che avevano salito poco prima. Il temporale stava scemando d'intensità ma si sentivano in lontananza sempre più forti i bombiti del vulcano che covava nel buio la sua collera.

Raggiunsero il cortile strisciando lungo il muro settentrionale che era in ombra, poi Romolo trovò il viale alberato che offrì ancora riparo ai fuggitivi fino al punto in cui la griglia di scolo consentiva l'accesso al criptoportico. L'aprì e fece cenno agli altri di seguirlo mentre si calava di sotto.

«Per fortuna non c'è Batiato con noi» disse Vatreno. «Non sarebbe mai riuscito a passare di qua.»

Cominciarono a calarsi uno dopo l'altro ma uno dei servi, svegliato da tutto quel trambusto, li vide e si mise a strillare. Gli fece eco l'abbaiare furioso dei cani e un gruppo di guardie accorse con torce e lanterne perlustrando il terreno tutto attorno.

«Dove sono questi intrusi?» chiese l'uomo che li guidava.

Il servo non sapeva che dire. «Ma vi giuro che erano qui poco fa, li ho visti, sono sicuro.»

Sotto la griglia di scolo tutti erano immobili perché gli inseguitori erano in piedi esattamente sopra di loro e se ne potevano vedere distintamente i volti illuminati dalle lanterne che tenevano in mano.

«Allora?» insistette il capo delle guardie. L'uomo si strinse nelle spalle mentre i cani continuavano a correre avanti e indietro, uggiolando. Il barbaro lo spintonò indietro, imprecando, e guidò i suoi uomini altrove, dove altri gruppi continuavano le ricerche. Romolo sollevò un poco la griglia, guardando all'esterno per assicurarsi che si fossero veramente allontanati, e poi cominciò a calarsi in basso fino al pavimento del criptoportico, seguito da tutti gli altri. Il sotterraneo era completamente immerso nell'oscurità; Ambrosinus estrasse la sua pietra focaia e, dopo qualche tentativo, riuscì ad accendere uno stoppino che teneva arrotolato in un barattolo pieno di una sostanza nerastra della consistenza del sego. La minuscola fiammella fumigante si sviluppò ben presto in un piccolo globo di luce bianchissima che li guidò attraverso l'impressionante successione di monumenti imperiali fino alla grande lastra di marmo verde. Aurelio e gli altri erano sopraffatti dallo stupore sia per la miracolosa fiamma di Ambrosinus sia per quell'incredibile parata di Cesari rappresentati nel fulgore dei loro paludamenti e delle loro armature.

«Dèi...» mormorò Vatreno, «non ho mai visto un posto del genere in tutta la mia vita.»

«Gesù...» gli fece eco Orosio sgranando gli occhi su quelle meraviglie.

«È stato lui a scoprirlo» disse orgoglioso Ambrosinus indicando il suo discepolo che si avvicinava in quel momento alla gran lastra di breccia verde. Romolo si girò verso Aurelio dicendo: «E non avete ancora visto nulla. È da qui che viene la spada che hai in mano. Guarda!».

Appoggiò le dita sulle tre "V" e spinse a fondo. Si udì il

rumore dei contrappesi e del meccanismo che entrava in azione e, sotto gli sguardi sempre più stupefatti dei suoi compagni, la grande lastra cominciò a ruotare su se stessa finché apparve alla vista, ritta sul piedistallo, la statua di Giulio Cesare splendente nell'armatura d'argento, nei marmi policromi che simulavano la porpora della tunica e del paludamento, pallido e corrucciato il volto, scolpito da un grande artista nel più prezioso marmo lunense. Ma il silenzioso stupore del piccolo gruppo venne interrotto d'un tratto dall'allarme di Demetrio. «Ci hanno scoperti!» gridò. «Hanno visto la luce!»

In fondo al grande criptoportico si vedeva infatti un baluginare di torce e subito si udirono grida e richiami: Wulfila in persona guidava le sue guardie giù per la frana e poi lungo il viale delle statue.

«Presto, dentro!» disse Romolo. «C'è una via di scampo in questa cella!» Il gruppo scomparve all'interno e la grande lastra si richiuse alle loro spalle. Il fragore delle armi che urtavano contro il marmo e le urla di rabbia di Wulfila echeggiarono subito dopo nella cavità del piccolo ipogeo e, benché lo spessore del grande monolito costituisse una difesa inespugnabile, il rimbombare dei colpi di quella collera selvaggia riempiva lo spazio angusto di una sensazione angosciosa, addensava in quell'aria immobile una minaccia impotente ma tuttavia terribile e incombente. Per un istante tutti si guardarono in faccia l'un l'altro, sgomenti, ma Romolo indicò loro il puteale da cui veniva un misterioso lampeggiare azzurrino, come se quell'apertura fosse in contatto con l'aldilà.

«Questo pozzo è in comunicazione con il mare» disse ancora Romolo. «Ed è l'unica via di scampo. Andiamo, non c'è nulla che possiamo fare qui.» E sotto gli occhi di tutti i suoi compagni, prima che qualcuno avesse tempo di dire una parola, si calò nel puteale. Aurelio non esitò un istante e si gettò a sua volta dietro di lui. Subito dopo si lanciò Livia e dopo di lei Demetrio, Orosio, Vatreno. Ambrosinus fu l'ultimo e dapprima la lunga scivolata su una sorta di piano inclinato e quindi la caduta in verticale attraverso una stretta imboccatura gli parvero non terminare mai. Il contatto con l'acqua gli diede un senso di panico e di soffocamento e poi, subito dopo, di pace. Si sentiva fluttuare in un fluido gorgogliante in una luce celeste e palpitante. La torcia che teneva stretta nel pugno gli sfuggì e affondò lentamente fino a posarsi sul fondo e quel globo luminoso accese le acque di un azzurro intenso e brillante, come di zaffiro. Si spinse con tutte le sue forze verso l'alto emergendo fra i compagni che cercavano di raggiungere la riva. Si trovavano all'interno di una grotta che comunicava con il mare tramite una piccola apertura, così bassa sulla superficie da essere appena visibile. Aurelio e gli altri guardavano stupefatti quella fiamma che ardeva sott'acqua, ma Ambrosinus volgeva intorno gli occhi pieni di non minore meraviglia. Vatreno gli si avvicinò indicando la luce che sembrava scaturire dal fondo stesso del mare. «Ma... che cos'è questo prodigio. Sei forse un mago?»

«Fuoco greco, una ricetta di Ermogene di Lampsaco» rispose Ambrosinus con ostentata noncuranza. «Brucia anche nell'acqua.» Ma il suo sguardo vagava tutto attorno a contemplare le immagini stupende degli dèi olimpici che emergevano del tutto o in parte dalle acque di quella grotta marina: Nettuno su un carro trainato da cavalli con la coda di pesce, la sua sposa Anfitrite con un corteggio di ninfe oceanine, tritoni che soffiavano dentro a conchiglie marine gonfiando il petto squamoso. La luce irreale, riflessa su quelle forme dal moto ondoso, sembrava restituire loro la vita, animando i volti e la fissità dei loro occhi di marmo. Un antico ninfeo, segreto e abbandonato.

Anche Romolo osservava rapito quelle immagini. «Chi sono?» domandò.

«Immagini di dèi dimenticati» rispose Ambrosinus.

«Ma... sono mai esistiti?»

«Ovviamente no!» rispose scandalizzato Orosio. «Esiste un solo Dio.»

Ambrosinus gli rivolse invece uno sguardo enigmatico. «Forse» rispose. «Finché qualcuno ha creduto in loro.»

Seguì un lungo silenzio: la magia del luogo sembrava aver sopraffatto tutti. Quella luce azzurra diffusa dalla grande volta rocciosa, quelle immagini, il rumoreggiare lontano del tuono, il respiro possente del mare che distendeva lentamente le sue onde dopo la tempesta infondevano in tutti una sensazione di quiete quasi soprannaturale. Tremavano dal freddo, erano esausti per la fatica, per gli sforzi sovrumani che avevano affrontato, ma si sentivano l'animo invaso da una felicità indicibile.

Romolo ruppe per primo il silenzio. «Siamo liberi?» chiese.

«Per il momento» rispose Aurelio «Siamo ancora sull'isola. Ma se non fosse stato per te, saremmo già tutti morti. Ti sei comportato come un vero condottiero.»

«Ora che facciamo?» chiese Vatreno.

«Batiato ha visto che non potevamo scendere e avrà mollato gli ormeggi. Probabilmente incrocia da qualche parte qui intorno. Dobbiamo cercare di raggiungerlo o di farci raggiungere da lui.»

«Vado io a vedere» disse Livia. «Tu rimani qui con il ragazzo.» E prima che Aurelio potesse rispondere si tuffò in acqua, attraversò la grotta con poche vigorose bracciate e uscì in mare aperto. Nuotò per un poco sotto costa finché trovò un punto in cui era possibile arrampicarsi sulla roccia. Si portò più in alto che poté in modo da dominare un'ampia estensione di mare e attese tremando dal freddo. Le nubi cominciavano ad aprirsi e la luna diffondeva il suo chiarore sulla distesa delle onde; sul continente il Vesuvio lanciava lampi rossi contro i nembi che galoppavano nel cielo spinti dal vento occidentale.

A un tratto si riscosse: da dietro un promontorio spuntava una barca con un piccolo fanale a prua. A poppa una sagoma inconfondibile governava il timone. Gridò: «Batiato, Batiato!».

La barca virò di bordo e si portò sotto costa.
«Dove sei?» chiese il nocchiero.
«Di qua, da questa parte!»
«Finalmente!» disse Batiato appena fu più vicino. «Ormai cominciavo a disperare. Ci siete tutti?»
«Sì, grazie a Dio. Gli altri sono nascosti qui dentro, in una grotta. Ora li faccio uscire.»
Batiato mise la vela in bando mentre Livia si tuffava di nuovo raggiungendo la grotta per avvertire i compagni.
Uno alla volta i fuggiaschi si lanciarono a nuoto verso il mare aperto in direzione della barca mentre Batiato li incitava: «Presto, presto, che prima ho visto una nave uscire dal porto, presto prima che ci scoprano!».
Livia si affiancò a Romolo per prima e insieme salirono a bordo aiutati da Batiato. Poi fu la volta di Ambrosinus. Seguirono Vatreno, Orosio e Demetrio. Aurelio si era arrampicato su una delle rocce fuori dalla grotta per sorvegliare meglio la situazione, quando vide alla sua sinistra un bagliore rossastro diffondersi sulle onde e poi apparire una nave da guerra spinta a forza di remi. Wulfila era a prua e dirigeva verso la barca di Batiato. Aurelio non esitò e gridò con quanto fiato aveva in gola. «Wulfila, ti aspetto! Vieni a prendermi, barbaro, se hai coraggio! Maledetto sfregiato, vieni a prendermi!»
Wulfila si volse verso costa e al chiarore della lanterna di prua e delle torce vide il suo nemico ritto su una roccia con in pugno la spada invincibile. Gridò: «Virate! Virate! Voglio quell'uomo, e voglio quella spada, a ogni costo!».
Batiato capì e mise la vela al vento allontanandosi in direzione del continente, mentre Romolo gridava: «No! No! Dobbiamo aiutarlo! Non possiamo abbandonarlo! Torna indietro, torna indietro, te lo ordino!».
Livia gli si avvicinò. «Vuoi rendere inutile il suo sacrificio? Lo ha fatto per te. Ha attirato la loro attenzione perché potessimo allontanarci.» Si volse verso l'isola e l'immagine di Aurelio ritto sulla sponda nel bagliore delle

torce si dissolse su un'altra immagine lontana nel tempo, quella di un soldato romano immobile sulla riva assalito da una torma di barbari, sullo sfondo di una città in fiamme e rivide se stessa, bambina, su una barca carica di profughi che scivolava via, come ora, sulle acque nere della laguna.

Pianse.

XVIII

Wulfila ordinò di alzare la lanterna di prua e l'equipaggio eseguì illuminando la sponda rocciosa di fronte alla nave dove Aurelio attendeva immobile con la spada stretta nel pugno.

Alcuni dei suoi uomini incoccarono le frecce e presero la mira pensando che il loro capo avesse voluto illuminare meglio il già facile bersaglio, ma Wulfila li fermò. «Giù quegli archi! Ho detto che voglio quella spada: se cade in mare non la troveremo mai. Accosta!» gridò poi al nocchiero. «Accosta ti ho detto. Lo prenderemo vivo!»

In lontananza Vatreno vide confusamente la scena e intuì ciò che stava accadendo.

«La vela in bando!» ordinò a Batiato. Livia sussultò a quelle parole e si asciugò gli occhi immaginando una speranza in quell'ordine improvviso.

Batiato obbedì senza capire e la barca rallentò la sua corsa fino ad arrestarsi.

«Perché ci fermiamo?» chiese.

«Perché Aurelio li sta attirando sugli scogli» rispose Vatreno. Non hai capito?»

«Nave a dritta!» risuonò la voce di Demetrio da prua. Un'altra imbarcazione, più piccola, stava arrivando carica di guerrieri con torce e lanterne accese lungo le murate e sui pennoni. Era a una distanza di un paio di leghe ma si avvicinava a velocità piuttosto sostenuta.

«Che facciamo?» chiese Demetrio. «Fra un po' vedranno e ci verranno addosso.»

«Aspettiamo!» esclamò Romolo. «Aspettiamo più che possiamo, vi prego!»

In quel momento il fragore del legno che fracassava sugli scogli risuonò sulla superficie del mare subito sovrastato dal boato ben più forte del vulcano che cominciava a scagliare contro il cielo una nube di fuoco e di scintille. Nella sua foga di raggiungere il nemico, Wulfila era andato a incastrare la prua fra le rocce, e le onde sollevarono la poppa mandando tutti a rotolare sul ponte. Ognuno cercava un appiglio al parapetto, imprecando, e anche Wulfila cercò di recuperare l'equilibrio per gettarsi poi contro il suo avversario, ma Aurelio si tuffò in acqua e scomparve.

L'atmosfera ormai si oscurava sempre di più: cominciò a piovere cenere sulla tolda della barca di Livia e dei suoi e ben presto cominciarono a grandinare lapilli infuocati.

«Dobbiamo andarcene» disse Ambrosinus, «o sarà troppo tardi: il vulcano sta per raggiungere la fase parossistica della sua eruzione. Se non ci raggiungono i barbari i lapilli infuocati incendieranno la barca e andremo tutti a fondo.»

«No!» gridò Romolo. «Aspettiamo ancora.» E scrutava ansioso la superficie buia del mare mentre la nave nemica avanzava sempre di più mettendosi fra la loro e quella di Wulfila, ormai completamente in balia dei marosi. La pioggia di lapilli aumentò ancora e qualche piccolo focolaio cominciò a diffondersi sulla tolda vicino a Livia e sui rotoli del cordame. L'imbarcazione nemica non era ancora in una posizione tale da poter vedere il relitto di Wulfila squassato dalle onde, ma avrebbe avvistato a momenti quella di Livia.

«Quanti saranno?» chiese Orosio scrutando preoccupato davanti a sé proprio mentre la ciurma nemica si affollava a prua urlando e agitando le armi.

«Sono abbastanza» rispose cupo Vatreno. Si rivolse a

Livia: «Se vuoi salvare il ragazzo, dobbiamo andarcene, ora!». Livia annuì, a malincuore.

«Vela al vento!» ordinò allora Vatreno. «Presto, leviamoci di qui!»

Batiato manovrò la scotta aiutato da Demetrio che si era piazzato ai timoni e ripresero velocità allontanandosi lentamente. Ma in quello stesso momento una spada spuntò dalle onde in un ribollire di schiuma, e poi un braccio muscoloso, luccicante al riverbero delle torce, e poi una testa e un torso possente: Aurelio!

«Aurelio!» gridò Romolo fuori di sé per l'emozione.

«È lui!» gridarono i compagni precipitandosi al parapetto. Vatreno gli lanciò una cima e lo issò a bordo. Era sfinito, e solo l'abbraccio dei compagni gli impedì di accasciarsi inerte sulla tolda. Livia gli corse incontro e lo strinse a sé, quasi privo di sensi, e anche Romolo gli si avvicinò e lo fissava come se ancora non potesse convincersi che era vivo e salvo, come se quell'atmosfera irreale fosse un sogno ingannevole destinato a dissolversi con il riapparire della luce diurna.

La densa caligine vomitata dal vulcano si spandeva ora sul mare, scivolando sulle onde fino a lambire le sponde dell'isola. La barca di Livia vi s'immerse e scomparve alla vista. Gli inseguitori udirono allora le urla di richiamo dei loro compagni che annaspavano sotto costa tra il fasciame disarticolato della loro nave. Wulfila era riuscito ad arrampicarsi sugli scogli e gridava a gran voce che gli venissero in soccorso. La nave accostò ma si mantenne prudentemente a una certa distanza per non incagliarsi a sua volta. I naufraghi si gettarono a nuoto e salirono a bordo uno dopo l'altro. Quando anche Wulfila fu salito diede subito ordine di inseguire i fuggitivi ma il nocchiero, un vecchio marinaio caprese esperto di quelle acque, lo dissuase: «Se mettiamo la prua al largo nessuno di noi ne uscirà vivo. Non ci si vede a un palmo dal naso e piove fuoco, guarda!».

Wulfila lanciò uno sguardo in direzione del continente

verso il cielo nero rigato da una miriade di meteore fiammeggianti, sentì il terrore serpeggiare fra i suoi uomini, gente del Nord che non aveva mai visto nulla del genere. Si morse le labbra al pensiero di aver lasciato fuggire un bambino di tredici anni e un uomo anziano da una fortezza vigilata da settanta formidabili guerrieri, ma ciò che più lo feriva era la perdita di quella spada fantastica che aveva desiderato con tutte le forze dal primo istante in cui l'aveva vista luccicare di bagliori sinistri nel pugno del suo nemico.

«Torniamo al porto» ordinò. E la nave virò di bordo invertendo la rotta. I marinai, tutti uomini del luogo, remavano con forza conoscendo bene il pericolo che li sovrastava ma obbedivano disciplinati e tranquilli agli ordini del nocchiero. I barbari, invece, erano ormai in preda al panico e guardavano pallidi di spavento la pioggia infernale che scendeva dal cielo, sussultavano tremando a ogni boato che scuoteva la terra. Dovunque si spandeva la caligine, un acre odore di zolfo impregnava l'aria, e l'orizzonte verso terra palpitava di lampi sanguigni.

Intanto la barca di Livia avanzava lentamente, immersa nell'oscurità. Demetrio si era portato fin sulla punta dell'albero di prua da cui pendeva la lanterna e scrutava davanti a sé cercando di prevenire pericoli o ostacoli improvvisi, ma la sorte comune rimaneva affidata soprattutto al caso in quelle condizioni spaventose. Regnava a bordo una tensione fortissima, nessuno parlava per non distrarre i compagni intenti alle manovre in quella navigazione quasi cieca. Demetrio, appollaiato sul pennone di prua con le gambe a penzoloni fuori bordo, cercava di guidare alla meglio la rotta fidandosi più dell'istinto che di qualunque altro senso. Ambrosinus si avvicinò a Vatreno. «Da che parte stiamo andando?» domandò.

«E chi lo sa? A nord, suppongo. È l'unica possibilità che abbiamo.»

«Forse potrei aiutarvi... se solo...»

Vatreno scosse la testa, scettico. «Lascia perdere, siamo già abbastanza confusi noi. Non ho mai visto niente del genere.»

«Eppure è già successo. Quattrocento anni fa. Il vulcano seppellì tre città con i loro abitanti. Di loro non è rimasta traccia ma Plinio descrive esattamente le fasi eruttive del vulcano. Per questo vi avevo proposto questa notte... pensavo che nella confusione generale la nostra fuga sarebbe stata più facile. Purtroppo mi sono sbagliato: la fase parossistica ha avuto inizio con qualche ora di ritardo rispetto alle mie previsioni.»

Vatreno lo guardò allibito.

Aurelio, che si era ripreso, si avvicinò. «In che cosa volevi aiutarci?» chiese. Ambrosinus stava per rispondere ma in quel momento risuonò da prua la voce di Demetrio: «Guardate!».

La nube cominciava a diradarsi e un luccichio quasi impercettibile delle onde davanti a loro annunciava l'apparire delle prime luci del giorno. Stavano doppiando il capo Miseno che alzava ora la testa sopra il manto di fumo e cenere che copriva il mare e la luce del sole nascente ne illuminava la sommità. Tutti fissarono estatici lo sguardo su quell'improvvisa apparizione, mentre la caligine si diradava a ogni istante sempre di più finché la barca e il suo equipaggio furono investiti in pieno dai raggi del sole che si affacciava dalle cime dei monti Lattari.

La notte era alle loro spalle con il terrore, l'angoscia, le fatiche di una fuga affannosa, di un inseguimento spietato e senza tregua, con il terrore che la speranza si sarebbe dileguata come un sogno ingannevole all'apparire della luce. Il sole splendeva su di loro come un Dio benevolo, il rombo del vulcano si perdeva in lontananza come gli ultimi tuoni di un temporale, l'azzurro del mare e del cielo si confondeva in un unico trionfo di luce, di aria, di intensi profumi che il vento portava da terra.

Romolo si avvicinò al suo maestro. «Siamo liberi, ora?»

Ambrosinus avrebbe voluto spiegargli che i pericoli

non erano ancora del tutto scongiurati, che li attendeva un viaggio probabilmente pieno di peripezie e irto di ostacoli, ma non ebbe cuore di offuscare la gioia che per la prima volta dopo tanto tempo vedeva brillare negli occhi del ragazzo. Rispose controllando a stento l'emozione che gli tremava nella voce: «Sì, figlio mio, siamo liberi».

Romolo annuì ripetutamente come se volesse convincersi della verità di quelle parole, poi si avvicinò ad Aurelio e a Livia che lo guardavano in disparte e disse con un filo di voce: «Grazie».

La barca prese terra in una località deserta della costa presso il rudere di una villa marittima, una trentina di miglia a nord di Cuma, e Livia saltò in acqua con un balzo precedendo tutti sulla terraferma, a mostrare che il comando dell'impresa era sempre saldamente nelle sue mani.

«Affondate la barca!» gridò ad Aurelio. «E poi venitemi dietro, da quella parte, presto!» E indicò un casolare diroccato che si distingueva appena dietro una macchia di alberi, a poco meno di un miglio di distanza. Aurelio aiutò Romolo a scendere in acqua mentre Batiato e Demetrio mettevano mano alle scuri sotto lo sguardo angosciato di Ambrosinus.

«Ma perché?» domandò. «Perché affondare la barca? È il mezzo più sicuro di questi tempi per viaggiare. Fermatevi, vi prego, ascoltatemi!»

Livia si accorse del contrattempo e tornò indietro. «Vi ho detto di seguirmi! Non c'è un istante da perdere. Possono venirci addosso in qualunque momento. Quel ragazzo è la persona più ricercata di tutto l'Impero, non te ne rendi conto?»

«Sì, certo» rispose Ambrosinus. «Ma la barca è il mezzo più sicuro e...»

«Niente discussioni, seguitemi e basta, e di corsa!» ordinò Livia con un tono secco e perentorio. Ambrosinus la seguì a malincuore voltandosi più volte a guardare la barca che cominciava ad affondare. Orosio era già sceso, Demetrio lo seguì e subito dopo Aurelio, Vatreno e Batiato balzarono a terra uno dopo l'altro lanciandosi di corsa dietro al gruppetto di testa che Livia già stava guidando al coperto dentro alla macchia costiera che ricopriva la regione.

«Non posso ancora crederci» ansimava Vatreno. «In sei abbiamo fottuto settanta guardie trincerate in quella specie di fortezza.»

«Come ai vecchi tempi!» esultò Batiato. «Ma con una piacevole differenza» aggiunse ammiccando a Livia che gli sorrise di rimando.

«Non vedo l'ora di contare tutte quelle belle monete d'oro» disse ancora Vatreno. «Mille solidi hai detto, non è così?»

«È proprio così» confermò Aurelio. «Ma ti ricordo che non ce li siamo ancora guadagnati. Dobbiamo attraversare tutta l'Italia da una parte all'altra fino al luogo convenuto per l'appuntamento.»

«E dov'è questo luogo?» chiese Vatreno.

«È un porto sull'Adriatico dove ci aspetta una nave. Lì il ragazzo sarà al sicuro e noi avremo un sacco di danaro.»

Livia si fermò davanti al casolare ed esplorò cautamente il rudere tenendo l'arco con la freccia incoccata puntata davanti a sé. Udì un sommesso sbuffare e subito dopo vide sei cavalli e una mula legati per le briglie a una corda tesa fra due inferriate. Fra loro si distingueva subito Juba che cominciò a scalpitare appena sentì l'odore del suo padrone.

«Juba!» gridò Aurelio correndo a scioglierlo. E lo abbracciò come un vecchio amico.

«Sei contento?» disse Livia. «Eustazio ha fatto un buon lavoro: Stefano ha ottimi contatti da queste parti. Tutto procede a meraviglia.»

«Sono felice» rispose Aurelio. «Non c'è al mondo un cavallo migliore di Juba.»

Ambrosinus si fece avanti accostandosi a Livia che stava sciogliendo la sua cavalcatura e si apprestava a montare in sella. «Sono responsabile dell'incolumità dell'imperatore» disse fissandola con sguardo fermo «e credo di avere diritto di sapere dove lo state portando.»

«Sono io la responsabile dell'incolumità del ragazzo, visto che vi ho liberati ambedue dalla prigionia. Ma comprendo la tua preoccupazione. Non ho agito di mia iniziativa, questo lo capisci, vero? Eseguo le istruzioni che ho ricevuto. Porteremo il ragazzo sull'Adriatico e da lì ripartirà, per essere condotto dove i barbari non potranno mai raggiungerlo e dove la sua dignità imperiale troverà la sede naturale...»

Ambrosinus si fece scuro in volto. «Costantinopoli... è così? Lo volete portare a Costantinopoli... È un covo di serpenti dove la lotta per il potere non risparmia nessuno, né fratelli, né sorelle, né genitori e nemmeno figli...» Non s'era accorto che Romolo si era avvicinato e che probabilmente non aveva perso una parola del suo appassionato discorso. Ma ormai era troppo tardi e tanto valeva che il ragazzo si rendesse conto della situazione. Gli appoggiò una mano sulla spalla e lo strinse a sé come se volesse proteggerlo da una nuova minaccia, non inferiore a quelle che aveva affrontato fino allora. «Laggiù non avrebbe nessuno a proteggerlo» continuò. «Sarebbe alla mercé di qualunque capriccio, di qualunque arbitrio. Lascialo a me, ti prego.»

Livia non riuscì a reggerne lo sguardo. Rispose, non senza disagio: «Non è un ragazzo qualunque e tu lo sai benissimo. Non puoi pensare di condurlo dove credi, e senza di noi non andreste lontano. E comunque potrai andare con lui, se lo vorrai. Montate in sella, piuttosto, e muoviamoci: è pericoloso restare qui, siamo troppo vicini alla costa». Spronò il suo cavallo sul sentiero che si inoltrava nella macchia.

«È una questione di danaro, non è vero? Una questione di soldi, non è così?» le gridò dietro Ambrosinus.

Aurelio gli piantò in mano le briglie della mula. «Non

dire sciocchezze, maestro. Hai idea di che cosa le avrebbero fatto se l'avessero presa mentre tentava di liberarvi? Nessuno rischia la vita soltanto per danaro. E tutti noi l'abbiamo rischiata, più volte. E ora muoviti, mi hai sentito?»

«Posso salire a cavallo con te?» gli chiese Romolo ma Aurelio rifiutò. «È meglio che tu salga con il tuo maestro» disse. «Noi abbiamo bisogno di muoverci liberamente in caso di attacco.» E spronò. Romolo salì deluso dietro ad Ambrosinus che incitò la sua cavalcatura e si inoltrò taciturno lungo il sentiero; seguirono Vatreno, Orosio, Demetrio e Batiato procedendo in coppia e ad andatura sostenuta. Giunti in cima a un'altura si volsero indietro verso la costa: il mare scintillava sotto i raggi del sole ormai abbastanza alto sulla cresta dei monti e si vedeva bene la sagoma della barca che affondava in un lieve ribollire di schiuma. Dall'altra parte, le cime dell'Appennino levavano le loro cuspidi candide di neve sul manto boscoso, sul verde cupo degli abeti. La salita si fece più ripida e i cavalieri rallentarono la loro andatura mettendosi al passo. Vatreno spronò e si affiancò a Livia e ad Aurelio per irrobustire il gruppo di testa, che era più esposto.

«Mi è rimasta una curiosità» disse a un certo momento rivolto a Livia.

«Quale?»

«Che cosa accadde al pescatore che si arrampicò lungo la parete nord per portare un'aragosta a Tiberio Cesare?»

«L'imperatore non la prese molto bene; seccato che un intruso fosse riuscito a entrare nella sua villa da una parte ritenuta inaccessibile, ordinò alle sue guardie di prendere l'aragosta e di strofinargliela ripetutamente sulla faccia prima di metterlo alla porta.»

Vatreno si grattò la nuca. «Accidenti. A noi è andata molto meglio, in fin dei conti.»

«Per ora» disse Aurelio.

«Già, per ora» ammise Vatreno.

Staccati all'incirca di un centinaio di piedi venivano Ambrosinus e il ragazzo, in groppa alla mula.

«Pensi davvero che mi porteranno a Costantinopoli?» chiese Romolo.

«Lo temo» rispose Ambrosinus. «O meglio, ne sono certo. Livia non mi ha smentito quando l'ho detto, anzi, in un certo senso, lo ha confermato.»

«Ed è davvero così terribile?»

Ambrosinus non seppe cosa rispondere.

«Dimmelo» insistette Romolo. «Ho il diritto di sapere che cosa mi aspetta.»

«Il fatto è che nemmeno io lo so: non posso che fare delle supposizioni. Una cosa è chiara: Livia è stata incaricata da qualcuno di portarti via da Capri. È lei che ha organizzato tutto. La presenza di Aurelio in un primo tempo mi aveva tratto in inganno, sapendo che aveva già tentato una volta a Ravenna. Mi sembrava verosimile che potesse provarci ancora. Il fatto che avesse la ragazza con sé non mi stupiva più di tanto. Poteva essere la sua compagna. Molti soldati ne hanno una e alla fine del servizio militare di solito la sposano. Ma ho dovuto ricredermi: evidentemente è lei che comanda e quindi è quella che ha la disponibilità del danaro per pagarli.»

«Allora è vero quello che hai detto... lo hanno fatto per soldi.»

«Anche in questo caso dovremmo comunque essere loro grati. Ha ragione Aurelio: nessuno rischia la vita soltanto per danaro, ma certo il danaro aiuta. È legittimo che un uomo cerchi di migliorare le proprie condizioni, specialmente di questi tempi, e loro sono degli sbandati, soldati senza più esercito e senza più Patria.»

«Perché prima hai detto quelle cose? Che cosa può capitarmi se andrò a Costantinopoli?»

«Probabilmente nulla. Vivresti nel lusso, anche troppo. Ma sei sempre l'imperatore d'Occidente e questo rappresenterebbe comunque un pericolo da quelle parti. Qualcuno potrebbe semplicemente usarti contro qualcun altro, come una pedina in un gioco da tavolo, capisci? E le pedine si sacrificano a volte senza pensarci un attimo per preparare una mossa successiva più vantaggiosa ai fini della vittoria. In questo caso, saresti sempre tu a farne le spese, purtroppo. Costantinopoli è una capitale corrotta.»

«Anche loro quindi non sono migliori dei barbari.»

«Tutto si paga a questo mondo, ragazzo mio: se un popolo raggiunge un grande livello di civiltà sviluppa contemporaneamente anche un certo tasso di corruzione. I barbari non sono corrotti perché sono barbari, per l'appunto, ma anche loro impareranno presto ad apprezzare le belle vesti, il danaro, i cibi ricercati, i profumi, le belle donne, le belle residenze. Tutto questo costa e, per averlo, è necessario tanto danaro, tanto quanto solo la corruzione può dare. In ogni caso, non c'è civiltà che non abbia in sé una certa quantità di barbarie e non c'è barbarie che non abbia qualche germe di civiltà. Mi capisci?»

«Sì, credo di sì. Ma allora, che mondo è mai quello in cui viviamo, *Ambrosine*?»

«Il migliore possibile, o il peggiore possibile, a seconda di come uno lo consideri. In ogni caso la civiltà, a mio avviso, è di gran lunga preferibile alla barbarie.»

«E che cos'è, secondo te, la civiltà?»

«Civiltà significa leggi, ordinamenti politici, certezza del diritto. Significa professioni e mestieri, strade e comunicazioni, riti e solennità. Scienza, ma anche arte, soprattutto arte; letteratura, poesia come quella di Virgilio che abbiamo letto tante volte assieme: attività dello spirito che ci rendono molto simili a Dio. Un barbaro, invece, è molto simile a una bestia. Non so se mi spiego. Essere parte di una civiltà ti dà un orgoglio particolare, l'orgoglio di partecipare a una grande impresa collettiva, la più grande che sia dato all'uomo di compiere.»

«Ma la nostra, la nostra civiltà intendo dire, sta morendo, non è vero?»

«Sì» rispose Ambrosinus. E restò a lungo in silenzio.

XIX

«Bella, non è vero?»

Aurelio trasalì a quelle parole. Romolo lo aveva sorpreso uscendo dal buio alle sue spalle mentre lui faceva ruotare la spada davanti al fuoco, quasi ipnotizzato dai riflessi bluastri della lama, cangianti come gli occhi nella coda di un pavone.

«Scusami» rispose porgendogliela. «Ho dimenticato di restituirtela. Questa è tua.»

«Meglio che la tenga tu per ora. Certamente ne fai un uso migliore.»

Aurelio la contemplò ancora. «Quest'arma è incredibile, con i colpi che ha inflitto e subito non ha una dentellatura, non ha un segno né un graffio. Sembra l'arma di un dio.»

«In un certo senso è vero. Questa spada è appartenuta a Giulio Cesare. Hai visto l'iscrizione?»

Aurelio accennò con il capo e passò le dita lungo la sequenza di lettere incise al centro della lama, all'interno di una scanalatura appena percettibile. «L'ho vista e non potevo credere ai miei occhi. E c'è una forza misteriosa che emana da essa, che penetra sotto la pelle, nelle dita, nel braccio, fino al cuore...»

«Ambrosinus dice che fu forgiata dai Calibi in Anatolia da un blocco di ferro siderale e temprata nel sangue di un leone.»

«E l'impugnatura... nessuna spada da combattimento ne ha una tanto ricca e preziosa. Solo le spade da parata. Eppure il collo dell'aquila aderisce come nessun'altra impugnatura che io abbia mai stretta nel palmo della mia mano, sembra un prolungamento del braccio...»

«È solo un formidabile strumento di morte» disse Romolo, «costruito per un grande conquistatore. Tu sei un combattente: è naturale che ti affascini.» Gettò uno sguardo al suo tutore, indaffarato ad allineare le sue cose vicino al fuoco. «Vedi Ambrosinus? Lui è un uomo di sapere, e sta cercando di salvare invece i suoi strumenti inzuppati d'acqua dopo quel tuffo nella grotta: le sue polveri... le sue erbe... E la mia copia dell'*Eneide*: un regalo per il giorno della mia acclamazione.»

«E quel quaderno?»

«È il suo diario personale. Lì c'è scritta la sua storia... e anche la nostra.»

«Vuoi dire che parlava anche... di me?»

«Ne puoi star certo. Ma perché dici "parlava"?»

«È stato immerso nell'acqua. Immagino che si sia salvato ben poco.»

«S'è salvato tutto, invece. Inchiostro indelebile. Un'altra delle sue ricette. E conosce anche quella dell'inchiostro invisibile.»

«Mi prendi in giro.»

«Oh, no. Mentre scrive non vedi nulla, come se intingesse la penna in acqua di fonte e poi, improvvisamente, quando lui...»

Aurelio lo interruppe. «Gli vuoi molto bene non è vero?»

«Non ho altri al mondo» rispose Romolo. E lo disse con un tono particolare come se sollecitasse una smentita dal suo interlocutore. Ma Aurelio non disse nulla e Romolo lo guardò mentre rinfoderava la spada con un movimento continuo e armonico, come il gesto di un sacerdote. Restarono a fissare le fiamme del bivacco per qualche tempo, poi Romolo ruppe di nuovo il silenzio. «Perché oggi non mi hai voluto con te sul tuo cavallo?»

«Te l'ho detto: se devo proteggerti, devo essere libero dei miei movimenti.»

«Non è per quello. Devi essere libero e basta, non è così?» E prima che avesse il tempo di rispondere se ne andò a raggiungere Ambrosinus che gli stava stendendo la coperta su uno strato di foglie secche. Demetrio montava la guardia al limitare del campo, Orosio si era disposto a qualche distanza, su una collinetta, per prevenire i movimenti di eventuali inseguitori da occidente. Gli altri, Batiato, Livia, Aurelio e Vatreno si preparavano anch'essi a riposare.

«È strano» disse Vatreno. «Dovrei essere morto di sonno e invece non ho nessuna voglia di dormire.»

«Ne abbiamo fatte troppe nell'arco dell'ultima giornata» osservò Aurelio, «e il nostro corpo non riesce ancora a credere di potersi riposare.»

«È una bella spiegazione» rispose Batiato. «Infatti io che non ho fatto quasi niente casco dal sonno.»

«Non so... a me piacerebbe cantare» disse Vatreno, «come si faceva certe sere al campo, attorno al fuoco. Vi ricordate? Per gli dèi... vi ricordate che voce aveva Antonino?»

«Oh, sì» disse Aurelio. «Altro che. E Canidio allora? E Paolino?»

«E nemmeno il comandante Claudiano aveva una brutta voce» disse Batiato. «Vi ricordate? A volte arrivava così, dal suo giro di ispezione, e si sedeva vicino al fuoco e se stavamo cantando qualcosa cominciava a canticchiare anche lui, sottovoce. E poi faceva venire un po' di vino e beveva un bicchiere assieme a noi. Diceva: "Bevete, ragazzi, che vi scaldate un poco". Povero comandante, ricordo ancora il suo ultimo sguardo mentre cadeva trafitto in mezzo a uno stuolo di nemici...» E gli luccicavano gli occhi nel buio, al gigante nero, mentre evocava quella scena crudele.

Aurelio alzò il capo a quelle parole e i due si scambiarono un lungo sguardo in silenzio; per un istante vi fu un'espressione indagatrice e quasi l'ombra di un sospetto in quello di Aurelio, che non sfuggì a Batiato. «So a cosa stai pensando» disse. «Ti stai chiedendo come mai ci siamo salvati a Dertona, non è così? Vuoi sapere perché siamo vivi...»

«Ti sbagli, io non...»

«Non mentire: ti conosco troppo bene. Ma noi ti abbiamo forse chiesto perché non sei tornato? Perché non sei tornato a morire con gli altri nostri compagni?»

«Sono tornato a liberarvi, non ti basta?»

«Piantatela» intimò Vatreno. E lo disse senza gridare, con un tono calmo e fermo. «Te lo dico io come è andata, Aurelio, così ci mettiamo una pietra sopra una volta per tutte e non ne parliamo più, va bene? Non avrei voluto, ma capisco che è necessario. Dunque, dopo che te ne fosti andato noi cominciammo a combattere, assaliti da ogni parte, e combattemmo per ore. E ore. E ore. Prima dalle palizzate, poi dal vallo, poi fuori, in quadrato, tutti appiedati, come ai tempi di Annibale. E mentre noi eravamo sempre meno e sempre più stanchi, loro continuavano a lanciare truppe fresche, a ondate: una, e poi un'altra e un'altra ancora... Ci subissavano di dardi, nubi di dardi. Poi, quando ci videro stremati, sanguinanti, sfiniti – a quel punto era ormai il tramonto – vennero avanti al passo, sui loro cavalli catafratti, impugnando le asce per finirci, per macellarci. Uno per uno. Vedemmo i nostri compagni cadere a decine, a centinaia, incapaci ormai anche solo di reggere il peso delle armi; alcuni si gettavano sulla spada ponendo così fine alle proprie sofferenze, altri erano fatti a pezzi ancora vivi... lasciati in terra senza più gambe o braccia, poveri tronchi informi a urlare, a dissanguarsi nel fango...»

«Non voglio sentire!» esclamò Aurelio, ma Vatreno non lo ascoltò neppure. «Fu allora che intervenne il loro capo, quel Mledo, uno dei luogotenenti di Odoacre. Eravamo rimasti un centinaio in tutto, io credo, sfigurati dalla fatica, lordi di sangue e di fango, affranti. Avresti dovuto vederci, Aurelio... avresti dovuto... vederci!» A quel punto gli tremava la voce: Rufio Elio Vatreno, il duro soldato, il veterano di cento battaglie, si era coperto il volto e piangeva, singhiozzava come un bambino mentre Batiato gli appoggiava la mano sulla spalla, battendo dei piccoli colpi, come per calmarlo. Fu lui a continuare: «Mledo gridò qualcosa nella sua lingua e il massacro cessò. Un araldo ci ordinò di gettare le armi e avremmo avuto salva la vita. E noi le gettammo, sì, cos'altro avremmo potuto fare? Ci incatenarono e ci trascinarono a calci e sputi fino al loro accampamento, dove molti di loro avrebbero voluto farci morire fra le più spaventose torture perché avevamo ucciso almeno quattromila dei loro compagni, e feriti molti altri. Ma Mledo doveva aver ricevuto l'ordine di salvare un certo numero di uomini da utilizzare come schiavi. Fummo condotti a Classe e avviati a differenti destinazioni. Alcuni furono mandati in Istria, credo, alle cave di pietra, altri nel Norico a tagliare alberi. Noi a Miseno dove ci hai trovati. Ecco, Aurelio, questo è tutto, non ho altro da dirti. E ora me ne vado a dormire se non avete bisogno di me.»

Aurelio accennò gravemente con il capo. «Vai» disse. «Vai a dormire, uomo nero. Dormite voi, se potete, e anche tu Vatreno, vecchio amico. Io... non ho mai dubitato. Io... l'unica cosa che speravo era di trovarvi vivi, niente altro, lo giuro... Non c'è nulla che non avrei dato per potervi trovare vivi. La vita è l'unica cosa che ci rimane.» Si allontanò e andò a sedersi contro il tronco di una quercia, vicino a Juba. Livia non era lontana e doveva aver sentito tutto, ma non disse nulla e lui neppure. Aurelio avrebbe voluto piangere, sì, se avesse potuto, ma il cuore, dentro, era di pietra e i pensieri nel suo cervello si divincolavano come serpenti aggrovigliati nel loro nido.

Più in là Romolo era disteso sul suo giaciglio senza riuscire a prendere sonno. Aveva capito che qualcosa di tremendo aveva acceso un duro confronto fra i suoi compagni di viaggio, ma non di che si trattasse. Temeva di essere in qualche modo l'oggetto di quella discussione. Per questo continuava a voltarsi e a rivoltarsi senza trovare pace.

«Non dormi?» gli chiese Ambrosinus.

«Non riesco.»

«Mi dispiace, è colpa mia. Non avrei dovuto dire quelle cose riguardo a Costantinopoli e tutto il resto. Sono uno sventato. Perdonami.»

«Non crucciarti, era da immaginarsi. Perché avrebbero mai dovuto organizzare una impresa tanto difficile e rischiosa se non per una ragione di carattere politico? O per danaro, come hai detto tu. Ti ho sentito mentre gridavi a Livia.»

«Ero fuori di me. Non devi dare troppo peso a quelle parole.»

«E invece hai ragione. Sono dei mercenari, sia Livia che Aurelio e anche gli altri che si sono uniti a loro: che altro?»

«Sei ingiusto. Aurelio tentò di liberarti a Ravenna senza alcuna ricompensa, solo perché tuo padre glielo aveva chiesto in punto di morte. Non dimenticarlo: Aurelio è l'uomo che ha udito le ultime parole di tuo padre. C'è dunque qualcosa di tuo padre in lui e di molto importante.»

«Non è vero.»

«Pensa come vuoi, ma è così.»

Romolo cercò di calmarsi e di distendere le membra contratte. Il richiamo di un assiolo risuonò in lontananza come un canto desolato e lo fece rabbrividire sotto la coperta.

«*Ambrosine...*»

«Sì.»

«Tu non vuoi che mi portino a Costantinopoli, vero?»

«No.»

«E cosa possiamo fare per evitarlo?»

«Assai poco. Nulla, praticamente.»

«Ma tu verrai con me, in ogni caso.»

«Puoi dubitarne?»

«No. Non ne dubito. Ma se dipendesse da te che faresti?»

«Ti porterei con me.»

«Dove?»

«In Britannia. Nella mia Patria. È bella, sai? È un'isola tutta verde con belle città e campi fertili, boschi maestosi di querce gigantesche, di faggi, di aceri che in questi giorni levano al cielo le braccia nude, come giganti che cercano di ghermire le stelle. E praterie, vastissime, pascolo di greggi e mandrie. Qua e là si ergono monumenti grandiosi, enormi monumenti di pietra in forma di cerchio il cui significato è noto solo ai sacerdoti dell'antica religione: i druidi.»

«So chi sono. L'ho letto nel *De Bello Gallico* di Giulio Cesare... È per questo che porti al collo quel rametto di vischio. *Ambrosine*? Sei anche tu un druido?»

«Fui istruito in quell'antica sapienza, sì.»

«E credi anche nel nostro Dio?»

«Non esiste che un Dio, Cesare. Sono solo diverse le vie che gli uomini percorrono per cercarlo.»

«Eppure nelle tue memorie ho letto la descrizione di una terra turbolenta. Anche da voi ci sono barbari feroci...»

«È vero. Il Grande Vallo da tempo non basta più a contenerli.»

«Non esiste dunque pace in questo mondo? Non esiste un luogo in cui si possa vivere in pace?»

«La pace deve essere conquistata, figlio mio, perché è il bene più prezioso. Ma ora dormi. Dio ci darà un'ispirazione quando verrà il momento. Ne sono certo.»

Romolo non disse altro e si rannicchiò sotto la coperta, ascoltando il singulto monotono dell'assiolo che echeggiava dai monti, finché fu invaso da un senso di grande spossatezza e chiuse gli occhi.

Le stelle passavano lente nel cielo e il vento freddo di settentrione rendeva l'atmosfera trasparente come cristallo. Le fiamme del bivacco si ravvivarono spandendo una luce intensa e brillante; poi si spensero rapidamente e sulla vasta montagna buia restò solo il lieve riverbero delle braci.

A metà della notte Aurelio diede il cambio a Demetrio e Vatreno a Orosio. Si erano abituati a quei ritmi in anni di vita castrense e qualcosa dentro di loro li svegliava al momento giusto, quasi che la loro mente potesse seguire e misurare il moto delle stelle mentre riposavano. Ripresero il viaggio all'alba dopo una frugale colazione. Nelle sacche dei cavalli Eustazio aveva fatto trovare delle provviste: pane, olive, formaggio e un paio di otri di vino. Ambrosinus raccolse le cose che aveva lasciato ad asciugare vicino alle braci e le ripose nella sacca. Romolo arrotolava e legava la sua coperta con le mosse esperte di un soldato.

Livia passava in quel momento lì accanto, con in mano i finimenti del suo cavallo. «Sei molto bravo» disse. «Dove hai imparato?»

«Ho avuto anche un istruttore militare negli ultimi due anni: un ufficiale della guardia di mio padre. È morto anche lui la notte dell'assalto alla villa di Piacenza. Gli hanno tagliato la testa.»

«Ti andrebbe di montare con me oggi?» chiese Livia mettendo il morso e la cavezza alla sua cavalcatura.

«Non importa» disse Romolo. «Non voglio essere d'impiccio a nessuno.»

«A me farebbe piacere» insistette Livia.

Romolo esitò un attimo prima di rispondere: «Sta bene, a patto che non parliamo di Costantinopoli e di tutte quelle altre cose».

«D'accordo» acconsentì Livia. «Niente Costantinopoli.»

«Ma prima devo dirlo ad Ambrosinus. Non vorrei che si offendesse.»

«Ti aspetto.»

Romolo tornò dopo pochi istanti. «Ha detto Ambrosinus che va bene, ma di non andare troppo forte.»

Livia accennò di sì con un sorriso. «Monta, su.» E lo fece salire davanti a sé.

La colonna si mise in marcia verso il valico che appariva in lontananza come una sella fra due picchi innevati.

«Farà freddo lassù» disse Romolo. «E ci saremo proprio questa notte.»

«Sì, ma poi cominceremo a discendere verso l'Adriatico, il mio mare. Troveremo anche le ultime greggi di pastori che scendono ai pascoli bassi per l'inverno. Forse vedrai qualche agnellino appena nato. Ti piacerebbe?»

«Sono esperto anche di agricoltura e di allevamento: ho letto Columella, Varrone, Catone e Plinio, ho praticato l'apicoltura e conosco le tecniche della potatura e dell'innesto, le stagioni per la monta, la vinificazione dei mosti...»

«Come un vero Romano dei tempi antichi.»

«E tutto questo l'avrò imparato per nulla. Non credo che avrò mai il modo di esercitare queste arti. Il mio futuro non dipende da me.»

Livia non rispose a quelle parole che suonavano quasi come un rimprovero. Fu Romolo a parlare nuovamente. «Sei la ragazza di Aurelio?»

«No. Non lo sono.»

«Ma ti piacerebbe esserlo?»

«Non credo che questo sia affar tuo. Comunque, se vuoi saperlo, sono stata io a salvarlo la notte che tentò di liberarti da Ravenna. Aveva una brutta ferita alla spalla.»

«Lo so. Ero con lui quando lo hanno colpito. Comunque questo non fa di te la sua ragazza.»

«No, infatti. Stiamo insieme per questa missione.»

«E dopo?»

«Dopo ognuno andrà per la sua strada, suppongo.»

«Ah.»

«Deluso?»

«Perché dovrei? Non sono affari miei, mi pare.»

«No, infatti.»

Avanzarono per un paio di miglia in silenzio. Romolo sembrava guardarsi intorno, osservare il paesaggio quasi deserto ma di incantevole bellezza. Ora passavano vicino a un lago che rifletteva un cielo altrettanto terso e limpido. Un gruppetto di cinghiali che grufolava al limitare del bosco corse a rintanarsi. Un grosso cervo maschio alzò la testa superba stagliandosi per un attimo immobile e maestoso contro il sole nascente, poi si dileguò con un solo balzo.

«È vero che lo avete fatto per danaro?» chiese di nuovo Romolo.

«Avremo una ricompensa, come viene data a qualunque soldato che serve il suo paese, ma questo non significa che lo abbiamo fatto per questo.»

«E perché allora?»

«Perché siamo Romani e tu sei il nostro imperatore.»

Romolo non disse nulla. Il vento rinforzò, un vento freddo che veniva da nord-est e che aveva lambito le cime dell'Appennino coperte di neve. Livia sentì che il ragazzo rabbrividiva, allora lo ricoprì con il suo mantello e lo attirò dolcemente verso di sé cingendolo con le braccia. Romolo cercò di resistere dapprima, ma poi si abbandonò al tepore del suo corpo. Chiuse gli occhi e gli parve di poter essere ancora felice.

XX

Il viaggio si protrasse ancora per tre giorni attraverso luoghi in gran parte disabitati, attraverso boschi e lungo sentieri nascosti e scoscesi, dove era più facile evitare incontri indesiderati. Quando ci si fermava per porre il campo Aurelio faceva un largo giro di ricognizione con uno dei suoi o con Livia per assicurarsi che non vi fossero pericoli incombenti. Ma non trovarono mai nulla che potesse metterli in allarme: probabilmente i nemici non erano mai riusciti a capire dove si fossero diretti. D'altra parte, non c'era motivo di pensare che avessero potuto ritrovare le loro tracce. L'oscurità della notte e la caligine dell'eruzione avevano nascosto la loro rotta, poi la barca era stata affondata e i cavalli erano stati prelevati in un luogo dell'interno perché non lasciassero tracce nel punto dello sbarco.

Tutto sembrava procedere per il meglio e la marcia era programmata in modo da far coincidere l'arrivo sulla costa con il giorno di appuntamento con la nave bizantina. Il clima si era fatto più disteso, l'atmosfera più tranquilla. Tornavano gli scherzi, a volte perfino l'allegria, e Romolo continuava a cavalcare con Livia. Aurelio gli sorrideva, cavalcava spesso al loro fianco e a volte gli si avvicinava quando sostavano la sera per il bivacco, tuttavia sembrava non voler entrare con lui troppo in confidenza. Romolo pensò che fosse in vista dell'imminente distacco.

«Puoi anche parlarmi» gli disse una sera che Aurelio stava seduto in disparte a consumare la sua cena. «La cosa non ti compromette in nessun modo.»

«È un piacere parlare con te, Cesare, oltre che un onore» rispose Aurelio sorridendo e senza raccogliere la provocazione. «E se seguissi la mia inclinazione lo farei molto spesso. Purtroppo dovremo separarci molto presto e stringere amicizia ci farebbe pesare ancora di più il distacco.»

«Non ho detto che voglio stringere amicizia» ribatté Romolo celando a stento il disappunto. «Ho detto che si possono anche scambiare due parole, niente di più.»

«Quand'è così...» disse Aurelio. «Di che cosa vogliamo parlare?»

«Di voi, per esempio. Che cosa farete quando mi avrete consegnato ai miei nuovi custodi?»

«Consegnato non mi sembra la parola giusta.»

«Forse, ma la sostanza non cambia.»

«Avresti preferito restare a Capri?»

«Ora come ora no, ma in realtà non so a che cosa sto andando incontro. La mia scelta, se ne avessi avuta una, sarebbe stata, se ho capito bene, fra due tipi diversi di prigionia, ma non conoscendo ancora quella che mi attende, come potrei mai esprimere una preferenza? A un uomo libero è dato scegliere, mentre io vengo trasferito da una potestà a un'altra e non è detto che la seconda non debba farmi rimpiangere la prima.»

Aurelio ammirò l'abilità retorica di quelle argomentazioni e non poté trovare, dal canto suo, il modo di controbatterla. Disse soltanto: «Io spero di no. E lo spero con tutto il cuore».

«Questo sono anche disposto a crederlo. Allora, che farete?»

«Non lo so. Qualche volta ne ho parlato con i compagni durante questo viaggio, un po' per ingannare il tempo, un po' per la paura del futuro, ma nessuno di noi ha idee precise. Un giorno, lo stesso in cui fummo attaccati, Vatreno disse che ne aveva abbastanza di quella vita, che voleva andarsene in un'isola a pascolare capre e a coltivare la terra. Dèi, sembra un secolo fa e sono passate solo poche settimane! Quando le proferì, quelle parole mi suonarono come una battuta; eppure adesso, in questa situazione così incerta e oscura, sembrano un'opzione concreta, quasi auspicabile...»

«Pascolare capre in un'isola. Perché no, infatti? Anche per me sarebbe auspicabile se potessi decidere del mio futuro. Ma non posso.»

«Non è colpa di nessuno.»

«Sì, invece. Chiunque non impedisce un'ingiustizia ne è complice.»

«Seneca.»

«Non cambiare discorso, soldato.»

«Non possiamo batterci in sei o in sette contro il mondo intero e io stesso non voglio mettere ancora a repentaglio la vita dei miei compagni. Hanno fatto tutto quello che potevano: ora meritano la ricompensa promessa e la libertà di decidere cosa vorranno fare della loro vita. Forse andremo in Sicilia, dove Vatreno ha un podere, o forse ci separeremo e ognuno andrà per la sua strada. O forse, chissà, forse andremo anche noi in Oriente un giorno e verremo a salutarti nel tuo sontuoso palazzo. Ci pensi? Spero che almeno ci inviteresti a pranzo.»

«Oh, sì, certo, sarebbe fantastico! Ne sarei felice, orgoglioso e...» si trattenne. Capiva che non c'era spazio per i sentimenti. «Forse è meglio che me ne vada a dormire» disse alzandosi. «Grazie per la compagnia.»

«Grazie a te, Cesare» rispose Aurelio accennando con il capo, e lo seguì a lungo con lo sguardo.

Procedettero per tutto il giorno successivo su un terreno spesso accidentato, e per lunghi tratti dovettero andare a piedi per non rischiare di azzoppare i cavalli. Seguivano il corso di un ruscello, una via malagevole per raggiungere il mare che però permetteva di evitare i luoghi abitati dove il loro passaggio non sarebbe rimasto inosservato. Ogni tanto la piccola valle si allargava in una spianata e capitava di vedere dei pastori che pascolavano le loro greggi o dei contadini che raccoglievano sterpi nel bosco da bruciare nel focolare durante l'inverno. Tutti avevano un aspetto ispido e rinselvatichito, barbe lunghe e capelli incolti, portavano calzature di pelle di capra ed erano coperti di vesti logore e rattoppate, che malamente li difendevano dal vento freddo di settentrione. Al passaggio della colonna si fermavano, qualunque cosa stessero facendo, e osservavano muti la piccola colonna transitare davanti a loro. Uomini armati e a cavallo erano comunque per loro personaggi importanti, capaci di difendersi o di aggredire e per ciò stesso temibili. Una volta Romolo notò dei ragazzi della sua età e delle bambine di poco più giovani: passavano curvi, quasi piegati in due sotto il peso di una gerla carica di legna, ansimando, le gambe mezzo nude livide per il freddo, il muco che colava loro dal naso e le labbra screpolate per il gelo e per la denutrizione. Uno di loro si fece coraggio: depose a terra il carico, smisurato per la sua gracile complessione, e gli si avvicinò tendendo la mano.

Romolo, che cavalcava con Livia, le disse: «Possiamo dargli qualcosa?».

«No» rispose Livia. «Se lo facessimo ne incontreremmo presto un nugolo più a valle e non sapremmo come liberarcene. Finiremmo per attirare l'attenzione, in un modo o nell'altro: una cosa che non possiamo permetterci.»

Romolo guardò il ragazzo, la sua mano tesa e vuota, e l'espressione di tristezza e di delusione nei suoi occhi man mano che si allontanava. Si voltò indietro per seguirlo un poco con lo sguardo, come per fargli capire che avrebbe voluto aiutarlo ma che non poteva, non dipendeva da lui. Poi, quando si accorse che stavano di nuovo per entrare nel bosco, levò la mano per salutarlo. Il ragazzo macilento rispose al saluto con un mesto sorriso, muovendo la mano a sua volta, poi riprese il suo fardello e si addentrò, barcollando, in mezzo alla sterpaglia.

«È triste ma necessario» disse Livia intuendo i pensieri

di Romolo. «Spesso nella vita dobbiamo fare scelte che ci ripugnano ma che non ci lasciano alternativa. È un mondo duro e spietato quello in cui viviamo, governato dall'arbitrio e dal caso.»

Romolo non rispose e tuttavia la vista di quelle miserie gli faceva capire che quei poveretti avrebbero considerato una benedizione del cielo e forse anche un lusso il tipo di vita che lui aveva condotto a Capri fino a pochi giorni prima e che non c'era al mondo condizione così triste che non potesse confrontarsi con altre di gran lunga peggiori.

Con il passare del tempo e il procedere del viaggio il ruscello era diventato un torrente che scorreva fra massi levigati e gorgogliava in balze, gorghi e cascatelle, confluendo alla fine in un altro corso d'acqua che Ambrosinus identificò con il Metauro. La temperatura si faceva più mite, segno che stavano avvicinandosi al mare e quindi alla meta e alla conclusione di un'avventura di cui nessuno avrebbe potuto prevedere l'epilogo. Il bosco cominciava a diradarsi sempre di più cedendo il posto ai pascoli e alle coltivazioni, man mano che ci si avvicinava alla costa. Di tanto in tanto incontravano dei villaggi da cui era sempre più difficile tenersi distanti, a volte incrociavano qualche tratto della via Flaminia e alla fine dell'ultima giornata di viaggio avvistarono una vecchia *mansio* abbandonata con ancora la sua insegna, piuttosto arrugginita, il cippo miliare e la fontana che riempiva gli abbeveratoi. Erano belle vasche scavate nella pietra arenaria dell'Appennino, che un tempo servivano per i cavalli della stazione postale e che ora erano frequentate dalle greggi della transumanza, come si poteva dedurre dalle fitte tracce di piccole unghie fesse e dal letame abbondante sparso tutto intorno.

Livia andò per prima, e a piedi, per assicurarsi che non vi fossero pericoli, lasciando a Romolo le briglie del suo cavallo. Finse di attingere acqua e, quando vide che non c'era nessuno nelle vicinanze, fischiò e si fece raggiungere da tutti gli altri. Romolo entrò fra i primi, dopo aver legato il cavallo, e si guardò intorno: sull'intonaco dei muri si leggevano ancora i graffiti lasciati da migliaia di avventori durante secoli di frequentazione, molti dei quali osceni; su un lato, in alto, era dipinta ad affresco una mappa in cui si potevano riconoscere l'Italia con la Sicilia, la Sardegna e la costa dell'Africa in basso, quella dell'Illiria in alto con i mari, i monti, i fiumi, i laghi, tutti con i loro colori. E si vedeva una traccia rossa, il *cursus publicus*, la rete stradale che era stata onore e vanto dell'Impero, con tutti i suoi punti di sosta e le distanze segnate in miglia. In alto un titolo mezzo cancellato dalle infiltrazioni d'acqua diceva: TABVLA IMPERII ROMANI. Lo sguardo di Romolo cadde sulla scritta CIVITAS RAVENNA illustrata da una miniatura che rappresentava la città con le sue torri e le sue mura e si sentì preso dalla paura. Distolse subito lo sguardo e incontrò quello di Aurelio e ognuno di loro lesse negli occhi dell'altro i pensieri angosciosi che quell'immagine riportava alla memoria: la fuga affannosa, il fallimento, la prigionia, la morte di Flavia Serena. Ambrosinus cominciò a rovistare in giro alla ricerca di qualcosa che potesse essere di utilità e, quando rinvenne in fondo a un mobile sgangherato un paio di rotoli di pergamena parzialmente usati, li prese e si diede a ricopiare uno degli itinerari rappresentati sulla mappa murale.

Gli altri entrarono a loro volta e cominciarono a sistemare le coperte. Demetrio notò che più in basso c'era un campo di stoppie disseminato di pagliai e andò a prelevare una certa quantità di paglia per la notte. Gli strati superficiali erano grigi e muffiti ma sotto la paglia era ancora asciutta, nonostante la stagione inoltrata, e di un bel colore biondo che al solo vederla dava un senso di calore. Più oltre c'era una siepe di acero campestre e di rovo interrotta in più punti, oltre la quale si estendeva una vegetazione bassa di cespugli che arrivava fin quasi alla costa bassa e sabbiosa. Alla loro sinistra si vedeva la foce del Metauro, il fiume che avevano seguito durante gli ultimi giorni di marcia nell'interno. Alle loro spalle si estendeva ancora il bosco, verso ovest e verso nord. Vatreno lo ispezionò a cavallo, per accertarsi che non nascondesse pericoli e vide che a poca distanza dal confine con il campo coltivato c'erano, verso settentrione, delle cataste di tronchi di quercia e di pino fissate al suolo da funi di corteccia intrecciata assicurate a paletti conficcati nel terreno. Dovevano esserci dei boscaioli in quella zona che vivevano del commercio di legname con le popolazioni della costa.

In lontananza si poteva vedere il mare increspato dal vento di Borea, ma non agitato, e le condizioni del tempo lasciavano sperare che la nave sarebbe arrivata senza grandi problemi. Ambrosinus voleva tuttavia mostrare la sua gratitudine agli uomini che li avevano liberati a rischio della vita e condotti fin là, e quando fu il momento preparò con molta cura la cena per tutti arricchendola con erbe e radici che aveva raccolto nei pressi. Riuscì a racimolare perfino della frutta: alcune mele selvatiche che pendevano da un albero ormai spoglio in quello che un tempo doveva essere il frutteto della stazione di posta. Aveva acceso il fuoco nel vecchio camino e, anche se il tetto lasciava vedere le stelle in più punti da larghi squarci, il crepitare delle fiamme e la luce del focolare diffondevano un senso di allegria e di intimità che mitigava in parte la tristezza per l'imminente separazione.

Nessuno accennò al fatto che Romolo se ne sarebbe andato l'indomani, che li avrebbe lasciati forse per sempre, che il piccolo imperatore avrebbe seguito un destino oscuro dall'altra parte del mondo, in una metropoli immensa e sconosciuta, fra gli intrighi e i pericoli di una corte corrotta e sanguinaria. Ma era chiaro che tutti ci stavano pensando, dagli sguardi fuggevoli che ogni tanto gettavano al ragazzo, dalle mezze parole e dalle mezze frasi che ogni tanto si lasciavano sfuggire, dalle ruvide carezze che gli dispensavano, passandogli di fianco, quasi per caso.

Aurelio scelse per sé il primo turno di guardia e andò a sedersi vicino agli abbeveratoi, fissando il mare che era diventato del colore del piombo. Livia gli si avvicinò da dietro.

«Povero ragazzo» disse. «In tutti questi giorni ha cercato di affezionarsi a ciascuno di noi, soprattutto a te e a me, ma non glielo abbiamo permesso.»

«Sarebbe stato peggio» rispose Aurelio senza voltarsi.

Uno stormo di gru passò nella notte e i loro richiami piovvero dal cielo buio come lamenti di esilio.

«Saranno sul Bosforo prima di lui» disse Livia.

«Già.»

«La nave dovrebbe arrivare prima dell'alba. Prenderanno il ragazzo e ci verrà pagato il riscatto. È tanto danaro: potrete ricominciare una vita, comprarvi terre, servi... Ve lo siete meritato.»

Aurelio non rispose.

«A cosa pensi?» chiese Livia.

«Non è detto che la nave giungerà in tempo. Potrebbe tardare anche di qualche giorno.»

«È una congettura o una speranza?»

Aurelio parve per un po' ascoltare in silenzio il verso sincopato delle gru che svaniva lontano. Sospirò. «È la prima volta nella mia vita che ho provato qualcosa di simile ad avere una famiglia. E domani tutto sarà finito. Romolo andrà verso il suo destino e tu...»

«E io pure» disse Livia improvvisamente risoluta. «Viviamo tempi duri, assistiamo impotenti all'agonia del nostro mondo. Ognuno di noi deve cercare uno scopo, una ragione abbastanza forte che gli permetta di sopravvivere a tanta rovina.»

«E per questo vuoi tornare in quella laguna? Non vorresti...»

«Che cosa?»

«Venire con noi... con me.»

«E dove? Te l'ho detto: in quella laguna sta sorgendo una speranza. Venetia è la mia Patria, anche se a te può sembrare strano: un gruppo di capanne costruite da un pugno di disperati, fuggiaschi dalle loro città distrutte.»

Aurelio trasalì impercettibilmente a quelle parole e Livia continuò: «Sono certa che presto diventerà una vera e propria città. A questo mi serve la parte di danaro che mi daranno domani: a rafforzare le difese, ad armare le nostre prime navi, a costruire nuove case per nuovi immigrati. Dovresti anche tu unirti a noi, con i tuoi compagni, perché no? Abbiamo bisogno di uomini come voi. A Venetia rivive l'anima delle nostre città bruciate e rase al suolo: Altino, Concordia... Aquileia! Ricordati della tua città, Aurelio, ricordati di Aquileia!».

«Perché continui a tormentarmi con quel nome?» reagì Aurelio. «Perché non mi lasci in pace?»

Livia gli si inginocchiò davanti fissandolo con occhi febbrili. «Perché forse io posso restituirti il passato che è stato cancellato dalla tua mente o che tu stesso hai voluto cancellare. L'ho capito la prima volta che ti ho visto. L'ho capito da come guardavi questa, anche se tu continui a negare.» Alzò la medaglia che le pendeva dal collo, gliela mise di fronte, come una sacra reliquia che potesse guarirlo da un male misterioso. E i suoi occhi brillavano nell'ombra, di lacrime e di passione. Aurelio si sentì avvampare, invadere da un'emozione potente, dal desiderio bruciante che aveva soffocato inutilmente per tutto quel tempo. Sentì le labbra di lei che si avvicinavano, il respiro di lei che si confondeva con il suo in un bacio ardente e improvviso, a lungo desiderato eppure insperato e inatteso. L'abbracciò e la baciò come non aveva mai baciato nessuna donna nella sua vita, con tutta l'energia che gli sgorgava dal cuore e con infinita, estenuata dolcezza, e lei gli cinse il collo con le braccia, senza staccare le labbra dalla sua bocca, aderì alle membra di lui con ogni parte del suo corpo fremente, con il seno fermo, con il ventre teso, con le lunghe gambe nervose. Lui la distese a terra sul suo mantello, la prese, così, sull'erba secca, con l'odore della terra che si confondeva con il profumo dei suoi capelli. E restò a lungo dentro di lei per prolungare all'estremo quell'intimità che gli riempiva il cuore e che avrebbe voluto non finisse mai. Le si distese accanto avvolgendola con il suo mantello, tenendola stretta a sé, godendo del tepore del suo corpo e dell'odore della sua pelle.

Poi Livia si congedò da lui con un bacio. «È stato bello» gli disse, «e sarebbe più bello ancora se ci fosse un futuro, ma sono certa che la nave arriverà fra non molto. Con il sorgere del giorno tutto apparirà diverso, più difficile e faticoso, come è sempre stato fino ad ora. Tu seguirai i tuoi compagni, cercherai di fuggire dalle tue memorie perdute e io tornerò alla mia laguna. Ci rimarrà il ricordo di questi giorni, di questo amore che abbiamo rubato all'ultima notte; il ricordo di questa formidabile avventura, di questo ragazzo sfortunato e gentile che abbiamo amato senza avere il coraggio di dirglielo. Forse un giorno deciderai di raggiungermi e io ti accoglierò con entusiasmo, se non sarà troppo tardi, o forse non ti rivedrò più perché le vicissitudini della vita ti avranno trascinato lontano. Addio, Aurelio, che i tuoi dèi ti proteggano.»

Si allontanò rientrando nella vecchia costruzione diroccata. Aurelio restò solo sotto il cielo buio ad ascoltare la voce del vento e i richiami delle gru che varcavano le tenebre.

XXI

Il verso del gufo echeggiò più volte da un macchione di salici presso il fiume, poi un lume prese a muoversi in basso, avanti e indietro, in prossimità del ponte che attraversava il torrente. Livia, ora all'interno della *mansio*, sembrava dormire appoggiata al muro vicino a una breccia. Quel verso la riscosse, si alzò in piedi con un movimento impercettibile e scivolò all'esterno attraverso la frattura nel muro. Aurelio, che era smontato dal turno di guardia, dormiva, avvolto nella sua coperta, vicino al muro dalla parte opposta della camera. Fuori c'era adesso Demetrio a vigilare, seduto in terra appoggiato allo scudo, e teneva probabilmente d'occhio la linea della costa sperando di avvistare la nave che tutti aspettavano. Livia aggirò l'angolo meridionale della costruzione, raggiunse il recinto posteriore e slegò il suo cavallo tenendogli una mano sul muso perché non denunciasse la sua presenza. Juba, che era legato poco oltre, non sembrò nemmeno notarla, o forse l'odore che gli era familiare non lo distolse dal riposo notturno.

Livia procedette a piedi verso ovest nell'avvallamento retrostante, poi piegò a destra fino a raggiungere la valle del torrente da dove poteva scendere non vista, a cavallo, in mezzo alle macchie di salici, fino al ponte o fino al mare.

Intanto, all'interno della *mansio*, i suoi movimenti non

erano sfuggiti ad Ambrosinus, che non aveva chiuso occhio fino a quel momento e che aveva preso la sua decisione. Si accostò a Romolo e lo scosse delicatamente finché questi non si svegliò.

«Ssst!» gli bisbigliò all'orecchio per prevenire qualunque sua rumorosa reazione.

«Che c'è?» chiese Romolo ancora più sommessamente.

«C'è che ce ne andiamo. Ora. Livia è uscita, forse sta arrivando la nave.»

Romolo lo abbracciò stretto e in quell'abbraccio il saggio precettore sentì tutta la gratitudine del ragazzo per quella insperata via di scampo, sentì il suo desiderio di libertà, la volontà di lasciarsi alle spalle quel mondo che gli aveva riservato soltanto dolori e amarezze. Gli sussurrò ancora all'orecchio: «Attento a non far frusciare la paglia quando ti alzi, dobbiamo muoverci come ombre». E lo precedette verso la porticina che dava sull'orto, dietro la costruzione. Romolo si guardò intorno, attese che il pesante russare di Batiato raggiungesse il suo apice, poi si mosse a sua volta e seguì in punta di piedi le orme del maestro. Ormai erano fuori. Sulla loro sinistra i cavalli rasparono nervosi il terreno con gli zoccoli. Juba scosse più volte in su e in giù la testa fierissima, sbuffando vapore dalle froge. Ambrosinus tremò a quella reazione e fermò Romolo facendogli cenno di appiattirsi contro il muro.

«Diamogli tempo di mettersi tranquillo» disse, «poi ce ne andiamo verso il bosco, ci nascondiamo in un luogo sicuro e aspettiamo che tutto si sia calmato prima di incominciare il nostro viaggio, io e te soli.»

«Ma se io fuggo, Aurelio e i suoi amici non riceveranno nessuna ricompensa: avranno fatto tanta fatica e rischiato la vita per nulla.»

«Ssst!» lo zittì ancora Ambrosinus. «Ti sembra questo il momento di farti venire certi scrupoli? Sapranno certamente come cavarsela.»

Ma i cavalli, invece di calmarsi, erano sempre più nervosi, finché Juba s'impennò colpendo il muro con gli zoccoli anteriori e lanciando un sonoro nitrito.

«Andiamocene via, subito» disse Ambrosinus prendendo il ragazzo per un braccio. «Quell'animale sta svegliando tutti.» E fece per incamminarsi ma una mano d'acciaio gli affondò le dita nelle spalle, immobilizzandolo. «Fermo!»

«Aurelio» disse Ambrosinus riconoscendolo nell'oscurità. «Lasciaci andare, ti scongiuro. Rendi la libertà a questo ragazzo se gli vuoi un po' di bene. Ha sofferto troppo... Lascia che sia libero.» Ma Aurelio, senza lasciare la presa, teneva lo sguardo fisso da un'altra parte.

«Non sai quello che dici» rispose. «Guarda, guarda laggiù, vicino a quegli alberi.»

Ambrosinus aguzzò la vista nella direzione in cui Aurelio puntava il dito: vide un agitarsi confuso di ombre minacciose e si sentì morire il cuore in petto.

«Oh, Signore misericordioso...» mormorò.

Livia, intanto, era giunta a poca distanza dal ponte e poteva distinguere, al primo barlume dell'alba, una figura ritta in piedi dietro un cespuglio di tamerice che teneva in mano una lanterna. Un cavallo era legato a un arbusto a poca distanza, dietro un ciuffo di salici. Spronò la sua cavalcatura e gli si avvicinò fino a riconoscerlo. «Stefano.»

«Livia» rispose l'altro riconoscendola a sua volta.

«Abbiamo seguito un itinerario difficile attraverso i boschi ma siamo riusciti ad arrivare in tempo. Per il resto, tutto a posto. Il ragazzo e il suo precettore stanno bene, gli uomini si sono comportati magnificamente. Ma la nave dov'è? Sta per sorgere il sole, avrebbe dovuto essere qui da ieri sera. Imbarcare in piena luce mi sembra un rischio e anche il tuo segnale: qualcun altro avrebbe potuto vedere...»

Stefano l'interruppe con un gesto. «La nave non verrà più.»

«Che cosa hai detto?»

«Hai sentito benissimo, purtroppo: la nave non verrà più.»

«C'è stato un attacco? Un naufragio?»

«Nessun naufragio. Semplicemente le cose sono cambiate.»

«Ehi, senti, questa storia non mi piace per niente: io ho rischiato la pelle e anche i miei uomini e...»

«Calmati, ti prego, non è colpa nostra: Zeno ha riconquistato il trono che Basilisco gli aveva usurpato ma ha bisogno di pace per consolidare il suo potere. Non può inimicarsi Odoacre e inoltre il suo candidato al trono d'Occidente è sempre stato Giulio Nepote, lo sai bene.»

Livia si rese conto d'improvviso del mortale pericolo che rappresentava per tutti quella assurda situazione. «Antemio è al corrente di tutta questa faccenda?» chiese sempre più allarmata.

«Antemio non ha avuto scelta.»

«Maledizione! Ma così condanna a morte il ragazzo!»

«No. Ed è per questo che sono qui. Ho una barca più a nord, vicino alla foce del fiume. Potremmo raggiungere la mia villa a Rimini, là sarete tutti al sicuro. Ma dovete far presto, questo posto è troppo scoperto.»

Livia montò a cavallo. «Vado ad avvertirli» disse spronando.

«No, aspetta!» gridò Stefano. «Guarda lassù.»

Livia guardò verso la collina e vide un gruppo di cavalieri barbari che proveniva da sud accerchiare il piccolo edificio, mentre altri uscivano in quel momento dalla macchia. Stefano cercò ancora di trattenerla. «Aspetta, ti uccideranno!» Ma inciampò, la lanterna gli cadde di mano e si ruppe all'impatto con il suolo. Livia guardò la macchia d'olio che ardeva, poi il campo di stoppie e i pagliai e non esitò un istante. Sfilò l'arco dalla staffa della sella, appiccò il fuoco a una delle sue frecce e la scagliò in parabola su un pagliaio, poi una seconda e una terza, finché i grandi cumuli di paglia cominciarono a prendere fuoco lentamente, liberando dense volute di fumo.

«Sei pazza» disse Stefano rialzandosi. «Non puoi farcela.»

«Questo è da vedere» replicò Livia.

«Io non posso più restare qui, devo rientrare» disse ancora Stefano visibilmente spaventato dalla piega che avevano preso gli eventi. «Ti aspetto a Rimini: cerca di metterti in salvo, ti prego!» Livia rispose appena con un cenno del capo e lanciò il cavallo lungo la sponda del fiume, in direzione della collina.

I barbari dapprima non si accorsero di nulla, intenti com'erano a completare l'accerchiamento della vecchia *mansio*. Erano scesi a terra e avanzavano a piedi con le spade sguainate attendendo un segnale dal loro capo: Wulfila.

Il luogo era immerso nel silenzio irreale che cade sulla natura quando cessano le voci degli animali notturni e quelli diurni non osano ancora salutare il sole, il silenzio che delimita il confine fra l'oscurità della notte e la prima luce del giorno. Solo l'insegna della *mansio* cominciò a cigolare penosamente al soffio della prima brezza marina. Wulfila diede il segnale abbassando di scatto la mano sinistra che teneva alzata e tutti si precipitarono all'interno con le armi in pugno e si diedero a trafiggere nella semioscurità di quel diroccato rifugio i corpi distesi nel sonno. Ma ben presto un coro di imprecazioni accompagnò la scoperta dell'inganno. Non c'era che paglia sotto le coperte: gli ospiti se ne erano già andati.

«Cercateli!» gridò Wulfila. «Devono essere qui vicino. Cercate le tracce, hanno dei cavalli!» I suoi uomini si precipitarono all'esterno ma rimasero attoniti nel vedere il campo disseminato di roghi, le fiamme che si alzavano dovunque alimentate dal vento. Sembrava un prodigio, perché Livia era ancora invisibile, nascosta com'era in fondo alla valle del torrente.

«Che diavolo succede?» imprecò Wulfila che non riusciva a darsi ragione di quell'improvviso mutamento di scena. «Devono essere stati loro, maledizione. Cercateli, cercateli! Sono qua vicino!»

Gli uomini obbedirono sparpagliandosi tutto intorno, perlustrando il terreno palmo a palmo finché uno di essi non individuò impronte di uomini e di cavalli che andavano verso il bosco. «Da questa parte!» gridò. «Sono andati di là!»

Tutti corsero alle loro cavalcature e fecero per lanciarsi verso il bosco ma Livia, intuito dove si stavano dirigendo, spronò il suo cavallo e uscì allo scoperto per attirare su di sé l'attenzione dei nemici. Un'altra delle sue frecce incendiarie piovve sul bersaglio appiccandovi il fuoco, una seconda saettò nell'aria abbattendo uno dei nemici. Nello stesso istante Livia gridò: «Da questa parte, bastardi! Venite a prendermi!». E si diede a caracollare avanti e indietro a mezza costa passando in mezzo alle fitte cortine di fumo, riemergendo improvvisamente allo scoperto per colpire ancora, per lanciare i suoi dardi micidiali.

Tre guerrieri, a un cenno di Wulfila, si staccarono dal gruppo e le corsero dietro mentre le fiamme, alimentate dal vento, stavano trasformando tutto il campo in un unico rogo. Livia trafisse uno degli inseguitori, schivò il secondo e si avventò con la spada contro il terzo che le veniva addosso gridando come un ossesso. Riuscì a sbilanciarlo con una finta, poi lo urtò violentemente con il fianco del suo cavallo facendolo rotolare in mezzo alle fiamme. Le urla di dolore del barbaro trasformato in una torcia umana si confusero presto con il ruggito delle fiamme che avvolgevano ogni cosa. Livia si lanciò al galoppo attraverso il campo infernale fino a raggiungere il limitare del bosco. Apparve d'improvviso ai suoi compagni con la spada in pugno e i capelli al vento, simile a una antica dea della guerra.

«Via di qua!» gridò. «Siamo stati traditi! Seguitemi, presto! Ci saranno addosso a momenti!»

«Non prima di aver lasciato loro un ricordo!» rispose Aurelio, e fece cenno ai suoi compagni appostati dietro le cataste di tronchi che Vatreno aveva notato la sera prima. Al cenno di Aurelio i compagni tranciarono con le asce e le spade le funi che li trattenevano e Batiato li spinse all'ingiù facendoli rotolare lungo il pendio. In breve, i grossi tronchi acquistarono velocità e precipitarono in basso con fragore rimbalzando sulle asperità del terreno, seminando il panico e la morte tra le file dei cavalieri di Wulfila che cercavano di salire in direzione del bosco. Altri presero in pieno i pagliai in fiamme e li disintegrarono in turbini di scintille, li fecero esplodere in globi di fuoco che il vento dilatava in nubi roventi.

Nel bosco, tutti montarono a cavallo e Aurelio tese il braccio a Romolo perché salisse con lui in groppa a Juba, poi spronarono dietro a Livia che sembrava avere un'idea di dove guidarli. Imboccarono di gran carriera un sentiero in mezzo alla vegetazione e dopo qualche tempo si trovarono di nuovo su una vecchia diramazione della via Popilia, ora poco più che un sentiero che spariva in una macchia di rovi e di querciolі. Livia balzò a terra e indicò un passaggio nel bosco poco più in alto. «Scendete a terra e venitemi dietro tenendo i cavalli per le briglie. L'ultimo cerchi di cancellare le tracce.»

Orosio si incaricò del compito, affastellò dei rami e, indietreggiando, cancellò le impronte di uomini e di cavalli. Livia intanto aveva aggirato la densa macchia che interrompeva il sentiero fino a fermarsi davanti al fianco di una bassa collina, coperto di una fitta vegetazione di rampicanti e di edera. Saggiò la parete in più punti con la punta dell'arco finché l'arma affondò completamente nella cortina verdeggiante. «Di qua» disse. «L'ho trovato.» Scostò i rampicanti e rivelò un passaggio scavato nell'arenaria che si addentrava nella collina. I compagni la seguirono uno per uno, finché Orosio ricompose alle loro spalle la vegetazione naturale camuffando completamente il varco. Quando si voltò verso l'interno vide che tutti si guardavano intorno meravigliati. La luce del giorno filtrava attraverso il fogliame attenuando l'oscurità e lasciando intuire i contorni della cavità che li nascondeva alla vista.

«È un vecchio mitreo in disuso da secoli, un tempo frequentato dai marinai orientali che approdavano a Fano» spiegò Livia. «L'ho utilizzato soltanto una volta come rifugio. È un miracolo che mi sia ricordata della posizione.

Dio deve essere con noi se ci indica in questo modo la via della salvezza.»

«Se è con noi il tuo Dio ha uno strano modo per dimostrarlo» commentò Vatreno. «E per il futuro, se devo essere sincero, preferirei che ci lasciasse perdere e che si occupasse di qualcun altro.»

«Raggruppate tutti i cavalli nella zona più buia e cercate di tenerli buoni. I nostri inseguitori saranno qui a momenti e se ci scoprono questa volta è finita davvero.»

Non aveva finito di parlare che si udì un rumore di zoccoli lungo la strada. Livia si accostò all'imboccatura e sbirciò all'esterno: Wulfila arrivava alla testa dei suoi uomini e passava oltre, lanciato a gran velocità. Livia trasse un respiro di sollievo e si voltò verso i compagni per segnalare lo scampato pericolo, ma dovette subito ricredersi. Il rumore del galoppo era cessato improvvisamente e ora si udiva il lento scalpiccio dei cavalli al passo che tornavano indietro. Livia fece cenno di fare completo silenzio e gettò uno sguardo all'esterno, mentre anche Aurelio le si avvicinava dopo aver lasciato le redini di Juba nelle mani di Batiato.

Wulfila si trovava adesso a non più di venti passi dall'imbocco della galleria ed emergeva con il torso e le spalle dal profilo della macchia di vegetazione che nascondeva l'antico tracciato della strada. Orribile a vedersi, con la faccia nera di fuliggine, gli occhi arrossati, la cicatrice che gli sfigurava il volto, volgeva intorno lo sguardo come un lupo che fiuta la preda. Dietro di lui venivano i suoi uomini; sparsi a ventaglio pattugliavano anche il bosco tutto attorno guardando in terra in cerca di impronte. All'interno della galleria tutti trattenevano il respiro, sentendo l'imminenza del pericolo, e stringevano nella mano l'impugnatura della spada, pronti, come sempre, a ingaggiare un combattimento mortale senza chiedersi il perché.

Il drappello si disperse nei dintorni per esplorare altre possibili vie di fuga, poi, vista l'inutilità della ricerca, Wulfila lanciò un richiamo radunandoli attorno a sé e tornò sui suoi passi.

«Ho incontrato Stefano prima dell'alba» disse Livia. «Mi ha detto che Antemio ci ha venduti. Purtroppo non avrò il danaro che vi avevo promesso, almeno per ora.»

Ambrosinus si avvicinò. «Ma... non capisco.»

«Semplice» rispose Livia. «In Oriente l'imperatore Zeno ha ripreso il potere spodestando Basilisco e vuole mantenere buone relazioni con Odoacre. Forse è venuto a conoscenza dell'accordo con Antemio che così si è trovato scoperto e probabilmente non ha avuto altra scelta che sacrificare Romolo alla nuova situazione politica.»

«E ora che ne facciamo del ragazzo?» chiese Vatreno.

«Potremmo portarlo con noi» rispose Aurelio.

«Un momento...» cercò di interloquire Livia.

«E dove?» ribatté Demetrio, senza badarle. «Odoacre ci lancerà addosso fino all'ultimo dei suoi uomini, non ci darà un momento di respiro, un istante di tregua. Non illudiamoci per il fatto che quei barbari si sono allontanati. Torneranno quando meno ce lo aspettiamo e ce la faranno pagare. Questo è bene che sia chiaro a tutti, mi pare.»

«E allora cosa dovremmo fare, secondo te?» chiese Aurelio. «Negoziare una ricompensa dai barbari e consegnarlo noi?»

«Ehi, un momento!» disse Batiato. «Voglio capire anch'io, qualcuno vuole spiegarmi...»

«Se mi fate parlare, maledizione...» cercò ancora di dire Livia.

Romolo si guardò attorno angosciato per quel vociare confuso, per quella discussione che passava sopra il suo capo senza che la sua presenza fosse minimamente considerata: ancora una volta la sua sorte era nelle mani di altri. Ora che non c'era più una ricompensa da riscuotere, non era per quella gente altro che un peso, un impiccio indesiderato. Aurelio si accorse del suo stato d'animo, gli lesse negli occhi l'umiliazione e lo smarrimento e cercò di rimediare: «Ascolta, loro non...». Ma la voce di Ambrosinus lo interruppe, una voce che mai si era levata prima così piena di collera e di indignazione. «Ora basta!» esclamò. «Ascolta tu, invece, e ascoltate voi tutti! Io venni dalla Britannia in questo paese tanti anni fa, in delegazione assieme ad altri inviati per parlare all'imperatore. Chiedevamo aiuto per la popolazione della nostra isola angariata da un feroce tiranno, vessata dai continui saccheggi e violenze di barbari selvaggi. Perdetti i miei compagni lungo il viaggio, uccisi dal freddo, dalle malattie, dalle imboscate dei briganti. Giunsi solo e non fui nemmeno ricevuto. L'imperatore era un imbelle fantoccio nelle mani di altri barbari: non volle ascoltarmi. In poco tempo mi ridussi in miseria sopravvivendo grazie alle mie conoscenze di medicina e di alchimia finché non divenni il precettore di questo ragazzo. L'ho seguito e assistito nella buona sorte e nella cattiva, nei momenti di gioia e in quelli della disperazione, dell'umiliazione e della prigionia, e posso dirvi che c'è più coraggio, compassione e nobiltà d'animo in lui che in chiunque abbia mai conosciuto.» Tutti ammutolirono soggiogati dalla voce dell'improvvisato oratore che a quel punto appoggiò una mano sulla spalla di Romolo e lo pose al centro, come per imporlo all'attenzione. Poi, con tono più contenuto ma più solenne riprese a dire: «Ora io gli chiedo di ascoltare l'invocazione dei suoi sudditi di Britannia abbandonati da anni e anni al loro destino e di accorrere in loro soccorso, gli chiedo di affrontare con me altri pericoli e altre privazioni, con o senza il vostro aiuto».

I presenti lo osservarono stupefatti e poi si guardarono in faccia l'un l'altro, come se non credessero alle proprie orecchie.

«So cosa pensate, ve lo leggo in faccia» disse ancora Ambrosinus. «Pensate che sia uscito di senno ma vi sbagliate. Ora che siete stati privati della vostra ricompensa e dell'esito della vostra missione non vi restano che due alternative: potete consegnare Romolo Augusto ai suoi nemici e ottenere forse un compenso ancora maggiore, potete tradire il vostro imperatore e macchiarvi di un delitto orribile, ma non lo farete. Ho avuto modo di conoscervi in questo breve tempo in cui siamo stati insieme e ho visto sopravvivere in voi qualcosa che credevo morto da secoli: il valore, il coraggio e la fedeltà di veri soldati di Roma. Oppure potete lasciarci andare, restituirci la libertà.» Lo sguardo di Ambrosinus cadde sull'impugnatura della spada che pendeva dalla spalla di Aurelio. «Quella spada sarà il nostro talismano, e nostra guida l'antica profezia che solo io e lui conosciamo.»

Si fece un gran silenzio nella vasta cavità. Tutti erano soggiogati dalle parole di quel saggio, dalla dignità e dal coraggio del piccolo sovrano senza regno e senza eserciti.

«Io vengo con te, *Ambrosine*» disse Romolo, «dovunque tu voglia condurmi, con o senza quella spada. Dio ci aiuterà.» Lo prese per la mano e fece per incamminarsi verso l'esterno.

Aurelio gli si parò davanti. «E posso chiederti come contate di arrivare fin lassù?»

«A piedi» rispose laconico Ambrosinus.

«A piedi» ripeté Aurelio come se volesse convincersi di avere udito bene.

«Già.»

«E quando sarete lassù» intervenne sarcastico Vatreno, «ammesso che ci arriviate, come farete a sconfiggere questo feroce tiranno di cui parlavi e i suoi temibili barbari, in due, un vecchio e un...»

«Bambino» completò la frase Romolo. «È questo che volevi dire, non è vero? Ebbene anche Iulo, il figlio dell'eroe Enea, era un bambino quando lasciò Troia in fiamme e venne in Italia. Eppure divenne il fondatore della più grande nazione di tutti i tempi. Io non ho nulla da darvi, non ho beni, né danaro, né possedimenti con cui sdebitarmi con voi. Posso solo ringraziarvi per ciò che avete fatto per me. Posso dirvi che non vi dimenticherò mai, che sarete sempre nel mio cuore, campassi cento anni...» Gli tremava la voce per la commozione. «Tu, Aurelio, e tu, Vatreno, e Demetrio, Batiato, Orosio, e anche tu Livia, non dimenticatemi... Addio.» Si rivolse al maestro: «Vieni, *Ambrosine,* mettiamoci in viaggio».

Raggiunsero l'ingresso del mitreo, scostarono la vegetazione e si incamminarono sul sentiero. Aurelio allora prese Juba per le redini, guardò in faccia i compagni e disse: «Vado con loro». Come dicesse la cosa più ovvia del mondo.

Vatreno si riscosse dal suo stupore. «Ma fai sul serio?» disse. «Aspetta, accidenti a te, aspetta, dove vai?» E gli andò dietro. Livia sorrise, come se non attendesse altro, e si incamminò a sua volta, tirandosi dietro il suo cavallo. Batiato si grattò in testa. «È molto lontana questa Britannia?» chiese agli altri due.

«Credo di sì» rispose Orosio. «Temo che sia la terra più lontana di tutte, almeno di quelle di cui ho sentito parlare.»

«Allora sarà meglio sbrigarsi.» Lanciò un fischio al suo cavallo e si incamminò, attraverso la cortina di rampicanti, verso la luce del sole.

Ambrosinus e Romolo, che erano già sul sentiero, udirono il rumore di frasche alle loro spalle e lo scalpiccio degli zoccoli, ma continuarono a camminare. Poi, resosi conto che tutti stavano facendo la stessa strada, Romolo si fermò e strinse il braccio di Ambrosinus; si voltò indietro lentamente e se li trovò di fronte tutti e sei. Chiese: «Dove andate?».

Aurelio si avvicinò. «Credevi veramente che ti avremmo abbandonato?» disse. «Da ora, se lo vuoi, hai un esercito. Piccolo, ma valoroso. E fedele. *Ave, Caesar!*» Sguainò la spada e gliela porse. In quel momento un raggio di sole sbucò fra le nubi e penetrò tra i rami dei pini e dei lecci fino a illuminare il ragazzo e la sua prodigiosa spada, di una luce magica, irreale.

Romolo la restituì ad Aurelio con un sorriso. «Custodiscila tu per me» disse.

Aurelio gli porse la mano e lo aiutò a montare davanti a sé, poi fece un cenno agli altri di restituire ad Ambrosinus la sua giumenta. «Ora ci attende un viaggio lungo e pericoloso» disse. «Fra due o tre giorni si aprirà davanti a noi la Valle Padana, in gran parte aperta e priva di nascondigli, dove potremo essere visti facilmente.»

«È vero» rispose Ambrosinus. «Ma avremo un potente alleato.»

«Ah sì? E quale?»

«La nebbia» rispose.

«Forse Stefano può fare ancora qualcosa per noi» disse Livia. «Era venuto con la sua barca per offrirci una via di scampo. Forse può darci almeno parte del danaro che ci era stato promesso, o almeno delle provviste. La Valle Padana è grande, le giornate brevi e nebbiose: non sarà così facile individuarci.»

«Vero» approvò Aurelio. «Ma poi dovremo attraversare le Alpi, e saremo già in pieno inverno.»

XXII

Stefano vide riapparire il drappello di Wulfila al limitare del bosco, una mezza dozzina di uomini in tutto, e si fece loro incontro sforzandosi di apparire naturale. «Dove sono gli altri?» chiese.

«Li ho divisi in gruppi e li ho mandati intorno a cercare. Sono sicuro che si trovano ancora nelle vicinanze. Con quel vecchio e quel ragazzino non possono averci distanziati di tanto.»

«Sì, ma intanto il tempo sta peggiorando e questo non faciliterà le cose» replicò Stefano. Dal mare veniva infatti un fronte di nuvole scure e presto cominciò a cadere una pioggia gelida mista a nevischio.

L'incendio, che ormai aveva consumato le stoppie e i pagliai, si spense del tutto, lasciando una distesa annerita e fumigante. I tronchi d'albero rotolati verso il basso si erano fermati quando avevano trovato ostacoli oppure erano giunti fin quasi sulla pianura costiera o dentro al torrente.

Stefano batteva i denti per il freddo e tremava verga a verga, ma trovò ugualmente la forza di parlare. «Questo non piacerà a Odoacre e non piacerà nemmeno agli emissari di Zeno. Non vorrei essere nei tuoi panni quando dovrai dire come sono andate le cose. E non sperare che io rischi la mia posizione per salvare la tua. Ti sei lasciato scappare un vecchio e un ragazzo da sotto il naso con settanta guardie ai tuoi ordini. Non è credibile: qualcuno potrebbe pensare che tu ti sia fatto corrompere.»

«Taci!» ringhiò Wulfila. «Se tu mi avessi avvertito in tempo li avremmo presi tutti.»

«Non è stato possibile. L'uomo di Antemio a Napoli ha organizzato la loro fuga così bene che io stesso ne ho perse le tracce e loro non si sono più fatti vivi. Che cosa potevo dirti? L'unico punto sicuro di incontro era qui, per l'appuntamento con la nave. Ed è quello che ti ho fatto sapere.»

«Non riesco a capire da che parte stai veramente, ma bada a te. Se dovessi accorgermi che fai il doppio gioco ti farei maledire il giorno in cui sei nato.»

Stefano non ebbe la forza di controbattere: «Dammi qualcosa per coprirmi» disse. «Non vedi che muoio di freddo?».

Wulfila lo squadrò da capo a piedi con un ghigno di disprezzo, poi prese una coperta dalla sella e la gettò in terra davanti a lui. Stefano la raccolse e se la mise sulle spalle avvolgendosi completamente fin sulla testa.

«Cosa pensi di fare, ora?» disse quando ebbe ripreso un po' di fiato.

«Prenderli. A tutti i costi. Dovunque siano diretti.»

«Ma potrebbe passare molto tempo. Se non li hai presi ora che erano a portata di mano non è detto che riuscirai in seguito. Il tempo gioca a loro favore. Inoltre da Capri potrebbero diffondersi strane voci e propagarsi assurde aspettative.»

Wulfila si decise finalmente a scendere da cavallo e il collo di Stefano poté assumere una posizione più normale. «Che cosa intendi dire?» gli chiese.

«È semplice: se si diffonde la voce che l'imperatore è fuggito qualcuno potrebbe approfittarne, con conseguenze anche molto gravi.» Wulfila alzò le spalle. «E inoltre la volontà di Odoacre» continuò Stefano «era che lui passasse il resto dei suoi giorni in quell'isola e così deve essere. Nessuno deve accorgersi che il ragazzo è sparito.»

«Che cosa dovrei fare?»

«Invia a Capri qualcuno di cui ti fidi. Fai sostituire Romolo Augusto con un sosia, un ragazzo della sua età abbigliato con gli stessi abiti e fa' in modo che nessuno lo veda da vicino, almeno per alcuni mesi, finché non avrai fatto cambiare tutto il personale, inclusi gli uomini destinati alla custodia. Per la gente comune, e non solo per loro, egli non è mai uscito dalla villa e non ha mai lasciato l'isola. Né mai la lascerà. Mi sono spiegato?»

Wulfila annuì.

«Poi dovrai riferire a Odoacre. E dovrai farlo tu, personalmente.»

Wulfila accennò ancora con il capo trattenendo la collera. Detestava quel cortigiano intrigante ma si rendeva conto che in quel momento, benché così fradicio e infreddolito, infagottato in quella coperta da cavallo, si trovava in una condizione certamente migliore della sua. Gli fece segno di seguirlo e raggiunsero la vecchia *mansio*, che per la sua posizione non era stata toccata dall'incendio, e lì attesero che tornassero gli altri uomini dalla battuta. Stefano si ricordò in quel momento di un'altra cosa di cui aveva sentito parlare e gli fece cenno di avvicinarsi per non farsi sentire. «Antemio aveva informatori anche a Capri, anche sulle navi con cui davi la caccia ai fuggitivi e uno di loro è riuscito a trasmettermi, fra le altre notizie, una strana storia...» cominciò. Wulfila lo guardò con sospetto. «Pare che uno di quegli uomini avesse un'arma formidabile, una spada mai vista. Tu ne sai nulla?»

Wulfila evitò il suo sguardo con imbarazzo sufficiente a far capire che mentiva quando rispose: «Non so di che cosa tu stia parlando».

«Strano. Immagino che tu abbia combattuto per impedire a quello sparuto manipolo di portare via l'imperatore.»

«La gente dice quello che vuole. Io non ne so nulla. E quando combatti guardi in faccia il tuo nemico, non guardi la sua spada. E poi anche io ti avevo chiesto un'informazione e non mi hai detto ancora nulla.»

«Su quel legionario? So solo che faceva parte del reparto che Mledo ha sterminato a Dertona e che si chiama Aurelio.»

«Aurelio? Hai detto Aurelio?»

«Ti dice qualcosa?»

Wulfila restò in silenzio a pensare, poi disse: «Io sono certo di averlo già visto: tanto tempo fa. Io non dimentico mai una persona dopo che l'ho vista una volta. Ma la cosa ormai non ha più importanza. Quell'uomo è sparito in mare quella notte e con ogni probabilità è finito in bocca ai pesci».

«Non ne sarei tanto sicuro» rispose Stefano «da quello che so potrebbe essersi salvato e avere ancora con se quella spada.»

I primi dei suoi uomini giunsero più tardi, a capo basso e mani vuote.

Wulfila li prese a frustate gridando. «Non è possibile, non possono essere svaniti nell'aria!»

«Abbiamo cercato dovunque» disse uno di loro. «Forse conoscevano qualche nascondiglio. Sono sempre vissuti in questa terra, la conoscono meglio di noi. O forse qualcuno ha dato loro rifugio.»

«Dovevate perquisire le case, far parlare i contadini. Conoscete il modo, no?»

«Lo abbiamo fatto. Ma molti non ci capiscono.»

«Fingono!» urlò Wulfila. Stefano lo osservò senza mostrare alcuna reazione, ma godeva in cuor suo al vedere quella belva irsuta in preda al panico. Altri gruppi arrivarono verso mezzogiorno.

«Forse avranno trovato delle tracce più a nord» disse uno dei cavalieri. «E comunque ci siamo dati appuntamento a Pesaro: i primi che arrivano aspettano gli altri. E ora cosa facciamo?»

«Riprendiamo la caccia» rispose Wulfila. «Adesso.»

Stefano si congedò. «Ti rivedrò a Ravenna, immagino. Io resto qui ad aspettare la barca che venga a prendermi.» Poi gli fece ancora cenno di avvicinarsi. «È vero che quella spada aveva l'impugnatura d'oro in forma di testa di aquila?»

«Non ne so nulla. Non so di che cosa parli» rispose ancora Wulfila.

«Può darsi, ma se dovesse mai cadere nelle tue mani ricordati che qualcuno sarebbe disposto a pagare qualunque cifra per averla, a coprirti d'oro, letteralmente. Mi hai capito? Non fare sciocchezze, se dovessi impadronirtene, dimmelo e io farò in modo che tu possa trascorrere il resto della tua vita nel lusso.»

Wulfila non rispose, lo fissò per un attimo con uno sguardo enigmatico, poi chiamò a raccolta i suoi uomini, li dispose a ventaglio e li lanciò di nuovo al galoppo in tutte le direzioni, guidando di persona il gruppo che andava a nord. Avanzarono per giorni battendo tutti i sentieri senza alcun risultato, finché si ricongiunsero con il gruppo che li aveva preceduti, alle porte di Pesaro. Il tempo peggiorava dovunque e cadeva una pioggia leggera ma insistente che trasformava le strade in torrenti fangosi e rendeva quasi impercorribili i campi coltivati, mentre le alture cominciavano a imbiancarsi fino quasi alle prime pendici. L'avanguardia che li aveva preceduti aveva già diramato ai presidi che avevano incontrato la segnalazione che si cercava un gruppo di cinque uomini e una donna con un vecchio e un ragazzo. Qualcuno li avrebbe notati, prima o poi. Wulfila procedette allora il più velocemente possibile in direzione di Ravenna, dove lo aspettava la prova più difficile: affrontare Odoacre.

Il *magister militum* lo ricevette in una delle camere dell'appartamento imperiale nel quale aveva fissato il suo alloggio e dal suo sguardo Wulfila si rese immediatamente conto che era già a conoscenza degli eventi e che qualunque cosa egli avesse detto non avrebbe fatto che peggiorare il suo umore. Attese dunque che si scatenasse la tempesta prima di reagire.

«I miei uomini migliori!» gridò Odoacre. «Il mio luogotenente in persona beffati da un pugno di disperati, di smidollati Romani: come è possibile?»

«Non erano degli smidollati!» rispose irritato Wulfila.

«Questo è evidente. E dunque gli smidollati siete voi.»

«Attento, Odoacre, nemmeno tu puoi permetterti di parlarmi in questo modo.»

«Mi stai minacciando? Dopo che hai fallito così vergognosamente il tuo compito osi anche minacciarmi? Ora mi dirai tutto quello che è accaduto senza trascurare alcun particolare. Devo capire di che genere di uomini mi sono circondato, devo sapere se siete diventati più imbelli e incapaci dei Romani che abbiamo soggiogato e asservito.»

«Ci hanno colti di sorpresa in una notte di tempesta, scalando la rupe settentrionale, un luogo praticamente inaccessibile. Sono fuggiti attraverso un passaggio segreto che comunicava con il mare. Nonostante questo, ho fatto pattugliare le acque circostanti dalle due navi che avevo disponibili, ma perfino gli elementi si sono messi contro di noi: mentre la tempesta stava per placarsi si è scatenata l'eruzione del vulcano e la loro imbarcazione è sparita in mezzo a una caligine impenetrabile. Avevo visto scomparire il loro capo inghiottito dal mare, lo stesso che già aveva tentato di liberare il ragazzo qui, a Ravenna, eppure non mi sono dato per vinto.»

«Ne sei certo?» chiese Odoacre stupefatto. «Sei certo che fosse lo stesso? Come puoi dirlo se era scuro come dici?»

«L'ho visto come vedo te ora e non posso essermi sbagliato. E inoltre non mi sembra ci sia da meravigliarsene: chi ha tentato, e fallito una volta, può ritentare una seconda anche se il ritrovarmelo di fronte a una così grande distanza mi ha molto colpito.»

«Continua» disse Odoacre, impaziente di conoscere il seguito di quella strana storia.

«Potevo pensare che fossero naufragati» riprese Wulfila, «che si fossero fracassati sugli scogli avanzando nella più completa oscurità e invece ho attraversato l'Appennino e sono arrivato il giorno stesso in cui sono arrivati loro, avvantaggiati dalla conoscenza del territorio. Purtroppo, quando ormai li avevo in pugno, mi sono sfuggiti e per quanti sforzi abbiamo fatto i miei uomini e io non siamo riusciti a ritrovare le loro tracce. È evidente in ogni caso che sapevano dove stavano i prigionieri, sapevano che la parete nord era di solito sguarnita e conoscevano una via di fuga di cui neppure noi sapevamo l'esistenza e quindi qualcuno li aveva informati.»

«Chi?» gridò Odoacre.

«Può essere stato chiunque: un servo, un operaio, un fornaio o un maniscalco, una delle cuoche o delle vivandiere o... una prostituta, perché no? Ma certamente dietro doveva esserci un personaggio importante, come avrebbe saputo altrimenti di quel passaggio segreto? Ho limitato al massimo i contatti fra la villa e il resto dell'isola, ma impedirli del tutto era impossibile.»

«Se sospetti di qualcuno, parla.»

«Antemio forse: lui poteva benissimo conoscere la villa di Capri, pare che a Napoli abbia molte conoscenze. E lo stesso Stefano...»

«Stefano è un uomo intelligente e capace e ha senso pratico, mi serve per i rapporti con Zeno» rispose Odoacre, ma era evidente che le parole di Wulfila lo avevano impressionato. Testimoniavano l'impresa di uomini di incredibile coraggio e abilità, e di straordinaria sagacia: si rese conto in quello stesso momento come sarebbe stato difficile, se non impossibile, regnare su quel paese soltanto con la forza di un esercito che tutti percepivano come straniero, violento e crudele, barbarico, in una parola. Capì che doveva circondarsi di intelligenze più che di spade, di conoscenza più che di forza e che in mezzo a centinaia di guerrieri che presidiavano il palazzo egli era più esposto e vulnerabile che in mezzo a un campo di battaglia. E per un attimo si sentì minacciato da un ragazzo di tredici anni, libero ora, protetto e introvabile: ricordò quelle sue parole di vendetta davanti al corpo della madre, giù nella cripta della basilica. Reagì con fastidio. «E ora che dovremmo fare secondo te?» chiese.

«Ho già preso dei provvedimenti» rispose Wulfila. «Ho fatto sostituire il ragazzo da un sosia: uno della sua età e della sua corporatura, vestito come lui, che abiterà nello stesso luogo ma che verrà avvicinato unicamente da persone fidate. Gli altri lo vedranno soltanto di lontano. In breve tempo farò cambiare tutte le guardie e tutti i servi, di modo che i nuovi non abbiano termini di confronto e pensino che quello sia il vero Romolo Augusto.»

«Mi sembra un piano astuto di cui non ti avrei creduto capace. Meglio così, ma ora voglio sapere come farai a catturare il ragazzo e quelli che sono con lui.»

«Dammi un decreto che mi conceda pieni poteri e la possibilità di mettere una taglia sulla sua testa. Non potranno sfuggirci. È la carovana più eterogenea che si possa immaginare e non sarà troppo difficile individuarli. Dovranno venire allo scoperto, prima o poi, dovranno comprare del cibo, cercare alloggio: non è più la stagione in cui si può dormire all'addiaccio.»

«Ma non sai nemmeno dove sono diretti.»

«Io credo che siano diretti a nord, ora che la via dell'est è preclusa. Dove altrimenti potrebbero andare? Devono per forza tentare di uscire dall'Italia. E la stagione della navigazione è ormai chiusa.»

Odoacre meditò ancora in silenzio per qualche tempo. Wulfila lo osservava ora come se lo vedesse per la prima volta. Si erano lasciati solo da qualche mese e il cambiamento era impressionante: portava i capelli corti e ben curati, aveva il volto rasato di fresco, indossava una dalmatica di lino a maniche lunghe con due strisce ricamate in filo d'oro e d'argento che scendevano dalle spalle all'orlo inferiore, calzava stivaletti di pelle di vitello anch'essi decorati con ricami di lana rossa e gialla e con lacci di cuoio rosso. Dal collo gli pendeva un medaglione d'argento con la croce d'oro e aveva una cintura di maglia d'argento. Al dito anulare della mano sinistra portava un anello con un prezioso cammeo. Non sarebbe differito in nulla da un grande dignitario romano se non per il colore dei capelli e dei peli, di un biondo rossiccio, e per le lentiggini che aveva sul volto, sul naso e sulle mani. Odoacre si rese conto del modo in cui Wulfila lo guardava e preferì interrompere quella imbarazzante osservazione. «L'imperatore Zeno mi ha inviato la nomina di Patrizio Romano» disse «e questo mi dà il diritto di anteporre al mio nome quello di "Flavio" e inoltre mi sono stati conferiti pieni poteri per l'amministrazione di questo Paese e delle regioni adiacenti. Ti darò i decreti che mi chiedi e, dal momento che l'esistenza di quel ragazzo non ha più alcun valore politico, almeno per quanto riguarda le nostre relazioni con l'Impero d'Oriente, e visto il pericolo che rappresenta di gravi turbolenze, trovalo e uccidilo. Portami la testa, brucia il resto e disperdi le ceneri. L'unico Romolo Augusto, o Augustolo, come lo chiamavano per dileggio i suoi cortigiani dietro le spalle, sarà quello che sta a Capri. Per tutti, e per sempre. Quanto a te, non tornerai finché non avrai eseguito l'ordine. Lo inseguirai, se fosse necessario, fino in capo al mondo e se tornerai senza quella testa mi prenderò la tua in cambio. E sai che sono capace di farlo.»

Wulfila non degnò di una risposta quella minaccia. «Prepara quei decreti» disse. «Partirò al più presto.» E si avviò verso l'uscita ma, prima di varcare la soglia, si voltò indietro. «Che ne è di Antemio?» chiese.

«Perché lo vuoi sapere?»

«Per capire meglio chi è questo Stefano che sembra essere diventato un uomo così importante qui a Ravenna.»

«Stefano ha reso possibile la ricomposizione delle buone relazioni fra Oriente e Occidente» rispose Odoacre «e ha contribuito a stabilizzare la mia posizione a Ravenna: un'operazione complessa e delicata che tu non riusciresti nemmeno a capire. Quanto ad Antemio, ha fatto la fine che meritava: aveva promesso a Basilisco una base nella laguna in cambio della protezione per Romolo; e tramava con lui per assassinarmi. L'ho fatto strangolare.»

«Ho capito» rispose Wulfila, e uscì.

Stefano sbarcò a Rimini il giorno dopo perché la sua imbarcazione aveva dovuto risalire l'Adriatico con un vento al traverso da nord-est molto pericoloso. Da quel momento Wulfila fece in modo che nessuna delle sue mosse gli sfuggisse. Aveva capito alcune cose fondamentali sul suo conto: che quella spada lo ossessionava, almeno quanto ossessionava lui, e per motivi che ignorava ma che certamente dovevano avere a che fare con il potere e con il danaro se era disposto a prometterne tanto. Stefano, inoltre, doveva aver ereditato la rete di informatori che prima faceva capo ad Antemio senza sporcarsi direttamente le mani con la sua morte. Infine, egli era l'uomo più abile e pericoloso con cui gli fosse capitato di avere a che fare fino a quel momento. Trattare con lui sarebbe equivalso a giocare sul suo terreno perdendo sicuramente. La cosa migliore da farsi era dunque vedere se lui non avrebbe fatto qualche mossa, come allontanarsi da Ravenna. Se aveva capito bene, questo sarebbe successo molto presto e in quel caso gli si sarebbe messo alle costole, sicuro di raggiungere qualche obiettivo importante. Intanto, aveva inviato corrieri dovunque per chiedere informazioni sull'eventuale passaggio di una carovana di sei o sette persone con un nero gigantesco, un vecchio e un ragazzo.

La piccola carovana di Aurelio, dopo che gli uomini di Wulfila si erano allontanati, aveva fatto subito perdere le proprie tracce risalendo la valle incassata e nascosta di un piccolo torrente e poi tenendosi abbastanza alta sui fianchi delle montagne da poter dominare il territorio per vasto raggio. Inoltre si era divisa in tre gruppi che marciavano a circa un miglio di distanza l'uno dall'altro. Batiato andava a piedi coperto da un lungo mantello con il cappuccio che lo nascondeva quasi completamente e camminava da solo cosicché la sua statura appariva meno imponente di quanto non lo sarebbe stata se avesse camminato in mezzo ai compagni di viaggio. Romolo camminava con Livia e Aurelio, così che sembravano una famiglia che si trasferisse con il proprio modesto bagaglio. Ciascuno nascondeva le armi sotto il mantello tranne gli scudi che, essendo troppo ingombranti, erano stati caricati sulla mula di Ambrosinus e nascosti sotto un panno. Era stato lui a suggerire questi stratagemmi mentre Livia aveva scelto l'itinerario mostrando ancora una volta di avere l'esperienza di un consumato veterano. C'era neve quasi dovunque ma non ancora così alta da impedire il passaggio; inoltre la temperatura non era troppo rigida, essendo il cielo quasi sempre coperto di nubi.

La prima notte prepararono un alloggio di fortuna tagliando rami di abete con le asce e costruendo una capanna a ridosso di un riparo naturale. E, quando furono certi di non avere più il nemico alle calcagna, ripresero ad accendere il fuoco, specie all'interno della foresta al riparo della vegetazione. Il giorno successivo il cielo si fece sereno e la temperatura più rigida; in tal modo l'aria che giungeva dal mare, più tiepida e umida, condensava sulle prime alture dell'Appennino creando una fitta cortina di nebbia che li nascondeva completamente alla vista dal basso. Giunti in prossimità della pianura alla fine del secondo giorno dovettero decidere se scendere e attraversarla o rimanere sempre sul crinale dell'Appennino, il che li avrebbe condotti verso occidente. Quella sarebbe stata di gran lunga la via più facile, e forse anche la meno impervia, ma prevedeva un passaggio obbligato sulla costa ligure verso la Gallia dove avrebbero potuto incontrare dei presidi di Odoacre probabilmente avvertiti del loro passaggio. Non si poteva nemmeno escludere che Wulfila avesse inviato in ciascuno dei valichi un uomo in grado di riconoscere i fuggitivi, visto che parecchie decine dei suoi guerrieri conoscevano benissimo sia Romolo che il suo tutore per averli visti a Capri durante alcune settimane di prigionia. La carta che Ambrosinus aveva provvidenzialmente ricopiato nella *mansio ad Fanum* era diventata preziosissima e al calar della notte si riunirono attorno al fuoco del bivacco per decidere l'itinerario e discutere il da farsi.

«Eviterei di scendere in pianura ora e attraversare l'Emilia» disse Ambrosinus. «Saremmo troppo vicini a Ravenna e le spie di Odoacre potrebbero individuarci. Proporrei di mantenerci in montagna procedendo a mezza costa verso occidente finché non saremo all'altezza di Piacenza. A quel punto dovremo scegliere se procedere fino a trovare la Postumia e di là scendere verso la Gallia; oppure prendere a nord, verso il lago Verbano, da cui si può raggiungere il valico che mette in comunicazione la valle del Po con la Rezia occidentale, ora controllata dai Burgundi.» Ambrosinus inoltre ricordava, per averlo passato al suo arrivo in Italia, che non lontano dal valico un sentiero non troppo difficile portava, attraverso il territorio dei Mesiati, a un villaggio retico quasi sullo spartiacque.

«Se volete il mio parere» concluse, «scarterei la prima ipotesi perché saremmo sempre su un itinerario molto battuto e frequentato e quindi esposti a costante pericolo. L'itinerario settentrionale è molto più duro, faticoso e malagevole, ma proprio per questo più sicuro.»

Aurelio assentì e assieme a lui Batiato e Vatreno. Ambrosinus non mancò di notare quell'unanimità dei tre compagni di reparto: sapevano che andando a occidente sarebbero dovuti passare da Dertona, dove i campi biancheggiavano ancora delle ossa dei loro compagni caduti.

XXIII

«È un viaggio molto lungo» disse Livia rompendo il silenzio che si era improvvisamente addensato sul piccolo accampamento. «Servirà del danaro e noi non ne abbiamo più.»

«È vero» ammise Ambrosinus, «per acquistare cibo, per pagare pedaggi sui ponti e sui traghetti, foraggio per i cavalli quando saremo in alta montagna, o per l'alloggio quando sarà troppo freddo per dormire all'addiaccio.»

«C'è un solo modo» replicò Livia. «Stefano dovrebbe essere a Rimini a quest'ora, nella sua villa marina. Ci deve la ricompensa per la missione che abbiamo compiuto, e anche se non la pagherà integralmente non credo che ci rifiuterà un aiuto. Conosco il posto, perché una volta vi ho incontrato Antemio, e non avrò difficoltà a raggiungerlo.»

«C'è da fidarsi?» chiese Aurelio.

«In fondo era venuto a Fano per offrirci una via di scampo. Stefano deve sopravvivere, come tutti, e adattarsi a ogni cambiamento degli equilibri di potere, ma se Antemio si fidava di lui deve esserci una ragione.»

«È questo che mi preoccupa: Antemio ci ha traditi.»

«È quello che ho pensato anch'io in un primo momento, ma riflettendo ho considerato che il cambio sul trono di Costantinopoli deve averlo messo in una situazione insostenibile. Forse è stato scoperto, torturato: è difficile per noi immaginare che cosa sia realmente successo. In ogni caso, voi non rischiate nulla. Andrò sola.»

«No, vengo io con te» replicò Aurelio.

«Meglio di no» insistette Livia. «Tu sei necessario qui, accanto a Romolo. Partirò prima dell'alba e se tutto va bene sarò di ritorno dopodomani verso sera. Se non dovessi tornare partite senza di me. In qualche modo riuscirete a sopravvivere: ne avete passate di peggio.»

«Sei sicura di farcela in così poco tempo?» chiese Ambrosinus.

«Sì, se non succedono imprevisti, sarò da Stefano prima che faccia scuro. L'indomani ripartirò prima dell'alba e sarò di nuovo qui per trascorrere la notte con voi.»

I compagni si guardarono in faccia perplessi.

«Di che avete paura?» li rassicurò Livia. «Prima di conoscervi me la sono sempre cavata perfettamente, e poi mi avete vista in azione, no?»

Ambrosinus alzò gli occhi dalla sua mappa. «Ascoltami, Livia» disse, «quando ci si separa si crea una situazione difficile. Chi aspetta oltre il tempo convenuto fa le congetture più strane a ogni istante che passa, si immagina ogni sorta di scenari, conta i passi del compagno assente e cerca di calcolare e ricalcolare il tempo necessario per il suo ritorno. E quasi mai le spiegazioni che cerca di trovare per il ritardo coincidono con quelle reali. Dall'altra parte, chi è lontano ed è soggetto a qualche imprevisto si tormenta pensando che sarebbe bastato concedersi qualche ora in più per il ritorno e ai compagni lontani sarebbero state risparmiate altrettante ore di angoscia e di preoccupazione. E dunque diamoci un secondo appuntamento. Se non ti vedremo dopodomani sera resteremo comunque qui per la notte e ripartiremo solo prima dell'alba. Se nemmeno a quel punto ti avremo rivista, penseremo che qualche ostacolo insormontabile si sia frapposto fra te e noi. Sappi però che passeremo le Alpi al valico dei Mesiati: questo che vedi sulla carta» disse puntando il dito sulla mappa. «Questo itinerario lo puoi tenere, io l'ho già impresso nella memoria in ogni particolare. Ti guiderà fra qui e il valico, in modo che tu ci possa comunque raggiungere se in seguito ti sarà possibile.»

«Mi sembra un'ottima soluzione» rispose Livia. «Io vado a prepararmi per la partenza.» Prese i finimenti e raggiunse il suo cavallo che pascolava non molto lontano.

Aurelio le andò dietro. «A Rimini» le disse, «sarai molto vicina a casa. Poche ore in barca e saresti di nuovo nella tua città sulla laguna. Che farai?»

«Tornerò» rispose Livia. «Come ho promesso.»

«Noi andiamo incontro all'incognito» riprese Aurelio, «seguendo i sogni di un anziano precettore, al seguito di un imperatore fanciullo braccato da nemici feroci. Non mi sembra per te una saggia decisione proseguire in questo viaggio. La tua città sull'acqua ti aspetta, non è così? I tuoi concittadini saranno in pensiero, avendoti vista sparire per tanto tempo. Non hai delle persone care, laggiù?»

Livia sembrava tenere lo sguardo fisso sulla valle, sul mare di nebbia da cui spuntavano solo le cime degli alberi più alti e un minuscolo villaggio arroccato sulla sommità di un poggio. Dai comignoli delle case salivano esili volute di fumo come le preghiere della sera verso il cielo stellato, e l'abbaiare dei cani arrivava attutito dall'atmosfera opaca e fredda che gravava sulla pianura. Dopo che erano fuggiti dalla *mansio* di Fano non c'era più stato un momento in cui fossero potuti stare soli, e questo aveva provocato un senso di disagio e di malessere come se ognuno dei due attribuisse all'altro la volontà di evitare anche solo una breve intimità; quasi temessero che non ci sarebbe più stata una ragione tanto forte come l'addio di Fano in grado di spingere l'uno nelle braccia dell'altro, se quell'intimità si fosse presentata. Era come quando si vede il sole affondare in un orizzonte nebbioso e sembra impossibile che possa risorgere il giorno successivo.

«Avresti mai previsto un esito del genere alla nostra impresa?» chiese ancora Aurelio.

«No» rispose Livia. «Ma non credo che la cosa abbia molta importanza.»

«Che cosa ha importanza, allora?»

«Quello che sentiamo dentro. Tu perché vai con loro? Perché avete deciso di seguirli?»

«Perché mi sono affezionato a quel ragazzo, perché non ha nessuno che possa difenderlo, perché una metà del mondo lo vuole morto e l'altra metà sarebbe contenta che morisse. Perché sulle sue spalle di adolescente grava un peso insopportabile che finirà per stritolarlo... O forse, più semplicemente, perché non so che altro fare, né dove andare.»

«E come puoi pensare, allora, di avere spalle tanto forti da reggere quel peso al posto suo, come Ercole quando sostituì Atlante a sostenere la volta del cielo?»

«Il sarcasmo non mi sembra una risposta adeguata» rispose Aurelio voltandole le spalle.

«No, infatti» ammise Livia. «Mi dispiace. In realtà ce l'ho con me stessa: per essermi fatta giocare in questo modo, per avervi trascinati in questa folle avventura senza potervi ricompensare né risarcire, per aver esposto tutti a un pericolo mortale.»

«E per aver perso il comando delle operazioni. Ora non sei più alla testa degli altri ma li segui senza sapere dove vanno e che cosa ti aspetta.»

«Anche per questo, forse. Sono abituata a fare programmi sicuri, non mi piacciono gli imprevisti.»

«Ed è questa la ragione per cui mi eviti?»

«Sei tu che mi eviti» ribatté Livia.

«Abbiamo paura dei nostri sentimenti... forse. Ti sembra una spiegazione plausibile?»

«Sentimenti... Non sai di che parli, soldato. Quanti amici hai visto cadere ammazzati sul campo di battaglia, quante città e villaggi bruciati e rasi al suolo, quante donne violentate? E ancora osi pensare che in un mondo come questo ci sia posto per quel tipo di sentimenti?»

«Non sembravi pensarla a questo modo non molto tempo fa. Quando parlavi della tua città, quando abbracciavi Romolo e lo coprivi con il tuo mantello tenendolo stretto a te sul tuo cavallo.»

«Era una situazione diversa: la missione era praticamente compiuta. Il ragazzo andava in un luogo in cui sarebbe stato trattato con tutti i riguardi, voi avreste avuto il vostro danaro, io anche. Era una condizione favorevole, anche se momentanea.»

«Non era la sola ragione, ne sono certo.»

«No, ero a un passo dal ritrovare un uomo che cercavo da anni.»

«E quell'uomo non si è fatto ritrovare, è così?»

«È così: per paura, per viltà, non so.»

«Pensa come vuoi. Non posso recitare la parte di un altro: non sono l'eroe che tu stai cercando e nemmeno l'attore capace di interpretarlo. Credo di essere un buon combattente, e cioè un uomo abbastanza comune di questi tempi. Nient'altro. Tu vuoi qualcuno o qualcosa che hai perduto la notte che fuggisti da Aquileia. Quel ragazzo che cedette a tua madre il posto sulla barca rappresenta per te la radice cui fosti strappata quando ancora non eri cresciuta. Qualcosa è appassito dentro di te quella notte e tu non riesci a farlo rivivere. Poi, improvvisamente, hai pensato che uno sconosciuto, un legionario ferito che fuggiva nella palude di Ravenna braccato da una torma di barbari, potesse essere quel fantasma redivivo, ma era solo il ripetersi di una situazione simile che aveva fatto scattare nella tua mente quell'associazione di pensieri: il legionario, i barbari, la barca, la palude.... Succede, Livia, succede, come nei sogni, capisci? Come nei sogni.»

La fissò negli occhi, umidi delle lacrime che lei tentava inutilmente di trattenere stringendo i denti. Continuò: «Che cosa ti aspettavi? Che io ti seguissi nella tua città sull'acqua? Che ti aiutassi a far rivivere Aquileia perduta per sempre? Non so, sarebbe forse stato possibile. Qualunque cosa è possibile e qualunque cosa è impossibile per un uomo nelle mie condizioni, uno che ha perduto tutto, anche i ricordi. Ma c'è una cosa che mi è rimasta, l'unico patrimonio che mi resta: la mia parola di Romano. Un concetto obsoleto, lo so, roba che sta solo sui libri di storia, eppure un'ancora di salvezza per uno come me, un punto di riferimento se vuoi. E io questa parola l'ho data a un uomo morente. Ho promesso di salvare suo figlio e inutilmente ho cercato di convincermi che un primo tentativo mi avrebbe esonerato, che potevo considerarmi libero anche avendo fallito. Niente da fare, quelle parole continuano a risuonarmi nelle orecchie e non c'è modo che io possa liberarmene. Per questo ti ho seguito a Miseno e per questo continuerò a stare al suo fianco finché non sarà al sicuro da qualche parte. In Britannia, in capo al mondo, che ne so?».

«E io?» chiese Livia. «Io non rappresento niente per te?»

«Oh, sì, certo» rispose Aurelio. «Rappresenti tutto ciò che non potrò mai avere.»

Livia lo fulminò con uno sguardo di passione ferita e delusa, ma senza dire nulla, poi si allontanò e andò a prepararsi per la partenza.

Ambrosinus le si avvicinò tenendo fra le mani il piccolo rotolo di pergamena con l'itinerario. «Ecco la tua mappa» disse. «Mi auguro che non dovrai farne uso e che ti rivedremo dopodomani sera.»

«Me lo auguro anch'io» rispose Livia.

«Forse questa missione non è veramente necessaria...»

«È indispensabile» replicò la ragazza. «Immagina che si azzoppi un cavallo o che qualcuno si ammali, o che dobbiamo prendere una barca. Se avremo danaro il nostro viaggio sarà molto più veloce e spedito, se invece dovessimo chiedere aiuto a qualcuno dovremmo esporci, saremmo notati... Sta' tranquillo. Tornerò.»

«Ne sono certo. Ma fino a quel momento staremo tutti in pensiero, specialmente Aurelio...»

Livia chinò il capo senza parlare.

«Cerca di riposare» disse Ambrosinus e si allontanò.

Livia si svegliò prima dell'alba, mise il morso al cavallo, prese la sua coperta e le sue armi.

«Fai attenzione, ti prego» risuonò la voce di Aurelio dietro di lei.

«Starò attenta» rispose Livia. «So badare a me stessa.»

Aurelio l'attrasse a sé e le diede un bacio. Livia lo abbracciò stretto per pochi istanti, poi montò in sella. «Abbi cura di te» disse. Spronò e si lanciò al galoppo. Avanzò attraverso il bosco fino a raggiungere la valle del fiume Arimino e lo seguì al passo per diverse ore, come una guida sicura verso la sua meta. Il cielo era coperto nuovamente da grandi nubi nere e gonfie spinte dal vento di mare, e cominciò presto a piovere. Livia si coprì alla meglio e proseguì nel suo viaggio lungo un sentiero solitario senza incontrare che pochi passanti frettolosi, contadini per lo più, o servi sorpresi dal maltempo mentre si recavano al lavoro.

Giunse in vista di Rimini nel tardo pomeriggio e deviò a sud lasciandosi la città sulla sinistra. Poteva vedere le mura e in lontananza la sommità dell'anfiteatro in parte diroccato. La villa di Stefano le apparve dopo che ebbe attraversato la via Flaminia con le sue lastre di basalto luccicanti come ferro sotto la pioggia. Somigliava a una fortezza, con due torrette che fiancheggiavano la porta d'ingresso e un camminamento di ronda sul muro perimetrale. Uomini armati vigilavano l'entrata e pattugliavano il muro di cinta, e Livia esitò a presentarsi all'ingresso: non voleva farsi notare. Aggirò l'edificio finché non vide un domestico uscire da una porta di servizio dalla parte delle scuderie e gli si accostò.

«Il tuo signore, Stefano, è in casa?»

«Perché lo vuoi sapere?» rispose l'uomo con mala grazia. «Presentati alla porta d'ingresso e fatti annunciare.»

«Se è in casa, digli che l'amico che ha incontrato a Fano due giorni fa è qui fuori e ha bisogno di parlargli.» Poi prese una delle ultime monete che le erano rimaste e gliela fece scivolare in mano.

L'uomo guardò la moneta, poi Livia, gocciolante sotto la pioggia. Disse: «Aspetta», e scomparve nuovamente all'interno dell'edificio. Tornò poco dopo in gran fretta e disse, semplicemente: «Presto, entra». Assicurò lui stesso il cavallo a un anello di ferro infisso nella parete sotto una tettoia e poi le fece strada. Percorsero un corridoio che si inoltrava nella villa, fino a una porta chiusa davanti alla quale il servo la lasciò sola. La ragazza bussò con pochi tocchi leggeri, e subito sentì alzare il saliscendi e davanti a lei c'era Stefano che diceva: «Finalmente! Non ci speravo più. Sono stato in angustia tutto questo tempo, non sapevo più nulla della tua sorte... Entra, su, asciugati. Sei tutta fradicia».

Livia entrò in una vasta camera al centro della quale ardeva un bel fuoco, e si avvicinò per scaldarsi. Stefano chiamò due donne di servizio. «Prendetevi cura della mia ospite» ordinò. «Preparatele un bagno e panni puliti con cui possa cambiarsi, presto.»

Livia cercò di fermarlo. «Non ho tempo, ho pensato che è meglio che riparta subito, non voglio rischiare.»

«Non dirlo nemmeno. Sei in condizioni spaventose. Non c'è nulla per te di più urgente che prenderti un bagno caldo e poi distenderti con me davanti a una bella mensa imbandita. Dobbiamo parlare, noi due. Devi dirmi tutto quello che ti è successo e che cosa posso fare per aiutarti.»

Livia sentì il tepore del fuoco sul volto e sulle mani, e in quel momento le fatiche e le peripezie degli ultimi giorni sembrarono pesarle addosso tutte insieme. Un bagno e un pasto caldo le parvero la cosa più desiderabile al mondo e accennò di sì. «Farò un bagno e mangerò qualcosa» disse, «ma poi devo ripartire.»

Stefano sorrise. «Così va bene. Segui queste brave donne che si prenderanno cura di te.»

Fu condotta in una sala appartata, decorata con mosaici antichi, profumata di essenze rare, satura dei vapori che si sprigionavano dalla grande vasca di marmo aperta al centro del pavimento, colma di acqua calda. Livia si spogliò ed entrò nell'acqua appoggiando le sue armi, una coppia di pugnali affilatissimi, sul bordo della vasca, sotto l'occhio stupito delle ancelle. Allungò le membra rattrappite dalla fatica e dal freddo e aspirò con voluttà il profumo che impregnava l'ambiente. In vita sua non aveva mai avuto una simile esperienza, non aveva mai goduto di tanto lusso. Una delle donne le passò una spugna sulle spalle e sulla schiena massaggiandola con grande perizia, l'altra le lavò i capelli con un'acqua profumata e tonificante. A un certo momento Livia si lasciò sommergere del tutto chiudendo gli occhi e quasi le parve di dissolversi in quel tepore avvolgente. Quando uscì le fecero indossare una tunica elegantissima di lana frigia, finemente ricamata, e due morbide pantofole, mentre il suo corsetto e i suoi pantaloni di pelle sporchi di fango venivano affidati alla lavandaia.

Stefano l'attendeva nella sala da pranzo e le andò incontro con un sorriso. «Incredibile!» esclamò. «Una metamorfosi stupefacente: sei la donna più bella che io abbia mai visto. Stupenda!»

Livia si sentì imbarazzata, in quella situazione per lei nuova e scomoda, e rispose con ruvidezza: «Non sono venuta per ricevere dei complimenti ma ciò che avevamo pattuito. Non è colpa mia se le cose sono cambiate: ho condotto a termine la missione e devo pagare i miei uomini».

Stefano assunse un tono più distaccato. «Più che giusto» rispose. «Purtroppo il danaro che ti era stato promesso sarebbe dovuto arrivare da Costantinopoli, ma data la situazione così radicalmente mutata, tu capisci... Ma ti prego, accomodati, mangia.» E fece cenno allo scalco di servirle del pesce arrostito e di versarle del vino.

«Ho bisogno di danaro» insistette Livia. «Anche se non è la somma pattuita, dammi quello che puoi. Quegli uomini hanno rischiato la vita e hanno avuto la mia parola. Non posso dirgli: "Grazie, ottimo lavoro, addio".»

«Non ce n'è bisogno. Puoi restare quanto vuoi, a me farebbe un grande piacere e nessuno verrebbe mai a cercarti qui.»

Livia si portò alla bocca un grosso trancio di pesce e ingollò un bicchiere di vino, poi disse: «Lo credi davvero? Tu dimentichi che quegli uomini hanno scalato la rupe di Capri, ucciso una quindicina di guardie, liberato l'imperatore e attraversato mezza Italia eludendo centinaia di inseguitori sguinzagliati dovunque da Wulfila. Potrebbero arrivare qui in questa stessa sala in qualunque momento, solo che lo volessero».

Stefano accusò il colpo. «Non intendevo dire questo... solo che... nessuno poteva prevedere come sarebbero andate le cose. Che cosa intendete fare del ragazzo?» chiese poi.

«Portarlo al sicuro.»

«Nella tua città?»

«Questo non posso dirtelo, qualcuno potrebbe ascoltarci.»

Stefano finse di non raccogliere quella manifestazione di sfiducia. «Giusto» rispose. «Meglio essere prudenti. I muri hanno orecchie, da queste parti, specialmente di questi tempi.»

«Allora, che cosa mi rispondi? Domattina al più tardi devo ripartire.»

«Quanto ti serve?»

«Duecento solidi mi basterebbero. È una minima parte di quanto avevamo concordato.»

«È comunque una somma considerevole. Non li ho in questo momento. Ma posso farli venire.» Chiamò un servo, gli bisbigliò qualcosa e quello si allontanò a passo svelto. «Dovrebbero essere qui domani, se tutto va bene. Così almeno avrò il piacere di ospitarti per questa notte. Sei sicura che non puoi rimanere più a lungo?»

«Te l'ho detto. Devo ripartire al più presto.»

Stefano parve rassegnato e riprese a mangiare senza dire altro. A un certo punto si versò da bere e andò a sedersi vicino a lei, come per parlare in modo più confidenziale. «Ci sarebbe ancora la possibilità, per voi, di ottenere quella somma... anzi, molto, molto di più.»

«In che modo?» domandò Livia.

«Mi risulta che uno dei tuoi uomini aveva una spada...

un oggetto molto particolare... L'impugnatura è a forma di testa d'aquila, la guardia sono le due ali spiegate. Sai di che cosa parlo, non è vero?»

Era evidente che Stefano aveva informazioni molto esatte, che non sarebbe servito negare, e Livia annuì.

«C'è chi pagherebbe una somma enorme per averla. A voi potrebbe far comodo tanto danaro, non credi? Tutto diventerebbe più facile.»

«Temo sia andata perduta durante il combattimento» mentì.

Stefano chinò il capo per nascondere il suo disappunto e non insistette oltre.

«Che ne è di Antemio?» chiese Livia per cambiare argomento.

«Fu lui a mandarmi a chiamare d'urgenza per dirmi che eravate in pericolo, perché il suo piano era stato scoperto, e per chiedermi di salvarvi. Purtroppo sono arrivato tardi. Ma almeno siete riusciti a fuggire... Quanto ad Antemio, non l'ho più visto da allora e temo di non poter fare molto per lui, sempre che sia ancora vivo.»

«Capisco» rispose Livia.

Stefano si alzò in piedi e le si avvicinò appoggiandole una mano sulla spalla. «Sei davvero decisa a tornare sulle montagne, in mezzo ai boschi, a vivere come un animale braccato? Ascoltami, tu hai già fatto quanto era in tuo potere, non sei tenuta a rischiare ancora la vita per quel ragazzo. Resta con me, ti prego: io ti ho sempre ammirata, io...»

Livia lo fissò con sguardo fermo. «Non è possibile, Stefano, non potrei mai vivere in un luogo come questo, in mezzo a tutti questi agi, dopo aver visto tanta miseria e tante sofferenze.»

«Dove andrete?» domandò l'uomo. «Forse potrei aiutarvi, almeno...»

«Non abbiamo ancora deciso. E ora, se tu me lo permetti, vorrei andare a riposare. Sono molte notti che non dormo veramente.»

«Come desideri» rispose Stefano, e chiamò le ancelle perché l'accompagnassero nella camera da letto.

Livia si spogliò per coricarsi mentre le donne rimuovevano l'anfora di coccio contenente braci e cenere che aveva riscaldato il letto fino a quel momento, e lei si adagiò assaporando quel meraviglioso tepore profumato di spigo, ma non riuscì ad addormentarsi. Fuori il temporale aumentava di intensità: si udiva il martellare della pioggia sul tetto e sui terrazzi esterni e di tanto in tanto i lampi penetravano attraverso le fessure degli infissi proiettando sul soffitto bagliori di luce livida, i tuoni esplodevano con fragore assordante facendola sussultare sotto le coperte. Pensava ai suoi compagni annidati da qualche parte in mezzo al bosco, raccolti attorno a un bivacco fumoso, al freddo e al buio, e tratteneva a stento il pianto. Sarebbe ripartita immediatamente, appena avesse avuto il danaro.

Nella sala al piano terreno Stefano, assorto nei suoi pensieri, vegliava accanto al fuoco accarezzando di tanto in tanto un grande molosso disteso accanto a lui su una stuoia. La bellezza di Livia lo aveva turbato, l'ammirazione e il desiderio che aveva sempre provato per lei da quando l'aveva vista la prima volta nella laguna diventavano ora un'ossessione al pensiero che lei era nella sua casa, che giaceva a poca distanza dalla sua camera da letto, coperta solo da una leggera veste. Ma come avrebbe mai potuto domare una creatura del genere? Il lusso e le comodità di cui l'aveva subito circondata sembravano non avere alcun effetto su di lei, e nemmeno la promessa di una grande quantità di danaro. Ed era certo che lei gli aveva mentito quando gli aveva detto che la spada era andata perduta. Quella spada... avrebbe dato qualunque cosa per poterla vedere, toccare con mano. Era il simbolo del potere che desiderava con tutta l'anima e di un tipo di forza che non aveva mai avuto e sempre desiderato.

A un tratto entrò una delle donne tenendo qualcosa fra le mani. «Ho trovato questo nei panni della tua ospite» gli disse porgendogli una piccola pergamena ripiegata. «Non volevo che si rovinasse lavandoli.»

«Hai fatto benissimo» rispose Stefano, e la dispiegò sotto il lume della lucerna che gli ardeva accanto. Vide l'itinerario e subito si rese conto di dove erano diretti. La spada fantastica non gli sarebbe più sfuggita e, a quel punto, forse anche Livia sarebbe stata sua. Si volse verso la donna che si stava allontanando. «Aspetta» le disse porgendole la mappa. «Rimettila dove l'hai trovata.» La donna assentì con un cenno del capo e se ne andò.

Stefano allora appoggiò il capo alla spalliera della sua sedia per concedersi un po' di sonno. Nella grande sala risuonava ora soltanto il rumore della pioggia battente e il sibilo del vento che spingeva dal mare enormi cavalloni a frangersi rombando sulla costa deserta.

XXIV

Livia si svegliò all'alba e vide i suoi abiti distesi su di un tappeto, lavati e asciutti, e quando li indossò li sentì ancora tiepidi: dovevano essere stati stesi davanti al fuoco per tutta la notte. Infilò i due pugnali nel cinturone sotto il corsetto, calzò gli stivali e scese al piano terreno. Stefano era ancora davanti al fuoco, disteso sulla sua seggiola a braccioli: un mobile antico dell'età degli imperatori Antonini che doveva far parte del prezioso arredo della casa. Si riscosse al passo leggero di Livia che scendeva le scale, voltandosi verso di lei, e apparve evidente che non si era coricato per nulla.

«Non sei andato a letto, vedo» disse la ragazza.

«Ho sonnecchiato un po' davanti al fuoco. Il rumore del temporale mi avrebbe impedito comunque di dormire. Senti? Piove ancora a dirotto.»

«Già» rispose la ragazza preoccupata. Un'ancella giunse con una tazza di latte caldo con miele e gliela porse.

«Non puoi partire con questo tempo» disse Stefano. «Guarda tu stessa. Sembra che si siano aperte le cateratte del cielo. Se avessi portato i tuoi compagni come ti avevo detto, li avrei ospitati tutti e qui sareste stati al sicuro.»

«Sai che non è vero» rispose Livia. «Un gruppo così sarebbe stato notato immediatamente. E sono certa che la tua casa è piena di spie. Molto presto Odoacre saprà che sono qui e lo saprà anche Wulfila.»

«Non credo sarebbero stati più in pericolo di dove si trovano ora, dovunque siano. E nemmeno le spie più solerti avranno voglia di lasciare la mia dimora con questo tempaccio per andare a riferire delle visite che ricevo. E se tu cambiassi idea io potrei fare molto per te. Per esempio il riconoscimento dell'autonomia della tua piccola città sulla laguna, sia da parte dell'Oriente che dell'Occidente. Non è sempre stato un tuo sogno?»

«Un sogno che abbiamo difeso con le armi e con la fede nel nostro futuro» rispose Livia.

Stefano sospirò. «Sembra che non ci sia nulla che io possa fare o dire in grado di convincerti a rinunciare a questa assurda avventura. E benché mi dispiaccia ammetterlo, non c'è che una spiegazione: devi esserti innamorata di quel soldato.»

«Preferirei parlare del danaro che mi avevi promesso. Quando arriverà?»

«Tu che dici? Con questo tempo il fiume potrebbe essere straripato, potrebbero esserci vasti allagamenti fra qui e Ravenna. Il mio uomo non arriverà prima di sera, o domani mattina, ben che vada.»

«Non posso aspettare tanto» rispose seccamente Livia.

«Rifletti: non ha senso che tu parta in queste condizioni. I tuoi ti aspetteranno comunque, penso.»

Livia scosse il capo. «No. Non oltre un certo tempo. Non possono permetterselo e tu capisci benissimo il perché.»

Stefano annuì. Poi aggiunse: «Allora rimani, ti prego, se ne faranno una ragione. Hai già fatto tanto per loro, hai rischiato la vita e quel soldato non può darti nulla, mentre io sarei pronto a condividere tutto con te: sogni, potere, ricchezze. Rifletti, finché sei in tempo».

«Ho già riflettuto» rispose Livia. «Questa notte, mentre ero al caldo in quel letto profumato, pensavo a loro che hanno dormito all'addiaccio, sotto un riparo di fortuna, e mi sentivo male. Il mio posto è con loro, Stefano. Se quel danaro non arriva entro la mattina partirò comunque. E ora scusami, vado a preparare il mio cavallo.»

Uscì dal corridoio da cui era entrata il giorno prima e attraversò di corsa il tratto che separava la villa dalle scuderie, sotto una pioggia diluviale. Il cavallo aspettava tranquillo, legato alla sua posta. Era stato strigliato e nutrito ed era pronto ad affrontare una dura giornata di viaggio. Gli mise il morso e i finimenti e gli affibbiò la sella, a cui fissò la coperta. Stefano la raggiunse poco dopo, accompagnato da due servi che reggevano un telo parapioggia.

«Che cosa posso fare per te» le domandò, «visto che non posso convincerti a rimanere?»

«Se mi darai qualcosa» rispose Livia, «quello che puoi, te ne sarò grata... Non chiederei mai nulla per me, lo sai.»

Stefano le consegnò una borsa. «È quello che ho» disse. «Saranno venti, trenta solidi.»

«Li farò bastare» rispose Livia. «Grazie, comunque. Ma dammeli almeno in silique d'argento, non troverei molti in grado di cambiarmi pezzi di così grande valore.»

Stefano le cambiò il danaro, Livia lo prese e si avviò verso il corridoio.

«Non mi saluti nemmeno?» disse Stefano. E cercò di baciarla, ma Livia evitò le sue labbra e gli porse la mano. «Una stretta di mano mi sembra il saluto più adatto, come fra vecchi compagni d'arme.»

Lui cercò di tenerle la mano fra le sue, ma lei si svincolò. «Devo andare» disse. «È tardi.»

Stefano ordinò allora ai servi di darle un mantello di tela cerata e bisacce con provviste. Livia lo ringraziò ancora, poi montò a cavallo e scomparve dietro un muro di pioggia. Stefano rientrò e si fece servire la colazione nella grande biblioteca della villa. Sul grande tavolo di quercia al centro della sala c'era un rotolo con una preziosa edizione illustrata della *Geografia* di Strabone, aperto sulla descrizione del Foro romano. Una delle tavole rappresentava l'esterno del tempio di Marte Vendicatore con l'altare. Un'altra rappresentava un particolare dell'interno con una magnifica statua di Cesare in marmi policromi, rivestita della sua armatura. Davanti ai suoi piedi era rappresentata una spada: piccola, nel disegno, ma non tanto che non si potesse distinguere la finezza della fattura, l'impugnatura a forma di testa d'aquila con le ali spiegate. La contemplò a lungo, affascinato, poi richiuse il rotolo e lo ripose nel suo scaffale.

Livia intanto avanzava al passo in direzione della città, immaginando che il ponte della via Emilia fosse l'unico passaggio praticabile sul fiume Arimino, ma si trovò ben presto di fronte a un vasto allagamento che sommergeva la strada completamente. In lontananza poteva vedere a malapena la spalletta del ponte quasi del tutto sommersa dalla furia delle acque. Fu presa da un profondo scoramento: come avrebbe potuto ritrovare i suoi compagni entro il tempo stabilito? E loro, la stavano aspettando nel luogo convenuto o erano già stati costretti a spostarsi altrove, a cercare un riparo che li proteggesse dalla furia degli elementi? Le piogge torrenziali avevano causato lo straripamento del fiume e allagato un vasto territorio, e più in alto doveva essere ancora peggio per le frane e gli smottamenti.

Si armò di coraggio e prese a risalire il fiume per trovare un passaggio a monte, ma la sua marcia divenne presto un incubo. I lampi accecavano il suo cavallo che s'impennava nitrendo terrorizzato, arretrava scivolando nel fango, e poi riprendeva ad arrancare su per la salita passo dopo passo, trascinato per le redini da Livia a prezzo di un'enorme fatica. Il sentiero da cui era discesa divenne presto un torrente irto di sassi appuntiti e il fiume, più in basso, era un ribollire di acque limacciose che precipitavano rombando a valle. A metà della giornata aveva percorso forse tre miglia e si rese conto che la notte l'avrebbe sorpresa a mezza costa in un territorio scoperto e completamente privo di ripari. Poteva vedere in alto le cime imbiancarsi di neve e capì che avrebbe potuto rischiare la vita.

Si sentì presa dal panico per la prima volta nella sua esistenza, dal terrore di morire sola, in un luogo deserto, nel fango; pensò al suo corpo abbandonato, trascinato a valle dall'alluvione, rivoltato sul fondo dall'acqua torbida fra le rocce taglienti. Cercò di reagire, di fare appello a tutte le sue forze e di avanzare più che poteva in direzione del villaggio che aveva visto il giorno prima emergere dalla nebbia. Lo avvistò verso l'imbrunire, quando la pioggia, con l'abbassarsi della temperatura, si stava tramutando in un nevischio gelato che tagliava la faccia come schegge di vetro. La guidavano le fioche luci dei casolari sparsi fra i pascoli e il limitare dei boschi e si trovò a un certo momento a dover attraversare un ponte sospeso di tronchi e ramaglie, gettato sul torrente che scorreva in basso tumultuoso, ribollente di schiuma giallastra. Vide il cavallo arretrare atterrito e dovette bendarlo per indurlo a seguirla passo dopo passo, su quel precario attraversamento che oscillava paurosamente sul torrente in piena. Arrivò alle soglie del villaggio che era già buio, avanzò fra le case e le capanne trascinandosi con le ultime forze finché cadde in ginocchio nel fango, stremata. Udì un cane abbaiare e poi delle voci. Si sentì sollevare e portare all'interno di un ambiente. Avvertì il calore del fuoco acceso, poi più nulla.

Aurelio e i compagni attesero a lungo prima di decidersi ad abbandonare il precario riparo che si erano costruiti per difendersi dalle intemperie, considerando che Livia doveva aver incontrato ostacoli di ogni genere sulla via del ritorno. Attesero tutto il giorno e tutta la notte seguente, poi dovettero prendere una decisione. «Se non ci muoviamo saranno la fame e il freddo a ucciderci» disse Ambrosinus. «Non abbiamo scelta.» E guardò Romolo avviluppato nella sua coperta, pallido per la stanchezza e per la fame.

«Lo penso anch'io» approvò Vatreno. «Dobbiamo muoverci finché siamo in grado di camminare. Non possiamo ridurci a uccidere i cavalli per nutrirci. E inoltre non possiamo escludere che Livia, dopo aver tentato inutilmente di raggiungerci, abbia fatto ritorno alla sua città.»

«Sarebbe una scelta perfettamente comprensibile» ammise pensoso Ambrosinus. «Questa non è più la sua missione, non è più il suo viaggio. Lei ha una Patria, forse delle persone care.» Guardò Aurelio come se volesse interpretare il suo pensiero. «Credo che noi tutti la rimpiangeremo. Era una donna straordinaria, degna dei più fulgidi esempi del passato.»

«Non c'è dubbio» soggiunse Vatreno. «E qualcuno di noi la rimpiangerà più degli altri. Perché non vai da lei, Aurelio, perché non la raggiungi nel suo rifugio nella laguna fin che sei in tempo? Forse è questo che lei vuole, non credi? Forse ha voluto costringerti a prendere una decisione, a fare una scelta che altrimenti non avresti mai fatto. Noi basteremo a proteggere il ragazzo, e un giorno sapremo ritrovarti. Non ci saranno molte città sull'acqua. Anzi, mi pare che quella sarà l'unica. E in ogni caso, se ci rivedremo, sarà bello far festa insieme. Se invece non ci rivedremo, questo sarà il miglior commiato, quello di amici sinceri che non dimenticheranno mai gli anni trascorsi insieme.»

«Non dire assurdità» rispose Aurelio. «Vi ho portati io in questa impresa e io continuerò a fare ciò che devo. Muoviamoci, ci attende una lunga marcia e dobbiamo affrettarci il più possibile: ogni giorno perso rende più duro e difficile il passaggio che ci attende sulle Alpi.» Non disse altro perché aveva la morte nel cuore e avrebbe dato in quel momento qualunque cosa per rivedere la donna che amava, anche soltanto per un istante. Romolo fu messo su un cavallo, infagottato alla meglio, e gli altri procedettero a piedi sul sentiero impervio, attraverso luoghi selvaggi e solitari, sotto la neve che cadeva a larghe falde.

Livia riaprì gli occhi molte ore dopo, e si trovò in una capanna rischiarata appena da una lucerna di sego e dalle fiamme che ardevano nel focolare. Un uomo e una donna dall'età indefinibile la osservavano incuriositi, e la donna prese dalla pentola che borbottava sul fuoco un mestolo di minestra calda e gliela porse assieme a un tozzo di pane secco, duro come un sasso: non era che una zuppa di rape, ma Livia si sentì ristorata solo a guardare la scodella fumante. Vi inzuppò il pane e cominciò a mangiare avidamente.

«Chi sei?» chiese l'uomo dopo un poco. «Cosa facevi in giro con questo tempo? Non passa mai nessuno da queste parti.»

«Viaggiavo con la mia famiglia e mi sono persa nella bufera. Mi aspettano alla radura vicino al valico. Potreste accompagnarmi, per favore, in modo che non mi perda? Posso pagarvi.»

«Il valico?» disse l'uomo. «Il sentiero è completamente franato e l'acqua se lo è portato via. E adesso nevica, non vedi?»

«Siete sicuri che non c'è modo di risalire? Io devo raggiungerli a tutti i costi. Staranno in pensiero, crederanno che sia morta. Vi supplico, aiutatemi.»

«Lo faremmo volentieri» disse la donna. «Siamo cristiani e timorati di Dio, ma è veramente impossibile. I nostri due figli, che cercavano di riportare a valle il bestiame, sono rimasti isolati in alto e finora non sono potuti tornare indietro. Anche noi siamo in pensiero, ma non possiamo fare altro che aspettare.»

«Allora scenderò» disse Livia. «Li ritroverò più avanti.»

«Perché non aspetti che smetta di nevicare?» le disse l'uomo. «Puoi restare con noi ancora un giorno, se vuoi. Siamo poveri ma ti ospitiamo volentieri.»

«Vi ringrazio» rispose Livia, «ma devo ritrovare le persone che amo. Che Dio vi renda merito per questo riparo e per questo cibo che mi avete dato e che mi ha salvato la vita. Addio, pregate per me.» Si gettò il mantello sulle spalle e uscì.

La ragazza scese con grande difficoltà lungo i ripidi fianchi della valle, fermandosi spesso a esplorare i passaggi più pericolosi per non rischiare di azzoppare il cavallo. Quando finalmente fu in pianura rimontò in sella e ripartì, tenendosi su un itinerario parallelo alla via Emilia su terreni più elevati per evitare le vaste zone sommerse dalle acque dei fiumi e dei torrenti straripati. E mentre avanzava cercava di immaginare che cosa avessero pensato i suoi compagni, che cosa avesse pensato Aurelio non vedendola tornare. Sapevano degli ostacoli che si erano frapposti sulla via del suo ritorno o si erano sentiti abbandonati? E come sarebbero riusciti a procedere sul loro itinerario quasi senza danaro com'erano e con poche provviste?

Viaggiò così per tre giorni senza mai fermarsi, dormendo nei fienili o nei capanni che i contadini usavano d'estate per sorvegliare di notte i loro raccolti. Pensava che l'unico modo per ricongiungersi ai compagni sarebbe stato quello di precederli a un punto obbligato di transito che le sembrava di aver individuato sulla mappa di Ambrosinus: un segno sul foglio, in corrispondenza di un ponte o un traghetto sul fiume Trebbia, quasi l'indicazione di un punto di transito. Tante volte aveva fatto e rifatto i calcoli del loro itinerario che alla fine si era convinta che li avrebbe ritrovati al passaggio fluviale dove contava di arrivare quella sera dopo il tramonto. Tale era l'ansia di raggiungerli che, quasi senza accorgersene, aveva spinto al galoppo il cavallo, e solo quando sentì il respiro della cavalcatura farsi breve e mozzo, e rompersi il ritmo della corsa, la mise al passo per risparmiarla. Avanzò così, lentamente, nelle tenebre della lunga notte invernale, in un paesaggio immerso nella nebbia, fra scheletri di alberi e lunghi lamenti di cani randagi. Si fermò solo quando si sentì crollare dalla stanchezza, attratta, come una falena, da un lume, l'unica luce che potesse vedere nell'oscurità completa del cielo e della terra. Al suo approssimarsi un cane prese a latrare furiosamente, ma Livia non vi badò. Era affranta, esausta, affamata: il freddo e l'umidità le intorpidivano le membra al punto che ogni movimento le costava ancor più dolore che fatica. La luce che aveva visto era una lanterna appesa davanti a un edificio cadente che esponeva l'insegna di una locanda: *Ad pontem Trebiae*.

Non c'era alcun ponte, come pretendeva l'insegna rugginosa, forse solo un traghetto da sponda a sponda, ma la voce del fiume fra le rive era forte abbastanza da far capire che non c'era altro modo di passare per chi andasse a nord. Entrò, accolta da un'atmosfera densa e greve. Al centro della stanza un fuoco di ramaglia umida di pioppo spandeva più fumo che calore. Un gruppetto di viaggiatori era seduto attorno a un tavolo di assi imbarcate. Consumavano una zuppa di miglio e prendevano da un piatto centrale fave verdi e rape che insaporivano con un po' di sale. L'oste, seduto dall'altra parte, vicino ai fornelli, spellava delle rane ancora vive e le buttava in un cesto a contorcersi di spasimi. Una bambina macilenta coperta di stracci le raccoglieva una a una, le decapitava e le mondava delle interiora gettandole in una padella a friggere nel grasso di maiale. Livia si sedette a sua volta, in disparte, e quando l'oste si avvicinò chiese solo se avesse del pane.

«Di segala» rispose l'uomo.

Livia annuì. «E del fieno e un riparo per il mio cavallo.»

«C'è solo paglia. E il cavallo può dormire con te nella stalla.»

«Va bene. Intanto gettagli addosso la coperta che ha sulla sella.»

L'oste disse qualcosa alla bambina che andò a prendere il pane. Lui uscì brontolando per andare a governare il cavallo. Quel giovane comunque, pensò, doveva avere danaro per pagare, se possedeva una cavalcatura e se calzava stivali di cuoio. Trasalì appena fu all'esterno vedendo un gruppo di cavalieri che giungevano in quel momento alla sponda sul traghetto a fune. Scesero uno dopo l'altro imprecando, tenendo i cavalli per le briglie in una mano e torce accese nell'altra. Affidarono gli animali al taverniere e gli intimarono di portare loro subito da mangiare. Volevano carne. «Carne!» continuavano a gridare sedendosi. L'oste chiamò un garzone. «Ammazza il cane» disse, «e cucinagli quello. Non abbiamo altro e non si accorgeranno di niente. Sono come le bestie, questi. Se non gli diamo quello che vogliono faranno a pezzi la baracca.»

Livia li guardò di sottecchi: erano mercenari barbari probabilmente in servizio nell'armata imperiale. Si sentì in grande disagio ma non volle insospettirli andandosene subito. Masticò con fatica il pane e bevve qualche sorso di un liquido più simile all'aceto che al vino, ma quando fece per alzarsi si accorse che uno di quei barbari era ritto di fronte a lei e la scrutava. Istintivamente portò la mano al pugnale che teneva sotto il corsetto e con l'altra mano si versò ancora da bere per darsi un contegno. Bevve lentamente, poi tirò un lungo respiro e si alzò. Il barbaro si allontanò senza dire nulla e andò verso la cucina a chiedere del vino. Livia pagò la cena e uscì a cercarsi un giaciglio nella stalla, vicino al suo cavallo. Non vide che il barbaro, mentre usciva, si voltava di nuovo a guardarla e poi scambiava uno sguardo d'intesa con il suo capo come per dire: "È lei?". Quello annuì per confermare, e subito dopo gridò: «Oste, porta del vino e porta questa carne se non vuoi che ti faccia bastonare!».

«Solo un po' di pazienza, mio signore» rispose l'oste. «Abbiamo ucciso un capretto apposta per voi, ma devi darci un po' di tempo per prepararlo.»

Ci volle ancora un'ora perché il cane fosse cucinato e servito in tavola già tagliato in pezzi, accompagnato da erbe amare. I barbari gettarono via le erbe e si avventarono sulle carni divorandole fino all'osso sotto lo sguardo soddisfatto dell'oste, che ebbe un solo momento di terrore quando il capo ordinò: «Portami la testa, che gli occhi sono la parte migliore». Ma si riprese prontamente. «La testa, mio signore? Oh, quanto mi dispiace: non posso accontentarti, la testa e le interiora le abbiamo date... al cane.»

Livia, ancora turbata dall'incontro con il barbaro, restò sveglia per qualche tempo ad ascoltare gli schiamazzi, pronta a montare a cavallo e a fuggire. Ma non accadde nulla, e a un certo momento sentì che uscivano dall'osteria e si allontanavano verso sud. Tirò un respiro di sollievo e si adagiò per riposare un po', ma la sua mente venne aggredita da un tumulto incontrollabile di emozioni. Le mancava Aurelio, la sua voce e la sua presenza, e si tormentava per l'assenza di Romolo, per non sapere come stesse, dove si trovasse, che cosa pensasse in quel momento. Perfino il vecchio Ambrosinus le mancava: la sua tranquilla attitudine di saggio che aveva sempre una risposta per tutto, il suo affetto geloso per il ragazzo e, per contro, la sua fede cieca nel futuro di lui nonostante la contrarietà di ogni possibile auspicio. Le mancavano gli altri compagni: Vatreno, Batiato, Orosio e Demetrio, inseparabili come i Dioscuri, il loro coraggio, la loro abnegazione, la loro incredibile forza d'animo. Come aveva potuto separarsene solo per trovare del danaro?

Perfino il ricordo della sua città sembrava in quel momento svanire dalla mente. Sentiva solo che ora tutto le mancava, e nessun'altra prospettiva che non fosse quella di raggiungere nuovamente i compagni le sembrava desiderabile. Quel mondo orribile, quella miseria spregevole che caratterizzava ogni cosa attorno a lei, il senso angoscioso di solitudine che provava, così acuto e pungente, e la consapevolezza che ritrovare gli amici sarebbe stato assai difficile la convinsero a prendere in fretta una risoluzione. Avrebbe potuto aspettare ancora un giorno o due per vedere se arrivassero, ma se non fossero arrivati si sarebbe trovata molto distanziata sull'itinerario verso il valico e avrebbe rischiato di non intercettarli mai più. Pensò che l'unica cosa saggia da fare era quella che in fondo le aveva suggerito Ambrosinus: raggiungere il valico prima di loro e aspettarli là finché non fossero arrivati. E poi facesse Dio la sua volontà.

Attese il primo barlume dell'alba, sellò il cavallo e si allontanò furtivamente, dirigendosi verso nord lungo la via che avrebbero dovuto percorrere i suoi amici, sia che fossero davanti a lei che dietro. Era sola e avanzava spedita, e quasi certamente sarebbe riuscita a precederli al valico dei Mesiati dove sapeva che sarebbero transitati. Per un attimo fu presa dallo scoramento al pensiero che avrebbero anche potuto o dovuto cambiare strada, costretti dalle condizioni del terreno o da eventi imprevisti, e in quel caso non li avrebbe rivisti più. Ma scacciò quel pensiero considerando che Ambrosinus prendeva sempre la decisione più saggia e che la manteneva, a tutti i costi.

Quella sera stessa Stefano venne informato che una persona rispondente alla descrizione di Livia era stata vista all'osteria del traghetto sulla Trebbia, e si mise in viaggio con la sua scorta per seguirla a una certa distanza senza essere visto. Era certo che se l'avesse seguita sulla strada che portava verso la Rezia alla fine sarebbe riuscito a ricondurla indietro con sé, e avrebbe avuto la spada che doveva essere in possesso di qualcuno dei suoi compagni. Di quell'arma meravigliosa aveva fatto cenno agli emissari dell'imperatore Zeno, e non c'era dubbio che il Cesare d'Oriente gli avrebbe offerto qualunque cifra e qualunque privilegio pur di avere un oggetto tanto prezioso, quasi un simbolo e una reliquia della potenza primigenia dell'Impero di Roma.

Era partito appena il temporale si era placato e le acque dei fiumi erano defluite al mare, accampando un pretesto con Odoacre per farsi assegnare un gruppo di mercenari di scorta. Ma dietro di lui era partito anche Wulfila, sicuro che soltanto Stefano avesse i mezzi e le informazioni per riportarlo sulle tracce delle sue prede. Il barbaro aveva già inviato corrieri dovunque per chiedere informazioni sul passaggio di una carovana con un nero gigantesco, un vecchio e un ragazzo, ma non gli era giunta nessuna risposta soddisfacente. Quando venne a sapere che Stefano faceva preparativi per una partenza assai sospetta e frettolosa, e che si era fatto dare una scorta armata da Odoacre con il pretesto di condurre un'operazione diplomatica con i governatori delle regioni alpine, ne intuì immediatamente la ragione.

Preparò i suoi uomini, una sessantina di guerrieri pronti a tutto, e si mise sulle sue tracce. Era certo che l'obiettivo di Stefano e il suo coincidessero completamente. Se così non fosse stato, se avesse dovuto accorgersi di aver puntato tutta la posta su un unico gioco, perdente, per lui non ci sarebbe stato più ritorno. Sarebbe dovuto sparire nelle profondità sterminate del continente, dileguarsi per sempre, perché Odoacre non avrebbe capito due fallimenti, a così poca distanza, e avrebbe reagito in modo incontrollabile. Ma era convinto di non sbagliarsi. Avrebbe raggiunto i fuggitivi, e ben presto avrebbe posto fine alla loro lunga fuga. Avrebbe decapitato il ragazzo con quella stessa magnifica spada e avrebbe tagliato la faccia al Romano che lo aveva sfregiato scoprendo finalmente la sua identità prima di cancellarla per sempre.

Livia intanto procedeva alla ricerca dei suoi compagni. E nulla era più lontano da lei dell'immaginare, mentre attraversava le umide campagne insubriche, di essere la guida involontaria che avrebbe condotto i nemici più aborriti e feroci a minacciare ancora i suoi amici da vicino, a braccarli come animali in fuga.

XXV

Livia aveva sperato in un primo momento che il passaggio obbligato sul Po potesse offrirle una seconda occasione di raggiungere i suoi compagni qualora avessero tentato l'attraversamento su uno dei pochi traghetti a fune ancora efficienti come quello che aveva visto alla Trebbia. I ponti di barche rimasti sul grande fiume, un tempo stabile mezzo di passaggio in più punti della corrente, in corrispondenza delle principali strade consolari come la Postumia e l'Emilia, erano andati distrutti durante le vicissitudini degli ultimi decenni di anarchia e le turbolenze seguite all'uccisione di Flavio Oreste, e i pontoni galleggianti erano stati rubati uno dopo l'altro dagli abitanti delle due sponde per essere usati come barche da trasporto o da pesca.

In questo modo, tutto ciò che aveva contribuito in precedenza a unire le città, le popolazioni, le comunità rurali e montane e le stesse province da un capo all'altro dell'Impero andava in rovina per incuria, saccheggi e abbandono. Le strutture pubbliche come le *mansiones* sulle vie consolari, gli edifici termali, i fori e le basiliche, gli acquedotti, perfino le coperture in lastre delle strade venivano demoliti, smontati, rivenduti o reimpiegati. La miseria e il degrado spingevano la gente a saccheggiare il proprio stesso paese per ricavarne una possibilità di sopravvivenza personale, non essendo più possibile una sopravvivenza collettiva, e men che meno un qualunque tipo di progresso della società. Gli antichi monumenti, le statue di bronzo che celebravano i fasti degli antenati e della Patria comune erano da tempo stati fusi e trasformati in monete o in oggetti di uso quotidiano. E così il nobile metallo che aveva dato forma alle effigi di Scipione o di Traiano, di Augusto o di Marco Aurelio era ora parte di stoviglie per cucinare i pasti dei nuovi signori o di monete per pagare il salario dei mercenari che spadroneggiavano su quella terra sventurata.

Perfino la lingua comune, il latino, che aveva unito decine di popoli, ancora usato e parlato nelle sue forme più nobili dai notabili, dai retori e dagli ecclesiastici, a livello popolare si stava frantumando in una miriade di parlate locali, non solo enfatizzando gli accenti delle antiche genti che avevano popolato l'Italia prima della conquista romana ma evolvendo rapidamente in nuove parlate legate esclusivamente alle piccole comunità regionali, sempre più chiuse in se stesse. Le città potevano ancora, in parte, contare sulla loro tradizione municipale; molte mantenevano le proprie magistrature e alcune una cinta di mura che a volte consentiva di organizzare anche forme di difesa, quanto meno contro gruppi di sbandati o bande randage di armati che battevano le campagne in cerca di preda.

Gli stessi templi della religione antica, ormai abbandonati, venivano da tempo demoliti e smantellati in quanto ricetto degli antichi demoni. A volte le loro colonne e i loro marmi preziosi venivano più saggiamente riutilizzati nella costruzione delle chiese del Dio cristiano, e così, almeno, inseriti in nuove e non meno maestose architetture, continuavano a vivere e a ispirare con la loro bellezza lo spirito della gente che le frequentava.

In forza di queste cause, tuttavia, aumentava tutto ciò che divideva e si perdeva tutto ciò che era fatto per unire. Il mondo andava in frantumi, si spaccava in tante schegge alla deriva sul fiume della storia. Solo la religione sembrava ancora in grado di tenere uniti gli uomini con la sua promessa di immortalità, con la sua speranza di felicità in un'altra vita, ma solo superficialmente. Si diffondevano infatti in continuazione varie eresie che scatenavano conflitti spesso sanguinosi, provocavano anatemi e scomuniche reciproche, scagliate nel nome dell'unico Dio che avrebbe dovuto essere il padre comune dell'umanità intera. Così misera era l'esistenza per la maggior parte delle persone che per molti sarebbe stato impossibile sopportarla, non fosse stata loro promessa una felicità senza fine dopo le esequie, spesso premature.

Tali pensieri passavano nella mente di Livia mentre avanzava attraverso la grande Valle del Nord, consapevole del rischio che correva viaggiando sola e su un bellissimo cavallo che rappresentava un valore enorme, sia come riserva di cibo che come animale da guerra. Cercava perciò di adottare tutti gli stratagemmi appresi in una vita di fughe, assalti e imboscate sulla terra e sull'acqua. Non immaginava che la sua incolumità non era mai stata tanto garantita, né che occhi invisibili la tenevano sotto controllo giorno e notte e che ogni suo movimento o cambiamento di direzione veniva immediatamente segnalato a Stefano, il quale procedeva a una certa distanza in modo da evitare qualunque possibilità di contatto. Per il momento.

Egli aveva previsto tutto, tranne che di essere a sua volta controllato e tenuto d'occhio da inseguitori ancor più pericolosi dei suoi mercenari.

Livia si diede a seguire, a un certo punto, gli argini del Po, che essendo in parte sopraelevati sulla campagna circostante consentivano di sorvegliare meglio il territorio e costituivano una linea di guida molto più sicura di una strada. Pensava, mentre avanzava lungo quegli argini, che sarebbe stato imprudente e molto pericoloso per i suoi compagni tentare l'attraversamento su un traghetto, e ne aveva avuto lei stessa la prova incontrando soldati barbari all'osteria *Ad pontem Trebiae*. D'altra parte, come avrebbero potuto attraversare con i cavalli senza un traghetto e quindi senza attrarre l'attenzione su di sé? Forse li avevano venduti per ricomprarne altri dall'altra parte, ma Aurelio si sarebbe mai separato da Juba?

Cercò di non pensarci e di badare a se stessa, per il momento, e finalmente vide che il modo di passare senza troppi problemi c'era: a mezzo miglio davanti a lei, quasi sul greto del fiume, una grossa chiatta che trasportava sabbia e ghiaia dall'altra parte. Negoziò il passaggio e imbarcò il cavallo senza alcuna difficoltà. Ormai cominciava a sperare che il peggio fosse passato, che ora la sua velocità, sicuramente molto superiore, le avrebbe consentito di raggiungere il valico almeno un paio di giorni prima dei suoi compagni, se nulla di particolare fosse accaduto. Puntò quindi decisamente verso Pavia, tenendosi però a rispettosa distanza dalla città, perché temeva la presenza di un nutrito presidio dell'esercito di Odoacre. Quindi si diresse verso il lago Verbano, dove riuscì ad aggregarsi a una carovana di muli che saliva verso il valico dei Mesiati con un carico di grano e tre carri di fieno. Quelle derrate erano dirette alle fattorie di alta montagna, dove le vacche e le pecore erano tenute nella stalla durante l'inverno. Gli allevatori – le fu detto – non si fidavano più a scendere in pianura, per timore di essere depredati.

L'accento della gente era profondamente mutato, e anche il paesaggio cambiava in continuazione man mano che salivano verso i luoghi più elevati. Si lasciavano alle spalle il grande lago verdeazzurro incastonato in una valle profonda, incorniciato da colli e fianchi boscosi, da pascoli e vigne e perfino da oliveti, e avanzavano lungo pendici sempre più ripide attraverso boschi di faggi e di querce e poi di abeti e di larici ormai spogli.

Al quarto giorno di marcia Livia, sempre seguendo le indicazioni della mappa di Ambrosinus, lasciò i suoi occasionali compagni di viaggio e salì da sola lungo la strada coperta di neve, verso il valico. La vecchia stazione postale del *cursus publicus* era ancora in funzione poco a nord di un villaggio chiamato Tarussedum, come si poteva vedere dal fumo che usciva dal comignolo, e fu tentata di entrarvi per ripararsi dal freddo pungente. Però vide numerosi cavalli da guerra legati alla rastrelliera sotto la tettoia, coperti da spesse gualdrappe di feltro, e cercò nei dintorni un luogo più appartato e in posizione abbastanza elevata da permetterle di controllare il passaggio lungo la strada. Notò, sul fianco orientale del passo, un paio di capanne di legno da cui pure usciva del fumo. Pensò che vi abitassero dei boscaioli, perché attorno v'erano cataste di tronchi, alcuni ancora con la corteccia, altri già scortecciati e squadrati. Si avvicinò e bussò alla porta ripetutamente, finché una vecchia non venne ad aprire. Vestiva pesanti panni di lana grezza e calzava scarpe di feltro. Portava i capelli intrecciati e raccolti sulla nuca, fermati con spille di legno.

«Chi sei?» chiese la donna con mala grazia. «Che vuoi?»

Livia si scoprì il capo e sorrise. «Mi chiamo Irene e viaggiavo con i miei fratelli verso la Rezia. Ieri una tempesta di neve ci ha separati, ma era convenuto fra di noi che chiunque si fosse perduto avrebbe dovuto aspettare gli altri qui al valico. Ho visto che la stazione di posta è piena di soldati e sono una ragazza sola. Tu mi capisci.»

«Non posso ospitarti e non ho nulla da darti da mangiare» rispose la donna, un po' più conciliante.

«Mi accontento di dormire nella stalla sulla mia coperta da viaggio e posso pagarti per il cibo che mi darai. Inoltre mio padre e i miei fratelli saranno generosi con te quando arriveranno.»

«E se non arriveranno?»

Livia si rabbuiò a quelle parole, pensando che effettivamente i suoi compagni avrebbero anche potuto prendere un'altra strada o essersi persi e che forse non li avrebbe rivisti mai più. La donna intuì quei pensieri e, vedendola così turbata, si fece ancora più comprensiva. «Ma sì» disse, «se sei arrivata tu perché non dovrebbero arrivare anche loro? E poi hai ragione» continuò, «una ragazza sola non può dormire alla locanda in mezzo a tutti quei barbari. Sei vergine?»

Livia annuì con un mezzo sorriso.

«Alla tua età non dovresti più esserlo. Voglio dire, dovresti già essere sposata con dei figli, tanto più che non sei male. Certo che anche a sposarsi non c'è gran che da stare allegri. Su, non stare lì sulla soglia: metti il cavallo nella stalla e vieni dentro.»

Livia fece ciò che le era stato detto e poi entrò, mettendosi davanti al fuoco a scaldarsi le mani intirizzite.

«Forse potrei mandare mio marito a dormire nella stalla e tu potresti dormire con me, nel mio letto» disse la donna sciogliendo sempre di più la propria diffidenza alla vista dell'aspetto inoffensivo della ragazza. «Tanto, per quello che combina... A letto, voglio dire.»

«Ti ringrazio» rispose Livia, «ma non voglio creare alcun disagio. Dormirò nella stalla, so adattarmi e poi sarà per poco.»

«Quand'è così... Allora ti metterò un pagliericcio dall'altra parte del muro del focolare, così sentirai calduccio per tutta la notte. Qui fa freddo, quando viene buio.»

Il marito rincasò al calare della sera: era un boscaiolo e rientrava con l'ascia appoggiata sulla spalla e con in mano un sacco con dei cunei di ferro. Lo accompagnava un cane, un bell'animale dal pelo chiaro e morbido come quello di una pecora, che obbediva a ogni suo cenno e gli stava sempre vicino. L'uomo si mostrò felice di avere un'ospite e le fece una quantità di domande, mentre cenavano, su quello che era successo a Pavia, a Milano e alla corte di Ravenna. Evidentemente la sua posizione su una via di traffico così importante gli consentiva di avere spesso notizie su quanto accadeva nel resto del paese o almeno nella grande pianura. I due si chiamavano Ursino e Agata e non avevano figli, vivevano soli in quella capanna da quando erano sposati e cioè, si poteva immaginare, almeno da quarant'anni. Ursino insistette perché la ragazza dormisse con sua moglie ma Livia rifiutò cortesemente. «Il mio cavallo potrebbe spaventarsi, non vedendomi, e non ci farebbe dormire tutta la notte. E poi ho paura che me lo rubino: è un gran bel cavallo e senza di lui sarei morta.»

Così Livia si sistemò nella stalla con gli animali, tenendo la schiena contro il muro esterno del focolare, che irradiava un piacevole tepore. Agata le diede altre coperte e le augurò la buona notte. Una notte stellata, così limpida come non ne aveva vedute mai, e la Via Lattea che attraversava il cielo sembrava un diadema d'argento sulla fronte di Dio. Si addormentò alla fine, vinta dalla stanchezza, ma restò sempre in uno stato di dormiveglia nel quale percepiva qualunque rumore proveniente dal valico. Ogni tanto si svegliava e guardava in giù. E se i compagni fossero passati mentre dormiva? Tutta quella fatica sarebbe stata inutile. Doveva trovare assolutamente un modo per evitare che le sfuggissero.

Parlò con Ursino il mattino dopo, mentre beveva un bicchiere di latte caldo. «Ho il terrore che i miei fratelli passino senza che io me ne accorga. E d'altra parte non so come fare: non posso stare sveglia tutta la notte.»

«Non devi» rispose Ursino. «Perché loro passeranno sicuramente di giorno. È troppo pericoloso viaggiare di notte.»

«Temo di no. Vedi, la mia famiglia ha perduto casa e beni perché i barbari ce li hanno tolti, e ora la nostra unica speranza è di raggiungere alcuni nostri parenti in Rezia che potrebbero aiutarci. Ma proprio per questo i miei potrebbero anche evitare il valico e i guerrieri che lo presidiano.»

Ursino la fissò in silenzio per un poco: si capiva che non era convinto di quella strana situazione. Livia allora riprese a parlare nella speranza di convincerlo ad aiutarla. «Siamo profughi e perseguitati, braccati dai soldati di Odoacre che ci vuole morti. Ma non abbiamo fatto alcun male, se non quello di avere rifiutato di piegarci alla sua tirannia e aver mantenuto la fedeltà ai nostri princìpi.»

«E quali sono i vostri princìpi?» chiese Ursino con una strana espressione nello sguardo.

«La fedeltà alla tradizione dei padri, la fede nel futuro di Roma.»

Ursino sospirò, poi disse: «Non so se mi stai dicendo la verità sulle tue disavventure, ragazza, e capisco che tu debba essere molto guardinga anche nei confronti di chi ti ha offerto ospitalità, ma lascia che ti mostri qualcosa che forse ti indurrà a confidarti...». Livia cercò di obiettare ma Ursino la fermò con un gesto della mano. Si alzò, estrasse da un cassetto una piccola lamina di bronzo e l'appoggiò sul tavolo di fronte a lei. Era una *honesta missio*, un congedo onorevole intestato a Ursino, figlio di Sergio e firmato da Aezio, supremo comandante dell'armata imperiale al tempo dell'imperatore Valentiniano III.

«Come vedi» disse, «io fui un soldato, ragazza. Tanti anni fa ho combattuto ai Campi Catalauni contro Attila agli ordini di Aezio il giorno in cui i barbari subirono la più disastrosa delle sconfitte, il giorno in cui tutti noi sperammo di aver salvato la nostra civiltà.»

«Scusami» disse Livia. «Non potevo immaginare.»

«E ora dimmi la verità: sono veramente i tuoi fratelli che aspetti?»

«No... Amici e compagni d'arme. Cerchiamo di uscire da questo paese e di salvare da morte sicura un ragazzo innocente.»

«Chi è questo ragazzo, puoi dirmelo?»

Livia lo guardò negli occhi: erano occhi limpidi di un uomo onesto. Rispose: «Il mio vero nome è Livia Prisca. Ho guidato un gruppo di soldati romani nel tentativo di liberare dalla sua prigione l'imperatore Romolo Augusto, e ci siamo riusciti. Dovevamo consegnarlo ad amici fidati, ma siamo stati traditi e abbiamo dovuto fuggire braccati come bestie in ogni angolo di questa terra. La nostra unica speranza è di varcare il confine ed entrare in Rezia e poi in Gallia, dove Odoacre non ha più potere».

«Signore onnipotente!» esclamò Ursino. «E perché sei sola, perché hai lasciato i tuoi compagni?»

«È successo a causa di un'alluvione che ci ha separati, e io non sono più riuscita a trovarli.»

«E come sai che passeranno di qui?»

«Perché questo era l'accordo.»

«Non ti hanno detto altro? È importante, devi riferirmi esattamente quello che ti hanno detto.»

«Con noi c'è un uomo anziano, il precettore del ragazzo, che è passato di qua molti anni fa venendo dalla Britannia. Ha detto che c'è un passaggio a monte che consente di evitare il posto di controllo sulla strada. Ecco, guarda.» E gli mostrò la mappa di Ambrosinus.

«Credo di aver capito. Non c'è un istante da perdere, allora. Quanto vantaggio pensi di avere su di loro?»

«Non so, immagino un giorno, forse due o tre, ma è difficile a dirsi. Può essere successo di tutto. Può anche darsi che abbiano cambiato idea.»

«Non credo» rispose Ursino. «Se sanno che qui è l'appuntamento con te non mancheranno. Ora dimmi quanti sono e che aspetto hanno, devo poterli riconoscere.»

«Non c'è bisogno. Verrò io con te.»

«Non ti fidi ancora, vero? Ma tu devi restare qui nel caso che tentino di passare dal valico. La cosa non si può escludere, perché il sentiero di cui parli è coperto di neve e non facile da riconoscere. Capisci ora?»

Livia annuì. «Sono sei uomini, uno dei quali è un nero gigantesco, difficile non notarlo. Un altro è anziano, con la barba, la testa quasi calva, vicino alla sessantina, veste un saio e cammina appoggiato a un lungo bastone da pellegrino. Poi c'è un ragazzo di tredici anni. Lui è l'imperatore. Hanno armi e cavalli.»

«Ora stammi bene a sentire: io andrò su e quando dovessi vederli ti manderò il cane, hai capito? Se vedi che arriva e comincia ad abbaiare, seguilo: ti porterà da me. Se invece li vedi tu, cerca di fermarli prima che passino il valico e nascondili nel bosco: li aiuterò io a passare quando farà buio. Il segnale per me sarà fumo bianco dal comignolo. Agata butterà sul fuoco della ramaglia verde.»

«Ma come farai lassù, con questo freddo?»

«Non ti preoccupare: ho un piccolo rifugio di tronchi d'albero ben riparato dal vento, me la caverò, e poi sono abituato.» Si avviò, seguito dal cane che scodinzolava festosamente.

Livia lo richiamò: «Ursino!».

«Sì.»

«Grazie per quello che fai per me.»

Ursino sorrise. «Lo faccio anche per me, ragazza. È un po' come riprendere servizio, tornare giovane, non credi?»

Si allontanò senza dire altro e qualche tempo dopo Livia lo vide risalire l'altro versante, lungo un pendio innevato che conduceva alla sommità del colle. Passarono parecchie ore e a Livia sembrò di notare degli strani movimenti giù al valico, un andirivieni di armati a cavallo, e cominciò a insospettirsi: che cosa mai poteva succedere di nuovo, in un luogo così poco frequentato in quel periodo dell'anno? Poi sembrò tornare la calma. Un paio di guardie a cavallo andavano su e giù lungo la strada nella loro normale attività di pattuglia. Livia fu presa di nuovo dai dubbi: come aveva potuto illudersi di poter intercettare un minuscolo gruppo in viaggio attraverso un territorio immenso, tra boschi, forre e valli labirintiche? Ma mentre era persa in questi pensieri malinconici fu riscossa dall'improvviso abbaiare del cane che fino a quel momento non aveva notato, bianco com'era in mezzo alla neve. Guardò in alto e le sembrò che Ursino le facesse dei gesti come per chiamarla. Signore Onnipotente! Possibile che le sue preghiere fossero state esaudite? Possibile che fosse accaduto un simile miracolo? Si coprì con il mantello e andò dietro al cane giù per il pendio e poi su per il fianco opposto della valle, un percorso che la manteneva fuori della visuale degli uomini al valico. Era in preda a una eccitazione incontenibile ma non osava crederci, non osava sperare che li avrebbe rivisti, e il pensiero che Ursino avesse preso un abbaglio o che il cane l'avesse raggiunta per un altro motivo scatenava dentro di lei una tempesta di passioni violente e contrastanti. Finalmente fu a fianco del vecchio che non si voltò nemmeno, non distolse lo sguardo da qualcosa che si muoveva laggiù a grande distanza lungo il sentiero che dipartendosi dalla strada saliva serpeggiando verso la sommità del colle.

«Pensi che possano essere loro?» chiese. «Guarda tu, la mia vista non è più quella di una volta.»

Livia guardò in basso ed ebbe un tuffo al cuore: erano distanti, piccoli, ma erano sette, con sei cavalcature, uno di loro era di gran lunga più alto degli altri e uno molto più piccolo, salivano a piedi, lentamente, tenendo i cavalli per le briglie. Avrebbe voluto gridare, piangere, chiamarli con quanto fiato aveva in gola e doveva invece tacere fremendo: aspettare, soffrire, prepararsi ancora a rischiare, ad affrontare altri mortali pericoli. Ma che importava? Li aveva ritrovati e nulla al mondo valeva come la gioia di quella vista.

Gettò le braccia al collo di Ursino. «Sono loro, mio buon amico, sono loro, sono loro!»

«Che ti dicevo? Lo vedi che ti preoccupavi a torto?»

«Vado a prendere il mio cavallo» disse. «Aspettami qui, torno subito.»

«Non c'è fretta, ragazza» rispose. «Ne hanno ancora di strada da fare, e in montagna le distanze ingannano, lo sai? E come se questo non bastasse» e alzò gli occhi al cielo che si rannuvolava, «il tempo sta cambiando e non certo per il meglio.»

Livia gettò ancora un lungo sguardo al piccolo drappello che saliva faticosamente l'erta nevosa e cominciò a scendere la china. Raggiunse la casa ed entrò per salutare la sua ospite. «Agata, io parto: sono arrivati i miei amici e...» Ma Agata aveva una espressione terrorizzata, era rigida e pallida.

«Ma che bella notizia!» esclamò una voce dietro di lei. Una voce ben nota che la fece trasalire: Stefano!

«La poveretta non è del suo umore naturale perché uno dei miei uomini le tiene una lancia puntata alla schiena, come puoi vedere. E ora, mia cara, lasciati guardare: è da un po' che non ci si vede.»

«Maledetto bastardo» imprecò Livia volgendosi di scatto. «Avrei dovuto aspettarmelo!»

«Errori che si pagano» replicò Stefano senza mostrare la minima emozione. «Ma a tutto c'è rimedio, per fortuna. Basta mettersi d'accordo.»

Livia avrebbe voluto inchiodarlo al muro con il pugnale che stringeva spasmodicamente sotto la veste, ma Stefano sembrò leggere nei suoi pensieri. «Non farti prendere dalle emozioni, sono cattive consigliere.»

«Come hai fatto a trovarmi?» domandò Livia quasi rassegnata.

«Ah, com'è vero che la curiosità è femmina!» ironizzò Stefano. «Ma voglio accontentarti: in fondo non mi costa nulla. La mia domestica ha trovato una mappa nei tuoi vestiti prima di lavarli e così ho potuto conoscere esattamente il tuo itinerario. Inoltre ti ha tradito quella medaglia che porti sempre al collo» Livia la strinse istintivamente fra le dita come per proteggerla, «un oggetto del tutto privo di valore ma molto raro. Uno dei miei uomini lo ha notato nella taverna presso il traghetto sulla Trebbia. Quel bravo ragazzo non solo si è accorto che eri una donna dall'armonia dei tuoi movimenti e dai tuoi piedini di fanciulla, ma ha anche notato quel rozzo ciondolo che io avevo segnalato a tutti come uno dei tuoi segni distintivi. Aveva ordine di non agire se trovavano qualcuno di voi ma semplicemente di avvertirmi, ed è esattamente ciò che è successo.»

«Che cosa vuoi?» chiese Livia senza guardarlo in faccia. «Non ti basta ciò che già ci hai fatto?»

«La zona è circondata dai miei uomini, in più c'è un presidio di quaranta ausiliari goti qui al valico ai quali posso dare ordini e che ho già messo in preallarme: dovunque siano, i tuoi amici non hanno scampo. Ma io sono una persona civile: non voglio sangue. Solo quello che mi interessa. Voglio quella spada e voglio te. Quell'oggetto mi renderà così ricco che non mi basterà una vita a spendere tanto danaro, e tu lo condividerai con me. Vedrai, si fa subito l'abitudine agli agi e alla ricchezza. Dimenticherai quel tuo rozzo amico. E in ogni caso, se tieni veramente a lui, fa' come ti dico.»

«Te l'ho detto, quella spada è andata perduta.»

«Non mentire, o faccio subito uccidere questa donna.» Alzò la mano.

«No, fermati» disse Livia. «Lasciala stare. Ti dirò quello che so. È vero, quella spada esiste, ma io non vedo quegli uomini da parecchi giorni, non so chi ce l'abbia in questo momento, potrebbero averla persa o venduta.»

«Lo sapremo subito, basterà che tu gliela chieda. Sarai il mio negoziatore. Voglio quella spada e li lascerò andare tutti, anche il bambino. Tutti tranne te, ovviamente. È un'offerta generosa. Lo sai che Odoacre ha dato ordine di sterminarvi? Allora, cosa mi rispondi?»

Livia accennò di sì con il capo. «D'accordo. Ma come posso essere sicura che non ci tradirai ugualmente?»

«In primo luogo il fatto che non l'ho detto a Wulfila. Anche lui vi cerca e guai se fosse arrivato prima di me, non sarebbe scampato nessuno. Secondo: non sono un sanguinario, non mi interessa fare una strage se posso ottenere ciò che voglio con le buone. Terzo: non hai alternative.»

«Va bene» rispose Livia. «Andiamo. Ma ricordati, se mi hai mentito ti ucciderò come un cane, dovessi impiegarci tutta la vita. E prima di morire avrai il tempo per rimpiangere di essere nato.»

Stefano non reagì. Disse solo: «Muoviamoci allora. E voi, venite con me». Una ventina di guardie sbucò dalla parte della stalla e li seguì a una distanza di qualche passo.

«Se provi a far scherzi i miei uomini hanno l'ordine di ucciderti, e inoltre di lanciare l'allarme a tutti gli altri appostati nel bosco e a quelli del presidio: i tuoi verrebbero falciati in pochi istanti.»

«Allora lascia che prenda il mio cavallo e ordina ai tuoi mercenari di starsene nascosti a una certa distanza, là, sul limitare del bosco. C'è un mio uomo lassù, il marito di questa donna: potrebbe insospettirsi e lanciare l'allarme.»

Stefano ordinò ai suoi di seguire stando al riparo fra le piante del bosco che si estendeva fino a ridosso delle prime radure innevate. Livia prese il suo cavallo per le briglie e cominciarono a scendere fino alla strada e poi, lentamente a risalire verso il colle.

«Ora sta' indietro anche tu» disse di nuovo Livia. «Non so come potrebbero reagire.»

Stefano rallentò il passo mentre Livia si avvicinava a Ursino. In quel momento Aurelio, Vatreno e gli altri si affacciavano a poche decine di passi dopo aver girato dietro uno spuntone di roccia.

«Livia!» gridò Romolo appena la vide.

«Romolo!» esclamò Livia. Poi si rivolse subito ad Aurelio. «Aurelio, ascolta!» disse, ma non fece in tempo a finire la frase: vide l'espressione di gioia e di sorpresa dei suoi compagni tramutarsi in una smorfia di sdegno. Vide Aurelio sguainare la spada gridando: «Maledetta, ci hai traditi!».

PARTE TERZA

XXVI

Wulfila e i suoi spuntavano in quel momento alle spalle di Livia: disposti in vasto arco si slanciavano contro Aurelio e i suoi dalla cima del colle.

Livia si voltò, li vide e capì. «Non vi ho tradito» gridò. «Mi dovete credere! Presto, salite qui e montate a cavallo, presto!»

«È vero» gridò Ursino. «Questa ragazza voleva aiutarvi. Muovetevi, su, salite fin qua!»

Aurelio e gli altri, senza riuscire ancora a capire che cosa fosse successo, né perché Livia si trovasse in quel luogo seguita a breve distanza dai loro nemici più implacabili, s'inerpicarono per l'ultima salita e si trovarono sul falsopiano sottostante la cima del colle da cui scendevano, affondando nella neve alta, i cavalieri di Wulfila. Erano almeno una cinquantina. «Gli altri sono al valico» gridò Ursino. «Non potete scendere dalla parte della strada!»

«E laggiù ci sono anche i mercenari di Stefano» gridò Livia. «È lui che mi ha fatta seguire senza che me ne accorgessi!»

In quel momento Stefano, vista l'impossibilità di dare corso al suo piano, si stava allontanando verso la strada per riunirsi ai suoi mercenari. Livia sfilò l'arco dalla sella, tirò e lo prese in pieno a cento passi di distanza, in mezzo alla schiena. Poi saettò contro i suoi uomini che stavano salendo dal bosco costringendoli a cercare riparo in mezzo alla vegetazione: avevano visto cadere il loro capo ed erano in preda alla confusione.

Ursino indicò il fianco occidentale del colle. «Quella è l'unica via di scampo» gridò, «ma corre lungo un precipizio e la neve può essere ghiacciata, dovete fare attenzione. Andate, andate, presto, di là.»

Livia si lanciò per prima guidando la colonna, ma Wulfila, dalla sommità del colle, intuì la mossa e ordinò a una parte dei suoi cavalieri di muoversi in quella direzione. «Ricordatevi!» urlava. «Voglio la testa del ragazzo e voglio quella spada, a tutti i costi! È quel soldato laggiù, quello con il cinturone rosso!»

Vatreno intanto si era lanciato dietro a Livia e così pure Aurelio, Batiato e gli altri. La via sembrava sgombra e tutti spronavano le loro cavalcature per attraversare al più presto il tratto più pericoloso che terminava verso ovest con un ciglione a precipizio su un baratro. Cercavano di tenersi il più possibile a mezza costa, e dietro di loro anche Ambrosinus incitava più che poteva la sua mula. Aurelio percepiva l'estrema vulnerabilità di quella piccola colonna in marcia e spinse Juba ancora più in alto per dominare meglio la situazione. Proprio in quell'attimo, sbucarono dal crinale, in una nube di neve polverizzata, Wulfila e i suoi con le spade sguainate.

Il barbaro gli fu addosso in un lampo, lo urtò con il cavallo e lo fece cadere a terra, poi gli volò addosso e i due cominciarono a capitombolare verso il basso avvinghiati in un inestricabile groviglio di membra anchilosate dall'odio e dalla neve ghiacciata. In quei movimenti incontrollati, in quel rovinare a valle, la spada di Aurelio si sfilò dalla guaina e cominciò a scivolare lungo il declivio. La caduta dei due guerrieri si fermò contro uno scoglio roccioso che emergeva dalla coltre di neve, le mani strette ai polsi l'uno dell'altro, ansimanti. Wulfila era di sopra, gli occhi si fissarono negli occhi e il barbaro ebbe la folgorazione che da tanto tempo attendeva per quel momento cruciale. «Ti riconosco finalmente, Romano! Ne è passato del tempo, ma tu non sei cambiato abbastanza! Sei quello che ci ha aperto le porte di Aquileia!»

Il volto di Aurelio si contrasse in una maschera di dolore. «No!» urlò. «No! Noooo!» E il suo urlo fu moltiplicato dall'eco sulle pareti ghiacciate dell'Alpe. Nello stesso istante egli reagì come invasato da una forza spaventosa, puntò le ginocchia contro il petto del nemico e lo catapultò all'indietro. Poi ruotò sul fianco per rimettersi in piedi e si trovò a poca distanza Ambrosinus, che era caduto e tentava in ogni modo di non scivolare verso il baratro. I loro sguardi s'incontrarono per un solo istante, ma fu sufficiente ad Aurelio per rendersi conto che l'altro aveva udito e perfettamente compreso. Si riscosse, e prese ad arrancare su per il pendio per aiutare i suoi amici già impegnati in un furioso combattimento. Udiva i ruggiti di Batiato che afferrava i nemici, li alzava sopra la testa e li scaraventava in giù, verso il precipizio, e le imprecazioni di Vatreno che affrontava con due spade in mano due nemici per volta, affondato nella neve fino al ginocchio.

Si alzò finalmente in piedi e portò la mano alla spada per lanciarsi nella mischia a cercarvi, forse, la morte, ma con disappunto trovò soltanto il fodero vuoto. In alto, in quel momento, un altro drappello di cavalieri, quelli che provenivano dal valico, irruppe sulla vetta del colle e attraversò tutta la radura per poi discendere ancora, obliquamente e in direzione opposta per evitare il pendio troppo ripido. Quel movimento così netto e trasversale tagliò in due la spessa coltre nevosa della cima che cominciò a scivolare a valle, diventando sempre più vasta e più spessa, finché investì in pieno Vatreno e Batiato, che combattevano in posizione più avanzata, e poi tutti gli altri, compreso Romolo.

Demetrio e Orosio avevano tentato fino a quel momento di ripararlo con gli scudi dalla pioggia di frecce e giavellotti dei nemici che cercavano in ogni modo di colpirlo per ucciderlo, ma l'impatto della valanga li scaraventò all'indietro senza che potessero in alcun modo aiutare il ragazzo. Anche i cavalli, che offrivano una massa assai maggiore all'impatto, vennero travolti e trascinati verso il burrone.

Wulfila, intanto, aveva continuato a scivolare, cercando in ogni modo di rallentare la sua caduta, affondando le mani nella neve, spezzandosi le unghie e spellandosi le mani, finché era riuscito ad arrestarsi serrando le dita su una protuberanza rocciosa. Penzolava ora per metà nel vuoto mentre le mani gli s'indurivano per il freddo, non obbedivano più alla sua volontà di sfuggire alla morte, di issarsi in salvo sul ciglio. Sentiva prossimo il momento in cui il morso del gelo lo avrebbe costretto a lasciare la presa quando, a poca distanza, vide la spada fantastica scivolare anch'essa verso il baratro: aveva ormai esaurito la sua spinta ma continuava a scendere, a scendere, sempre più lentamente ma sempre più vicina all'orlo del burrone, la vide sporgere all'infuori con più di metà della lama, pencolare oscillando e infine, miracolosamente, fermarsi. Il peso dell'impugnatura massiccia l'aveva ancorata al suolo all'ultimo istante.

Quella vista fu per Wulfila come una sferzata: inarcò la schiena e con un urlo selvaggio chiamò a raccolta tutte le forze del suo gran corpo, issandosi fino a puntare i gomiti sul ciglio ghiacciato, poi un ginocchio, poi l'altro. Era salvo. E in piedi. Si avvicinò lentamente alla spada, rendendosi conto che la minima vibrazione del terreno o soltanto dell'aria, avrebbe potuto farla cadere, finché fu a pochi passi di distanza. Allora si appiattì al suolo, allargando le gambe e piantando le punte dei calzari nella neve come ancoraggio, e protese la mano in avanti fino a ghermire il manico della spada e a stringerlo trionfalmente nel pugno. Si alzò in piedi puntandola verso il cielo burrascoso, e il suo urlo di vittoria perforò le nubi e urtò i picchi incrostati di ghiaccio risuonando a lungo nelle valli boscose. Poi arrancò fino a raggiungere il drappello che poco prima aveva provocato la valanga e uno degli uomini gli passò immediatamente il suo cavallo. Il tempo peggiorava e la luce scemava a ogni istante.

«È buio, ormai» disse ai suoi uomini. «Torneremo domani. Tanto hanno perso i cavalli, e se anche qualcuno si è salvato non può certo andare lontano. Domani comunque chiuderete tutti i passaggi a valle, a nord e a sud del valico: non voglio che sfugga nessuno. Poi con la luce cercheremo i corpi. Voglio la testa del ragazzo e il primo di voi che me la porta avrà una grossa ricompensa.» Fece loro cenno di seguirlo e tutti insieme presero a scendere per raggiungere la stazione di sosta sul valico.

Cominciava a nevicare, a piccoli cristalli appuntiti come aghi che foravano il viso e le mani. Poi il nevischio pungente si tramutò in fiocchi sempre più grandi e fitti che danzavano vorticosamente attorno alle sagome dei cavalieri che scendevano simili a spettri la collina macchiata di sangue e disseminata di corpi esanimi. Fra essi Wulfila vide anche quello di Stefano, trafitto alla schiena da un dardo che lo aveva passato da parte a parte e che l'uomo aveva cercato di strapparsi dal corpo nell'ultimo spasimo dell'agonia. "La fine che meritavi" pensò, e proseguì abbassando la testa e stringendosi il mantello attorno alle spalle per difendersi dalla bufera.

Entrarono nella *mansio* riscaldata da un bel fuoco scoppiettante di legna di pino e si sedettero su una panca mentre il taverniere arrostiva un montone allo spiedo e serviva brocche di birra e forme di pane. Nonostante il dolore per le ferite, Wulfila era al sommo dell'euforia. Dal fianco gli pendeva l'arma più formidabile che avesse mai potuto desiderare e la sua vittima giaceva ormai rigida sotto una spessa coltre di neve. Mozzargli la testa sarebbe stato ancora più facile, come spezzare una stalattite di ghiaccio.

«Voi» disse indicando il gruppo che gli stava seduto di fronte, «appena farà giorno scenderete dalla strada fino a raggiungere il fiume che scorre a fondovalle e bloccherete il ponte, che è l'unico passaggio verso il territorio retico. Voi invece» e si volse verso il gruppo seduto alla sua destra, «voi tornerete indietro per questa strada fino a trovare un sentiero che porta allo stesso ponte ma procedendo da ovest. Avrete una guida e non potrete perdervi. In questo modo non sfuggirà nessuno. Voialtri» e indicò quelli seduti alla sua sinistra, «tornerete con me lassù a cercare i cadaveri. E come ho già detto, qui c'è una borsa d'argento per il primo che trova la carcassa del ragazzo e gli spicca la testa dal busto. E ora mangiamo e beviamo e stiamo allegri, perché la sorte ci è stata benigna.» Alzò il boccale colmo e tutti lo acclamarono: esultanti per la vittoria conseguita, presero a bere ingurgitando incredibili quantità di birra e scandendo ogni bevuta con rutti fragorosi.

Juba si rimise dritto sulle zampe con uno sforzo poderoso, scrollandosi di dosso la neve e soffiando una densa nube di vapore dalle froge orlate di brina. Sbuffò, scuotendo la criniera, e nitrì sonoramente chiamando il suo padrone, ma il luogo era deserto e l'oscurità scendeva con il silenzio della sera sul vasto campo di neve sconvolto dalla valanga. Cominciò a percorrerlo al passo, ancora sbuffando di tanto in tanto e agitando la coda finché, d'un tratto, si fermò e cominciò a raspare con gli zoccoli, piano, rimuovendo la neve un poco per volta, finché apparve la schiena del suo padrone e poi il collo, che il cavallo cominciò a lambire con il muso soffiando vapore caldo sulla nuca dell'uomo semisvenuto. Quel contatto tiepido e delicato infuse ad Aurelio, rattrappito dal gelo, un poco di energia. A fatica e lentamente riuscì a puntare le mani e i gomiti, poi si alzò sulle ginocchia mentre Juba nitriva sommessamente, come se volesse approvare quegli sforzi, finché fu in piedi davanti a lui e lo abbracciò. «Buono, Juba, buono, lo so che sei bravo, lo so. E adesso aiutami a tirare fuori gli altri, su.» Poco distante apparve, come materializzata dal nulla, la mula di Ambrosinus, e Aurelio si ricordò degli scudi che portava appesi al basto. Ne staccò uno e cominciò a scavare usandolo come una pala da neve. Ben presto urtò contro il petto di Vatreno, che emise un lamento.

«Sei tutto intero?» gli chiese Aurelio.

«Credo di sì» brontolò Vatreno. «Soprattutto se la smetti di zapparmi la pancia con quell'arnese.»

Dall'altra parte del pendio, in direzione della strada, risuonò un uggiolio e subito dopo apparve Ursino, con il suo cane, arrancando a fatica. L'uomo si presentò ai due soldati dicendo: «Sono io che ho ospitato Livia e posso aiutarvi: il mio cane è addestrato a cercare gente sotto le valanghe. Non c'è molto tempo: se cala la notte è finita».

«Ti ringrazio» rispose Aurelio. «Per favore, aiutaci.»

L'uomo annuì e lanciò il suo cane alla ricerca. «Su, Argo, su, cerca, cerca i nostri amici, dài... Si chiama Argo» spiegò ad Aurelio già indaffarato a spalare con lo scudo, «come il cane di Ulisse. Non è un bel nome?»

«Altro che» commentò Vatreno. «Ha un nome bellissimo. Speriamo che sia anche bravo.»

Ma il cane aveva già fiutato un'altra vita in pericolo e scavava freneticamente con le zampe anteriori.

«Scavate dove indica lui» ordinò Ursino. Aurelio e Vatreno obbedirono e tirarono fuori Ambrosinus livido e mezzo assiderato.

«Aiutateci, presto!» risuonò una voce alla loro destra, dalla parte del ciglione roccioso. Aurelio accorse stando bene attento a non scivolare lungo il pendio. Si trovò di fronte una scena impressionante: Orosio penzolava sull'abisso appeso a un tronco di pino proteso nel vuoto, Demetrio era attaccato al manico del suo pugnale conficcato nel ghiaccio, e Livia stava scivolando lungo il suo corpo fino a protendere le gambe verso le braccia di Orosio, che vi si attaccò. Livia cominciò allora a trascinarsi in su facendo forza sul cinturone di Demetrio, che si teneva aggrappato con tutte le forze al manico del pugnale. Aurelio capì che avrebbe potuto cedere da un attimo all'altro. Piantò a sua volta il pugnale nel ghiaccio e protese l'altra mano ad afferrare quella di Demetrio, che così poté fare più forza e si trascinò in avanti conficcando di nuovo l'arma in uno strato più compatto. La maggiore resistenza offerta dal nuovo ancoraggio e la maggior energia fornita da Aurelio impressero alla catena umana un moto decisivo che trascinò tutti a salvamento.

«Batiato?» domandò Aurelio.

«L'ultima volta che l'ho visto, rotolava giù per quel pendio avvinghiato a due nemici, o tre, non saprei. Vedrai che tornerà» rispose Demetrio.

«Se non l'hanno ammazzato» obiettò Aurelio.

«Se non l'hanno ammazzato» ripeté Demetrio. «Ma ne dubito.»

Un grugnito echeggiò poco distante e un guerriero barbaro si alzò davanti a Livia, che lo abbatté con un calcio in faccia e lo fece rotolare verso il ciglione.

«Romolo dov'è?» chiese subito dopo la ragazza, non vedendolo da nessuna parte, ma la voce di Ambrosinus risuonò in quello stesso istante carica di angoscia. «Correte!» gridava. «Correte, per l'amor di Dio!» La mole di Batiato emerse in quel momento dal profilo del pendio che dava verso est e l'etiope si avvicinò più in fretta che poté. «Che cosa è successo?» chiese.

«Credo che abbia trovato il ragazzo» rispose Aurelio con un tono che però non aveva nulla di allegro.

Si avvicinarono al punto in cui sentivano il cane uggiolare e videro Vatreno che sollevava fra le braccia il corpo esanime di Romolo. Il volto del veterano, sferzato dal vento, era una maschera di pietra. Livia toccò le membra gelate e livide del ragazzo e scoppiò in lacrime. «Oh, mio Dio, no! No!»

Aurelio si avvicinò e fissò Vatreno con uno sguardo interrogativo.

«È morto» rispose il compagno. «Non ha polso, né carotide.» Tutti si guardarono in faccia l'un l'altro in preda allo sgomento. Batiato piangeva e si asciugava le lacrime con il dorso della mano che ancora reggeva la spada. Solo Ambrosinus sembrava mantenere possesso delle proprie facoltà in quel turbine di vento e di disperazione. «Dobbiamo cercare un riparo, presto» disse prendendo il comando dello smarrito manipolo. «Non c'è un istante da perdere. Se ci cade addosso la notte siamo rovinati.»

«Seguitemi, allora» disse Ursino. «Non è molto lontano da qui. Ma statemi vicini, è facile perdersi.» Si incamminò a mezza costa aggirando il colle verso il lato settentrionale finché indicò loro una lastra di roccia che sporgeva dal fianco della montagna. Una palizzata di tronchi d'abete la raccordava con il terreno creando una specie di ambiente riparato su tre lati. Si infilò all'interno e fece entrare anche tutti gli altri. Sul fondo c'era un fitto strato di foglie secche e di ramaglia fine di pino, sul lato interno della palizzata erano stese delle pelli di capra conciate. «Ci faccio partorire le pecore» disse. «È tutto quello che posso offrirvi.»

Vatreno depose in terra il corpo del ragazzo e Livia scoppiò di nuovo in un pianto dirotto nascondendo il volto contro la parete. Ambrosinus non sembrava sentire né vedere nulla. Nella sua mente passavano immagini lontane, mai dimenticate: un bambino morente nel suo lettino, sotto una tenda in un bosco dell'Appennino tanti anni prima; una donna in lacrime, altera e affranta dal dolore... Non si sarebbe arreso, mai. Gli fece una lunga carezza, poi prese a spogliarlo.

«Ma... che stai facendo?» chiese Aurelio.

Ambrosinus appoggiò una mano sul petto nudo del fanciullo e chiuse gli occhi. «C'è ancora una scintilla di vita in lui» disse. «Dobbiamo alimentarla.»

Aurelio scosse il capo incredulo. «È morto, non lo vedi? È morto.»

«Non può essere morto» rispose calmo Ambrosinus. «La profezia non mente.»

Ormai era quasi completamente buio, e l'unica risposta a quelle parole fu il fischio rabbioso del vento che flagellava la montagna. Ambrosinus, spogliato il ragazzo fino alla cintola, lo aveva messo a giacere sullo strato di foglie, e il candore delle sue membra spiccava in quella oscurità ormai completa. Ambrosinus si rivolse a Batiato. «Tu emani più calore di chiunque» gli disse, «perché hai accumulato dentro di te l'ardore dell'Africa. Denudati il torso e abbraccialo, tienilo stretto a te, fa' che il tuo cuore batta contro il suo. Io cercherò di accendere un fuoco.»

Batiato fece ciò che gli era stato chiesto, sollevò come un fuscello il fanciullo esanime e lo strinse a sé. Livia gettò su di loro una coperta, perché non si disperdesse il calore. Aurelio e Vatreno scuotevano il capo, increduli e sconsolati.

Ambrosinus, quasi a tentoni, staccò dalle pareti un po' di licheni secchi e li sovrappose accuratamente fino a farne un mucchietto. Sopra vi mise ancora foglie secche, poi prese le pietre focaie dalla bisaccia e cominciò a fregarle l'una contro l'altra con movimenti esperti. Sprizzarono grosse scintille alla base del piccolo focolare e infine apparve un minuscolo punto rosso, a malapena visibile; allora Ambrosinus si chinò e cominciò a soffiare. Tutti guardavano stupefatti, incapaci di comprendere quei suoi gesti. Ma il piccolo punto rosso cominciava pian piano a dilatarsi, e il vecchio continuava senza fermarsi, come se soffiasse, per riaccenderla, sulla vita quasi spenta del suo ragazzo.

E d'un tratto una fiammella brillò nel buio, così piccola che appena si poteva distinguere. Ma ben presto si allargò, i licheni tutto attorno si accesero alimentandola, facendola a ogni istante più grande e vigorosa. E Ambrosinus non si fermava, continuava a soffiare aggiungendo lembi di muschio secco e poi qualche foglia, un rametto... finché la fiammella divenne fuoco, e luce, e prese a conquistare palmo a palmo l'oscurità di quel misero rifugio fino a lambire i corpi ammassati nello spazio angusto, gli occhi spiritati di Ambrosinus, e il largo volto del gigante etiope e i suoi occhi spalancati nell'oscurità da cui scendevano grosse lacrime. Di gioia.

«Respira» disse.

Ambrosinus volse intorno uno sguardo stralunato, lo

sguardo di un uomo che si è destato improvvisamente, nel cuore della notte, fuggendo da un incubo spaventoso.

Tutti si strinsero attorno a Romolo abbracciandolo, contendendoselo, mentre Ambrosinus diceva: «Calma, fate piano, quel ragazzo è ancora debolissimo. Lasciate che riprenda fiato e un po' di vigore». Ursino uscì a raccogliere un po' di rami secchi dagli alberi e li aggiunse al fuoco, poi stese altre pelli davanti all'ingresso per tener fuori il freddo. Nell'angusto rifugio cominciò a diffondersi un po' di calore, e Romolo si scaldò protendendo le mani intirizzite verso la fiamma.

«È stato lui che ti ha riportato in vita» gli disse Ambrosinus indicando Batiato. Romolo si alzò e abbracciò stretto l'etiope e anche Batiato lo abbracciò, piano, per non stritolarlo. Aurelio disse: «Vado fuori a coprire il mio cavallo: è l'unico che ci è rimasto, a parte la mula di Ambrosinus che non ci sarà di grande utilità. Questa notte farà un gran freddo».

Ma Ambrosinus vide la tristezza nel suo sguardo, che contrastava così forte con la gioia di tutti. Aspettò qualche istante, poi si gettò il mantello sulle spalle dicendo: «Anch'io devo prendermi cura della mia mula». E uscì.

Aurelio era vicino al suo cavallo, si stringeva addosso il mantello e sembrava guardare verso la valle e il fiume. La voce di Ambrosinus lo riscosse. «Due verità, due immagini diverse e contrastanti del tuo passato, quella di Livia e quella di Wulfila... A quale credere?»

Aurelio non si voltò nemmeno, si strinse ancora di più il mantello addosso, come se il freddo gli fosse penetrato fin dentro l'anima. «Se le conosci entrambe, perché non me lo dici tu?»

«È vero, ho sentito le parole di quel barbaro, ma chiedi troppo a un povero precettore. Tu fronteggi ora una verità emersa dal buio, una macchia sulla coscienza che non sapevi di avere.»

Aurelio non disse nulla.

«Fa male, lo so» riprese a dire Ambrosinus, «ma è meglio così. Quando il male è nascosto, ci divora lentamente senza che noi possiamo opporvi alcun rimedio e a volte può coglierci di sorpresa in qualunque momento. Ora almeno sai.»

«Non so nulla.»

«Non è possibile. Devi ricordare qualcosa.»

Aurelio sospirò. Sentiva dentro di sé un grande bisogno di parlare, di confidarsi con qualcuno che potesse sollevare il pesante fardello che gli opprimeva il cuore. «Solo frammenti di ricordi» disse. «E un incubo ricorrente...»

«Quale?» lo sollecitò Ambrosinus. «Quale incubo?»

La voce di Aurelio prese a tremare. «È notte... Due vecchi, ciascuno appeso a un palo legato per i polsi. I loro corpi recano i segni di orribili sevizie, e poi...»

«Continua, ti prego.»

«E poi... un barbaro gigantesco si avvicina con la spada sguainata e... e li trafigge, uno dopo l'altro.» Emise un lungo sospiro, come se avesse compiuto una fatica immane.

«Chi sono?» chiese Ambrosinus. «Forse è lì il segreto della tua identità.»

«Non lo so» rispose Aurelio coprendosi gli occhi con le mani, «non lo so.»

Ambrosinus poteva sentire il tormento che gli feriva l'animo e gli appoggiò una mano sulla spalla. «Non crucciarti» gli disse. «Chiunque tu sia stato non ha importanza. Esiste solo il presente, che ti onora. E quel ragazzo, forse, può darti un futuro. Hai veduto tu stesso che è quasi impossibile spegnere la sua forza vitale.»

«Ho perso la spada» disse Aurelio.

«Non pensarci: la ritroveremo, ne sono certo. E ritroverai anche il tuo passato, ma dovrai attraversare l'inferno, come già ha fatto quel fanciullo innocente.»

XXVII

Un'ora prima dell'alba, quando faceva ancora scuro, Demetrio smontò dall'ultimo turno di guardia e svegliò i compagni. Erano tutti intirizziti, nonostante quel po' di fuoco che erano riusciti a mantenere vivo all'interno del loro ricovero, e anche i due animali che avevano passato la notte all'addiaccio si erano accostati per ripararsi a vicenda dal freddo pungente. Dopo la grande gioia per lo scampato pericolo e per la salvezza insperata di Romolo tutti dovevano ora confrontarsi con una realtà che si presentava ancora durissima, se non disperata. Non erano rimasti loro che un cavallo e una mula, e la spada di Aurelio era adesso nelle mani di Wulfila, che certamente non vedeva l'ora di metterne alla prova la potenza devastante. Come avrebbero potuto continuare il loro viaggio, ma soprattutto: come sarebbero potuti sfuggire a Wulfila e ai suoi uomini se li avessero scoperti? Era evidente che i nemici sarebbero tornati sul colle sovrastante il valico per cercare i cadaveri ed eventuali tracce degli scampati che la nevicata notturna non avesse del tutto cancellato.

Tutti convennero, dopo un brevissimo consulto, che era necessario abbandonare al più presto quel luogo per scendere a valle e passare il confine. Ursino raccomandò che si affrettassero ad attraversare il fiume, prima che i nemici si accorgessero della loro presenza. Poi si congedò da ciascuno di loro, preso da grande commozione. «Il fiume è dritto davanti a voi, e così pure il ponte di barche, non potete sbagliarvi. Se non fossi così vecchio verrei anch'io e sarebbe per me il più grande onore battermi per il mio imperatore ma, stando le cose come stanno, vi sarei più che altro d'impiccio, e poi devo tornare a vedere come sta la mia vecchia, che sarà mezzo morta di paura.» Si avvicinò a Romolo e gli baciò la mano con deferenza. «Che il Signore Dio ti protegga, Cesare, dovunque tu vada, e possa perpetuare tramite la tua persona il nome romano per i secoli a venire.» E si allontanò con il suo cane per raggiungere la propria casa prima che facesse giorno. Lo guardarono allontanarsi, commossi anch'essi, e preoccupati che qualcosa di male potesse occorrere a lui e a sua moglie per l'aiuto che avevano loro prestato.

«Ora muoviamoci» disse Ambrosinus. «Non ci resta più molto tempo.»

Cominciarono a scendere lentamente verso la valle, Aurelio per ultimo, tenendo Juba per le briglie, mentre Vatreno guidava la colonna cercando i passaggi meno ripidi e impervi. A un tratto alzò un braccio. «Fermi!»

Aurelio accorse al suo fianco. «Che succede?»

«Guarda tu stesso» rispose Vatreno.

In fondo al pendio si stendeva un tratto pianeggiante, largo forse due o trecento piedi, attraversato nella sua parte settentrionale da un torrente che luccicava nel buio della valle. Le sponde erano collegate da un ponte di zattere tenute insieme da un paio di cavi ancorati alle rive. Oltre il fiume, a una distanza di forse un centinaio di piedi, si distingueva, in contrasto con la bianca distesa innevata, la massa scura di un fitto bosco di abeti.

«Sì, è il ponte. Se riusciamo ad attraversarlo siamo salvi. Ci infileremo in quel bosco dove sarà più facile far perdere le nostre tracce. Almeno lo spero.»

«Non parlo di quello» ribatté Vatreno. «Guarda là in fondo, alla tua sinistra: non vedi nulla?»

Aurelio imprecò: «Maledetti figli di cani! E adesso cosa facciamo?». Nel punto indicato da Vatreno si vedeva infatti, nell'incerto barlume della neve, una colonna di armati che procedeva in direzione del ponte.

«E di là ne arrivano altri» disse Demetrio indicando un altro gruppo che avanzava da destra. «Siamo in trappola.»

«No, c'è ancora una speranza» intervenne Livia. «Tu, Aurelio, hai ancora il cavallo: prendi Romolo con te e appena il pendio si fa meno ripido lanciati a tutta velocità verso il ponte. I barbari avanzano abbastanza lentamente perché sono nella neve alta. Noi cercheremo un nascondiglio e poi ti raggiungeremo nel bosco questa notte, a piedi.»

«Non credo che sia possibile» obiettò Ambrosinus. «Quelli hanno certamente l'ordine di presidiare il ponte, e dunque resteremmo separati per sempre.» Gettò uno sguardo alla sua mula e agli scudi assicurati sul basto e improvvisamente si illuminò in viso. «Ascoltate, mi è venuta un'idea: sei secoli fa, un gruppo di guerrieri cimbri riuscì a sfuggire sulle Alpi alla manovra di accerchiamento del console Lutazio Catulo gettandosi giù sulla neve, scivolando sugli scudi.»

«Sugli scudi?» domandò incredulo Vatreno.

«Sì, reggendosi alle cinghie interne. È scritto nelle *Vite* di Plutarco. Ma dobbiamo muoverci, immediatamente.»

Vi fu un attimo di incertezza, data l'apparente assurdità di quella proposta, poi, uno per volta, staccarono gli scudi dalle cinghie e li appoggiarono per terra.

«Ecco» continuò Ambrosinus, «dovete sedervi all'interno e aggrapparvi alle cinghie, così. Spostando il peso del vostro corpo a destra o a sinistra e manovrando allo stesso modo con le cinghie dovreste riuscire a tenere la direzione desiderata. Mi sono spiegato?»

Tutti annuirono, anche il perplesso Batiato che guardava terrorizzato il ripido pendio che lo separava dal ponte. Aurelio, intanto, fatto montare Romolo davanti a sé, cominciò a scendere il pendio a zigzag finché, raggiunto un punto meno ripido, spinse il cavallo con i talloni prima a un passo veloce e poi al galoppo attraverso la distesa nevosa. Ben presto i barbari dall'una e dall'altra parte si accorsero di quanto stava accadendo e spronarono le cavalcature, ma la loro velocità era limitata dalla profondità della neve che si era accumulata maggiormente negli avvallamenti ai lati del colle, di modo che Aurelio sembrava poter mantenere il suo vantaggio.

«Vai, Juba!» gridava incitando il destriero, mentre Romolo guardava ai lati per misurare l'avanzata dei nemici e poi all'indietro per vedere se Ambrosinus mettesse davvero in atto il suo folle piano. E quanto vide lo lasciò stupefatto: «Guarda, Aurelio!» gridò. «Stanno arrivando!» E subito dopo, uno dietro l'altro, sfrecciarono a destra e a sinistra gli scudi lanciati a tutta velocità, ognuno pilotato dal proprio occupante: Demetrio, Vatreno, Orosio, Livia, lo stesso Ambrosinus con la lunga chioma bianca al vento e da ultimo Batiato, che si reggeva a stento in equilibrio su quel precario sostegno.

Aurelio proseguì nella sua corsa e attraversò il ponte al galoppo, portandosi a ridosso del limitare del bosco, poi si voltò per vedere cosa facessero i compagni e vide che proprio in quel momento quella specie di valanga umana, giunta sulle prime asperità della parte pianeggiante, aveva concluso la discesa con una rovinosa caduta. Quello che accadde dopo fu questione di attimi. Vatreno si alzò per primo, vide i barbari ormai vicinissimi da una parte e dall'altra, guardò il ponte e capì che gli restava una sola possibilità. Gridò: «Tutti sul ponte! Ce ne andiamo via sul fiume!». Gli altri si rialzarono più in fretta che poterono e gli corsero dietro fino a raggiungere il ponte. Vatreno ordinò: «Batiato, tu e Demetrio, tagliate da quella parte, io e Orosio da questa! Al mio segnale, ora!».

Aurelio fece per avvicinarsi ma già le scuri e le spade calavano sui cavi di ancoraggio e l'intero ponte di chiatte scivolò via sulla corrente a grande velocità, lasciando i barbari beffati e furibondi. Wulfila arrivò in quel momento e gridò ad Aurelio: «Ti troverò, vigliacco, ti troverò dovunque tu ti nasconda, dovessi inseguirti fino in capo al mondo».

Aurelio fremette: per la prima volta in vita sua non poteva reagire a una sfida tanto arrogante. Ma non rispose, spronò il cavallo e sparì presto alla vista.

Percorso sì e no un miglio, Romolo, che non perdeva di vista il fiume un solo istante, vide per un attimo il treno di chiatte scivolare velocissimo sulla corrente e gli sembrò che non mancasse nessuno. Stavano aggrappati alle funi del parapetto e si tenevano l'un l'altro cercando di non cadere fra i vortici della corrente impetuosa. Poi lo strano natante sparì dietro una macchia boscosa che impediva la vista. Fece a tempo a gridare: «Eccoli!», quando erano ormai già spariti.

Aurelio mise il cavallo al passo.

«Ma così non li raggiungeremo mai!» si lamentò il ragazzo.

«Non c'è cavallo che possa tenere la velocità di un fiume in montagna. La pendenza è forte e le acque scendono a valle molto rapidamente. E poi Juba è stanco e ci deve portare entrambi, non dobbiamo chiedergli più di quello che può dare. Ma non preoccuparti: noi continueremo a seguire la corrente, e sono sicuro che i nostri amici finiranno incagliati in una secca o approderanno in qualche porto appena il fiume avrà rallentato la sua corsa e si sarà inoltrato nella pianura. Lì ci aspetteranno e noi li raggiungeremo.»

«Ma perché l'hanno fatto?» chiese Romolo. «Avrebbero potuto passare il ponte e poi tagliare gli ancoraggi dalla nostra parte.»

«È vero, ma Vatreno ha preso la decisione più saggia: ha agito da vero stratega e da grande soldato qual è. È stato straordinario. Ragiona un momento: se avesse fatto come dici ci saremmo trovati tutti insieme, ma a piedi, e quindi la nostra marcia sarebbe stata così lenta che i barbari avrebbero fatto a tempo a gettare una qualche passerella di fortuna oppure a guadare il torrente più a monte e poi a raggiungerci senza sforzo nel volgere, al massimo, di una giornata di marcia. Così, invece, i nostri compagni hanno la possibilità, sempre che riescano a salvarsi, di mettere una grande distanza fra sé e i loro inseguitori, mentre noi, essendo soltanto in due, possiamo muoverci molto più rapidamente e molto più agilmente, nasconderci, cambiare itinerario e forse anche trovare un altro cavallo e aumentare considerevolmente la nostra velocità.»

Romolo meditò per qualche istante poi disse: «Credo che tu abbia ragione, ma mi chiedo che cosa stia pensando Ambrosinus e come si sentirà ora che siamo separati».

«Ambrosinus sa perfettamente badare a se stesso e i suoi suggerimenti saranno preziosi per i nostri compagni.»

«È vero, ma ti rendi conto che questa è la prima volta, da quando mi incontrò all'età di cinque anni, che siamo separati l'uno dall'altro?»

«Vuoi dire che lui ti è sempre stato accanto da quando lo conosci?»

«È così. Più di mio padre e più di mia madre, più di chiunque altro. È l'uomo più saggio e più acuto che io conosca e non finisce mai di sorprendermi: gli ho visto fare cose, da quando siamo stati fatti prigionieri da Odoacre, che non avevo visto mai e non mi stupirei che avesse in serbo chissà quanti altri segreti e quante altre risorse.»

«Devi volergli molto bene» disse Aurelio.

Il ragazzo sorrise, ricordando certi momenti della vita in comune con il suo precettore. «A volte è lunatico» disse, «ma è la persona che mi è più cara al mondo.»

Aurelio non aggiunse altro. Spronò il cavallo a un'andatura più sostenuta per non farsi troppo distanziare dalle zattere, che immaginava ancora molto veloci sul fiume, o avvicinare troppo dagli inseguitori, che pensava intenti ad attraversarlo in qualche modo e in qualche luogo. Il viaggio continuò senza intoppi in un paesaggio incantevole di picchi rocciosi che il sole tingeva di porpora scendendo verso l'orizzonte, di laghi di incredibile trasparenza, lucenti come specchi che riflettevano il verde cupo dei boschi, il bianco accecante delle nevi, il blu intenso del cielo. Romolo era colpito da tanta bellezza e si guardava intorno attonito a ogni mutare di prospettiva, a ogni variazione della luce. Aurelio concesse ancora un po' di riposo a Juba mettendolo di nuovo al passo.

«Non avevo mai visto niente del genere» disse Romolo. «Che terra è mai questa?»

«Anticamente era la terra degli Elvezi, un popolo appartenente alla nazione celtica che osò sfidare il grande Cesare.»

«Conosco quell'episodio» rispose Romolo. «Ho letto il *De Bello Gallico* più volte. Ma perché mai avrebbero voluto lasciare una terra tanto incantevole?»

«Gli uomini non sono mai contenti di ciò che hanno» rispose Aurelio. «Sono condannati a cercare sempre: nuove terre, nuovi orizzonti, nuove ricchezze. Come gli individui desiderano emergere sugli altri, eccellere per ricchezza o per valore o per sagacia, così succede anche per i popoli e per le nazioni. Questo da un lato genera continui progressi nel campo degli studi, delle esplorazioni, delle industrie e delle attività umane, dall'altro produce conflitti e scontri spesso sanguinosi. È uno sforzo immane e inutile: tutto ciò che otteniamo a prezzo di fatiche enormi lo paghiamo comunque a caro prezzo. E spesso, alla fine, le perdite sono superiori ai vantaggi conseguiti. Gli Elvezi avevano le montagne e forse desideravano le pianure, le terre vaste e fertili. O forse si erano moltiplicati oltre misura e queste valli erano divenute per loro troppo anguste. Pensavano che espandendosi in pianura sarebbero divenuti una nazione più forte, più numerosa e quindi più potente. Invece andarono incontro all'annientamento.»

«E tu, Aurelio» chiese Romolo, «tu che cosa vorresti? Qual è la tua aspirazione?»

«Io vorrei... pace.»

«Pace? Non posso crederci: tu sei un guerriero, il più forte e coraggioso che abbia mai visto.»

«Non sono un guerriero, sono un soldato. È diverso. Combatto solo per necessità, per difendere ciò in cui credo. Ma nessuno più di un combattente, di un *miles*, sa quanto sia terribile la guerra. Vorrei un giorno vivere in un luogo tranquillo e nascosto, coltivare i campi e allevare animali, dormire senza dover scattare in piedi nella notte, al minimo rumore, con la spada già stretta nel pugno. Svegliarmi al canto del gallo e non agli squilli della tromba che chiama l'allarme. E vorrei soprattutto la pace dell'animo che non ho avuto mai. Sembrano aspirazioni in fondo modeste, eppure impossibili da realizzare. Viviamo in un mondo impazzito dove nulla è più sicuro per nessuno.»

Il sole scendeva ormai sotto l'orizzonte spandendo un ultimo bagliore rosato sulle cime maestose che coronavano l'immensa giogaia. Aurelio cercò di avvicinarsi al fiume più che poté, per non perdere contatto con l'unica via in grado di ricongiungerlo ai suoi compagni, ma si rendeva conto che nello stesso tempo questo lo esponeva al rischio di essere individuato dagli uomini di Wulfila che certamente non avevano rinunciato alla caccia.

«Riposeremo il minimo indispensabile» disse, «e poi riprenderemo il cammino.»

«Dove saranno a quest'ora?» chiese Romolo.

«Davanti a noi, certamente, almeno a una giornata di cammino. Il fiume non riposa mai, corre tutto il giorno e tutta la notte, e loro vanno con il fiume. Noi percorriamo sentieri ripidi, stretti e malagevoli, attraversiamo boschi e torrenti.»

Romolo prese le coperte dalla sella e preparò il giaciglio per il riposo in una nicchia della roccia, in posizione dominante, mentre Aurelio toglieva il morso al cavallo e gli metteva la cavezza.

«Aurelio...»

«Sì, Cesare.»

Romolo si interruppe per un istante, contrariato dall'insistere di Aurelio nell'uso di quel titolo, poi chiese: «C'è la possibilità che non li troviamo più?».

«È una domanda di cui conosci già la risposta: sì. Forse

su questo fiume ci sono rapide, forse anche cascate e scogli affioranti che possono mandare in frantumi le loro zattere. Se cadono nel fiume l'acqua è gelida e nessuno può resistervi che per un tempo brevissimo. E tutto intorno è ghiaccio e neve. La montagna, d'inverno, è l'ambiente più ostile. Inoltre possono esserci bande di briganti, gruppi di soldati sbandati in cerca di preda. I pericoli in questo mondo sono infiniti.»

Romolo si sdraiò in silenzio tirandosi la coperta sulle spalle.

«Dormi» gli disse Aurelio. «Juba farà buona guardia: se qualcuno dovesse avvicinarsi ci avvertirà e potremo allontanarci in tempo. Inoltre io dormo sempre con un occhio solo.»

«E loro? A che distanza potrebbero essere?»

«I nostri inseguitori? Non lo so. Forse ad alcune ore di marcia, forse a mezza giornata o più. Ma non credo siano troppo lontani. E noi lasciamo tracce così evidenti nella neve che anche un bambino potrebbe seguirle.»

Romolo tacque per qualche tempo, poi chiese ancora: «Che cosa accadrebbe se ci raggiungessero?».

Aurelio esitò per qualche istante prima di rispondere. «I pericoli si affrontano nel momento in cui si presentano. Anticiparli non fa che peggiorare la situazione: la paura aumenta, la minaccia è ingigantita dalla nostra immaginazione. Quando invece ci si trova all'improvviso di fronte al pericolo, la nostra mente mobilita in un attimo tutte le sue risorse, il nostro corpo è invaso da un potente flusso di energia, il battito del cuore aumenta, i muscoli si espandono e si induriscono, il nemico diventa un bersaglio da abbattere, da frantumare, da annientare...»

Romolo lo guardò ammirato. «Tu non sei solo un soldato, Aurelio. Tu sei anche un guerriero...»

«Succede quando per anni devi vivere in mezzo a minacce continue, a orrori e distruzioni, a massacri e calamità, torture e sevizie. C'è una belva che dorme in ciascuno di noi: la guerra la risveglia.»

«Posso chiederti un'ultima cosa?»

«Certamente.»

«A che cosa pensi quando te ne stai in silenzio per ore e non odi nemmeno le mie parole se ti dico qualche cosa?»

«Davvero faccio questo?»

«Sì. Forse la mia conversazione ti annoia o ti infastidisce.»

«No, Cesare, no... Io cerco solo di... cerco di...»

«Che cosa?»

«Di ricordare.»

Il ponte di barche, liberato dai suoi ancoraggi, era stato trascinato via dalla corrente a grande velocità e in un primo momento aveva mantenuto il suo assetto trasversale facendo presto prevedere una catastrofe. Si profilava infatti, a circa mezzo miglio di distanza, un macigno al centro del fiume che avrebbe spaccato in due il fragile treno di chiatte. Ambrosinus se ne rese conto immediatamente e gridò: «Tutti sulla chiatta esterna, presto!», e lui per primo la raggiunse a carponi tenendosi meglio che poteva per non cadere in acqua. I compagni lo seguirono, e man mano che il peso si accumulava sul natante di sinistra questo acquistava maggiore velocità e si disponeva in testa, mentre il resto dei galleggianti deviava rapidamente nella stessa direzione. Così stabilizzato, il convoglio passò alla destra dello scoglio rasentandolo senza urtarlo e tutti tirarono un respiro di sollievo.

«Abbiamo bisogno di pali da usare come remi» disse Ambrosinus. «Cercate di afferrare qualche ramo dalla corrente.»

«Potremmo sganciare una parte delle chiatte!» propose Vatreno.

«No, acquisteremmo più velocità e perderemmo in stabilità, quella lunga coda di natanti ci mantiene in assetto. Abbiamo bisogno al più presto di pali da usare come remi.»

Ma non c'erano rami nella corrente, solo fuscelli troppo leggeri che non servivano a nulla. Batiato allora si avvicinò al parapetto. «Questo andrebbe bene?» gridò per sovrastare il rumore della corrente. Ambrosinus annuì e l'etiope divelse senza sforzo il parapetto di sinistra, una specie di lungo palo rozzamente squadrato, e andò a mettersi vicino ad Ambrosinus che ormai fungeva da nocchiero di quella strana imbarcazione. La velocità era sempre molto forte e si profilavano alla vista delle rapide: l'acqua ribolliva e spumeggiava dal centro verso destra fin quasi alla sponda, e Ambrosinus ordinò a Batiato di piantare il palo sulla sinistra con tutta la forza che aveva e più che poteva. Batiato eseguì con insospettata perizia e il pontone virò a sinistra passando rasente le rapide, ma la coda non si adeguò altrettanto velocemente al mutamento di direzione dei galleggianti di testa sicché l'ultimo scafo urtò violentemente contro le pietre affioranti e si fracassò andando in pezzi.

Gli uomini si voltarono a guardare il relitto frantumato in mille schegge sparse fra i gorghi e le spume delle rapide, poi subito tornarono a concentrarsi sul problema di mantenere un equilibrio continuamente minacciato da scossoni e ondeggiamenti. In certi punti avevano la sensazione di essere in sella a un cavallo selvaggio, tante e così forti erano le oscillazioni delle zattere sulle onde che seguivano le continue asperità del fondo e delle rive. Spuntoni rocciosi protesi verso il centro della corrente alimentavano gorghi improvvisi e mulinelli, allargamenti dell'alveo provocavano rallentamenti altrettanto subitanei della corrente che subito dopo, con l'aumentare della pendenza, riprendeva velocità costringendo gli occupanti del bizzarro natante a uno sforzo enorme e continuo per mantenere l'equilibrio. A un tratto il torrente cominciò a rallentare la sua velocità e le asperità del fondo si fecero meno frequenti e pericolose, ma cominciarono ad apparire grossi banchi di ghiaia in cui era facile incagliarsi con effetti non meno devastanti. In una di queste improvvise virate Orosio perse l'equilibrio, rotolò sul tavolato e precipitò in acqua.

«Orosio è caduto in acqua!» gridò angosciato Demetrio. «Presto, aiutiamolo, la corrente lo tira sotto!» Vatreno tagliò con un colpo di spada una delle funi che fungevano da tiranti e la gettò più volte al naufrago, che però non riusciva ad afferrarla.

«Se non riusciamo a prenderlo il freddo lo ucciderà» gridò Ambrosinus. Livia allora, senza dire nulla, si legò la cima in vita e diede l'altro capo a Vatreno. «Tienila forte» disse, e si tuffò in acqua nuotando con tutta l'energia verso Orosio che era ormai in balia della corrente e non più in grado di reagire. Lo raggiunse e lo afferrò per la cintura, gridando: «L'ho preso! Tirate! Presto!». Vatreno e i compagni tirarono la cima con quanta forza avevano mentre Batiato cercava di mantenere la prua il più dritta possibile, finché Livia dapprima, e poi Orosio semisvenuto, furono issati sul pontone. Erano completamente inzuppati d'acqua gelida e i compagni li coprirono con i mantelli perché potessero togliersi gli abiti bagnati e asciugarsi in qualche modo. Ambedue battevano i denti ed erano lividi per il freddo e lo sforzo che avevano sopportato. Orosio fece appena in tempo a balbettare: «Grazie», e poi svenne. Vatreno si avvicinò a Livia e le appoggiò una mano sulla spalla. «E io che non ti volevo con noi. Sei forte e generosa, ragazza. Beato l'uomo al quale un giorno unirai la tua vita.» Livia rispose con un sorriso stanco e andò a rannicchiarsi vicino ad Ambrosinus.

La corrente cominciò a rallentare verso sera e il fiume ad allargarsi man mano che scendeva verso zone collinose e altopiani, ma non fu possibile trovare alcun luogo in cui ancorarsi per aspettare Aurelio, che tutti immaginavano stesse seguendo più in fretta che poteva. Il mattino dopo si trovarono alla confluenza con un altro corso d'acqua che veniva dalla loro sinistra e il giorno dopo ancora, verso sera, quando il fiume era ormai in zona pianeggiante, fu possibile guidare il natante verso riva e assicurarlo con una cima a un picchetto. La grande avventura fluviale era giunta per il momento al suo epilogo: ora bisognava aspettare con pazienza che il gruppo si ricomponesse, che la piccola armata ritrovasse il suo duce e il suo imperatore. Ambrosinus, che fra tutti era forse il più preoccupato, cercò di infondere tranquillità e sicurezza negli altri. E sembrava infondere sicurezza la pace che regnava in quel luogo, la vista di pastori che rientravano con le greggi alle stalle, la striscia rossa che il sole aveva lasciato sulle nubi sparendo sotto la linea lontana della pianura, l'ansa tranquilla del fiume, il lento remeggio dei barcaioli che discendevano la corrente per trovare anch'essi un riparo per la notte.

«Dio ci ha soccorsi» disse Ambrosinus. «E continuerà a farlo perché siamo nel giusto e perché siamo perseguitati. Io sono certo che ben presto potremo riunirci ai nostri compagni.»

«È stato soprattutto grazie a te» disse Vatreno. «Non so come tu abbia fatto a manovrare questo relitto attraverso le rapide, le secche e i gorghi. Io penso che in realtà tu sia un mago, maestro.»

«È solo il principio di Archimede, mio buon amico» rispose Ambrosinus. «Il natante che più si immerge nell'acqua diventa più veloce e traina gli altri più leggeri se la corrente è forte, mentre quando la corrente è lenta esso stesso oppone più resistenza. Per questo ho riequilibrato i pesi appena siamo arrivati in acque tranquille: è stato sufficiente spostare Batiato sul pontone di coda. E ora vorrei scendere a terra con Livia, che ha del danaro, se non sbaglio, per cercare un po' di cibo: latte e formaggio dovrebbero essere abbondanti in questi luoghi, e forse anche pane.»

Scoprì che c'era un villaggio non molto lontano, chiamato Magia, e che la gente parlava ancora un dialetto celtico non troppo diverso dalla sua lingua nativa. Ma i maggiorenti e il presbitero che officiava i riti cristiani nella piccola chiesa del luogo si esprimevano in un latino sorprendentemente buono. Riuscì a sapere da loro che il fiume su cui si trovavano era il Reno. Ben presto avrebbero incontrato un grande lago e poi delle rapide impossibili da superare e solo passando per via di terra avrebbero ripreso la corrente del fiume, il più grande d'Europa e uno dei più grandi del mondo, secondo nemmeno al Tigri e all'Eufrate che scorrevano nel paradiso terrestre. Ambrosinus assentì. «Ecco che ci è indicata la via. Scenderemo la corrente e potremo evitare una quantità di pericoli e forse anche raggiungere l'Oceano. Ma prima dobbiamo trovare un'imbarcazione degna di questo nome, è già un miracolo se siamo arrivati fin qua sani e salvi su un ponte di barche in balia della corrente.»

Considerò anche qual era la situazione più a nord, dove i Franchi avevano occupato vasti territori in quella che un tempo era stata la Gallia, la provincia più ricca e fedele dell'Impero. La sua parte centrale, invece, era rimasta una specie di isola di romanità, governata da un generale di nome Siagrio che si era proclamato re dei Romani.

«Per questo penso che a un certo punto ci converrà sbarcare sulla riva occidentale» concluse, «e proseguire per via di terra fino a raggiungere le sponde del canale britannico: lì finalmente saremo a una sola giornata di navigazione dalla mia terra. Signore Dio! Quanto tempo è passato, chissà quante cose saranno cambiate, quante persone che conoscevo saranno scomparse... quanti amici si saranno dimenticati di me.»

«Parli come se fossimo già in vista delle sue coste» disse Livia. «E invece il cammino è ancora lungo e non meno irto di difficoltà di quello che già abbiamo percorso.»

«Hai ragione» rispose Ambrosinus, «ma il cuore è ben più veloce dei piedi, più veloce del più veloce dei destrieri e non ha paura di nulla. Non è forse vero?»

«È così» ammise Livia.

«E tu, non pensi alla tua città sul mare? Non ti manca, forse?»

«Moltissimo, e tuttavia non avrei potuto separarmi da Romolo...»

«E da Aurelio... se ho ben capito.»

«Sì, anche da Aurelio, ma in tanto tempo che siamo stati insieme solo una volta ha lasciato capire di provare per me qualcosa di simile a un sentimento, ed è stato quella notte a Fano, quando era certo che l'indomani avremmo preso strade diverse, che non ci saremmo rivisti mai più. E nemmeno io quella notte ho avuto il coraggio di pronunciare le parole che forse si aspettava.»

Ambrosinus assunse un'espressione grave. «Aurelio è lacerato da un dubbio angoscioso che gli occupa la mente. Finché non avrà risolto l'enigma che lo tormenta non ci sarà posto per altro nel suo animo. Di questo puoi stare certa.»

Erano giunti ormai in vista del fiume e Ambrosinus cambiò d'improvviso argomento. «Dobbiamo trovare un'imbarcazione» disse. «È indispensabile. Se Aurelio è riuscito a sfuggire all'inseguimento di Wulfila potrebbe essere qui entro un paio di giorni al massimo e dovremo essere pronti a salpare. Preparate la cena: io spero di tornare presto con una buona notizia.»

Si separò da lei e si diresse verso il pontile di ormeggio, dove ormai un certo numero di imbarcazioni erano all'ancora per trascorrere la notte. Alcuni pescatori esponevano su banchi di legno i pesci che avevano preso e un certo numero di avventori contrattavano gli acquisti. Sulle barche cominciavano ad accendersi le lucerne che riflettevano la loro luce tremolante sulla superficie del grande fiume.

XXVIII

Ambrosinus tornò che era già buio con un paio di facchini che portavano pelli di pecora, coperte e mantelli per la notte, e annunciò che aveva concluso un accordo con un barcaiolo che trasportava salgemma verso nord discendendo la corrente del Reno. Con un supplemento abbastanza contenuto era disposto a condurli fino a destinazione dalle parti di Argentoratum, dove, se tutto andava bene, sarebbero giunti in una settimana circa di navigazione. In più gli aveva venduto quella grazia di Dio per pochi soldi, cosa che avrebbe consentito loro di passare la notte decentemente sotto quel cielo freddo e in quell'ambiente così umido. Il suo ottimismo, però, contrastava con il senso di incertezza e di inquietudine che aveva colto ognuno di loro per la sorte di Aurelio e di Romolo, dei quali non si sapeva nulla ormai da qualche tempo. Si rendevano conto che tutte le fatiche e i pericoli che avevano affrontato fino a quel momento non avevano alcun significato senza il ragazzo. Capivano di aver legato il proprio destino alla sua sorte, e che quella sorte dipendeva a sua volta dal loro sostegno e appoggio, sicché la mancanza di quel punto di riferimento sembrava togliere significato alla loro stessa esistenza.

Ambrosinus si sedette sul ponte incrociando le gambe, prese un po' di pane e formaggio dalla mensa allestita in uno degli scudi e si mise a mangiare con scarso appetito.

«Io ho fatto e rifatto i calcoli» disse Vatreno. «Considerando il tipo di terreno che il fiume attraversava, sono giunto alla conclusione che dovremmo avere su di loro un vantaggio di due giorni di marcia.»

«Il che significa che dovremmo attendere ancora tutta la notte, tutto il giorno di domani e forse ancora il giorno dopo?» chiese Orosio.

«Può essere, ma non si può dire. Io sono convinto che Aurelio stia cercando di mettere più spazio possibile fra sé e i suoi inseguitori, e Juba è un cavallo veloce e resistente. Sicuramente riducono il riposo al minimo e avanzano il più possibile» osservò Demetrio.

«Sì» obiettò Batiato, «ma le giornate sono ormai brevissime e camminare in montagna al buio è impossibile o assai pericoloso, e dubito che Aurelio voglia rischiare di cadere in un precipizio o di azzoppare il cavallo. Io farei una stima tenendo in considerazione percorsi limitati.»

Ognuno diceva la sua, e fu presto evidente che il calcolo di ognuno di loro non coincideva con quello dei compagni.

«Potrebbero essere lassù, su quelle alture» disse Livia guardando verso le montagne. «Avranno fame e freddo e saranno stremati per la fatica. In fondo noi abbiamo avuto più fortuna, anche se il nostro viaggio è stato più movimentato.»

Vatreno cercò di portare una nota di ottimismo. «Forse ci preoccupiamo per nulla. Può essere che Wulfila non sia riuscito ad attraversare il torrente o che abbia perso molto tempo risalendolo o discendendolo fino a trovare un guado. Aurelio può anche prendere il suo tempo e arrivare quando gli sarà possibile. Sa che lo aspetteremo in un luogo visibile e che non ci muoveremo da questo convoglio galleggiante finché lui non ci abbia visti.»

«Non potremmo fargli un segnale luminoso?» propose Demetrio. «Se fossero lassù lo vedrebbero e si farebbero coraggio. Capirebbero che li stiamo aspettando. Il mio scudo è di metallo: potremmo lucidarlo e...»

«Meglio di no» rispose Ambrosinus. «Lo sanno comunque, e ci troveranno perché non si scosteranno mai dal fiume. Un segnale luminoso attirerebbe anche Wulfila, perché state certi che non ha rinunciato alla caccia. Non avrà pace finché non ci avrà sterminati tutti, ve lo assicuro. Ora cercate di riposare: la giornata è stata movimentata e domani non sappiamo che cosa ci aspetta.»

«Farò io il primo turno di guardia» disse Livia. «Non ho sonno.» E andò a piazzarsi a prua sedendosi sull'orlo della zattera con le gambe penzoloni sull'acqua. Gli altri stesero sul ponte le pelli di pecora che Ambrosinus aveva provveduto e si sdraiarono uno accanto all'altro per scaldarsi a vicenda, coprendosi con i mantelli. Ambrosinus si sedette in disparte, scrutando a lungo nel buio, poi si alzò e si avvicinò a Livia.

«Dovresti dormire anche tu. Questo posto è abbastanza tranquillo: forse un anziano uomo di studi basta per montare la guardia.»

«L'ho detto: non ho sonno.»

«E io nemmeno. Forse potrei tenerti compagnia per un poco... se vuoi.»

«Mi farebbe piacere. Tanto più che abbiamo lasciato un discorso a metà, ricordi?»

«Sì, certo.»

«Parlavi di un enigma che riguarda la vita di Aurelio.»

«Sì, è così. Parole che ho udito senza volere. Quella notte a Fano e l'altra notte al valico, mentre scivolavo verso il baratro.»

«Di che si tratta?» domandò Livia, turbata.

«Forse prima dovresti dirmi ciò che sai di lui.»

«Ben poco.»

«O ciò che credi di sapere.»

«Io... io credo che egli sia il giovane eroe che difese Aquileia per nove mesi contro gli Unni di Attila e che si sacrificò cedendo a me e a mia madre l'ultima possibilità di scampo, la notte in cui la città cadde per opera di un traditore.»

«Come puoi esserne certa?»
«Lo sento. So di non sbagliarmi.»
Ambrosinus cercò gli occhi di Livia nell'oscurità. «Di fatto gli hai mentito... Non è così? Ti serviva un uomo capace di tentare un'impresa impossibile e hai voluto attribuirgli la memoria di un eroe che forse è scomparso da anni e anni.»
«No....» rispose Livia. «All'inizio, forse; ma poi, quando l'ho visto combattere, prodigarsi, rischiare sempre la vita per salvare quella degli altri, non ho avuto dubbi: è lui l'eroe di Aquileia e, anche se non fosse vero, per me questa è la verità.»
«Una verità che lui rifiuta. E questa è la causa del vostro disaccordo, il fantasma che si pone fra di voi e vi rende stranieri l'uno all'altra. Ascolta, nessuna memoria, nessun ricordo può radicare nella sua mente se sotto c'è il vuoto. Non si può costruire sull'acqua.»
«Tu credi? Io l'ho visto fare.»
«Già, la tua città nella laguna. Ma qui è diverso, qui parliamo dell'anima di un uomo, della sua mente ferita, dei suoi sentimenti. E se ciò non bastasse, ora è emersa un'altra verità dal suo passato e rischia di stritolarlo.»
«Di quale verità stai parlando? Dimmelo, ti prego.»
«Non posso. Non ne ho il diritto.»
«Capisco» rispose Livia rassegnata. «Ma non possiamo fare nulla per lui?»
Ambrosinus sospirò. «Bisogna fare emergere la verità, l'unica, dal fondo della sua mente dove è sepolta da tanti anni. Io forse conosco il modo, ma è terribile, terribile... Potrebbe non sopravvivere.»
«Dove sarà ora, *Ambrosine*?»
A quella domanda vide che si irrigidiva, che il suo sguardo diveniva assente, tutta la sua persona sembrava concentrata in uno sforzo tremendo.
«Forse... in pericolo» disse con una voce strana, metallica.
Livia gli si avvicinò e lo guardò stupita. Improvvisa-

mente si rese conto che lui non c'era più: il suo pensiero e forse la sua stessa anima erano altrove. Percorrevano misteriosi sentieri, esploravano territori remoti e algide distese nevose. Vagava sui monti, portato dal vento, tra le foreste di abeti e i picchi aguzzi, volava sulla superficie di laghi ghiacciati, silenzioso e invisibile come un rapace notturno.

Livia non disse altro, e restò a lungo assorta, ascoltando il debole sciacquio delle onde contro il fasciame della zattera. Un vento freddo da settentrione stracciò le nubi, svelando per pochi attimi il disco della luna. Il volto di Ambrosinus, illuminato da quella luce diafana, sembrava una maschera di cera; le palpebre erano immobili, gli occhi bianchi e vuoti, come quelli delle statue. Soltanto la bocca era aperta, come se stesse gridando, ma senza emettere alcun suono, né il suo alito condensava in vapore come quello degli altri, quasi non stesse respirando.

Il grido acuto di un rapace risuonò nella quiete profonda del bosco e Aurelio sobbalzò dal dormiveglia, si guardò intorno e tese l'orecchio cercando di percepire le minime vibrazioni dell'aria. Subito scosse Romolo che dormiva rannicchiato accanto a lui. «Presto» gli disse, «dobbiamo andarcene. Wulfila è qui.»

Romolo si guardò intorno terrorizzato, ma tutto era silenzioso e tranquillo e la luna si mostrava a tratti fra le nubi e le cime degli abeti.

«Presto!» insistette Aurelio. «Non abbiamo un istante da perdere.» Infilò il morso al cavallo e lo prese per le briglie cominciando a scendere a piedi, più veloce che poteva, lungo il sentiero che attraversava il bosco, con Romolo che gli correva a fianco.

«Ma che cosa hai visto?» gli chiese il ragazzo ansimando.

«Nulla. Un grido mi ha svegliato, un grido di allarme. E il mio istinto. Sono abituato a percepire una minaccia, dopo tanti anni di guerra. Corri, dobbiamo andare più veloci. Più veloci.»

Passarono il bosco e si ritrovarono allo scoperto su una vasta distesa innevata. La luna spandeva un diffuso chiarore che il riflesso della neve rendeva ancora più intenso e Aurelio vide a poca distanza i segni di due ruote che uscivano dal bosco e si dirigevano a valle.

«Di là» disse. «Dove passa un carro il terreno è buono. Ora possiamo montare a cavallo, finalmente. Su, sali, svelto.»

«Ma non capisco... non c'è nessuno che...»

Ma Aurelio non rispose nemmeno: afferrò il ragazzo per il braccio, lo issò sulla groppa del cavallo, davanti a sé, e spronò. Juba si lanciò al galoppo sul pendio, seguendo le tracce del carro, attraverso la prateria coperta di neve. In lontananza si intravedeva la sagoma scura di un villaggio, e Aurelio spronò ancora più veloce. A ridosso delle prime case furono accolti da un coro di latrati, allora deviò verso il fondovalle fino a trovarsi su un pianoro leggermente rialzato da cui poteva dominare l'alveo del fiume. Tirò un sospiro di sollievo e mise al passo Juba per un breve tratto, per fargli riprendere fiato. Il generoso animale, fumante di sudore, soffiava grandi nubi di vapore dalle froge e sbuffava mordendo il freno, quasi fosse impaziente di riprendere la corsa. Forse anche lui sentiva un pericolo incombente.

Wulfila e i suoi si affacciarono al limitare del bosco di abeti e subito notarono le tracce sul mantello nevoso immacolato: tracce di un cavallo che poco dopo si confondevano con quelle di un carro che scendeva lungo il declivio.

Uno dei suoi balzò a terra ed esplorò le impronte con la punta delle dita. «Il ferro posteriore sinistro ha solo tre chiodi e le tracce anteriori sono più profonde di quelle posteriori. C'è un peso tra la sella e il collo del cavallo. Sono loro.»

«Finalmente!» esclamò Wulfila. «E ora prendiamoli, non possono più sfuggirci.» Alzò la mano e fece segno ai suoi di seguirlo al galoppo giù per la montagna. Erano una settantina e al loro passaggio sollevavano una nube candida, un alone di polvere d'argento che la luna faceva scintillare come una magica iride notturna. Destati dall'abbaiare sempre più forte dei cani, alcuni degli uomini del villaggio si alzarono e videro quella cavalcata fantasmagorica attraversare la grande radura che sovrastava le loro abitazioni. Si fecero il segno della croce pensando alle anime maledette che si diceva uscissero dall'inferno nella notte in cerca di vittime da trascinare con sé nei tormenti dell'aldilà, poi richiusero le finestre e rimasero con l'orecchio attaccato alle imposte, tremando di paura, finché il rumore di quel galoppo non svanì in lontananza, finché l'ultimo latrato dei cani da guardia non si fu acquietato in un sommesso uggiolio.

La luce fredda dell'alba cominciò lentamente a permeare il sottile strato di nubi che copriva il cielo e a risvegliare uno dopo l'altro gli uomini che dormivano rannicchiati sotto i mantelli. Anche Livia si alzò, e si passò le mani sulla fronte e sulle tempie: le sembrava di aver sognato tutto, e che in realtà Ambrosinus non le avesse mai parlato. Anch'egli, infatti, giaceva con gli altri, sdraiato sulle pelli di montone. Montava di guardia Demetrio, che in quel momento sembrava scrutare la linea delle colline coperte di neve. Ambrosinus propose di trasferirsi intanto sulla barca che li avrebbe trasportati a nord, per tenersi pronti a partire appena fosse stato possibile. Le chiatte le aveva lasciate come merce di scambio allo stesso barcaiolo, che le avrebbe usate come rimorchi per i suoi trasporti fluviali.

Era costui un uomo sulla cinquantina, robusto, tarchiato, con una gran chioma di capelli grigi, vestito di una casacca di feltro e di un grembiule di pelle, dai modi bruschi e decisi.

«Non posso aspettare ancora per molto» disse appena li

vide. «La gente comincia a macellare il maiale e ha bisogno del sale per conservare i salumi. E poi c'è un altro motivo, ben più importante. Più l'inverno è inoltrato e più rischiamo di essere bloccati quando saremo più a nord. Intendo dire che il fiume stesso può gelare e il ghiaccio può imprigionare e stritolare la mia imbarcazione.»

«Ma si era detto che si poteva attendere fino a questa sera. Aspettare ancora qualche ora non cambierà certo di molto la situazione» obiettò Ambrosinus. Livia notò che la sua voce era molto debole, come velata dalla raucedine, il colorito terreo, il volto segnato da rughe profonde, come se non avesse chiuso occhio tutta la notte.

«Mi dispiace» ribatté il barcaiolo, «ma il tempo sta cambiando, come vedete, si sta alzando anche la nebbia e la navigazione può farsi molto rischiosa. Non è colpa mia se il tempo si mette al peggio.»

Ambrosinus insistette. «Ti abbiamo lasciato la proprietà delle chiatte e già hai il tuo guadagno sul carico, e ti daremo altro danaro per il nostro passaggio. Acconsenti alla nostra richiesta. Stiamo aspettando altri amici che arriveranno presto. Te lo assicuro.»

Ma il barcaiolo era irremovibile. «Devo salpare» rispose. «Non so cosa dirvi.»

Vatreno si avvicinò. «Lo so io cosa dirti. Ascoltami bene: o fai quello che diciamo con le buone o lo farai con le cattive. Siamo tutti armati e quindi salperai quando lo diremo noi.»

Il barcaiolo si ritirò a poppa infuriato e si mise a confabulare con il suo equipaggio.

«Non avresti dovuto» disse Ambrosinus. «È sempre meglio negoziare, è sempre meglio convincere che costringere.»

«Sarà come dici tu» rispose Vatreno, «ma per il momento siamo ancora all'ancora perché i miei argomenti sono stati più convincenti dei tuoi.»

Non aveva finito di parlare che Livia gridò: «Sono loro!».

Ed era vero. Aurelio e Romolo scendevano il pendio a

tutta velocità, ma erano inseguiti ormai dappresso dallo squadrone di Wulfila che caricava con le spade sguainate lanciando grida agghiaccianti. Il barcaiolo vide la scena e immaginò subito la sua preziosa imbarcazione trasformata in campo di battaglia o, peggio, bruciata per rappresaglia da quei demoni urlanti per aver dato rifugio a fuggitivi forse ricercati per qualche crimine. Gridò con quanto fiato aveva in gola: «Molla, ora!». E due uomini dell'equipaggio sciolsero in un lampo gli ormeggi mentre un altro spingeva con un remo contro il molo per mettere la prua alla corrente.

Vatreno gridò: «No! Maledetti bastardi!».

Ma era troppo tardi: la barca si era già staccata e si allontanava lentamente dal pontile di legno cui era ormeggiata. Livia vide che Aurelio aveva un momento di incertezza: si stava dirigendo verso le zattere ma doveva aver visto che erano vuote. Gridò allora più forte che poté: «Siamo qui! Siamo qui! Corri, Aurelio corri!». E si mise ad agitare il mantello. E anche gli altri cominciarono ad agitarsi in ogni modo gridando: «Di qua! Siamo qui! Corri!».

Aurelio li vide, strinse tra le ginocchia i fianchi di Juba e tirò violentemente il morso imprimendo al cavallo una brusca virata. Poi lo lanciò di nuovo gridando: «Vai, Juba, vai, salta!», e gli fece sentire il colpo di redini sul morso e sul collo. La barca era adesso parallela alla sponda e stava superando l'estremità del pontile. Aurelio lo imboccò percorrendolo a tutta velocità fino in fondo, poi lanciò Juba in un balzo acrobatico che lo portò ad atterrare sul mucchio di salgemma, affondandovi fino alle ginocchia. Aurelio e Romolo si gettarono di fianco atterrando anch'essi sul bianco strato di sale, che attutì la caduta. Batiato, visto il subitaneo cambiamento della situazione, staccò i due timoni poppieri, li appoggiò agli scalmi e usandoli come remi impresse ulteriore velocità alla barca. Anche Wulfila percorse al galoppo il pontile, trascinato dalla foga dell'inseguimento, ma dovette frenare il suo stallone all'ultimo momento per non precipitare in acqua. Raggiunto dai compagni, dovette assistere ancora una volta, furioso e impotente, alla fuga delle sue prede.

Vatreno gli fece un gesto osceno gridando un'espressione castrense che Romolo non capì. Il ragazzo gli si avvicinò, togliendosi di dosso il sale di cui era completamente coperto. «Che parola è *temetfutue*?» gli chiese ingenuamente.

«Cesare!» lo rimbrottò Ambrosinus. «Non si ripetono queste cose.»

«Significa "fottiti!"» rispose tranquillo Vatreno. E poi sollevò il ragazzo fra le braccia e lo issò sopra le teste di tutti gridando: «Bentornato, Cesare!». Fu un'esplosione di gioia incontenibile che la tensione aveva soffocato fino a pochi istanti prima. Tutti si abbracciavano e anche Juba era fatto oggetto di effusioni, come era giusto per l'eroico destriero che aveva condotto in salvo Romolo e Aurelio con un'incredibile prodezza. Batiato riconsegnò i timoni all'equipaggio e si unì al tripudio dei compagni.

Intanto Wulfila continuava a seguirli, cavalcando lungo la riva e agitando nel pugno la spada di Cesare come una minaccia eterna, implacabile. Aurelio si appoggiò al parapetto di tribordo fronteggiando il nemico, esponendosi all'onda del suo odio come a un vento gelido che gli bruciava la pelle, e non poteva fare a meno di fissare la spada splendente che il barbaro stringeva nel pugno. I cavalieri lanciavano contro di loro sciami di frecce che cadevano in acqua con tonfi leggeri. Una, scagliata in ampia parabola, piovve sulla tolda, ma lo scudo di Demetrio, prontamente alzato, la ricevette in pieno prima che colpisse Livia. Ormai, a ogni istante, la distanza aumentava e presto divenne incolmabile.

Allora Romolo si avvicinò ad Aurelio e gli strinse un braccio. «Non pensare più a quella spada» disse. «Non m'importa se l'hai perduta. Ci sono cose più importanti.»

«Quali?» chiese Aurelio con amarezza.

«Che siamo tutti riuniti, di nuovo insieme. E mi importa solo che tutti mi vogliono bene. E spero anche tu.»

«Ti voglio bene, Cesare» rispose Aurelio senza voltarsi.

«Non chiamarmi Cesare.»

«Ti voglio bene, ragazzo mio» rispose Aurelio. Poi, finalmente, si volse verso di lui e lo abbracciò stretto, con gli occhi caldi di lacrime.

In quel momento la fitta nuvolaglia si aprì, la nebbia che serpeggiava sull'acqua si diradò e il sole incendiò la superficie del grande fiume, illuminando la distesa nevosa che ne copriva le rive e facendola brillare come un mantello d'argento. Tutti restarono incantati a quella vista, come davanti a una visione di speranza. Poi, da poppa, dal piccolo gruppo di veterani, la voce rauca di Elio Vatreno intonò, lento e solenne, l'inno al sole, l'antichissimo *carmen saeculare* di Orazio:

Alme Sol curru nitido diem qui
promis et celas...

A quella voce se ne unì una seconda e poi una terza e una quarta, e poi quella di Livia e dello stesso Aurelio:

aliusque et idem
nasceris, possis nihil Roma
visere maius...

Romolo esitò, guardando Ambrosinus. «Ma è un canto pagano...» disse.

«È il canto della grandezza di Roma, figlio mio, che non sarebbe giunta a tanto splendore se Dio non lo avesse permesso. E ora che volge al suo tramonto, è giusto levare questo canto di gloria.» E si unì egli stesso al coro.

Anche Romolo cantò. Levò la sua voce ancora limpida di fanciullo come non aveva mai fatto fino a quel momento, sovrastando quelle profonde e possenti dei suoi compagni, unendosi a quella di Livia tesa e fremente. E anche il barcaiolo, preso da quell'atmosfera così intensa, cantò con loro seguendo la melodia pur senza conoscere le parole.

Alla fine il canto si spense mentre il sole, vinte le nubi e dissolta definitivamente la nebbia, trionfava splendente nel cielo invernale.

Romolo si avvicinò al barcaiolo che ora taceva e aveva negli occhi una strana luce, come di commozione. «Sei romano anche tu?» gli chiese.

«No» rispose il barcaiolo. «Ma vorrei esserlo.»

XXIX

Il lago di Brigantium si aprì alla vista come un enorme specchio rilucente contornato di boschi e pascoli su cui spiccavano casolari isolati e villaggi. Fu necessaria un'intera giornata di navigazione per attraversarlo da un capo all'altro fino a un promontorio che separava, a mo' di forca, due insenature lunghe e strette. La barca imboccò quella di sinistra e gettò l'ancora per la notte presso una piccola città chiamata Tasgaetium. L'indomani il viaggio ricominciò nel punto in cui il fiume riprendeva la sua corsa verso settentrione.

«Eccoci di nuovo sul Reno» annunciò il barcaiolo quando il vascello imboccò il braccio emissario. «Lo discenderemo per circa una settimana finché arriveremo ad Argentoratum. Ma prima ci attende la vista di uno spettacolo quale non avete mai visto né vedrete mai in tutta la vostra vita: le grandi rapide.»

«Rapide?» chiese Orosio ancora terrorizzato per l'ultima sua avventura fluviale. «Ma allora c'è pericolo.»

«Altroché» rispose il barcaiolo, «le rapide hanno un'altezza di oltre cinquanta piedi per una larghezza di cinquecento e si precipitano a valle spumeggiando con un rombo di tuono. Se fate silenzio e tendete l'orecchio, ora che abbiamo il vento favorevole, potete udirlo anche da qui.»

Tutti tacquero guardandosi l'un l'altro con apprensione, non riuscendo a capire quale sarebbe stato l'esito di quel preavviso. In lontananza infatti si udiva, o forse sembrava di udire, una sorta di rombo sommesso, confuso con altri rumori della natura, che avrebbe potuto essere la voce delle rapide.

Ambrosinus si avvicinò al barcaiolo: «Suppongo tu abbia un itinerario alternativo: un salto di cinquanta piedi mi sembra comunque eccessivo anche per una barca solida come la tua».

«La tua supposizione è esatta» rispose il barcaiolo virando di bordo con la timoneria. «Accostiamo e ce ne andiamo per via di terra. C'è un servizio speciale su slitte trainate da buoi che ci porterà via terra fino a valle delle cascate.»

«Numi!» esclamò Ambrosinus. «Un *diolkos*! Chi l'avrebbe mai detto, in queste terre barbariche.»

«Che hai detto?» domandò Vatreno.

«Un *diolkos*: un passaggio terrestre per le navi che devono superare un ostacolo naturale. Ve n'era uno all'istmo di Corinto nell'antichità, veramente spettacolare.»

La barca ormai attraccava. Un gruppo di alaggio l'agganciò e l'assicurò a una slitta su ruote mentre il barcaiolo contrattava il prezzo del passaggio. Poi il paratore diede una voce ai buoi e l'imponente treno si mise in moto. Juba fu fatto scendere a terra e così poté sgranchirsi le gambe in una lunga e tranquilla passeggiata. Ci vollero quasi due giornate di cammino e frequenti cambi di traino prima che la barca giungesse in terreno pianeggiante, e quando passò sotto le rapide tutti si fermarono a guardare incantati l'immenso muro d'acqua spumeggiante, l'arco dell'iride che l'attraversava come un ponte da riva a riva, i gorghi e i mulinelli, il ribollire tumultuoso delle acque nel punto in cui il fiume riprendeva la sua corsa verso occidente.

«Che meraviglia!» esclamò Romolo. «Mi ricordano un po' le cascate della Nera, solo mille volte più grandi!»

«Ringrazia Wulfila!» rise Demetrio. «Se non fosse stato per lui, non l'avresti vista mai questa meraviglia.»

Anche gli altri si misero a ridere, mentre la barca veniva nuovamente varata nelle acque del fiume. Ridevano tutti come se partecipassero a un gioco, tranne Ambrosinus.

«Che cosa c'è, *Ambrosine*?» chiese Livia.

Il vecchio corrugò la fronte: «Wulfila. Questo nostro viaggio per terra ci ha fatto perdere quasi tutto il vantaggio. A quest'ora potrebbe essere da qualunque parte su quelle colline». Le risate si attenuarono spegnendosi in un brusio sommesso. Qualcuno cominciò a scandagliare con lo sguardo le alture d'intorno, altri, appoggiati al parapetto, osservavano il placido scorrere delle acque.

«La corrente del fiume ha perso velocità» continuò Ambrosinus, «e quando piegheremo verso nord avremo anche il vento contrario. Per di più la nostra barca è facilmente riconoscibile con tutto questo sale e con un cavallo a bordo.» Nessuno aveva più voglia di ridere, e nemmeno di chiacchierare.

«Che cosa faremo, piuttosto, quando saremo giunti ad Argentoratum?» domandò Livia per distogliere il discorso da quell'argomento.

«Penso che dovremmo entrare senz'altro in Gallia, dove saremo meno esposti» rispose Ambrosinus. Prese la mappa che aveva disegnato alla *mansio* di Fano e che Livia gli aveva restituito dopo il loro incontro al valico, la stese su una panca e fece cenno ai compagni di avvicinarsi. «Guardate» disse. «Questa è, più o meno, la situazione. Qui, nella parte centromeridionale del paese sono insediati i Visigoti, da molti anni amici e federati del popolo romano. Combatterono ai Campi Catalauni contro Attila agli ordini di Aezio, di cui il re visigoto era amico personale. Egli, anzi, pagò con la vita la fedeltà a quell'amicizia: cadde in battaglia mentre teneva valorosamente l'ala destra dello schieramento confederato.»

«Dunque non tutti i barbari sono crudeli e selvaggi» commentò Romolo.

«Non ho mai detto questo» rispose Ambrosinus. «Anzi. Molti di loro hanno doti straordinarie di valore, di lealtà e di sincerità, doti che, purtroppo, non appartengono più al nostro costume che chiamiamo civile.»

«Nondimeno hanno provocato la distruzione del nostro Impero, del nostro mondo.»

«Non per colpa nostra» disse Batiato. «Io ne ho ammazzati tanti che ho perso il conto.»

Ambrosinus tornò al nocciolo del problema. «Qui non si tratta, figlio mio, di distinguere chi è buono da chi è cattivo. Quelli che noi chiamiamo "barbari" erano popoli che vivevano da tempi immemorabili come nomadi nelle vaste steppe sarmatiche. Avevano le loro tradizioni, le loro usanze, il loro costume di vita. Poi, a un certo momento, cominciarono a premere sui nostri confini. Forse ci furono carestie nei loro territori, o epidemie che falcidiarono il bestiame, forse furono sospinti da altri popoli che fuggivano dalle loro terre d'origine: difficile stabilirlo. Forse anche si resero conto di quanto fossero miseri rispetto alla nostra ricchezza, di quanto fossero povere le loro tende di pelle in confronto alle nostre case di mattoni e di marmo, alle nostre ville, ai nostri palazzi. Quelli di loro che vivevano ai confini e commerciavano con noi vedevano l'enorme differenza fra la loro vita così frugale e i nostri sprechi. Vedevano la profusione del bronzo, dell'oro e dell'argento, la bellezza dei monumenti, l'abbondanza e la raffinatezza dei cibi, dei vini, la sontuosità delle vesti e dei gioielli, la fertilità dei campi. Ne rimasero abbagliati e affascinati, vollero anche loro vivere in quel modo. E così cominciarono gli attacchi, i tentativi di forzare le nostre difese oppure, in altri casi, una pressione continua, una lenta infiltrazione. Lo scontro dura da trecento anni e ancora non è concluso.»

«Che dici? È tutto finito: il nostro mondo non è più.»

«Ti sbagli. Roma non si identifica con una razza, o un popolo, o un'etnia. Roma è un'ideale e gli ideali non si possono distruggere...» Romolo scosse il capo incredulo: come poteva quell'uomo nutrire ancora tanta fede quando tutto era desolazione e sfacelo? Ambrosinus puntò ancora il dito sulla sua carta. «Qui, tra il Reno e la Belgica, vi sono i Franchi, di cui in parte ti ho detto. Vivevano nelle foreste della Germania, ora abitano le terre migliori della Gallia, a occidente del Reno. E sai come riuscirono a passare? A causa del freddo. Una notte la temperatura dell'aria si abbassò a tal punto che il Reno si rapprese e, quando si levò l'alba, ai nostri soldati si presentò una visione spettrale: un'immensa armata a cavallo emergeva dalla nebbia e avanzava sul fiume trasformato in una lastra di ghiaccio. I nostri si batterono strenuamente, ma furono travolti.»

«È vero» confermò Orosio. «Io udii una volta sul Danubio un veterano raccontare questa storia. Era quasi senza denti e pieno di cicatrici in tutto il corpo, ma aveva la memoria buona. E la visione di quei guerrieri che attraversavano il fiume a cavallo era un incubo ricorrente, che ancora lo faceva sobbalzare nel sonno gridando: «Allarme, allarme! Arrivano!». Qualcuno diceva che era pazzo ma vi assicuro che nessuno osava deriderlo per questo.»

«A nord-est» proseguì Ambrosinus, «c'è quanto resta della provincia romana di Gallia che si è resa indipendente. Regna su di essa Siagrio, il generale romano che si è fatto riconoscere il titolo di *rex Romanorum*. Solo un rozzo soldato poteva assumere un titolo così antiquato e al tempo stesso altisonante...»

«Ehi, maestro» scherzò Batiato, «anche noi siamo rozzi soldati, ma abbiamo le nostre buone qualità. A me questo Siagrio non dispiace.»

«Sì, forse non hai torto. Ci conviene attraversare il suo regno che conserva ancora una buona organizzazione e un controllo abbastanza diffuso del territorio. Potremmo immetterci nella Senna e poi discenderla fino a *Parisii* e di là raggiungere il canale britannico. È un viaggio lungo e difficile ma dovremmo farcela. Una volta giunti sul canale possiamo sperare di far perdere le nostre tracce e quasi certamente troveremo un passaggio. Ci sono molti mercanti che vengono a vendere la lana delle nostre pecore in

Gallia, dove viene tessuta, e a comprare manufatti che da noi scarseggiano.»

«E dopo? Quando saremo finalmente nella tua Britannia? Dopo andrà meglio, avremo vita più facile?» chiese Vatreno, sicuro di interpretare la curiosità di tutti.

«Temo di no» rispose Ambrosinus. «Manco da tanti anni e non so nulla di preciso, ma non mi faccio illusioni. L'isola è abbandonata a se stessa da mezzo secolo, come sapete, molti capi locali si fanno la guerra ma io spero che siano sopravvissute le istituzioni civili nelle città più importanti e soprattutto nella città che guidò la resistenza contro le invasioni dal nord: Carvetia. È là che ci dirigeremo e, per farlo, dovremo attraversare quasi tutta l'isola, da sud a nord.»

Nessuno chiese più nulla. Quegli uomini giunti dal Mediterraneo si guardavano intorno e vedevano un intero continente nella morsa del freddo: la neve copriva tutto con il suo manto uniforme cancellando ogni demarcazione, ogni confine. Era la natura a imporre le sue regole e le sue limitazioni fatte di fiumi, montagne e sterminate foreste.

Avanzarono così per giorni e anche di notte, quando lo permetteva il chiarore della luna. Discendevano la corrente del grande fiume e man mano che si inoltravano verso settentrione il cielo si faceva sempre più limpido e freddo, il vento più tagliente. Aurelio e i compagni si erano confezionati rozze casacche con pelli di pecora, avevano barbe e capelli lunghi e incolti, e somigliavano, ogni giorno di più, ai barbari che abitavano quelle terre. Romolo guardava quei paesaggi con un misto di meraviglia e di timore; quella distesa desolata gli riempiva il cuore di sgomento. A volte quasi rimpiangeva i colori di Capri e del suo mare, i profumi dei pini e delle ginestre, il suo autunno così mite da sembrare una primavera, ma cercava di farsi forza e di non mostrare mai abbattimento, consapevole di quali sacrifici e di quali pericoli stavano affrontando i suoi amici. Solo che quei sacrifici gli pesavano sempre di più.

Ogni giorno che passava li sentiva come tributi esagerati, sproporzionati al fine per cui erano spesi. Quel fine, ai suoi occhi, non era altro che un progetto oscuro per tutti fuorché per Ambrosinus. La sua saggezza e la sua conoscenza del mondo e della natura non finivano di stupirlo, ma era l'aspetto misterioso della sua personalità che lo inquietava. Passati i momenti di entusiasmo dopo la liberazione e il ricongiungimento con i compagni, ora prevalevano in lui la preoccupazione e quasi il senso di colpa nei confronti di quegli uomini che avevano legato la propria sorte a quella di un sovrano senza terra e senza gente, di un ragazzo povero che non avrebbe potuto onorare nei loro confronti alcun debito di riconoscenza.

Vatreno, Batiato e gli altri in realtà si sentivano sempre più legati gli uni agli altri, non tanto in funzione di un fine o di un progetto da realizzare, quanto piuttosto per il fatto stesso di essere insieme, in armi e in marcia. Era l'inquietudine del loro capo, l'espressione spesso assente o pensosa di Aurelio a turbarli, perché non la capivano e non sapevano a cosa li avrebbe condotti. Anche Livia se ne rendeva conto, ma il suo turbamento veniva da ragioni molto più intime e personali.

Una sera gli si avvicinò mentre stava appoggiato sul parapetto della barca, solo, montando la guardia, e guardava la prua fendere le acque grigie del Reno.

«Sei preoccupato?» gli chiese.

«Come sempre. Ci stiamo inoltrando in un territorio completamente ignoto.»

«Non pensarci. Siamo tutti riuniti, affrontiamo insieme ciò che ci attende. Non è forse una consolazione? Quando tu e Romolo eravate in montagna io non avevo pace; cercavo, nella mia mente, di seguire ogni vostro passo, vi immaginavo fra quei sentieri in mezzo a quei boschi, braccati dai nemici, esposti alle intemperie.»

«Anch'io pensavo a voi e... soprattutto a te.»

«A me?» chiese Livia cercando il suo sguardo.

«Come ti ho sempre pensata, come ti ho sempre desiderata da quando ti ho vista la prima volta bagnarti in quella fonte sull'Appennino, simile a una divinità dei boschi, e come ho sempre sofferto ogni istante in cui sono stato separato da te.»

Livia sentì un brivido correrle sotto la pelle e non era il vento del Nord: era quel trovarsi improvvisamente e inaspettatamente di fronte a un varco nell'animo di Aurelio, a un manifestarsi dei suoi sentimenti in una condizione così inattesa e casuale.

«Perché non hai mai voluto aprirti?» gli disse. «Perché non mi hai mai permesso di conoscere i tuoi sentimenti, e quando ho tentato di farlo mi hai sempre tenuta lontana chiudendomi ogni accesso al tuo cuore? La mia vita non ha più senso lontano da te. Lo so, anch'io ho sbagliato, non mi sono resa conto di averti amato fino dal primo momento, ho voluto resistere a questo sentimento, tenerlo nascosto. Mi sembrava che mi indebolisse, che mi rendesse più vulnerabile e la mia vita mi aveva insegnato a non mostrare mai, a nessuno, alcun tipo di debolezza.»

«Non volevo respingerti» rispose Aurelio, «né avevo paura di aprire il mio animo. Temevo ciò che tu avresti potuto vedervi. Tu non ti rendi conto di quello che passa nella mia mente, di ciò che devo soffrire, di come devo combattere contro i miei fantasmi. Come posso legarmi a un'altra persona se sono diviso in me stesso, se devo temere, in ogni istante, l'insorgere di un ricordo che potrebbe cambiarmi completamente, fare di me uno straniero, forse un essere odioso, spregevole. Capisci che cosa voglio dire?»

Livia gli appoggiò la testa sulla spalla e cercò la sua mano. «Non è come pensi: per me tu sei ciò che vedo, ciò che conosco. Ti guardo negli occhi e vedo un uomo buono e generoso. E a questo punto non mi importa nemmeno sapere se sei veramente colui che penso, se è tuo il volto che si impresse nella mia memoria di bambina. Non mi importa ciò che può nascondere il tuo passato, di qualunque cosa si tratti.»

Aurelio si alzò e la fissò negli occhi con un'espressione accorata. «Di qualunque cosa? Ma lo sai che cosa significa?»

«Significa che ti amo, soldato, e che ti amerò sempre, qualunque cosa il destino ci riservi. E l'amore è intrepido. Ci dà la forza per affrontare qualunque asperità sul sentiero dell'esistenza, di superare qualunque dolore, qualunque delusione. Smetti di tormentarti: l'unica cosa che mi importa sapere di te è se anche tu provi ciò che io provo per te.»

Aurelio l'abbracciò stretta e la baciò, cercò la sua bocca con labbra assetate, poi la strinse ancora a sé come per trasmetterle attraverso il suo corpo anche ciò che non riusciva a manifestarle con le parole. «Ti amo, Livia» le disse, «più di quanto tu possa immaginare, e in questo momento il calore che sento nell'animo potrebbe sciogliere tutta la neve e il ghiaccio che ci circonda. Anche se tutto è contro di noi, anche se il futuro è per me un mistero non meno angoscioso del mio passato, ti amo come nessuno potrà mai amarti su questa terra o nel regno degli inferi.»

«Perché ora?» gli chiese Livia. «Perché hai scelto questo momento?»

«Perché tu sei vicina e perché la mia solitudine, su queste acque gelide, in questa bruma informe, è insopportabile. Stringimi, Livia, dammi la forza di credere che niente potrà mai separarci.» Livia gli gettò le braccia al collo e rimasero così, stretti l'uno all'altra, a lungo, mentre il vento agitava e confondeva i loro capelli in una sola nube bruna, nella debole luce invernale.

Si era ormai alla vigilia dell'ultimo giorno di navigazione e il barcaiolo osservava preoccupato i grumi di ghiaccio che fluttuavano sulla superficie del fiume.

«I tuoi timori non erano infondati» disse Ambrosinus avvicinandosi. «Il fiume si sta rapprendendo.»

«Purtroppo» rispose il barcaiolo. «Ma per fortuna siamo quasi arrivati. Domani verso sera getteremo l'ancora. Conosco un impresario al porto germanico, sulla riva orientale che potrebbe darvi un passaggio fino alla foce ma, stando così le cose, la navigazione verrà sicuramente interrotta fino a che le acque non riprenderanno a scorrere.»

«E questo quando avverrà, in primavera?»

«Non necessariamente. Vi possono essere mutamenti di temperatura anche durante l'inverno. Potreste trovarvi un alloggio e aspettare. Potrebbe trattarsi di un fenomeno passeggero e in questo caso sarebbe possibile per voi riprendere la navigazione con un altro vascello, fino all'Oceano. Di là si passa facilmente in Britannia al primo giorno di mare calmo.»

Gettarono l'ancora, a sera, sulla riva destra di fronte ad Argentoratum. Appena in tempo: il vento aveva preso a rinforzare da nord ovest e i grumi di ghiaccio si facevano sempre più frequenti e compatti urtando le fiancate della barca con rumori sordi. Il barcaiolo guardò quello sparuto manipolo di profughi e ne provò compassione. Dove sarebbero andati senza conoscere il paese, le strade, i percorsi più sicuri nel cuore dell'inverno che avanzava portando bufera e neve, gelo e fame? Si avvicinò ad Ambrosinus che metteva mano alla borsa per pagarlo e disse: «Lascia perdere: sono stato fortunato a condurre a buon fine il mio trasporto. Il vento settentrionale mi riporterà a casa più velocemente di quanto potessi aspettarmi. Tenete voi quel danaro: potrà farvi comodo. Per questa notte potete restare sulla mia barca: sarà probabilmente più sicura e confortevole di qualunque taverna della città. In più, non vi farete notare. I vostri nemici potrebbero già essere qua in giro».

«Ti ringrazio» rispose Ambrosinus, «anche a nome dei miei compagni. Nelle nostre condizioni un amico è quanto di più prezioso si possa desiderare.»

«E domani che cosa farete?»

«La mia intenzione era di passare sull'altra sponda, dove i nostri nemici non dovrebbero avere appoggi e dove noi potremmo trovare qualche aiuto. Quindi puntare verso la Senna e discenderla in barca fino al canale britannico.»

«Mi sembra una buona risoluzione.»

«Perché non ci trasporti ora, ad Argentoratum, dall'altra parte del fiume?»

«Non posso, per molti e validi motivi. Aspetto un carico di pelli dall'interno. In più abbiamo il vento contrario, inoltre i blocchi di ghiaccio che vedete scivolare sulla corrente potrebbero mandarci a picco. Vi conviene seguire la riva e attraversare più avanti, quando troverete un passaggio. Domani se la temperatura salirà potreste trovare qualche traghetto disposto a trasportarvi dall'altra parte.»

Ambrosinus annuì, radunò i compagni e comunicò loro le prospettive per il giorno seguente. Decisero che, comunque, uno di loro sarebbe rimasto di guardia. Si offrirono Vatreno per il primo turno e Demetrio per il secondo. «Ho montato di guardia tante volte sul Danubio con la neve e il gelo» disse Demetrio. «Ci sono abituato.»

Al calare dell'oscurità il barcaiolo scese a terra e tornò a notte inoltrata dando una voce a Vatreno che stava all'erta. Juba, impastoiato e legato al parapetto di prua sbuffò sommessamente. Livia arrivò in quel momento con una ciotola di zuppa fumante per Vatreno poi prese qualche manciata d'orzo da un sacco e la diede al cavallo.

«Dove sono gli altri?» chiese il barcaiolo.

«Sottocoperta. Ci sono delle novità?»

«Purtroppo sì» disse. «Raggiungimi appena puoi.» E scese a sua volta, tenendo in mano la lanterna.

Livia lo seguì poco dopo e l'uomo cominciò a parlare: «Porto notizie poco rassicuranti. Nel borgo sono arrivati degli sconosciuti che dalle descrizioni e dal comportamento potrebbero essere i vostri inseguitori. Chiedono informazioni su un gruppo di forestieri che dovrebbero essere sbarcati questa sera e non v'è dubbio che stiano cercando voi. Se scenderete a terra verrete localizzati molto facilmente. Promettono danaro per chiunque fornisca informazioni e c'è gente, in questo posto, che venderebbe la madre per un pugno di spiccioli, ve lo assicuro.

In più, ho sentito che venti miglia a nord il fiume è ghiacciato. Non potrei portarvi nemmeno se volessi».

«È tutto?» chiese Ambrosinus.

«A me pare che basti» osservò Batiato.

«Sì, è tutto» confermò il barcaiolo. «E dobbiamo anche tenere presente che sono in grado di riconoscere questa barca: l'hanno vista da vicino ed è inconfondibile con questo carico di salgemma al centro del ponte. Adesso è buio pesto e non si vede nulla ma domani, con la luce, non impiegheranno molto a individuarci. La mia intenzione è di scaricare e caricare prima dell'alba e di salpare subito dopo: non voglio che mi ci appicchino il fuoco. Non avrei mai creduto che potessero arrivare assieme a noi. Devono aver cavalcato senza sosta dormendo poco o nulla, o forse si sono imbarcati su una nave ben più veloce di questa chiatta. Un giorno, se dovessimo mai rincontrarci in qualche parte del mondo, sarei curioso che mi spiegaste il perché di tanta tenacia, ma ora ci sono cose più importanti da decidere. E cioè come possiate salvare la pelle.»

«Hai qualche suggerimento da darci?» chiese Aurelio. «Tu conosci meglio di noi questi luoghi e questa gente.»

Il barcaiolo allargò le braccia.

«Forse ho io un'idea» disse Ambrosinus. «Ma ci serve un carro. Ora.»

«Un carro? Non è semplice a quest'ora di notte, ma so dove ne danno a noleggio. In teoria dovreste riconsegnarlo a venti miglia da qui, ma sono perdite che mettono in conto: quello che guadagnano è tanto da risarcirli dopo due o tre viaggi, per cui non vi fate troppi scrupoli. Io vado a vedere: voi tenetevi pronti... Posso chiedervi che cosa ne volete fare del carro?»

Ambrosinus abbassò il capo con un'espressione di imbarazzo. «Meglio che tu non lo sappia: capisci che cosa intendo, vero?» Il barcaiolo annuì e risalì in coperta. Poco dopo si era già perso nel dedalo di viuzze che si irradiavano dal porto.

«Che cos'hai in mente?» domandò Aurelio.

«Faremo come fecero i Franchi trent'anni fa. Passeremo dall'altra parte sul ghiaccio.»

«Di notte, senza sapere se reggerà?» chiese Batiato spalancando gli occhi.

«Se qualcuno ha un'idea migliore la dica» rispose Ambrosinus.

Tutti restarono in silenzio.

«Allora è deciso» concluse Ambrosinus. «Preparate le vostre cose e qualcuno vada di sopra ad avvertire Vatreno.» Demetrio si incaricò dell'ambasciata ma Romolo, alzatosi improvvisamente in piedi, lo anticipò. «Vado io. Gli porto ancora un po' di zuppa.»

Romolo era da poco scomparso sopracoperta che si udì un gran trambusto e la voce di Vatreno che gridava: «Fermati, fermati, dove vai!».

Ambrosinus intuì quanto stava accadendo e cominciò a chiamare: «Correte, per l'amor di Dio, correte!». Aurelio si lanciò di corsa salendo con un paio di balzi in coperta, seguito da Livia e Demetrio. Vatreno era già sceso sul molo e correva gridando: «Fermati, fermati ho detto!».

Anche gli altri gli andarono dietro e si trovarono di fronte tre strade che si diramavano in tre diverse direzioni.

«Vatreno ha preso quella al centro» disse Demetrio. «Io vado a destra, tu e Livia a sinistra: ci troviamo qui appena possibile.» Si sentiva in distanza il rumore di una corsa concitata e la voce di Vatreno che continua a chiamare Romolo. Tutti si lanciarono all'inseguimento. Aurelio si trovò presto a un bivio. «Di là» disse a Livia. «Io vado da questa parte.» Demetrio intanto correva in lieve salita lungo la strada che immaginava parallela a quella presa da Vatreno. Cercò dovunque, guardò in ogni angolo ma le strade erano buie: era come cercare un ago in un pagliaio. Né migliore fortuna avevano avuto Livia e Aurelio. Si ritrovarono ansimanti in un quadrivio.

«Ma perché lo ha fatto?» chiese Livia.

«Non lo capisci? Non vuole che noi affrontiamo più pericoli e fatiche per lui. Si sente un peso e una minaccia per noi e vuole togliersi di mezzo.»

«Mio Dio, no!» esclamò Livia trattenendo a stento le lacrime.

«Continuiamo a cercare» disse Aurelio. «Non può essere molto lontano.»

Romolo intanto era giunto a una piazzetta sulla quale si affacciava una taverna e si fermò. Pensò che sarebbe potuto entrare e offrirsi come garzone per le pulizie e per lavare le stoviglie in cambio di vitto e alloggio. Si sentiva solo, disperato, spaventato per la decisione che aveva preso e per il futuro che lo attendeva, ma era certo di aver agito per il meglio. Tirò un profondo respiro e fece per incamminarsi ma non aveva fatto che pochi passi che la porta della taverna si spalancò e apparve, sotto la luce della lanterna, uno dei barbari di Wulfila. Poi ne uscirono altri tre e si incamminarono dalla sua parte. Terrorizzato, Romolo si voltò per correre via ma urtò contro qualcuno che veniva dalla parte opposta. Sentì una mano che lo afferrava per le spalle e un'altra che gli chiudeva la bocca. Fece per divincolarsi ancora più spaventato ma una voce familiare gli disse: «Ssst! Sono Demetrio. Fai silenzio: se quelli ci vedono siamo morti».

Arretrarono senza fare il minimo rumore e poi Demetrio se lo tirò dietro di corsa in direzione del porto. Ambrosinus li aspettava, il volto contratto per l'angoscia, tenendosi al parapetto della barca, fiancheggiato dai compagni.

«Che cosa hai fatto!» esclamò appena lo vide. E alzò la mano facendo l'atto di schiaffeggiarlo ma Romolo non batté ciglio e lo fissò dritto negli occhi. Ambrosinus percepì in quello sguardo la dignità e la maestà del suo sovrano e chinò il capo. «Hai messo in pericolo la vita di tutti. Livia, Vatreno e Aurelio ti stanno ancora cercando e possono incappare in qualunque momento in un pericolo mortale.»

«È vero» confermò Demetrio. «Ancora un po' e mi scontravo con gli uomini di Wulfila. Sono in giro per il borgo, evidentemente ci stanno cercando.»

Romolo allora scoppiò in lacrime e corse a nascondersi sottocoperta.

«Non essere troppo severo con lui» disse Demetrio. «È solo un ragazzo e deve confrontarsi con emozioni tremende, con decisioni più grandi di lui.»

Ambrosinus sospirò e tornò al parapetto per vedere se gli altri facessero ritorno. Udì invece la voce del barcaiolo. «Ho trovato il carro» disse salendo la passerella. «Siete fortunati. Ma bisogna muoversi: il noleggiatore vuole chiudere il suo emporio e andarsene a letto.»

«Abbiamo avuto un problema» rispose Demetrio. «E alcuni di noi sono in giro per il borgo.»

«Un problema? Che problema?»

«Vado io con lui» disse Ambrosinus. «Voi aspettate qui e che nessuno si muova, per l'amor del cielo, finché non saremo tornati.»

Demetrio annuì e restò di vedetta ad aspettare i compagni assieme a Orosio e Batiato. Giunse per primo Vatreno e poi, dopo qualche tempo, Livia seguita da Aurelio. Erano affranti.

«Tranquillizzatevi» disse Demetrio. «L'ho trovato io, per miracolo. Voleva entrare in una taverna, credo. Ancora un po' e finiamo in bocca ai tagliagole di Wulfila.»

«In una taverna?» chiese Aurelio. «E adesso dov'è?»

«Di sotto. Ma l'ha già sgridato Ambrosinus.»

«Vado io» disse Livia, e scese sottocoperta.

Romolo era rannicchiato in un angolo e piangeva sommessamente, con la testa appoggiata sulle ginocchia. Livia gli si avvicinò e gli fece una carezza. «Ci hai fatto morire di spavento» gli disse. «Non farlo più, ti prego. Non sei tu che hai bisogno di noi. Siamo noi che abbiamo bisogno di te, lo capisci questo?»

Romolo alzò il viso e si asciugò le lacrime con l'orlo della tunica, poi si alzò e l'abbracciò stretta senza dire nulla. Da fuori venne un rumore di ruote sull'acciottolato.

«Vieni, ora» disse Livia. «Prendi le tue cose: è tempo di partire.»

XXX

Il carro era già sulla banchina e Ambrosinus stava versando il prezzo del noleggio al carrettiere sottraendo il costo del cavallo. «Come puoi vedere» disse, «già ne abbiamo uno.» Aurelio, infatti, faceva scendere Juba dalla passerella tenendolo per la cavezza per sostituirlo al magro ronzino che stava fra le stanghe.

«Per tutti i santi» disse il carrettiere, «quell'animale è sprecato per questo carro. Se me lo dai te ne do due dei miei, che ne dici?»

Aurelio non lo guardò nemmeno e cominciò a sistemare i finimenti da tiro attorno al collo del suo animale.

«Per lui è come un fratello» disse Demetrio al carrettiere. «Tu lo cambieresti tuo fratello con due di questi ronzini?»

Il carrettiere si grattò in testa. «Se tu conoscessi mio fratello, lo cederesti anche solo in cambio di un somaro.»

«Muoviamoci» li sollecitò Ambrosinus. «Prima ce ne andiamo e meglio è.» Gli altri salirono sul carro dopo aver salutato e ringraziato il barcaiolo e si sedettero sul cassone appoggiandosi alle sponde. Un telo di stoffa cerata era teso su alcune centine di legno di salice e, oltre che nascondere gli occupanti, offriva loro un po' di riparo. Livia andò a rannicchiarsi sotto la coperta vicino a Romolo. Aurelio si affacciò da dietro. «Io vado a piedi» disse. «Juba non è abituato a tirare un carro, potrebbe imbizzarrirsi. Voi intanto cercate di riposarvi.»

Ambrosinus strinse la mano al barcaiolo. «Ti siamo molto grati» gli disse. «Ti dobbiamo la vita e non sappiamo nemmeno il tuo nome.»

«Meglio così, una cosa in meno da ricordare. È stata una bella traversata ed è stato piacevole avere compagnia. Di solito faccio tutto quel viaggio solo come un cane. Se ho capito bene, tu vuoi passare sul ghiaccio.»

«Non ho altra scelta, mi pare» ammise Ambrosinus.

«Lo credo anch'io. Ma stai molto attento: il ghiaccio è più spesso dove il fiume è più lento, quindi nelle parti rettilinee il pericolo maggiore è al centro, nei tratti incurvati, invece, il ghiaccio è sottile nella parte esterna della curva. Passate uno per volta e fate passare per ultimo il cavallo con il carro scarico. Una volta di là prendete a nord-ovest: in una settimana di marcia dovreste poter raggiungere la Senna, se il tempo non sarà troppo inclemente. Dopo sarà tutto più facile, almeno lo spero. E che Dio vi assista.»

«E assista te, amico. Un giorno forse sentirai parlare di quel ragazzo che hai visto ramingo e perseguitato e sarai orgoglioso di averlo conosciuto e di avergli prestato aiuto. Fai buon viaggio.»

Si congedarono con un'ultima stretta di mano e Ambrosinus salì sul carro, aiutato da Orosio, poi tirarono su la sponda posteriore e la fissarono alle fiancate. Demetrio diede una voce ad Aurelio: «Ci siamo tutti». Il carro si mise in moto cigolando e sferragliando sull'acciottolato della banchina e scomparve nell'oscurità.

Marciarono per tutta la notte percorrendo una quindicina di miglia e alternandosi alle briglie di Juba. Poi, quando il cavallo si fu abituato al traino, Aurelio si sedette sulla panca del conducente e lo guidò con le briglie e con la voce. Alla loro sinistra il fiume si faceva sempre più bianco e compatto, finché divenne una lastra uniforme da una riva all'altra. Il freddo era pungente e la nebbia si era trasformata durante la notte in galaverna, creando fantasmagoriche trine di ghiaccio sugli arbusti e sui canneti, sull'erba dell'argine e sui cespugli. Il cielo era velato da nubi alte e sottili che lasciavano a volte trasparire la prima luce del sole come un alone biancastro e diffuso, non molto sopra l'orizzonte.

Nessuno era tranquillo. Il mezzo di cui disponevano li nascondeva alla vista, ma era lento e vulnerabile e in più li attendeva il momento più rischioso: l'attraversamento del fiume. Il vantaggio di una certa visibilità portata dalla luce del mattino si rivelava in realtà del tutto aleatorio perché la luce diffusa in modo eguale dal cielo, dalla neve e dal ghiaccio confondeva i contorni e i volumi affogando l'intero paesaggio in un biancore lattiginoso. Spiccavano solo le persone e gli animali, con un'evidenza accentuata. I passanti erano radi: contadini con animali da soma carichi di sterpi e di legna da ardere o qualche viandante solitario, per lo più mendicanti coperti di stracci. Il canto dei galli annunciava il nuovo giorno dalle fattorie disperse per la campagna e di tanto in tanto si udiva l'abbaiare di un cane, che quell'immenso spazio vuoto e freddo trasformava in un lamento inquietante.

Procedettero ancora per alcune miglia, poi si fermarono in un punto in cui il fiume era più stretto e dove l'argine, basso sull'alveo, offriva più agevole accesso. Si decise che due uomini a piedi avrebbero sondato la solidità del ghiaccio, assicurati l'uno all'altro da una fune cosicché, se il più avanzato dei due fosse affondato nell'acqua, l'altro avrebbe potuto trarlo in salvo. Si offrirono Aurelio e Batiato, la cui forza e mole sarebbero state garanzia di un ancoraggio sicuro. Sotto lo sguardo preoccupato dei compagni i due avanzarono sulla crosta ghiacciata, battendone la superficie con l'asta di un giavellotto così da determinare in qualche modo, dal suono, lo spessore del ghiaccio. In breve tempo rimpicciolirono alla vista dei loro compagni, portandosi quasi al centro del fiume. Quello era il punto critico, la parte in cui il ghiaccio si era solidificato per ultimo, e Aurelio decise di saggiarlo tagliandolo con la spada. Maneggiandola a due mani cominciò a scavare con energia spargendo intorno schegge brillanti come cristallo.

Scese fino a un piede di spessore e con un ultimo colpo affondò la lama nell'acqua.

«Un piede!» gridò indietro a Batiato.

«Basterà?» chiese di rimando l'etiope.

«Deve bastare: non possiamo rimanere in questo luogo troppo a lungo e allo scoperto. Qualcuno ci sta già notando, guarda!» E indicò un paio di passanti che si erano fermati lungo la riva a osservare quella strana operazione. Tornò indietro a conferire con i compagni e poi tutti s'incamminarono, a una distanza di alcuni passi l'uno dall'altro.

«Affrettiamoci» disse Ambrosinus. «Siamo troppo esposti, troppo visibili. Chiunque sappia di noi ci può riconoscere.»

Il barcaiolo, che a quell'ora aveva sperato di essere già in navigazione con la prua a sud, era purtroppo in ben altra situazione. Lo scarico del sale aveva richiesto molto più del previsto perché la lunga esposizione all'umidità aveva saldato i cristalli. L'operazione non era ancora terminata quando gli uomini di Wulfila avevano fatto irruzione a cavallo sulla banchina e avevano cominciato a ispezionare le barche all'ancora. Non avevano impiegato molto tempo a individuare quella con il carico di salgemma, benché ne restasse ormai poco sul ponte, e si precipitavano ora a bordo con le spade sguainate.

«Fermi! Chi siete?» gridò il barcaiolo. «Non avete il diritto di irrompere così sulla mia barca.»

Wulfila arrivò in quel momento e ordinò ai suoi uomini di chiudergli la bocca e di condurlo sottocoperta.

«Non fingere di non riconoscerci!» cominciò. «Ci siamo visti l'ultima volta una decina di giorni fa e sono sicuro che non l'hai dimenticata la mia faccia, vero?» E gli si avvicinò distorcendo in un ghigno la sua maschera di sfregiato. «Noi stavamo inseguendo un disertore assassino che è saltato sulla tua barca in groppa al suo cavallo. E aveva un ragazzo con sé, non è vero?»

Il barcaiolo si sentì perduto: non poteva negare nessuna di quelle affermazioni. «I suoi amici lo stavano aspettando» rispose. «Avevano pagato per il passaggio e si sono sempre comportati bene. Io non potevo...»

«Taci! Quegli uomini sono ricercati per delitti di sangue commessi nel territorio dell'Impero e hanno rapito quel ragazzo che noi ora cerchiamo di liberare per restituirlo ai suoi genitori. Hai capito?»

Il barcaiolo ebbe per un momento il dubbio che quello sfregiato dicesse la verità, pensando all'improvvisa fuga di Romolo la notte precedente e al suo affannoso inseguimento, ma poi si ricordò delle continue manifestazioni d'affetto di cui l'aveva visto circondato da parte di tutti i suoi compagni di viaggio e di come lui le ricambiasse. Si limitò a rispondere: «Non posso sapere vita e opere di tutti quelli che salgono sulla mia barca. A me basta che paghino e che non diano fastidio, ed è quello che loro hanno fatto. Di tutto il resto non m'impiccio e non voglio saperne nulla. Io devo tornarmene a casa, e quindi...».

«Tu te ne vai quando lo dico io!» gridò Wulfila colpendolo con un manrovescio. «E adesso mi dirai dove sono andati, se non vuoi che ti faccia pentire di essere nato!»

Terrorizzato e dolorante l'uomo cercò di convincere il suo aguzzino di non sapere nulla, ma non era certamente pronto ad affrontare la tortura. Cercò di resistere ai pugni e ai calci, strinse i denti quando gli torcevano le braccia dietro alla schiena fin quasi a spezzargliele, soffocò le grida di dolore mentre il sangue gli colava copiosamente da un labbro spaccato e dal naso maciullato, ma quando vide Wulfila estrarre il pugnale cedette di schianto, preso dal panico. Disse: «Sono partiti, questa notte, con un carro, verso nord...».

Wulfila lo fece rotolare sul pavimento con un calcio e rinfoderò il pugnale. «Prega il tuo Dio che li troviamo, altrimenti tornerò indietro e ti brucerò vivo dentro la tua barca.»

Lasciò due uomini a sorvegliarlo, poi scese sulla banchina, montò a cavallo e si lanciò al galoppo verso nord, seguito dai suoi.

«Ecco le tracce del carro e del cavallo» disse uno dei guerrieri appena fuori dalla città. «Sapremo subito se sono loro.» Scese a terra ed esplorò il fondo delle impronte di Juba nella neve, riconoscendole immediatamente. Si volse al suo capo con un ghigno di soddisfazione. «Sono loro, quel maiale ha detto la verità.»

«Finalmente!» esclamò Wulfila. Sguainò la spada facendola scintillare alta, nel pugno, tra le ovazioni dei suoi uomini. Poi spronò il cavallo e si slanciò al galoppo sulla strada innevata.

Intanto Aurelio, fatti passare tutti i suoi compagni sull'altra sponda, era rimasto indietro per condurre Juba con il carro. Teneva il cavallo per le briglie e avanzava a piedi davanti a lui, gli parlava in continuazione per rassicurarlo in quel passaggio così nuovo e strano, su quel fondo vitreo che non rispondeva alla presa dei suoi zoccoli. «Piano, Juba, piano, vedi? Non è niente, adesso andiamo da Romolo che ci aspetta, lo vedi laggiù, lo vedi che ci fa segno?»

Erano ormai al centro del fiume e Aurelio era impensierito per la mole considerevole di Juba e per il peso del carro che si concentrava sulla stretta banda di ferro dei cerchioni. Tendeva l'orecchio a percepire il minimo scricchiolio, temendo sempre l'apertura di una crepa che ingoiasse lui e il suo cavallo in quelle acque gelide. Una morte che gli incuteva un terrore panico. Ogni tanto si voltava verso i suoi compagni e poteva percepire la tensione che li attanagliava nell'attesa.

«Adesso, vieni!» gridò a un certo momento Batiato. «Hai superato il punto più sottile: su, muoviti!»

Aurelio accelerò subito il passo, e si meravigliò che i compagni continuassero a chiamarlo con grida sempre più alte e concitate. Un pensiero agghiacciante lo colse e si voltò indietro per scoprire, a meno di un miglio di distanza, un folto gruppo di cavalieri che avanzavano al galoppo lungo l'argine. Wulfila! Ancora lui! Com'era possibile? Come potevano quelle belve riemergere ogni volta dal nulla come spettri infernali? Trascinò in corsa il suo cavallo verso la sponda opposta ormai vicina e sguainò la spada preparandosi allo scontro mortale.

Anche i compagni, con le armi in pugno, si disponevano a proteggere la fuga di Romolo.

«Aurelio» gridò Vatreno, «stacca il cavallo e fuggi con il ragazzo. Noi cercheremo di resistere più che potremo. Va', va', per tutti i diavoli!»

Ma Romolo si avvinghiò ai raggi delle ruote del carro gridando: «No, io non me ne vado. Non voglio andarmene senza di voi! Non voglio più fuggire!».

«Prendilo e vattene! Via! Via!» continuava a gridare Vatreno imprecando contro tutti gli dèi e i demoni che conosceva. Ormai i cavalieri nemici erano sull'altra sponda, di fronte a loro, e si stavano lanciando sul ghiaccio. Wulfila cercò di trattenerli intuendo il pericolo ma la foga dell'inseguimento e il desiderio degli uomini di porre fine una volta per tutte a una caccia estenuante li stava trascinando in una carica sfrenata sulla superficie ghiacciata del fiume. In quel momento Demetrio si rivolse ai compagni: «Guardate, avanzano in gruppo compatto, il ghiaccio non reggerà. Possiamo salvarci se ce ne andiamo subito. Via, saltiamo sul carro!». Non aveva finito di parlare che una crepa si aprì serpeggiando sotto il peso dei cavalli, si allargò al martellare degli zoccoli della seconda ondata e si fratturò provocando un rigurgito dell'acqua su cui scivolarono gli altri cadendo rovinosamente e provocando il collasso di una grande lastra. Wulfila gridò: «Fermi! Indietro! Il ghiaccio non regge, indietro!».

«Andiamocene!» gridò Aurelio a quella vista. «Via! Forse possiamo farcela!» Tutti balzarono sul carro, Ambrosinus frustò il dorso di Juba con le redini e partirono di gran carriera, ma fu un breve sollievo: Wulfila, ricompattati i suoi uomini, li aveva fatti passare un po' oltre, uno alla volta, dall'altra parte, dopo di che si era lanciato nuovamente all'inseguimento guadagnando rapidamente terreno sul carro sovraccarico. Al loro apparire Aurelio distribuì ai compagni le armi da lancio mentre Livia incoccava una freccia nel suo arco prendendo la mira. Ma quando ormai erano a tiro li vide rallentare e poi fermarsi del tutto.

«Che cosa succede?» disse Vatreno.

«Non lo so» rispose Aurelio sentendo che anche la velocità del carro diminuiva, «ma non fermatevi, non fermatevi!»

«Succede che siamo salvi!» gridò Ambrosinus. «Guardate!»

Davanti a loro c'era un gruppo di armati a cavallo, e un folto reparto di fanteria, sbucato improvvisamente dalla nebbia; avanzava, dispiegato su un ampio fronte, al passo, con le armi in pugno. Wulfila, interdetto, diede l'alt e si fermò a rispettosa distanza.

Anche le truppe uscite dalla nebbia si fermarono, l'equipaggiamento e le insegne non lasciavano dubbi: erano truppe romane!

Un ufficiale si fece avanti. «Chi siete?» domandò. «E chi erano quelli che v'inseguivano?»

«Che Dio vi benedica!» esclamò Ambrosinus. «Vi dobbiamo la vita.»

Aurelio s'irrigidì nel saluto militare. «Aureliano Ambrosio Ventidio» si presentò. «Prima coorte, Legione Nova Invicta.»

«Rufio Elio Vatreno» gli fece eco il compagno. «Legione Nova Invicta.»

«Cornelio Batiato...» cominciò il gigante etiope.

«Legione?» chiese l'ufficiale esterrefatto. «Non esistono legioni da mezzo secolo. Da dove sbuchi, soldato?»

«Puoi credergli, comandante» disse Demetrio. «E se ci offri un piatto di minestra calda e un bicchiere di vino ne sentirai delle belle.»

«Va bene» rispose l'ufficiale. «Veniteci dietro.»

Avanzarono per un miglio circa, aggirando il colle, e si trovarono davanti a un accampamento in grado di ospitare un migliaio di uomini. Il comandante li fece scendere dal carro e li portò all'interno del suo alloggio. Gli attendenti accorsero a sciogliergli il cinturone con la spada, a prendere l'elmo e a porgergli una sedia da campo. Un inserviente servì loro lo stesso rancio che stava distribuendo alla truppa e tutti si misero a mangiare. Romolo, che finalmente si riprendeva dalla paura e dal freddo che gli avevano rattrappito le membra, avrebbe voluto gettarsi gioiosamente sul cibo, ma si uniformò al comportamento del suo maestro e prese a sorbire la zuppa a piccole cucchiaiate dignitose, tenendo la schiena ben dritta.

«Compagnia ben assortita, la vostra» esordì l'ufficiale. «Tre legionari, se devo credere alle vostre parole, un filosofo, a dire dalla barba, un paio di disertori, se l'occhio non m'inganna, una ragazza di portamento troppo altero e di gambe troppo snelle per essere una compagna di letto, e infine un ragazzino che non ha ancora un'ombra di peluria sotto il naso ma tanta spocchia come un grande dell'antica Repubblica. Per non dire della nutrita schiera di tagliagole che avevate alle calcagna. Che devo pensare di voi?»

Ambrosinus aveva già previsto in cuor suo quelle domande e fu il più pronto a rispondere. «Hai un acuto spirito di osservazione, comandante. Mi rendo conto che la nostra condizione può destare sospetti, ma non abbiamo nulla da nascondere e possiamo spiegarti tutto. Questo ragazzo è vittima di una terribile persecuzione: ultimo erede di una nobilissima famiglia, è stato privato dei beni dei suoi antenati dalla protervia di un barbaro al servizio dell'armata imperiale. Non contento di averlo spogliato di tutto, ha tentato in ogni modo di ucciderlo perché non possa reclamare in futuro il suo diritto all'eredità paterna. Ci ha messo alle calcagna un gruppo di feroci sicari che non ci danno tregua da settimane e che oggi avrebbero raggiunto il loro scopo se non fosse stato per il tuo intervento. La ragazza è la sorella maggiore del fanciullo, cresciuta come una virago, emula di Camilla e di Pentesilea: si batte con l'arco e il giavellotto con incredibile maestria ed è stata fra i più strenui difensori del fratello minore. Quanto a me, sono il suo tutore e con il danaro che avevo nascosto ho reclutato questi valorosi combattenti, sopravvissuti alla strage del loro reparto a opera di altri barbari, e abbiamo così unito le nostre sorti. Vedervi apparire nello splendore delle vostre armi, vedere le insegne romane garrire al vento e udire risuonare la lingua latina sulle vostre labbra è stata per noi una consolazione indicibile. E ti siamo profondamente grati per averci salvati.»

Tutti tacquero, impressionati da quello sfoggio di forbita eloquenza, ma il comandante era un veterano di cuoio duro e non si lasciò impressionare più di tanto. Rispose: «Il mio nome è Sergio Volusiano, *comes regis et magister militum.* Veniamo da una missione di guerra in appoggio ai nostri alleati nella Gallia centrale e stiamo rientrando a *Parisii* dove farò rapporto al nostro signore, Siagrio, re dei Romani. E riferirò anche di voi e di come vi ho incontrati. Da ora siete tenuti a non lasciare per nessun motivo i nostri reparti, anche per vostra sicurezza: il territorio che attraverseremo è molto pericoloso e soggetto a improvvise scorrerie dei Franchi. Sarete trattati come Romani. Ora lasciate che io mi congedi: la nostra partenza è imminente». Ingollò una coppa di vino, riprese spada ed elmo e uscì seguito dai suoi attendenti e dal suo aiutante di campo.

«Che cosa ve ne pare?» chiese Ambrosinus.

«Non so» rispose Aurelio. «Non mi è sembrato del tutto convinto della storia che gli hai raccontato.»

«Che poi è quasi la verità.»

«Il problema sta in quel "quasi". Speriamo bene. In ogni caso, adesso la nostra situazione è molto migliore e per il momento possiamo considerarci al sicuro. Il comandante è sicuramente un ottimo soldato e probabilmente anche un uomo d'onore.»

«E Wulfila?» domandò Orosio. «Pensate che rinuncerà? A questo punto non ha speranze: siamo protetti da un reparto agguerrito e numeroso, inoltre è lui a essere in pericolo da questa parte del Reno.»

«Non mi farei troppe illusioni» rispose Aurelio. «Può farsi aiutare dai Franchi. Ormai abbiamo visto che la sua determinazione è senza limiti, ci ha costretti a fuggire verso gli estremi confini del mondo. Chiunque altro al suo posto avrebbe rinunciato, ma non lui: ce lo siamo ritrovato addosso ogni volta più feroce e aggressivo come sbucasse dagli inferi. Inoltre ha in suo potere la spada di Cesare.»

«A volte penso davvero che sia un demone» disse Orosio, e l'espressione dei suoi occhi era più eloquente delle sue parole.

«È stato Aurelio a tagliargli la faccia e può assicurarti che è di carne e ossa» replicò Demetrio. «In ogni caso non riesco a spiegarmi questa sua implacabile persecuzione, questa caccia spietata oltre ogni limite immaginabile.».

«Io, invece, sì» ribatté Ambrosinus. «Aurelio lo ha sfregiato, ha reso la sua immagine irriconoscibile. Così sfigurato egli non potrà aspirare al paradiso dei guerrieri, una condanna insopportabile per un uomo della sua stirpe. Wulfila viene da una tribù di Goti dell'Est che professano una fede fanatica nel valore militare e nella sorte che attende i combattenti nell'aldilà. Per riscattarsi egli deve farti ciò che tu hai fatto a lui, Aurelio: deve tagliarti la faccia fino all'osso, quindi deve offrire una libagione al dio della guerra dentro al tuo cranio trasformato in coppa. Potremo contare di non rivederlo più solo il giorno che sia morto.»

«Una prospettiva che non t'invidio» commentò Vatreno. Ma Aurelio sembrava aver preso molto seriamente quelle parole. «Allora è me che vuole. Perché hai aspettato soltanto ora a dirmelo?»

«Perché avresti probabilmente fatto delle sciocchezze, come sfidarlo a un duello singolare.»

«Potrebbe essere una soluzione» replicò Aurelio.

«Per nulla. Con quella spada nelle sue mani non avresti speranze. Inoltre lui vuole anche Romolo, senza dubbio, altrimenti non ce lo saremmo trovato addosso alla *mansio* di Fano. Possiamo solo restare uniti, questo è l'unico modo per sopravvivere. Ma soprattutto ricordate una cosa: è necessario che Romolo giunga in Britannia, a qualunque costo. Là si compirà tutto ciò per cui abbiamo lottato e non dovremo più temere nulla. Nulla, capite?»

Tutti si guardarono in faccia perché in realtà non capivano, non ancora. Ma sentivano in qualche modo che quell'uomo aveva ragione, che l'espressione ispirata del suo sguardo non mentiva. Ogni qual volta si riferiva al destino futuro per lui così chiaro, e così nebuloso per tutti gli altri, parlava come chi sta di vedetta all'alba su una torre di guardia e vede per primo sorgere la luce del sole.

XXXI

La colonna di Sergio Volusiano si mosse a giorno inoltrato verso nord-ovest e marciò per sei giorni percorrendo quasi venti miglia al giorno, fino a raggiungere il regno di Siagrio. Il territorio del *rex Romanorum* era marcato da una linea difensiva fatta di un vallo con fossa e palizzata da cui si elevavano, a distanza di circa un miglio l'una dall'altra, delle torri di guardia. I soldati di presidio indossavano pesanti cotte di maglia ed elmi conici di ferro con paraguance e paranaso simili a quelli che usavano i Franchi, e portavano lunghe spade a doppio filo.

Entrarono da una porta fortificata salutati da lunghi squilli di buccine e proseguirono fino al più vicino porto fluviale sulla Senna. Là si imbarcarono discendendo il fiume verso la capitale, l'antica colonia di *Lutetia Parisiorum* che ormai quasi tutti chiamavano semplicemente, dal nome dei suoi abitanti, *Parisii*. Il lungo tragitto sostanzialmente tranquillo portò a tutti la sensazione che la minaccia che li aveva oppressi per tanto tempo fosse svanita, o che, almeno, fosse così lontana da non doversene preoccupare. Ogni giornata di viaggio li avvicinava alla meta e Ambrosinus sembrava invaso da una strana eccitazione, benché egli stesso non sapesse spiegarne la vera ragione. L'unico motivo di inquietudine era la mancanza di rapporti con il comandante Volusiano, con il quale non ebbero che rari e brevi momenti di contatto. Se ne stava, di solito, nel suo alloggio a poppa. Quando usciva era sempre attorniato dal suo stato maggiore ed era, in pratica, inavvicinabile. Solo Aurelio ebbe modo, una sera, di parlargli. Lo vide ritto a prua fissare il sole che tramontava sulla pianura e gli si avvicinò.

«Salve, comandante» gli disse.

«Salve, soldato» gli rispose Volusiano.

«Un viaggio tranquillo, il nostro.»

«A quanto pare.»

«Posso rivolgerti una domanda?»

«Puoi farlo, ma non sei certo di ottenere una risposta.»

«Ho combattuto per anni agli ordini di Manilio Claudiano e ho comandato la sua guardia personale. Forse questo ti dice qualcosa, e forse mi rende degno della tua considerazione?»

«Claudiano era un grande soldato e un uomo integerrimo, un Romano come non ne esistono più. E se si fidava di te significa che eri all'altezza della sua considerazione.»

«Lo hai conosciuto, quindi.»

«Personalmente, e ne fui onorato. La corona vallaria che vedi sul mio stendardo la meritai ai suoi ordini e fu lui in persona a conferirmela, sotto le mura di Augusta Raurica.»

«Il comandante Claudiano è morto, assalito a tradimento dalle truppe di Odoacre. Io e i miei compagni siamo fra i pochi superstiti del massacro: nessuno per viltà o per diserzione.»

Volusiano lo fissò con uno sguardo penetrante. Aveva occhi grigi, da rapace, e il volto solcato di rughe profonde, i capelli cortissimi, la barba di qualche giorno, la pelle secca. La fatica di vivere si leggeva in ogni tratto della sua persona, e anche la capacità di giudicare gli uomini.

«Ti credo» disse dopo qualche attimo di silenzio. «Che cosa vuoi sapere?»

«Se siamo sotto la tua protezione o nella tua custodia.»

«L'uno e l'altro.»

«Perché?»

«Le notizie che riguardano i grandi mutamenti nei rapporti di potere viaggiano più veloci di quello che tu possa immaginare.»

«Me ne rendo conto. Non mi stupisce che il tuo *rex* sappia di Odoacre e dell'assassinio di Flavio Oreste e che anche tu ne sia al corrente. Che cos'altro sai, se posso chiederlo?»

«Che Odoacre cerca per mare e per terra un ragazzo di tredici anni difeso da un pugno di disertori e accompagnato da altri... pittoreschi personaggi.»

Aurelio abbassò il capo.

«E nessuno che abbia responsabilità di governo» proseguì Volusiano, «ignora che quella è l'età dell'ultimo imperatore d'Occidente, Romolo Augusto, da molti chiamato Augustolo. Ammetterai che la coincidenza è troppo singolare per non essere presa in considerazione.»

«Lo ammetto» rispose Aurelio.

«È lui?»

Aurelio esitò, poi annuì. E aggiunse, fissando negli occhi il suo interlocutore: «Da soldato romano a soldato romano».

Volusiano accennò gravemente con il capo.

«Non vogliamo creare alcuna interferenza né alcun disordine» proseguì Aurelio con tono accorato. «Vogliamo solo cercare un luogo lontano e tranquillo dove questo sventurato giovane possa vivere al riparo dalle feroci persecuzioni di cui è stato vittima fino a questo momento. Egli non aspira a nessun potere, a nessuna carica, a nessuna pubblica magistratura, solo al silenzio e all'oblio, per poter ricominciare una nuova vita come un ragazzo qualunque. E noi con lui. Abbiamo dato tutto quello che potevamo dare. Abbiamo versato sudore e sangue per Roma e rischiato la vita ogni volta che è stato necessario, senza risparmiarci. Ce ne siamo andati perché ci rifiutiamo di obbedire ai barbari: questa non è diserzione, questa è dignità. Siamo esausti, stremati, avviliti. Lasciaci andare, generale.»

Volusiano si volse di nuovo a guardare l'orizzonte, la

lunga striscia sanguigna che orlava, a occidente, il deserto di neve. Le parole gli uscirono a fatica, come se il freddo che gelava le membra gli fosse entrato fin dentro il cuore: «Non posso» rispose. «Siagrio mi ha affiancato degli ufficiali che aspirano a succedermi e a sostituirmi, per bilanciare il mio ascendente sulle truppe. Da loro saprebbe comunque della vostra presenza e il mio silenzio apparirebbe a quel punto assai sospetto e senz'altro incomprensibile. Meglio che sia io a informarlo personalmente.»

«E allora che cosa sarà di noi?»

Volusiano lo guardò negli occhi. «Non sarò io a rivelargli l'identità del ragazzo e non è detto che altri abbiano capito. Nella migliore delle ipotesi potrebbe non rendersene conto nemmeno lui e non curarsene, o lasciare a me la responsabilità di prendere il provvedimento che più mi piaccia. In tal caso...»

«E se, invece, dovesse intuire la verità?»

«A quel punto è meglio che non vi facciate illusioni. Il ragazzo vale molto, troppo, sia in termini di danaro che di relazioni politiche. Siagrio non può ignorare che chi comanda ora, in Italia, è Odoacre. È lui il vero *rex Romanorum*. Per voi sarebbe più facile. Potrei ottenervi un contratto di arruolamento nel nostro esercito: ci servono buoni soldati e non si guarda tanto per il sottile.»

«Capisco» rispose Aurelio con la morte nel cuore, e fece per andarsene.

«Soldato!»

Aurelio si fermò.

«Perché ti importa tanto di quel ragazzo?»

«Perché gli voglio bene» rispose, «e perché è l'imperatore.»

Aurelio non ebbe cuore di rivelare l'esito di quel colloquio ad Ambrosinus né tantomeno a Livia, e sperò che l'identità di Romolo potesse rimanere nascosta confidando nella parola di Volusiano. Un uomo d'onore. Tenne per sé il tarlo di quella preoccupazione sforzandosi di apparire tranquillo e di scherzare, perfino, con Romolo e con i suoi compagni.

Raggiunsero la città il quinto giorno di navigazione, verso il tramonto, e tutti si accalcarono al parapetto di prua per ammirare lo spettacolo che si offriva alla vista. *Parisii* sorgeva su un'isola in mezzo alla Senna, circondata da una fortificazione in parte di muratura in *opus cementicium* e in parte in palizzata di legno. All'interno si distinguevano i tetti delle costruzioni più alte coperti di tegole di laterizio alla maniera romana o di legno e paglia alla vecchia maniera celtica.

Ambrosinus si avvicinò a Romolo. «Dall'altra parte del fiume, quella che fronteggia la riva occidentale di questa isola, è sepolto san Germano. Così è noto ora a coloro che ne venerano la memoria.»

«È l'eroe che guidò i Romani di Britannia contro i barbari del Nord? Quello di cui parli nel tuo diario?»

«Certamente: egli non aveva eserciti con sé ma addestrò i nostri, li inquadrò in una struttura militare sul modello delle antiche legioni romane e morì in battaglia per le ferite riportate. Come sai, raccolsi le sue ultime parole, la sua profezia... Appena saremo a terra cercherò di sapere dove si trova la sua tomba per invocare la sua protezione e la sua benedizione sul tuo futuro, Cesare.»

Risuonavano intanto i richiami dei marinai che si preparavano alla manovra di attracco. Il porto fluviale di *Parisii* era stato costruito già al tempo del primo insediamento romano dopo l'occupazione di Cesare e non molto era cambiato da allora. La nave di testa accostò alla prima delle tre banchine d'attracco lanciando due cime, una da prua e una da poppa, mentre i rematori, a un ordine del nocchiero, ritiravano i remi all'interno dello scafo. Volusiano sbarcò con i suoi attendenti e ordinò che i forestieri gli venissero dietro. Dalla chiatta che seguiva a rimorchio vennero sbarcati i cavalli, fra i quali v'era anche Juba, che scalciava e si ribellava in ogni modo rifiutandosi di seguire gli stallieri. Ambrosinus, frastornato, cercò di avvicinarsi al comandante. «Generale» disse, «noi vorremmo ringraziarti ancora una volta prima di prendere congedo e chiederti se puoi restituirci il nostro cavallo. Dobbiamo ripartire domani stesso e...»

Volusiano si voltò. «Non potete partire. Resterete qui finché sarà necessario.»

«Generale...» tentò di dire ancora Ambrosinus, ma Volusiano gli aveva già voltato le spalle e si avviava verso il foro. Un folto picchetto di soldati circondò Ambrosinus e i suoi compagni e un ufficiale ordinò loro: «Seguiteci». Aurelio fece cenno ai suoi compagni di non opporre resistenza mentre Ambrosinus si disperava. «Ma che significa? Perché ci trattenete? Non abbiamo fatto nulla, siamo dei viandanti che...» Ma si rese subito conto che nessuno lo ascoltava e seguì mestamente i soldati.

Romolo si avvicinò ad Aurelio. «Perché fanno questo?» domandò. «Non sono forse Romani come noi?»

«Forse ci hanno scambiato per qualcun altro» cercò di rassicurarlo Aurelio. «Succede, a volte. Vedrai che chiariremo tutto, non ti preoccupare.»

I soldati si fermarono davanti a un edificio di pietre squadrate, dall'aspetto austero. L'ufficiale ordinò di aprire la porta e li fece entrare in una grande camera spoglia. Sui lati si aprivano delle porticine ferrate. Una prigione.

«Le vostre armi» ingiunse l'ufficiale. Seguì un momento di fortissima tensione durante il quale Aurelio considerò il gran numero di soldati che li circondavano e valutò tutte le possibili conseguenze per ogni azione che avesse intrapreso. Poi sguainò la spada e la consegnò a uno dei carcerieri. I compagni, rassegnati e sbalorditi da quell'inatteso epilogo del loro viaggio, fecero lo stesso. Le armi vennero riposte in un armadio ferrato vicino alla parete di fondo. L'ufficiale scambiò poche parole sottovoce con il carceriere, poi schierò i suoi soldati con le armi spianate finché ognuno dei prigionieri non fu rinchiuso. Romolo lanciò ad Aurelio uno sguardo pieno di disperazione, poi seguì Ambrosinus nella cella loro destinata.

Il rumore della pesante porta esterna che si chiudeva rimbombò con fragore nel vasto atrio vuoto, e il passo cadenzato dei soldati si dileguò poco dopo lungo la strada. Non restò che il silenzio.

Livia era seduta sulla sua branda lurida. Incapace di dormire, ripercorreva gli ultimi avvenimenti e, nonostante l'angoscia della prigionia, poteva solo approvare la decisione di Aurelio, che aveva evitato un colpo di testa senza speranza di riuscita. "E finché c'è vita..." pensò. Però era assai preoccupata per Romolo: era rimasta colpita dalla sua espressione nel momento in cui lo rinchiudevano una volta ancora e si era resa conto che il ragazzo era giunto all'estremo limite della sopportazione. Quel continuo alternarsi di speranze e terrore, di illusioni e di disperazione lo stava distruggendo. La sua fuga di Argentoratum, un gesto sconsiderato e pericoloso, dimostrava quale fosse il suo stato d'animo, e la situazione presente non avrebbe fatto che peggiorare le cose. L'unica consolazione era che Ambrosinus era con lui e che la presenza del suo tutore avrebbe contribuito a calmarlo e a restituirgli un minimo di fiducia.

Era immersa in questi pensieri quando udì strani rumori alla porta della sua cella, e si appiattì contro il muro tendendo l'orecchio e trattenendo il respiro. Il suo istinto di combattente, affinato in anni e anni di assalti, di fughe e di imboscate, si era immediatamente risvegliato, acuendo tutte le risorse del suo corpo e della sua mente e disponendole a scattare in qualunque istante.

Sentì girare il chiavistello, percepì un parlottare sottovoce e un ridacchiare sommesso e capì immediatamente: certo, Volusiano aveva promesso che sarebbero stati ben trattati, ma non doveva essere frequente la presenza di una ragazza giovane e attraente in quella fetida galera, e un paio di libagioni erano bastate ad aumentare la tentazione dei guardiani fino a far loro dimenticare il rischio della punizione.

E infatti la porta si aprì e due carcerieri apparvero nel

vano, illuminando l'interno con una lucerna. «Dove sei, mia colomba» disse uno. «Vieni fuori, non aver paura. Vogliamo solo tenerti un po' di compagnia.»

Livia si finse terrorizzata, e intanto faceva scivolare la mano sinistra lungo la gamba fino a raggiungere le stringhe del suo stivale da cui sfilò uno stiletto affilatissimo, a forma di punteruolo e con l'impugnatura sferica sicché poteva essere stretta nel pugno facendo sporgere la punta fra l'indice e il medio. «Vi prego, non fatemi del male!» implorò, ma quella supplica eccitò ancora di più i due guardiani.

«Stai tranquilla, non ti faremo niente di male. Anzi, ti faremo del bene, e dopo offrirai una libagione al buon vecchio Priapo che ci ha dotati di un arnese bello grosso apposta per far contente le sgualdrinelle come te.» E cominciò a slacciarsi i pantaloni mentre l'altro la teneva sotto la minaccia di un coltellaccio. Livia si finse ancora più terrorizzata e si distese sulla branda arretrando con le spalle verso il muro.

«Ecco» disse il primo dei due, «faremo un po' per uno. Adesso tocca a me, poi al mio amico. E dopo ci dirai chi è stato più bravo e chi ce l'aveva più grosso. Non è divertente?»

Si era intanto spogliato completamente nella parte inferiore e si era appoggiato con le ginocchia all'orlo della branda. Livia si preparò con quella specie di artiglio ben stretto nel pugno, e mentre quello si protendeva in avanti per afferrarla, scattò di lato con un colpo di reni contro l'altro, conficcandoglielo nello sterno, proprio mentre il primo cadeva disteso sulla branda. Livia passò con gesto fulmineo lo stilo dalla sinistra alla destra e lo colpì alla nuca con un colpo secco, spezzandogli la spina dorsale. Si afflosciarono l'uno sul letto, l'altro sul pavimento, quasi contemporaneamente e senza un gemito.

Ormai non c'erano altre scelte possibili: Livia prese le chiavi e andò ad aprire le celle dei compagni, che se la trovarono improvvisamente di fronte tranquilla e sorridente. «Sveglia, ragazzi, è ora di muoversi.»

«Ma come...» cominciò Aurelio stupito quando lei gli aprì e si gettò fra le sue braccia.

Gli mostrò lo stiletto. «*In calceo venenum!*» rise modificando il vecchio proverbio. «Hanno dimenticato di guardarmi nelle scarpe.» Romolo le corse incontro, le gettò le braccia al collo e la strinse fin quasi a soffocarla, poi Livia aprì l'armadio che conteneva le loro armi e tutti si diressero verso la porta d'uscita. Ma allora si udì un rumore di passi dall'esterno, e poi quello del chiavistello che si apriva: nel vano spalancato apparve Volusiano, seguito dalla sua guardia in assetto da combattimento.

Livia scambiò un'occhiata con Aurelio. «Io non mi faccio più prendere» disse semplicemente, e fu subito evidente che anche gli altri compagni la pensavano allo stesso modo da come avevano imbracciato le armi. Ma Volusiano alzò la mano. «Fermi» disse. «Ascoltatemi, non c'è molto tempo. I barbari di Odoacre si sono fatti ricevere da Siagrio ed è possibile che riescano a ottenere la vostra consegna. Non ho tempo di spiegarvi, venite: qui fuori c'è il vostro cavallo e altri che ho fatto preparare. Fuggite da questo lato fino alla porta occidentale, dove c'è un ponte di barche sul fiume che collega l'isola alla terraferma. Le guardie mi sono fedeli e vi faranno passare. Seguite il fiume fino alla costa dove troverete un villaggio di pescatori che si chiama Brixate. Chiedete di un tale Teutasio e ditegli che vi mando io. Lui può traghettarvi in Frisia o in Armorica, dove nessuno dovrebbe darvi fastidio. Evitate la Britannia: l'isola è dilaniata dalle lotte intestine fra i capi delle sue principali tribù, è corsa da briganti e sbandati. Presto dovrò dare l'allarme. Per non attirare i sospetti su di me dovrò lanciare al vostro inseguimento le mie stesse truppe, se mi verrà ordinato, e qualora dovessero prendervi non potrei più fare nulla per voi. E quindi, andate, correte!»

Aurelio gli si avvicinò. «Sapevo che non ci avresti consegnati ai barbari. Grazie, generale, che gli dèi ti proteggano.»

«Che Dio protegga te, soldato, e quel tuo ragazzo.»

Anche Romolo gli si avvicinò, e con un tono di grande dignità gli disse: «Grazie per ciò che fai per noi: non lo dimenticherò».

«Ho fatto il mio dovere... Cesare» rispose Volusiano irrigidito nel saluto militare. Chinò rispettosamente il capo poi disse: «Va' ora, mettiti in salvo».

Montarono a cavallo e si lanciarono per le vie buie e deserte della città lungo la strada che era stata loro indicata, e raggiunsero l'imbocco del ponte. Le guardie fecero loro cenno di procedere e Aurelio li guidò fino alla riva opposta. Qui presero a nord, seguendo la via che fiancheggiava il fiume: spronarono le loro cavalcature e sparirono ben presto nell'oscurità.

Volusiano montò a cavallo e rientrò nei propri quartieri d'inverno, non lontano dal porto fluviale, seguito da una mezza dozzina di uomini della sua guardia e dal suo aiutante di campo. Uno dei servi accorse a prendere le briglie del suo cavallo e un altro giunse con una lanterna per fargli luce. Volusiano si rivolse al suo aiutante di campo. «Lascia passare ancora un po' di tempo» gli ordinò, «e poi corri a palazzo e da' l'allarme. Di' che sono scappati dopo aver ucciso le guardie, che è la pura verità. Dirai, ovviamente, che ignori da che parte si siano diretti.»

«Ovviamente, generale» rispose l'aiutante di campo.

«Se i tuoi generali non li avessero protetti» gridò Wulfila fuori di sé, «noi li avremmo già catturati e portati indietro!»

Siagrio era seduto sul suo trono, un seggio che somigliava vagamente alla *sella curulis* degli antichi magistrati. Avvolto in un mantello di pelliccia di volpe per difendersi dal freddo pungente, appariva visibilmente irritato per il protrarsi della veglia fin nel cuore della notte e per i modi di quel selvaggio dalla faccia sfregiata.

«Il mio *magister militum* ha fatto ciò che doveva» ribatté indispettito. «Questo è territorio dei Romani e la giurisdizione compete a me, ai miei ufficiali e ai miei magistrati,

A nessun altro! Ora che costoro si sono macchiati di omicidio e sono evasi dalla mia prigione, diventano dei ricercati, e non sarà difficile catturarli: sanno che se rimanessero nel mio territorio non potrebbero sfuggire alle ricerche, sicché cercheranno di fuggire via mare dal porto più vicino. Li fermeremo lì.»

«Ma se riuscissero a imbarcarsi?» gridò il barbaro.

Il *rex Romanorum* si strinse nelle spalle. «Non andrebbero lontano» disse. «Nessuna barca può competere con le mie galee, e sappiamo che si dirigeranno verso la Frisia o l'Armorica perché nessuno sarebbe tanto pazzo, di questi tempi, da scegliere la Britannia. Ma saranno i miei uomini a catturarli, non tu.»

«Ascoltami» disse Wulfila avvicinandosi allo scranno di Siagrio, «tu non li conosci: sono combattenti formidabili e lo dimostra come sono fuggiti dalla tua prigione dopo poche ore che vi erano stati rinchiusi. Io do loro la caccia da mesi, conosco le loro mosse, i loro trucchi: lascia andare anche me con i miei uomini. Ti giuro che non avrai a pentirtene. Ho ordine di negoziare un grosso compenso in danaro in cambio del ragazzo, ma, soprattutto, Odoacre è pronto a mostrarti tutta la sua gratitudine, anche con un trattato di alleanza. È lui, ora, il custode e il protettore dell'Italia e il tramite naturale per i rapporti con l'Impero d'Oriente.»

«Potete andare anche voi» rispose Siagrio, «ma non prendete iniziative di alcun genere senza l'approvazione del mio rappresentante.» Fece un cenno al suo luogotenente, un Visigoto romanizzato di nome Gennadio. «Andrai tu» gli ordinò. «Porta gli uomini che ti sono necessari. Partirete all'alba.»

«No!» replicò Wulfila. «Se partiamo all'alba ci sfuggiranno: hanno già un grande vantaggio su di noi. Dobbiamo partire immediatamente.»

Siagrio meditò qualche istante poi accennò con il capo. «Sta bene» disse. «Ma quando li avrete presi portateli a me. È mia la giurisdizione, e chiunque la violi diviene per il fatto stesso mio nemico. Andate ora!»

Gennadio salutò e uscì seguito da Wulfila. Poco dopo la nave era pronta a salpare: una grande galea costruita, secondo la tradizione celtica, in legno di quercia, capace di trasportare uomini e cavalli anche in mare aperto.

«Qual è il porto più vicino?» chiese Wulfila appena fu a bordo.

«Brixate» rispose Gennadio, «alle foci della Senna. Non sarà difficile scoprire se una nave ha preso il largo: di questa stagione non naviga quasi nessuno.»

Avanzarono molto veloci, spinti dalla corrente del fiume, e quando il vento girò da nord-est verso est, alzarono anche la vela aumentando la loro velocità. Poche ore prima del mattino il cielo si aprì e la temperatura si raffreddò ulteriormente, quando ormai la meta era prossima e in lontananza si distinguevano le luci del porto.

Il timoniere volse lo sguardo davanti a sé, preoccupato. «Guardate laggiù» disse, «si sta alzando la nebbia.»

Wulfila non lo ascoltò nemmeno. Scrutava il grande estuario della Senna e, oltre, il mare aperto, per non farsi sfuggire ancora una volta le prede che sentiva ormai a portata di mano.

«Nave di prua!» risuonò in quel momento la voce del marinaio di coffa.

«Sono loro!» esclamò Wulfila. «Ne sono certo. Guarda: non ci sono altre imbarcazioni in mare.»

Anche il timoniere aveva visto l'altro vascello. «È strano» disse. «Si dirigono verso la nebbia, come se volessero attraversare il canale e sbarcare in Britannia.»

«Aumentiamo la velocità, presto!» ordinò il barbaro. «Possiamo raggiungerli.»

«La nebbia si fa sempre più fitta» rispose il timoniere. «È meglio aspettare che si diradi, quando il sole sarà più alto.»

«Ora!» gridò Wulfila fuori di sé. «Dobbiamo prenderli ora!»

«Gli ordini li do io» rispose Gennadio. «Non voglio perdere la nave: se quelli hanno intenzione di suicidarsi sono padroni, ma io non entro in quel banco di nebbia, non ci penso per nulla. E credo che nemmeno loro ci entreranno.»

Wulfila allora, con gesto fulmineo, sguainò la spada e la puntò alla gola del comandante. «Ordina ai tuoi uomini di gettare le armi» disse, «o ti taglio la testa. Prendo io il comando di questa nave.»

Gennadio non aveva scelta, e i suoi, a malincuore, obbedirono, soggiogati anche dalla vista dell'arma favolosa che quel barbaro stringeva nel pugno.

«Gettateli in mare!» ordinò Wulfila ai suoi. «E ringraziate la sorte se non vi uccido.» Disse poi rivolto a Gennadio: «L'ordine vale anche per te». Lo spinse fino al parapetto e lo costrinse a gettarsi nelle acque dell'Oceano dove già i suoi uomini si dibattevano in balia dei flutti. Affondarono quasi tutti, per l'acqua gelida che paralizzava le membra e per il peso delle vesti e delle armature. Wulfila restò padrone della nave e intimò al nocchiero terrorizzato di mettere la prua a nord, in direzione dell'imbarcazione che si vedeva ora più distintamente a circa un miglio di distanza. Si stagliava contro il banco di nebbia che avanzava, compatto come un muro.

A bordo della nave fuggitiva, davanti a quella nube fittissima che si dispiegava sul mare in volute dense come fumo, regnava lo sgomento. Teutasio, il nocchiero, ammainò la vela perché non c'era più vento e l'imbarcazione quasi si fermò.

«È una pazzia, andare avanti in queste condizioni» disse, «tanto più che nessuno oserà inseguirvi.»

«Lo dici tu» replicò Vatreno. «Guarda quella nave laggiù: procede a remi e ci sta venendo dritta addosso, e temo proprio che ce l'abbiano con noi.»

«Se aspettiamo di essere sicuri che siano loro, poi dovremo affrontarli» osservò Orosio.

«Io» disse Batiato «preferisco affrontare quei bastardi lentigginosi che immergermi in questa... in questa cosa. Mi sembra di scendere nell'Averno.»

«In fondo, a Miseno l'abbiamo già fatto» ricordò Vatreno.

«Sì, ma sapevamo che sarebbe stato per un tempo molto breve» replicò Aurelio. «Qui si tratta di molte ore di navigazione.»

«Sono loro!» gridò Demetrio che si era arrampicato in testa d'albero.

«Ne sei certo?» domandò Aurelio.

«Sicuro! Li avremo addosso fra una mezz'ora.»

Ambrosinus, che sembrava assorto nei suoi pensieri, si riscosse improvvisamente. «C'è dell'olio a bordo?»

«Olio?» chiese il nocchiero stupefatto. «Credo... credo di sì, ma ce n'è poco. Lo usano gli uomini per le lanterne.»

«Portalo immediatamente dentro a una ciotola, la più larga che hai e poi preparati a ripartire. Procediamo a remi.»

«Dagli quello che ti chiede» disse Aurelio. «Lui sa quello che fa.»

L'uomo scese sottocoperta e risalì poco dopo con una scodella di terracotta, piena d'olio per metà. «È tutto quello che ho trovato» disse.

«Si avvicinano!» gridò ancora Demetrio dalla cima dell'albero.

«Va bene» approvò Ambrosinus, «è sufficiente. Appoggiala sulla tolda, torna al timone e al mio cenno tutti gli uomini validi si mettano ai remi.» Detto questo, prese dalla bisaccia il pagillare che usava per scrivere, rimosse la fodera di pergamena e, sotto gli occhi stupiti degli astanti, estrasse una lamina di metallo in forma di freccia, così sottile che il vento l'avrebbe portata via, e l'appoggiò sulla superficie dell'olio.

«Mai sentito parlare di Aristea di Proconneso?» domandò. «No, naturalmente. Ebbene, gli antichi dicevano che aveva una freccia che lo conduceva ogni anno nel paese degli Iperborei e cioè nell'estremo Nord. Ed eccola qua. È lei che ci indicherà la strada per la Britannia. Basterà seguirla.»

E sotto gli occhi sempre più meravigliati dei compagni

la freccia si animò e cominciò a ruotare sulla superficie dell'olio, finché si dispose stabilmente in una direzione fissa.

«Quello è il Nord» proclamò solennemente Ambrosinus. «Uomini ai remi!»

Tutti obbedirono e la nave si mosse immergendosi lentamente nella nube lattiginosa.

Romolo si accucciò vicino al suo maestro, che intanto stava incidendo una tacca sull'orlo della ciotola nel punto che coincideva con la direzione indicata dalla freccia.

«Come è possibile?» chiese Romolo. «Questa freccia è magica.»

«Credo proprio di sì» rispose Ambrosinus. «Non saprei altrimenti come spiegarmelo.»

«E dove l'hai trovata?»

«Alcuni anni fa, nei sotterranei del tempio di Portuno, a Roma, dentro a un'urna di tufo. Un'iscrizione in greco diceva che era la freccia di Aristea di Proconneso e che l'aveva usata anche Pytheas di Marsiglia per raggiungere l'ultima Thule. Non è incredibile?»

«Lo è» rispose Romolo. E aggiunse: «Pensi che ci seguiranno?».

«Credo di no, non hanno alcuna possibilità di tenere la rotta, e inoltre...»

«Inoltre?» insistette Romolo.

«L'equipaggio è di gente del luogo, e da queste parti circola una storia che fa loro molta paura.»

«Che storia?»

«Che la nebbia sorge così fitta in questa zona per nascondere la barca che torna dall'isola dei morti dove ha portato le anime dei defunti.»

Romolo si guardò intorno cercando di penetrare la densa coltre nebbiosa, mentre un brivido gli correva lungo la spina dorsale.

XXXII

Romolo si strinse il mantello intorno alle spalle tenendo gli occhi fissi alle piccole oscillazioni della freccia che fluttuava sull'olio indicando, misteriosamente, il polo dell'Orsa.

«Hai detto, l'isola dei morti?» chiese a un tratto.

Ambrosinus sorrise. «È quello che ho detto. E la gente qui ne ha molta paura.»

«Io non riesco a capire, credevo che i morti andassero nell'aldilà.»

«È quello che tutti noi crediamo. Ma vedi, siccome nessuno è mai tornato dal regno dei morti a narrare che cosa ha visto, ogni popolo si è fatta un'idea propria di quel mondo misterioso. Dicono da queste parti che c'è un villaggio di pescatori sulla costa dell'Armorica i cui abitanti non pagano tasse né sono sottoposti ad alcun genere di tributo perché già assolvono a un compito molto importante: traghettano le anime dei defunti in un'isola misteriosa coperta da nebbie eterne. E il nome dell'isola sarebbe Avalon. Ogni notte si sente bussare alla porta di una delle case del villaggio e una voce sommessa dice: "Siamo pronti". Il pescatore allora si alza e va alla spiaggia dove vede che la sua barca, pur apparendo vuota, affonda nell'acqua come se fosse carica. La stessa voce che egli ha udito prima chiama per nome ognuno dei defunti, per le donne viene menzionato anche il nome del padre o del marito. Quindi il pescatore si mette al timone e issa la vela. Al buio e nella nebbia egli copre nel corso di una notte un tragitto per il quale sarebbe necessaria una settimana di navigazione per la sola andata. La notte successiva si sente bussare a un'altra porta e la stessa voce dice ancora: "Siamo pronti...".»

«Mio Dio» sospirò Romolo. «È una storia che mette paura. Ma è vera?»

«Chi può dirlo? In un certo senso è vero tutto ciò in cui noi crediamo. Certo, qualcosa di vero ci deve essere. Forse la gente di quel villaggio è dedita ad antiche pratiche di evocazione dei morti che fanno loro vivere esperienze così intense da sembrare vere...» Si interruppe per dare indicazioni al timoniere: «Più a dritta, piano, ecco, così».

«E dove si troverebbe questa isola di Avalon?»

«Nessuno lo sa: da qualche parte lungo la costa occidentale della Britannia, forse. Così sentii dire da un vecchio druido originario dell'isola di Mona. Secondo altri si troverebbe più a nord e sarebbe il luogo dove vanno gli eroi dopo la morte, come le isole Fortunate di cui parla Esiodo, ricordi? Forse bisognerebbe salire a bordo di quella barca, in quel villaggio dell'Armorica, per scoprire l'arcano... Ma sono tutte ipotesi, speculazioni: il fatto è, figlio mio, che siamo circondati dal mistero.»

Romolo accennò lentamente con il capo come per manifestare il proprio assenso a una così grave asserzione, poi si tirò il mantello fin sulla testa e riparò sottocoperta. Ambrosinus restò solo con la sua freccia a governare la nave nella diffusa oscurità, mentre gli altri compagni remavano senza sosta, muti per la meraviglia, come sospesi in quell'atmosfera fosca senza dimensioni e senza tempo, dove l'unico contatto con la realtà era lo sciabordare delle onde contro la chiglia. A un certo momento Aurelio chiese: «Credi che lo vedremo ancora?».

Ambrosinus si sedette accanto a lui sul banco di voga: «Wulfila?» rispose, «sì, finché qualcuno non lo ucciderà».

«Volusiano ci consigliò di andare in qualunque luogo fuorché in Britannia. Sembra che sia un vero nido di vipere.»

«Non credo che esistano luoghi migliori di altri in questo nostro mondo. Andiamo in Britannia perché là c'è qualcuno che ci aspetta.»

«La tua profezia. Non è così?»

«Ti sorprende?»

«Non so. Conosci Plinio e Varrone, Archimede ed Eratostene. Hai letto Strabone e Tacito...»

«Anche tu, a quel che vedo» osservò Ambrosinus non senza sorpresa.

«Sei insomma un uomo di scienza» concluse Aurelio come se non avesse sentito.

«E un uomo di scienza non dovrebbe credere alle profezie: non è razionale, giusto?»

«No, non lo è.»

«Ed è forse razionale ciò che tu hai fatto? Che cosa c'è di logico nelle vicende che hai vissuto negli ultimi mesi?»

«Ben poco, in effetti.»

«E lo sai perché? Perché esiste un altro mondo, oltre a quello che noi conosciamo, il mondo dei sogni, dei mostri e delle chimere, il mondo delle farneticazioni, delle passioni e dei misteri. È un mondo che in certi momenti ci sfiora e ci induce ad azioni che non hanno senso, oppure, semplicemente, ci fa rabbrividire, come un soffio d'aria gelida che passa nella notte, come il canto di un usignolo che sgorga dall'ombra. Non sappiamo fin dove si estende, se ha confini o se è infinito, se è dentro o fuori di noi, se assume le sembianze del reale per rivelarsi o piuttosto per nascondersi. Le profezie sono simili alle parole che un uomo addormentato pronuncia nel sonno. Apparentemente non hanno senso, in realtà vengono dagli abissi più nascosti dell'anima universale.»

«Ti credevo cristiano.»

«Cambia qualcosa? Anche tu potresti esserlo, da come si manifesta il tuo animo. Invece sei pagano.»

«Se essere pagano significa fedeltà alla tradizione degli antenati e alle credenze dei padri, se significa vedere Dio in tutte le cose e tutte le cose in Dio, se significa rimpiangere amaramente una grandezza che non tornerà mai più, ebbene sì, sono pagano.»

«E così è per me. Vedi questo rametto di vischio che mi pende dal collo? Rappresenta il legame con il mondo in cui nacqui, con un'antica sapienza. Non indossiamo forse panni diversi quando passiamo da un paese caldo a uno freddo? E così è per la nostra visione del mondo. La religione è il colore che la nostra anima assume a seconda della luce a cui si espone. Mi hai visto nella luce mediterranea e mi vedrai nelle tenebre delle foreste di Britannia e sarò un altro, ricordalo, e tuttavia lo stesso. Ed è inevitabile che così debba essere. Ricordi quando eravamo sul Reno e voi cominciaste a cantare l'inno al sole? Cantammo tutti insieme, cristiani e pagani, perché nello splendore del sole che riappare dopo la notte si può vedere il volto di Dio, la gloria del Cristo che porta luce al mondo. Trascorsero così tutta la notte, dandosi voce di tanto in tanto per farsi coraggio o remando in silenzio finché, a un tratto, la nebbia cominciò a diradarsi e si alzò il vento. Demetrio issò la vela e i compagni, stremati dalla lunga fatica notturna, poterono concedersi un po' di riposo. Ma appena cominciò a diffondersi il chiarore dell'alba, risuonò la voce di Ambrosinus: «Guarda! Guardate tutti!».

Aurelio alzò il capo, Romolo e Livia corsero al parapetto di prua, Batiato, Orosio e Demetrio lasciarono le scotte per ammirare la visione che si svelava lentamente davanti ai loro occhi: nel primo sole, usciva dalla nebbia una terra verde di prati e bianca di scogliere, azzurra di cielo e di mare, cinta di spume ribollenti, accarezzata dal vento, salutata dalle grida di milioni di uccelli.

«La Britannia!» gridò Ambrosinus. «La mia terra!» E spalancò le braccia come a una persona cara a lungo desiderata. Piangeva: calde lacrime gli rigavano il volto ascetico, gli facevano splendere gli occhi di una luce nuova. Poi cadde in ginocchio e si coprì il volto, nascondendolo fra le mani: si raccolse in preghiera e in meditazione davanti al Genio della sua terra natale, davanti al vento che gli portava profumi perduti e mai dimenticati.

Gli altri lo guardarono in un silenzio carico di commozione. Furono riscossi dal rumore della chiglia che strisciava contro la ghiaia pulita della spiaggia.

Soltanto Juba era stato trasportato al di là del canale britannico, perché gli altri cavalli erano stati lasciati a Teutasio in pagamento del passaggio. Aurelio lo fece scendere lungo la stretta passerella accarezzandolo, per tenerlo quieto, e lo contemplò, lucido e splendente come un'ala di corvo nel sole di quella giornata luminosa, quasi di precoce primavera. Poi scesero tutti gli altri, Batiato per ultimo, portando Romolo sulle spalle come in trionfo.

Si incamminarono verso il Nord attraverso le campagne verdi interrotte da larghe chiazze di neve da cui spuntavano qua e là crochi purpurei. Sulle siepi rosse di bacche saltellavano i pettirossi e sembravano fermarsi curiosi a guardare il piccolo corteo che transitava lungo il sentiero. Ogni tanto, al centro dei grandi pascoli, si alzavano querce colossali. Sui loro rami spogli brillavano le bacche dorate del vischio.

«Vedi?» disse Ambrosinus al suo discepolo. «Quello è il vischio, una pianta sacra per la nostra antica religione perché si credeva che piovesse dal cielo. E così pure è sacra la quercia da cui viene il nome degli antichi saggi della religione celtica: i druidi.»

«Lo so» rispose Romolo. «Dalla parola greca *drys*, che significa "quercia".»

Aurelio li richiamò alla realtà. «Dovremo procurarci dei cavalli al più presto: così, a piedi, siamo troppo vulnerabili.»

«Appena sarà possibile» rispose Ambrosinus. «Appena sarà possibile.» E ripresero a camminare. E camminarono per tutto il giorno, passando attraverso campi sparsi di fattorie, di case di legno coperte da larghe falde di fieno. I villaggi erano piccoli, grumi di casette strette le une alle altre, e man mano che si avvicinava la sera di quella breve giornata d'inverno si vedeva il fumo alzarsi dai tetti e Romolo immaginava le famiglie riunirsi attorno a povere mense, al fioco lume delle lucerne, per consumare insieme il pane della loro fatica. Li invidiava, sognando una vita semplice e umile, al riparo dell'avidità degli uomini di potere.

Prima che cadesse la notte Ambrosinus si presentò da solo, tenendo Romolo per mano, a bussare alla porta di una casa isolata, più grande ed evidentemente più ricca di quelle viste fino a quel momento. Lì accanto un vasto recinto riuniva un gregge di pecore dal folto manto lanoso, e un altro racchiudeva una piccola mandria di cavalli. Venne ad aprire un uomo robusto, vestito di una cappa di lana grezza, il volto incorniciato da una barba nera percorsa da fili d'argento.

«Siamo viandanti» disse Ambrosinus. «Altri compagni ci aspettano oltre quella siepe. Veniamo d'oltremare e vogliamo raggiungere le terre del Nord da cui partii molti anni fa. Mi chiamo Myrdin Emreis.»

«Quanti siete?» chiese l'uomo.

«Otto in tutto. E abbiamo bisogno di cavalli, se ce li puoi vendere.»

«Io mi chiamo Wilneyr» disse l'uomo, «e ho cinque figli, tutti fortissimi ed esperti nell'uso delle armi. Se venite in pace sarete accolti come ospiti, se venite come predoni sappi che non ci faremo tosare come pecore.»

«Veniamo in pace, amico, nel nome di Dio che un giorno ci giudicherà. Per necessità siamo armati, ma lasceremo le armi fuori dalla porta entrando sotto il tuo tetto.»

«Allora venite. Se volete fermarvi per la notte potete dormire nella stalla.»

«Ti ringrazio» rispose Ambrosinus. «Non te ne pentirai.» E inviò Romolo a chiamare i compagni.

All'apparire di Batiato, l'uomo spalancò gli occhi per la meraviglia e arretrò preso da un improvviso spavento. I figli si strinsero al suo fianco.

«Non abbiate paura» disse Ambrosinus. «È solo un uomo nero. Nella sua terra tutti sono neri come lui, e se un bianco si spinge fin là desta la stessa meraviglia e lo stesso stupore che prende voi adesso. È buono e pacifico, benché dotato di una forza smisurata. Pagheremo il doppio per la sua cena, perché mangia come due uomini.»

Wilneyr li fece sedere attorno al fuoco e diede loro pane e formaggio e birra, che riscaldò il cuore di tutti.

«Per chi allevi i tuoi cavalli?» chiese Ambrosinus. «Quelli che ho visto sono animali da guerra.»

«Lo sono, infatti. E mi vengono richiesti in numero sempre maggiore perché non c'è pace in questa terra, da nessuna parte, fin dove mi sono spinto. Perciò non manca mai il pane sulla mia mensa, e la carne di pecora e la birra. Tu, piuttosto, che hai detto di venire in pace, perché vuoi comprare cavalli e vai in giro con uomini armati?»

«La mia è una storia lunga, e triste, per lo più» rispose il vecchio. «Non basterebbe tutta la notte a raccontarla. Ma se vuoi ascoltarla, ti dirò ciò che posso, perché non ho nulla da nascondere se non ai nemici che ci perseguitano. Come già ti ho detto non sono uno straniero, sono originario di questa terra, della città di Carvetia, e fui allevato dai saggi del bosco sacro di Gleva.»

«L'ho capito quando ho visto ciò che porti al collo» disse Wilneyr, «ed è per questo che ti ho accolto.»

«Potrei averlo rubato» replicò Ambrosinus con un sorriso ironico.

«Non credo. Perché la tua persona, le tue parole e il tuo sguardo dicono che quel simbolo non è usurpato. Racconta, dunque, se non sei troppo stanco. La notte è lunga e non capita spesso di avere ospiti che vengono da tanto lontano.» E dicendo quelle parole guardò ancora Batiato con stupore: i suoi occhi troppo scuri, le labbra troppo grosse, il naso schiacciato e il collo da toro, le mani enormi intrecciate fra le cosce formidabili.

E Ambrosinus raccontò di come era partito tanti anni prima dalla sua città e dalla sua foresta per chiedere aiuto all'imperatore dei Romani, come gli avevano ordinato l'eroe Germano e il generale Paullino, ultimo difensore del Grande Vallo. Raccontò delle sue peregrinazioni e delle sue disavventure, dei giorni felici e delle lunghe sofferenze. Wilneyr e i suoi figli lo ascoltavano incantati perché quella storia era la più bella fra quante ne avevano udite fino allora dai bardi che andavano di città in città, di casolare in casolare, a narrare le avventure degli eroi di Britannia.

Ma tacque, Ambrosinus, sulla identità di Romolo, e sul suo destino, perché non era ancora venuto il momento. Quando ebbe finito era notte fonda e le fiamme nel focolare cominciavano a languire.

«Ora dimmi» chiese a sua volta Ambrosinus, «chi si divide il potere nell'isola? E chi fra i signori della guerra è il più forte e il più temuto? Che ne è delle città un tempo fiorenti e ancora vitali quando le lasciai?»

«La nostra è un'età di tiranni» rispose gravemente Wilneyr. «A nessuno sta a cuore il bene del popolo. Vige la legge del più forte, e non c'è pietà per chi soccombe, ma certo il più famoso e il più terribile fra i tiranni è Wortigern. Le città si rivolsero a lui perché le proteggesse dagli attacchi dei guerrieri del Nord ed egli, invece, le soggiogò, le sottopose a pesanti tributi, e benché in alcune sopravvivano gli antichi consigli degli anziani, essi non hanno alcun potere effettivo. Di fatto le città cedettero la libertà in cambio della sicurezza, perché sono abitate da mercanti che vogliono la pace per poter prosperare, per arricchirsi con gli scambi e i commerci. Wortigern, dal canto suo, man mano che perdeva il vigore della gioventù, non riusciva più ad assolvere il compito per il quale gli era stato concesso un potere così grande. Così decise di chiedere l'aiuto alle tribù sassoni che vivono nel continente, nella penisola di Kymre, ma il rimedio è stato peggiore del male e l'oppressione, anziché scemare, è raddoppiata. I Sassoni si preoccupano soltanto di accumulare ricchezze togliendole ai cittadini e non per questo le razzie degli Scoti e dei Picti del Nord sono cessate. Come cani che si contendono un osso, tutti questi barbari si combattono gli uni con gli altri per le magre spoglie di quello che un tempo fu un paese prospero e vitale e che ora non è che l'ombra di se stesso. Solo nelle campagne si sopravvive, come puoi vedere, ma forse ancora per poco.»

Aurelio, costernato, cercò gli occhi di Ambrosinus: era quella la terra così a lungo sognata? In che cosa era meglio del caos sanguinoso a cui erano appena sfuggiti? Ma lo sguardo del saggio era altrove, a cercare le immagini lontane che si era lasciato alle spalle quando era partito dal suo paese. Egli si preparava a ricucire uno strappo nel tempo, una ferita aperta nella sua storia di uomo e in quella della sua gente.

Uscirono accompagnati da uno dei figli di Wilneyr, entrarono nella stalla dove si distesero esausti su un letto di fieno vicino ai buoi che ruminavano tranquilli, e si abbandonarono al sonno. Facevano la guardia i cani che il padrone aveva liberato dalle loro gabbie. Erano grandi mastini con un collare di punte ferrate, abituati a battersi con i lupi e, forse, con belve ancora peggiori.

Si svegliarono all'alba e bevvero latte caldo, che la sposa di Wilneyr aveva appena munto, e si prepararono a rimettersi in viaggio. Acquistarono un mulo per Ambrosinus e sette cavalli, uno dei quali più piccolo degli altri e uno molto più grande: un massiccio stallone venuto dall'Armorica per coprire le cavalle britanne. E quando Batiato gli montò in groppa parve un colosso equestre di bronzo come quelli che un tempo ornavano i fori e gli archi della capitale del mondo.

Wilneyr contò il danaro, tutto quello che era rimasto a Livia, soddisfatto per il buon affare con cui aveva cominciato la giornata, e restò sull'uscio di casa a vederli partire. Avevano impugnato le armi, sospeso le spade ai cinturoni: nella prima luce del mattino parevano simili in tutto ai guerrieri delle leggende. Anche il pallido fanciullo che li precedeva sul suo puledro sembrava un giovane condottiero, e la ragazza una driade dei boschi. A quale impresa andava incontro una così piccola armata? Non sapeva nemmeno i loro nomi eppure gli pareva di conoscerli da sempre. Levò un braccio nel saluto e quelli risposero dalla sommità della collina su cui sfilavano ora a passo lento, sagome scure nella luce di perla dell'alba.

Quella terra così piena di pericoli non aveva tuttavia segreti per Ambrosinus, quasi se ne fosse separato per pochi giorni anziché per anni e anni: egli conosceva la lingua, il paesaggio, il carattere degli abitanti, sapeva come attraversare le foreste senza perdersi e senza incappare nelle strettoie che avrebbero potuto nascondere imboscate, conosceva la profondità dei fiumi e la lunghezza dei giorni, delle notti e perfino delle ore. Dai colori del cielo indovinava l'approssimarsi di una tempesta o il ritorno del sereno. Le voci degli uccelli erano per lui messaggi precisi di allarme o di pace e anche i tronchi nodosi degli alberi parlavano. Gli narravano storie di lunghi inverni nevosi o di fertili primavere, di piogge incessanti, di folgori cadute dal cielo. Solo una volta dovettero fronteggiare una minaccia: l'assalto, una sera, di una banda di briganti, ma l'impatto travolgente di Batiato sul suo stallone armoricano, la forza micidiale di Aurelio e Vatreno, i dardi di Livia, la folgorante rapidità di Demetrio e la tranquilla potenza di Orosio ebbero presto ragione di aggressori che da tempo sapevano solo combattere da predoni e non più da soldati.

Così, in poco più di due settimane di cammino, la piccola carovana attraversò quasi un terzo del paese, e si accampò non lontano da una città chiamata Caerleon.

«Un nome strano» disse Romolo guardandola da lontano, colpito dalla strana mescolanza di imponenti architetture antiche e misere capanne.

«È solo la deformazione locale di *Castra Legionum*» spiegò Ambrosinus. «Qui si trovavano gli accampamenti delle legioni del Sud, e quella costruzione che vedi laggiù è quanto resta dell'anfiteatro.»

Anche Aurelio e gli altri osservavano la città, e faceva

loro uno strano effetto vedere le vestigia di Roma ancora tanto imponenti eppure in rovina, avviate alla dissoluzione.

Proseguirono per altre due settimane portandosi alla base delle prime alture e al limitare delle più vaste foreste. Una notte, mentre sedevano attorno al fuoco di bivacco, Aurelio pensò che fosse giunto il tempo di conoscere lo scopo ultimo della loro lunga marcia, il futuro che li attendeva in quell'estremo lembo del mondo.

«Dove stiamo andando, maestro?» chiese improvvisamente. «Non credi che sia giusto dircelo, a questo punto?»

«Sì, Aurelio, è giusto. Andiamo a Carvetia, da dove sono partito tanti anni fa con la promessa di tornare con un esercito imperiale per liberare questa terra dai barbari del Nord e da Wortigern, un tiranno che l'opprimeva allora e che continua a opprimerla, a quanto abbiamo saputo, anche ora che è vecchio e debole. La smania del potere è la medicina più potente: mantiene in vita anche i moribondi.»

Tutti si guardarono in faccia allibiti.

«Hai promesso di tornare con un'armata e questo è tutto quello che riporti?» disse Vatreno indicando se stesso e i compagni. «Non credi che saremo accolti da un coro di risate? Io pensavo che ci avresti condotti in un luogo tranquillo a vivere un'esistenza normale: ce lo siamo meritato, mi sembra.»

«Se devo essere sincero» continuò Demetrio, «anch'io mi aspettavo qualcosa del genere: un posto fuori dal mondo, in campagna, dove farsi una famiglia, magari, e usare la spada per tagliare il formaggio o il pane.»

«Sì, un posto così piacerebbe anche a me» disse Orosio. «Potremmo costruire un piccolo villaggio e trovarci di tanto in tanto per pranzare insieme e ricordare le fatiche e i pericoli che abbiamo passato. Non sarebbe bellissimo?»

Anche Batiato sembrava d'accordo su quella prospettiva. «Ho notato che da queste parti non hanno mai visto un nero, ma credo che ci faranno l'abitudine: forse anch'io potrò trovare una ragazza che accetti di vivere con me, che ne dite?»

Ambrosinus alzò la mano a troncare quei discorsi. «Al Nord c'è ancora una legione in armi che aspetta l'imperatore: la chiamano la Legione del Drago, perché la sua insegna è un drago d'argento con la coda di porpora che si gonfia e si muove come fosse viva quando soffia il vento.»

«Vaneggi» rispose Aurelio. «L'unica legione, e l'ultima, era la nostra, e come ben sai noi ne siamo i soli superstiti.»

«Non è vero» replicò Ambrosinus. «Esiste, e fu Germano a costituirla. Si fece promettere, prima di morire, che la mia gente l'avrebbe mantenuta in armi a proteggere la libertà del paese finché io non fossi tornato. Sono certo che non possono essere venuti meno alla promessa data a un eroe e a un santo. So che le mie sembrano parole senza senso, ma vi ho mai ingannati, vi ho mai delusi da quando mi conoscete?»

Vatreno scosse il capo, sempre più frastornato. «Ti rendi conto di ciò che dici? Se anche fosse vero, sono dei vecchi a questo punto: hanno la barba bianca e hanno perso i denti.»

«Tu credi?» rispose ironico Ambrosinus. «Hanno la tua età, Vatreno, e la tua, Aurelio. L'età di veterani induriti e indomiti. Lo so che tutto vi sembra assurdo, ma ascoltatemi, per l'amor di Dio! Avrete ciò che desiderate. Potrete trascorrere l'esistenza in pace nel luogo che io stesso vi indicherò. Una valle fertile e nascosta, un piccolo paradiso irrigato da un ruscello di cristallo, un luogo dove potreste vivere anche solo di caccia o di pesca e prendervi le donne che vorrete trattando con la tribù nomade che passa di là ogni anno con le sue greggi. Ma prima completate la vostra opera come mi avete promesso, e come avete promesso a questo ragazzo. Non vi chiedo altro. Scortateci fino al campo fortificato, che è la nostra ultima meta, e poi decidete secondo i vostri desideri e io farò tutto quanto è in mio potere per assecondarvi.»

Aurelio si rivolse ai compagni: «Avete sentito tutti: il nostro compito è di presentare l'imperatore alla sua legione, ammesso che esista ancora, e poi saremo liberi dal nostro impegno. Potremo continuare a servire ai suoi ordini, forse, oppure goderci un meritato congedo».

«E se non esiste più?» domandò Livia, che fino a quel momento non aveva detto nulla. «Che faremo? Lo abbandoneremo al suo destino? Oppure ci disperderemo, chi da una parte chi dall'altra, o staremo insieme in questo luogo così bello che descrive Ambrosinus?»

«Se non esiste più sarete liberi di fare ciò che vorrete. E anche tu, figlio mio» disse Ambrosinus rivolto a Romolo. «Potrai vivere con loro se decideranno di rimanere, come io ardentemente spero, e crescere in pace, diventare un uomo. Un pastore, forse, o un cacciatore, o un agricoltore, come più ti piacerà. Ma io sono certo che Dio ti ha scelto per un destino ben diverso, e che questi uomini e questa giovane saranno gli strumenti del tuo destino come lo sono stato io. Ciò che abbiamo passato non è stato per caso. E non è stato solo per valore umano che abbiamo vinto tante sfide apparentemente impossibili. È la mano di Dio, in qualunque Dio voi crediate, che ci ha guidato e che ci guiderà fino al compimento dei suoi disegni.»

Aurelio guardò in faccia i suoi compagni, uno per uno, e guardò Livia con una commozione profonda, come per trasmetterle con quello sguardo una passione spesso soffocata dalle sue paure e dal tormento che aveva nell'animo: da tutti ebbe una muta risposta, inequivocabile.

«Non vi abbandoneremo» disse allora. «Né prima né dopo questa folle spedizione, e troveremo il modo di tenere unite le nostre esistenze. Se tante volte la morte ci ha risparmiato, è giusto che venga il giorno in cui possiamo finalmente godere quanto ci resta della vita, lunga o breve che sia.»

Si alzò in piedi e si allontanò perché sentiva di non riuscire più a controllare il tumulto delle passioni che gli occupavano l'animo, ma non solo: da qualche tempo i suoi incubi erano tornati, le immagini che lo avevano torturato per anni, e le fitte dolorose al capo, si ripresentavano sempre più frequenti oscurando a volte le sue capacità di esprimersi e di manifestare i sentimenti, soprattutto con Livia. Era come se il cerchio della sua vita si stesse chiudendo, come se in quella regione agli estremi confini del mondo lo aspettasse la resa dei conti con il destino e con se stesso.

Ambrosinus attese che il fuoco si fosse spento e che tutti si fossero coricati e gli si avvicinò. «Non perderti d'animo, ti prego» gli disse. «Abbi fede. E ricorda che le più grandi imprese sono sempre state compiute da un pugno di eroi.»

«Non sono un eroe» rispose senza nemmeno voltarsi. «E tu lo sai.»

Nevicò, quella notte, e fu l'ultima neve di quell'inverno. Da allora in poi marciarono nel sole, sotto un cielo di nubi candide come il manto degli agnelli che uscivano per la prima volta con le loro mandrie al pascolo. E i clivi esposti a meridione si coprivano a ogni giorno che passava di viole e di margherite. Finalmente, un giorno Ambrosinus si fermò ai piedi di un colle e scese dalla sua mula. Prese il suo bastone da pellegrino e avanzò a piedi sotto gli occhi di tutti, fin sulla cima. Poi si volse indietro e gridò: «Venite! Che aspettate? Su, correte!».

Fu Romolo il primo a raggiungerlo, sudato e ansimante, e poi Livia e Aurelio e Vatreno e poi gli altri. Davanti a loro, a qualche miglio di distanza, il Grande Vallo si estendeva come una possente cintura di pietra da orizzonte a orizzonte, scandito da torri e castelli. In basso e alla loro destra, a non molta distanza, brillavano le acque di un piccolo lago, limpide e trasparenti come l'aria, al centro del quale si poteva distinguere uno scoglio verde di muschio. In fondo, a oriente, la vetta di una montagna ancora incappucciata di neve e, sopra una rupe, un campo trincerato. Ambrosinus contemplò rapito quello spettacolo superbo: il suo sguardo corse sull'immensa fortificazione serpeggiante che univa un mare all'altro, poi si posò sul lago, sulla cima della montagna e da ultimo sul campo trincerato, grigio come la roccia, e disse: «Siamo arrivati, figlio mio, amici miei, il nostro viaggio è terminato. Ecco il Grande Vallo che attraversa tutto il paese, e laggiù è il *Mons Badonicus*, e qui, ai nostri piedi, il *Lacus Virginis*, il lago della fanciulla, che si diceva abitato da una ninfa delle acque. E lassù, scavato nel corpo di quella rupe, il campo dell'ultima legione di Britannia. La fortezza del drago!».

XXXIII

Scesero nella valle completamente deserta e avanzarono verso la fortezza che ora appariva più distante di quanto non sembrasse dalla cima del colle. Costeggiarono il piccolo lago di incantevole bellezza, una conca rocciosa contornata di ciottoli neri, bianchi e bruni, luccicanti sotto il velo dell'acqua trasparente, e cominciarono a salire verso la collina su cui sorgeva il forte. Un colle non alto, che terminava con una piattaforma rocciosa.

«La parte interna del campo» spiegò Ambrosinus «fu scavata per ricavare un piano regolare in cui installare gli alloggiamenti per le truppe, per i cavalli e per le attrezzature. Tutto intorno, sulla roccia, fu eretto un muro a secco e su di esso una palizzata con le torrette di guardia.»

«Lo conosci molto bene» disse Aurelio.

«Certamente» rispose Ambrosinus. «Sono vissuto in questo luogo parecchio tempo come medico e come consigliere del comandante Paullino.»

«E quello che cos'è?» chiese Romolo. E indicò una sorta di monumento megalitico che cominciava a intravvedersi dietro i fianchi della collina, su un altro rilievo del terreno prima invisibile. Appariva come una enorme lastra di pietra circolare attorniata da quattro giganteschi pilastri di roccia, disposti secondo i punti cardinali.

Ambrosinus si fermò. «Quello» disse «è il monumento funebre di un grande guerriero di questa terra, un capo celta di nome Kalgak che gli autori latini chiamarono Calgacus. Egli fu l'ultimo eroe della resistenza indigena quando i Romani invasero la Britannia trecento anni fa.»

«Conosco quell'episodio» disse Romolo. «Ho letto le pagine di Tacito che riferiscono il suo discorso prima dell'ultima battaglia. E le parole terribili con cui definisce la *Pax romana*.»

«"Con false parole chiamano Impero la sottomissione del mondo, e dove hanno fatto il deserto, lo chiamano pace"» citò Aurelio a memoria. «Ma ricorda» proseguì orgogliosamente, «in realtà non sono parole di Calgacus, ma di Tacito: un Romano che critica l'imperialismo romano. In questo è anche la grandezza della nostra civiltà.»

«Si dice che attorno a quella pietra egli riunisse il suo consiglio» disse Ambrosinus. «Da allora essa è simbolo di libertà per tutti gli abitanti di questa terra, qualunque sia la loro stirpe.»

Riprese a salire verso la cinta esterna del campo, ma già da quella distanza appariva evidente che il luogo era deserto: la palizzata era in rovina, le porte sgangherate, le torrette cadenti. Fu Aurelio a entrare per primo e a constatare, dovunque volgesse lo sguardo, i segni dell'incuria e dell'abbandono.

«Una legione di fantasmi...» mormorò.

«Questo posto è abbandonato da anni, qui cade tutto a pezzi» gli fece eco Vatreno. Batiato saggiò la stabilità di una scala che portava al camminamento di ronda e l'intera struttura rovinò al suolo con fragore.

Ambrosinus sembrava smarrito, quasi sopraffatto da quella desolazione.

«Ma davvero ti aspettavi di trovare qualcuno in questo posto?» lo incalzò Aurelio. «Io non ci posso credere. Guarda laggiù il Grande Vallo: non c'è un'insegna romana su quel muro da più di settant'anni, come potevi sperare che potesse sopravvivere un piccolo baluardo come questo? Guarda tu stesso. Non ci sono segni di distruzione, o di resistenza armata. Se ne sono semplicemente andati, chissà da quanto tempo.»

Ambrosinus si portò verso il centro del campo. «So che tutto sembra privo di senso, ma credetemi: il fuoco non si è spento, dobbiamo soltanto rianimarlo e la fiamma della libertà riprenderà a divampare.» Ma nessuno sembrava ascoltarlo. Scuotevano il capo sgomenti, in quel silenzio irreale rotto soltanto dal lieve sibilo del vento, dal cigolare delle imposte nelle baracche rose dal tempo e dalle intemperie. Incurante di quell'atmosfera di scoramento, Ambrosinus si avvicinò a quello che doveva essere il pretorio, la residenza del comandante, e scomparve all'interno.

«Dove va?» chiese Livia.

Aurelio si strinse nelle spalle.

«E adesso che facciamo?» domandò Batiato. «Abbiamo percorso duemila miglia per nulla, se ho capito bene.»

Romolo, appartato in un angolo, sembrava chiuso nei suoi pensieri, e Livia non osò nemmeno andargli vicino. Indovinava il suo stato d'animo e soffriva per lui.

«Visto come stanno le cose, sarà bene considerare con realismo la situazione» cominciò a dire Vatreno.

«Realismo? Non c'è niente di realistico qui. Guardati intorno, per tutti gli dèi!» sbottò Demetrio. Ma non aveva finito di parlare che la porta del pretorio si aprì e riapparve Ambrosinus. Il brusio cessò, gli sguardi si concentrarono sulla figura ieratica che emergeva dall'oscurità impugnando un oggetto strabiliante: un drago dalla testa d'argento, a fauci spalancate, e dalla coda di porpora, issato su un'asta dalla quale pendeva un labaro con la scritta

LEGIO XII DRACO

«Mio Dio» mormorò Livia. Romolo fissò l'insegna, la coda ricamata in scaglie dorate che si muoveva come animata, improvvisamente, da un soffio vitale. Ambrosinus si avvicinò ad Aurelio e gli piantò in faccia due occhi di fuoco. Il suo volto era trasfigurato, i suoi lineamenti tesi e induriti, come scolpiti nella pietra. Gli porse l'insegna dicendo: «È tua, comandante. La legione è ricostituita».

Aurelio esitò, immobile davanti a quella figura esile, quasi macilenta, a quello sguardo d'imperio in cui ardeva un fuoco misterioso e indomabile. Poi, mentre il vento rinforzava sollevando una nube di polvere che tutto avvolgeva, tese la mano e afferrò l'impugnatura dell'asta.

«E ora va'» comandò Ambrosinus. «Piantala sulla torre più alta.»

Aurelio si guardò intorno, guardò i compagni immobili e muti, poi si incamminò lentamente, salì sul ballatoio e piantò l'insegna sulla torre occidentale, la più alta. La coda del drago si divincolò sotto la sferza del vento, la bocca metallica fece udire un suono acuto, il sibilo che tante volte aveva terrorizzato il nemico in battaglia. Guardò in basso: i compagni erano schierati uno a fianco dell'altro, irrigiditi nel saluto militare. E gli occhi gli si riempirono di lacrime.

Ambrosinus parlò nuovamente: «Ci installeremo qui, e quindi cerchiamo di rendere abitabile questo posto: sarà la nostra casa per qualche tempo. Io intanto tenterò di ristabilire i miei contatti con le persone che conoscevo e che forse vivono ancora in questi luoghi, e quando verrà il momento mi presenterò al senato di Carvetia, se esiste ancora, altrimenti convocherò il popolo nel foro. Andrò con Romolo quando verrà il momento e lo presenterò al popolo e al senato...».

«Avevi promesso un esercito, lasciando questa terra tanti anni fa» disse Vatreno, «e torni con un bambino. Che cosa ti aspetti?»

«Ascoltate: la legione verrà ricostituita, i soldati dispersi accorreranno attorno a questa insegna e al loro imperatore. Io ricorderò loro la profezia: "Verrà un giovane dal mare meridionale, portando la spada. L'aquila e il dragone spiegheranno il volo nuovamente sulla vasta terra di Britannia!"»

«La spada...» mormorò Aurelio chinando il capo. «Io l'ho perduta.»

«Non per sempre» rispose Ambrosinus. «La riconquisterai, te lo giuro.»

Il giorno seguente Ambrosinus lasciò il campo per riprendere contatto con la terra che aveva lasciato da tanto tempo. Partì solo, con il suo bastone da pellegrino, attraversando la valle in direzione di Carvetia, e a ogni passo si sentiva invadere l'animo da una profonda commozione. Il profumo di erba portato dal vento, il canto degli uccelli che salutavano il sorgere del sole, la prateria che andava coprendosi di fiori gialli e bianchi, tutto lo riportava ai giorni lontani della sua giovinezza e tutto gli appariva di nuovo vicino e familiare, come se non avesse mai lasciato quelle contrade. Man mano che avanzava, il sole saliva nel cielo sempre più splendente riscaldando l'aria e facendo brillare le acque dei ruscelli che attraversavano i campi come nastri d'argento. Vedeva le mandrie e le greggi condotte al pascolo dai pastori, i contadini nei campi che potavano i meli: la bellezza della natura sembrava poter vincere le sventure che incombevano sulle sorti umane e questo gli parve un fausto presagio.

Giunse in vista della città verso il tardo pomeriggio e riconobbe su una collina la sagoma a lui familiare di una grande e antica dimora. Il muro esterno aveva la struttura e l'imponenza di una fortificazione, ma intorno si estendevano pascoli e campi dove ferveva l'opera dei contadini e degli operai. Alcuni preparavano la terra per la semina, altri mondavano gli alberi dai rami secchi, altri ancora, al limitare di un bosco, caricavano grandi tronchi su carri trainati da buoi. All'interno di un recinto correva una mandria di cavalli, guidata da uno stallone bianco dalla lunga criniera che correva a galoppo sfrenato sferzando l'aria con la coda.

Ambrosinus entrò dalla porta principale nella vasta corte su cui si affacciavano le officine dei fabbri, dei maniscalchi, dei falegnami. Al suo entrare lo accolsero il profumo meraviglioso del pane appena sfornato e l'abbaiare festoso dei cani. Nessuno gli chiese chi fosse, né che cosa volesse, ma una donna gli porse un pane fragrante come dono ospitale ed egli capì che nulla era mutato in quella nobile casa dal tempo in cui vi era stato accolto per la prima volta. Chiese: «Il signore Kustennin è ancora il padrone di questa dimora?».

«Lo è, grazie a Dio» rispose la donna.

«Allora annunciagli, per favore, che un suo vecchio amico è tornato da un lungo esilio e che non vede l'ora di riabbracciarlo.»

«Seguimi» gli disse la donna. «Ti condurrò da lui.»

«No, preferisco restare e attenderlo qui, come si conviene a un viandante che bussa alla porta chiedendo accoglienza e rifugio.»

La donna scomparve sotto un'arcata e salì in fretta le scale che conducevano al piano superiore della villa. Poco dopo una figura imponente si stagliò nella luce rossa del tramonto. Un uomo sulla cinquantina dagli occhi azzurri e dalle tempie brizzolate, le larghe spalle coperte da un mantello nero, lo guardava con un'espressione incerta, cercando di riconoscere il pellegrino che gli stava di fronte. Ambrosinus gli si fece incontro. «Kustennin, sono Myrdin Emreis, il tuo vecchio amico. Sono tornato.»

Gli occhi dell'uomo si riempirono di gioia. Gli corse incontro gridando: «Myrdin!» e lo strinse in un lungo abbraccio. «Quanto tempo» diceva con la voce tremante per l'emozione. «Vecchio amico mio, quanto tempo è passato. Oh, buon Dio, come ho potuto non riconoscerti al primo sguardo!»

Ambrosinus si sciolse dall'abbraccio per guardarlo in faccia, quasi incredulo di averlo ritrovato dopo tanti anni. «Sono passato attraverso ogni sorta di peripezie, ho patito il freddo e la fame, ho dovuto superare prove terribili, amico mio. Per questo il mio aspetto è mutato, per questo i miei capelli sono completamente imbiancati e perfino la mia voce si è indebolita. Sono così felice di rivederti, così felice... Tu invece non sei cambiato per nulla, se non fosse per quel po' di brina sulle tempie. E la tua famiglia?»

«Vieni» disse Kustennin, «vieni a incontrarla. Io ed Egeria abbiamo una figlia, Ygraine, che è la luce dei nostri occhi.» E gli fece strada salendo le scale e percorrendo un corridoio fino all'appartamento delle donne.

«Egeria» disse Ambrosinus, «sono Myrdin, ti ricordi ancora di me?»

Egeria lasciò il ricamo cui stava attendendo seduta presso una finestra e gli andò incontro. «Myrdin? Non posso crederlo. Ti pensavamo morto da molto tempo. Ma questa è una vera grazia del Signore, dobbiamo festeggiare. E tu resterai con noi, non te ne andrai più!» E rivolta al marito: «Non è vero Kustennin? Non è vero?».

«Certamente» ripose il marito. «Ne saremmo felici.»

Ambrosinus fece per replicare ma fu interrotto dal sopraggiungere di una bambina bellissima. Gli occhi azzurri del padre, i capelli rosso fiamma della madre, incantevole nella sua veste di lana azzurra, lunga fino ai piedi: era Ygraine, che lo salutò con grazia.

Egeria diede subito ordine ai servi di preparare la cena e una camera per l'ospite. «Solo provvisoriamente» disse. «Domani troveremo una sistemazione migliore in una zona assai più confortevole e meglio esposta al sole...»

Ambrosinus l'interruppe: «Accetterò volentieri la vostra ospitalità, ma non posso stabilirmi con voi benché lo desideri con tutto il cuore. Non sono solo: sono giunto con un gruppo di amici fin dall'Italia sfuggendo finora a una caccia spietata e senza tregua».

«Chiunque ti insegua» rispose Kustennin, «qui sei al sicuro e nessuno oserà farti del male. I miei servi sono tutti armati e al bisogno possono tramutarsi in un piccolo reparto disciplinato e combattivo.»

«Ti ringrazio» rispose Ambrosinus. «La mia è una lunga storia che ti racconterò questa sera stessa, se avrai la pazienza di ascoltarmi. Ma perché hai armato i tuoi servi?

Che ne è della Legione del Drago? Io e i miei compagni siamo accampati nel vecchio forte, ma ci è subito apparso evidente che è abbandonato da tempo. Forse sono cambiati gli acquartieramenti?»

«Mio Dio, Myrdin» rispose Kustennin. «La legione non esiste più da molti anni, si è sciolta...»

Ambrosinus si fece scuro in volto. «Sciolta? Non posso crederci. Avevano giurato sul corpo insanguinato di san Germano che avrebbero combattuto per la libertà della nostra Patria finché avessero avuto un alito di vita. Io non ho mai dimenticato quel giuramento, Kustennin. E sono tornato per tenere fede alla mia promessa. Ma allora debbo pensare che nemmeno tu abbia più il potere di difendere questa terra da coloro che la opprimono.»

Kustennin sospirò. «Cercai per anni di mantenere la dignità consolare, e finché esistette la legione in qualche modo fu possibile, anche se non mancarono coloro che preferirono bollarmi con il titolo infamante di usurpatore o confondermi con altri tiranni di questa sfortunata terra. Ma poi la legione si sciolse, Wortigern finì per corrompere buona parte del senato e oggi domina il paese con i suoi feroci mercenari. Carvetia è ancora una città fortunata, perché Wortigern ha bisogno dei nostri allevamenti di cavalli e del nostro porto e quindi non ci soffoca. Il senato si riunisce ancora e i magistrati esercitano, almeno in parte, la loro autorità. Ma questo è tutto ciò che resta della libertà che Germano aveva saputo restituirci assieme all'orgoglio e alla dignità di chi è padrone del proprio destino.»

«Capisco» mormorò Ambrosinus, abbassando lo sguardo per non mostrare lo scoramento che lo aveva preso all'udire quelle parole.

«Ma dimmi di te» insistette Kustennin. «Che cosa hai fatto in tutti questi anni che sei mancato, e chi sono questi amici di cui parlavi poco fa, e perché li hai condotti nel vecchio campo trincerato?»

Egeria interruppe la conversazione annunciando che la cena era in tavola, e gli uomini si sedettero a mensa. Ardeva un bel fuoco di tronchi di quercia nel grande focolare, i servi versavano nelle coppe birra spumeggiante e deponevano nei piatti tranci di carne arrostita, e tutti mangiarono con appetito ricordando i vecchi tempi. Poi, quando le mense furono levate, Kustennin aggiunse ancora legna al fuoco, versò nelle coppe un vino dolce che veniva dalla Gallia e invitò l'amico a sedersi con lui davanti al focolare.

L'onda dei ricordi, il calore dell'amicizia e del vino inducevano ad aprire il cuore e ispiravano il piacere di raccontare. E Ambrosinus narrò la sua vicenda fin da quando aveva lasciato la Britannia per andare a cercare aiuto dall'imperatore. Era notte fonda quando terminò il suo racconto. Kustennin lo guardò negli occhi con un'espressione attonita e mormorò: «Dio onnipotente... Hai riportato l'imperatore in persona...».

«È così» rispose Ambrosinus. «E in questo momento dorme in quel luogo solitario, avvolto nella coperta da campo che è l'unica cosa che possiede, vigilato dagli uomini più nobili e coraggiosi che la terra abbia mai partorito.»

XXXIV

Wulfila e i suoi uomini sbarcarono in Britannia il giorno successivo all'arrivo di Aurelio e dei suoi, verso il calare della sera. Al seguito avevano i cavalli e le armi, e non posero indugio a un rapido sbarco. Il nocchiero, benché fosse un suddito di Siagrio, era stato convinto a seguirli perché era originario della Britannia e sarebbe stato prezioso nell'indicare loro come muoversi in quella terra sconosciuta. Wulfila gli diede del danaro per incoraggiare la sua diserzione e gliene promise ancora se si fosse reso utile.

«Che cosa vuoi sapere?» gli chiese il nocchiero.

«Come raggiungere quegli uomini.»

«Non è facile. Ho visto colui che li guida: è un druido o, comunque, un uomo che è stato educato dai druidi; significa che in questa terra si muove come un pesce nel mare. Significa che ne conosce ogni segreto, ogni nascondiglio. Se a questo aggiungi che hanno oltre una giornata di cammino di vantaggio su di noi diventa molto difficile mettersi sulle loro tracce. Se sapessimo dove sono diretti, allora sarebbe diverso, ma così... La Britannia è grande. È la più grande isola del mondo.»

«Ma le strade non possono essere molte, gli itinerari principali saranno conosciuti.»

«Certamente, ma non è detto che li percorreranno. Potrebbero passare attraverso i boschi, seguire i sentieri dei pastori, o addirittura quelli che percorrono gli animali selvatici.»

«Ma non potranno restare nascosti a lungo. Non mi sono mai sfuggiti fino a ora, non mi sfuggiranno su quest'isola.»

Si allontanò camminando sulla spiaggia e si fermò a guardare il movimento della risacca, rimuginando il suo livore. Poi, a un tratto, fece un cenno al nocchiero di avvicinarsi: «Chi comanda in Britannia?».

«Che cosa?»

«C'è un re? Qualcuno che detiene il massimo potere?»

«No, il paese è conteso da molti capi locali, violenti e rissosi. Ma c'è un uomo che tutti temono e che domina una gran parte del territorio dal Grande Vallo fino a Caerleon, appoggiato da feroci mercenari. Si chiama Wortigern.»

«E dov'è la sua residenza?»

«A nord. Vive in una fortezza inaccessibile che ha costruito su un vecchio campo trincerato romano: Castra Vetera. Un tempo era un valoroso guerriero, e combatté contro gli invasori delle Terre Alte che avevano espugnato il Grande Vallo, proteggendo le città e le loro istituzioni, poi si è fatto corrompere dal potere diventando un tiranno sanguinario. Giustifica il proprio dominio con la difesa dei confini settentrionali. In realtà è un pretesto, lui stesso paga dei tributi ai capi delle Terre Alte e si rifà dissanguando il paese con taglieggiamenti continui o addirittura lasciando libertà di saccheggio ai mercenari sassoni che ha fatto venire dal continente.»

«Sai molte cose.»

«Perché questa è stata la mia terra per molto tempo. Poi sono riparato in Gallia per la disperazione e mi sono arruolato nell'esercito di Siagrio.»

«Se mi guiderai da Wortigern non avrai a pentirtene. Ti darò terre, servi, bestiame, tutto ciò che puoi desiderare.»

«Io posso guidarti fino a Castra Vetera. Poi dovrai trovare tu il modo di farti ricevere. Dicono che Wortigern sia molto sospettoso e diffidente, sia perché è consapevole di quanto odio ha seminato, di quanti vorrebbero la sua morte per vendicarsi dei torti subiti, sia perché è ormai molto vecchio e debole e per questo si sente vulnerabile.»

«Allora andiamo, non perdiamo tempo.»

Abbandonarono la nave ai colpi della risacca e si incamminarono lungo il litorale fino a trovare la vecchia via consolare romana, il mezzo più rapido per raggiungere la meta.

«Che aspetto ha?» chiese Wulfila alla sua guida.

«Non si sa. Da anni e anni nessuno lo vede in faccia. C'è chi dice che il suo volto, devastato da un morbo ripugnante, sia ridotto a un'unica piaga purulenta. Altri dicono semplicemente che egli non voglia mostrare ai sudditi i segni della decadenza, gli occhi spenti e vitrei, la bocca sdentata e bavosa, le guance cadenti. Vuole che continuino a temerlo, e così si nasconde dietro una maschera d'oro che lo ritrae immutabile nello splendore della gioventù. È l'opera di un grande artista, che la fuse con l'oro di un calice da messa. Una tale bestemmia, dicono, garantì a Wortigern l'alleanza con Satana e chiunque indosserà quella maschera da oggi fino alla fine dei secoli avrà la forza del demonio.» Guardò di sottecchi il suo interlocutore, rendendosi conto di avergli rammentato in qualche modo la sua deformità. Ma Wulfila, stranamente, non mostrò alcun segno di risentimento.

«Parli troppo bene per essere un marinaio» disse. «Chi sei in realtà?»

«Non mi crederai, ma ero un artista anch'io e ho conosciuto una volta l'uomo che costruì quella maschera. Dicono che sia stato ucciso dopo aver compiuto il suo lavoro, perché era l'unico ad aver visto da vicino il volto disfatto di Wortigern. È passato il tempo in cui un artista era rispettato come una creatura prediletta di Dio: c'è forse più posto per l'arte in un simile mondo? Ridotto io stesso in miseria, tentai la sorte a bordo di una barca di pescatori e da loro imparai a governare un timone e una vela. Non so se avrò mai più la possibilità nella mia vita di modellare l'oro e l'argento, come facevo un tempo, o di dipingere immagini di santi nelle chiese, o di comporre le tessere di un mosaico, nondimeno, nonostante il mio aspetto e la mia condizione attuale, resto e resterò per sempre un artista.»

«Un artista?» domandò Wulfila scrutandolo negli occhi con un'espressione strana, come se un'idea improvvisa gli fosse venuta alla mente. «Forse sai anche leggere un'iscrizione?»

«Conosco le antiche iscrizioni celtiche, le rune degli Scani e le epigrafi latine» rispose l'uomo con orgoglio.

Wulfila sguainò la spada e gliela pose davanti. «Allora spiegami che cosa significano queste lettere incise sulla lama e quando avremo terminato questo viaggio ti pagherò e ti lascerò andare libero.»

L'uomo guardò la lama e poi il barbaro con uno sguardo pieno di stupore.

«Che cosa c'è?» chiese Wulfila inquieto. «È forse un incantesimo? Parla!»

«Molto di più» rispose l'uomo, «molto di più. L'iscrizione dice che questa spada appartenne a Giulio Cesare, il primo conquistatore della Britannia, e che fu forgiata dai Calibi, un popolo del lontano Oriente depositario del segreto di un acciaio invincibile.»

Wulfila annuì con un sogghigno. «Presso il mio popolo si dice che chi impugna l'arma di un conquistatore diviene egli stesso un conquistatore e dunque ciò che mi hai detto è il migliore degli auspici. Guidami fino a Castra Vetera e quando saremo arrivati ti darò altro danaro e sarai libero di andartene dove vorrai.»

Avanzarono così per quasi due settimane, attraversando il territorio di molti piccoli tiranni, ma il numero consistente di guerrieri a cavallo al seguito di Wulfila, e lo stesso aspetto terrifico del loro condottiero, aprirono la strada al gruppo senza eccessive difficoltà. Solo una volta un signore molto potente di nome Gwynwird, attorniato da una schiera nutrita di armati, osò fermarli al passaggio di un ponte che immetteva nel suo territorio, nei pressi di Eburacum. Irritato dall'atteggiamento sprezzante di quel forestiero dalla faccia sfregiata, gli impose di pagare un pedaggio e di consegnare le armi, che gli sarebbero state restituite quando fosse uscito dall'altra parte del suo dominio. Wulfila scoppiò in una risata e ordinò alla sua guida di rispondere che se voleva le sue armi doveva conquistarle in combattimento, e che lo sfidava a duello. Geloso della sua fama e del suo prestigio, il signore accettò la sfida, ma quando vide l'avversario sguainare la spada, una spada di incredibile fattura e di tremenda bellezza, si rese conto di essere perduto. Al primo scontro il suo scudo fu squarciato, al secondo la sua spada volò in pezzi e subito dopo la sua testa rotolò fra le zampe del cavallo, con gli occhi ancora spalancati in un'espressione incredula e atterrita.

Secondo l'antico uso celtico, i guerrieri del capo sconfitto accettarono di passare agli ordini del vincitore, e così la banda di Wulfila si ingrossò fin quasi alle dimensioni di un piccolo esercito e continuò il viaggio preceduta da terrificanti dicerie sulla ferocia del suo capo e sulla spada che lo rendeva invincibile. Finché un giorno, verso la metà dell'inverno, giunse in vista di Castra Vetera.

Era una fortezza tetra e arcigna su una collina coperta da una fitta foresta di abeti, circondata da una doppia fossa e da un muro, guardata da centinaia di armati. Dall'interno veniva il latrato incessante dei cani da guardia, e all'avvicinarsi dei cavalieri di Wulfila uno stormo di corvi si levò in volo riempiendo l'aria di acute strida. Il cielo coperto di nubi basse ammantava di luce plumbea quel maniero rendendolo, se possibile, ancora più cupo. Wulfila mandò avanti l'interprete, a piedi e disarmato.

«Il mio signore» annunciò quello «è inviato dalla corte imperiale di Ravenna, in Italia, per rendere omaggio al signore Wortigern e per proporgli un patto di alleanza. Porta con sé doni e il sigillo imperiale che accredita la sua persona e la sua missione.»

«Aspetta qui e non ti muovere» rispose la guardia. Subito dopo confabulò con quello che sembrava un suo superiore e quello scomparve all'interno della fortezza. Passò molto tempo mentre Wulfila, ancora in sella, attendeva impaziente non sapendo che cosa pensare. Finalmente l'uomo ritornò e riferì la risposta del suo signore: l'inviato doveva presentare doni e credenziali e soltanto dopo sarebbe stato ricevuto. Disarmato e senza scorta.

Wulfila fu sul punto di voltare il cavallo e andarsene, ma l'istinto gli suggeriva che in quel castello avrebbe trovato la via per raggiungere i suoi scopi e l'idea di un tiranno debole e malato lo spingeva ancor più a rischiare, fidando nelle proprie energie intatte. Nella sua lunga esperienza aveva visto troppe volte uomini venuti dal nulla assurgere ai massimi vertici del potere cogliendo le occasioni propizie, in un mondo dominato da continue turbolenze e aperto all'audacia dei più forti. Accettò.

Guardato a vista da un picchetto di armati, attraversò il cortile, in cui si riconosceva ancora l'impianto originale del campo romano, circondato da scuderie e alloggi per i soldati, e raggiunse l'edificio principale: un torrione di massi squadrati con finestre piccole come feritoie, sormontato da un camminamento di ronda, coperto da un tetto di legno. Salì due rampe di scale e venne fermato davanti a una porticina ferrata che si dischiuse poco dopo senza che nessuno degli uomini che lo scortavano avesse bussato. Gli fecero cenno di entrare e richiusero la porta dietro di lui.

Wortigern gli stava di fronte, solo. Non c'era nessun altro nella grande camera spoglia e la cosa lo meravigliò. Sedeva in trono con un certo estenuato abbandono: aveva una lunga criniera di capelli bianchi che gli scendevano ai lati del collo fin sul petto e aveva il volto coperto dalla maschera d'oro. Se quelle fattezze erano fedeli, doveva essere stato un uomo di straordinaria imponenza.

La sua voce risuonò distorta e irriconoscibile all'interno del guscio metallico. «Chi sei? Perché hai chiesto di parlarmi?»

Parlava il latino del linguaggio comune, non difficile da capire per il suo interlocutore.

«Il mio nome è Wulfila» fu la risposta, «inviato dalla corte imperiale di Ravenna dove siede un nuovo sovrano, un valoroso guerriero di nome Odoacre, che desidera onorarti e stringere con te un patto di amicizia e di alleanza. L'imperatore era un imbelle fanciullo nelle mani di intriganti cortigiani ed è stato deposto.»

«E perché questo Odoacre vuole diventare mio amico?»

«Perché gli è nota la tua potenza quale sovrano della Britannia e il tuo valore guerriero. Ma c'è anche un'altra ragione, molto importante, che riguarda l'imperatore deposto.»

«Parla» disse Wortigern, e ogni parola sembrava costargli una enorme fatica.

«Un gruppo di disertori ha rapito il ragazzo con la complicità del suo precettore, un vecchio pazzo celta, e si sono rifugiati qui nella tua isola. Sono estremamente pericolosi e volevo avvertirti.»

«Dovrei temere un vecchio e un ragazzo accompagnati da un pugno di briganti?»

«Per ora forse no, ma potrebbero presto costituire una minaccia; ricordati, signore, il vecchio detto: "I guai vanno affrontati quando sono ancora all'inizio".»

«*Principiis obsta...*» ripeté meccanicamente la maschera di metallo. L'uomo doveva essere stato educato come un Romano, in gioventù.

«In ogni caso ti sarà utile avere un alleato potente come Odoacre, che dispone di molte migliaia di guerrieri e di immense ricchezze. Se tu lo aiuterai a catturare questi delinquenti potrai sempre contare sul suo appoggio. So che gli attacchi da nord contro il tuo regno non sono del tutto cessati e che questo ti impone una guerra difficile e costosa.»

«Sei bene informato» rispose Wortigern.
«Per servirti e per servire il mio signore Odoacre.»
Wortigern fece forza sui braccioli del trono per raddrizzare la schiena e la testa, e Wulfila sentì il peso del suo sguardo attraverso i fori di quella maschera impassibile. Sentiva che osservava la sua deformità e si sentì ardere di odio.
«Hai parlato di doni...» disse di nuovo Wortigern.
«È così» rispose Wulfila.
«Voglio vederli.»
«Il primo puoi vederlo affacciandoti da quella finestra: sono i duecento guerrieri che ho portato con me per metterli al tuo servizio. Sono formidabili combattenti, in grado di sostentarsi da soli: non ti costeranno nulla. Io stesso sono disposto a comandarli in qualunque impresa tu voglia affidarci. È solo un inizio, se avrai bisogno di altre forze il mio signore Odoacre è disposto a inviartele, in qualunque momento.»
«Deve avere molta paura di quel ragazzo» disse Wortigern. Wulfila non rispose e restò in piedi di fronte al trono pensando che il vecchio tiranno si sarebbe accostato alla finestra per vedere i suoi uomini, ma non si mosse.
«E gli altri doni?»
«Gli altri?» Wulfila ebbe un attimo di incertezza poi il suo sguardo si illuminò d'un tratto. «Ne ho soltanto uno» proseguì, «ma si tratta dell'oggetto più straordinario che tu possa immaginare, un oggetto per cui i più potenti uomini della terra darebbero fondo alle proprie ricchezze pur di possederlo. È il più prezioso talismano che esista e appartenne a Giulio Cesare, il primo conquistatore della Britannia. Chi lo possiede è destinato a regnare per sempre su questo paese e a non conoscere tramonto.»
Ora Wortigern era immobile sul trono, la testa dritta, intenta. Sarebbe parso una statua, se non fosse stato per un tremito appena percettibile delle mani adunche. Wulfila sentiva di averne incendiato, con quelle parole, la sconfinata avidità.

«Fammelo dunque vedere» disse il vecchio, e la sua voce aveva un tono imperioso e impaziente al tempo stesso.

«Il dono sarà tuo se mi aiuterai a catturare i nostri nemici, se mi consentirai di dare loro la punizione che meritano e se mi concederai la testa del ragazzo. È questo il prezzo dello scambio.»

Seguì un lungo silenzio, poi Wortigern annuì lentamente con il capo. «Accetto» disse, «e spero per te che il tuo dono non mi deluderà. L'uomo che ti ha condotto alla mia presenza è il comandante delle mie truppe sassoni. Descriverai a lui l'aspetto di coloro che tu ricerchi, in modo che possa avvertire i nostri informatori, che hanno occhi e orecchie dappertutto.»

Detto questo, reclinò il capo sulla spalla con un abbandono simile alla morte, lasciando udire solo un debole rantolo attraverso le labbra d'oro della maschera. Wulfila pensò che il colloquio fosse terminato. Si inchinò in segno di saluto e si diresse verso la porta.

«Aspetta!» lo richiamò inaspettatamente la voce.

Si voltò verso il trono.

«Roma... la vedesti mai?»

«Sì» rispose Wulfila. «E la sua bellezza non può essere descritta. Ma ti dirò ciò che vidi: archi di marmo alti come palazzi, sormontati da carri di bronzo trainati da destrieri fusi nello stesso metallo, coperti d'oro, guidati da geni alati. Piazze circondate da portici sorretti da centinaia di colonne tagliate in un solo blocco di pietra, alte ciascuna come questa tua torre, risplendenti di tutti i colori più belli. Templi e basiliche rivestite di pitture e mosaici. Fontane in cui creature favolose di marmo, di bronzo, versano acqua in vasche di pietra così grandi che potrebbero contenere cento uomini. E inoltre vi è un monumento, fatto di centinaia di archi sovrapposti, in cui gli antichi facevano morire i cristiani, divorati dalle belve. Lo chiamano Colosseo, ed è così grande che l'intero tuo castello vi potrebbe essere contenuto.»

Si fermò perché dalla maschera usciva un sibilo lamentoso, un rantolo di sofferenza che non avrebbe saputo interpretare: forse il sogno mai realizzato di una giovinezza lontana, o l'avidità eccitata dalla visione di tante immense ricchezze, o forse il tormento interiore che una visione di grandezza evocava in un animo prigioniero di un corpo osceno e deforme, roso dalla vecchiaia e dalla malattia.

Wulfila uscì, richiuse la porta dietro di sé e tornò indietro dai suoi uomini. Lanciò una borsa di danaro all'interprete dicendo: «Ecco la tua ricompensa come avevo promesso. Ora sei libero di andartene perché so tutto quello che era necessario sapere». L'uomo prese il danaro, piegò il capo in un frettoloso ringraziamento e spronò il suo cavallo al galoppo per fuggire il più lontano possibile da quella tetra dimora.

Da quel giorno Wulfila divenne il più fedele e il più feroce degli scherani di Wortigern, e dovunque si manifestasse la ribellione il suo improvviso apparire alla testa dei suoi guerrieri seminava terrore, morte e distruzione con tale spaventosa rapidità, con tale devastante potenza, che nessuno più osò nemmeno parlare di libertà, nessuno osò più confidarsi con gli amici e perfino con i famigliari fra le mura della propria stessa casa. E il favore di cui godeva presso il tiranno crebbe a dismisura, in proporzione dei frutti delle razzie e dei saccheggi che deponeva ai suoi piedi.

Wulfila era tutto ciò che Wortigern non poteva più essere: energia inesausta, potenza del braccio e rapidità fulminea della mente. Era ormai quasi il prolungamento fisico della sua smania di dominio al punto che non aveva più nemmeno bisogno di dargli ordini: il barbaro sapeva prevedere ed eseguire ancor prima di udirli risuonare nella grande sala spoglia. E tuttavia, per tutte queste capacità, per quell'intelligenza malvagia che gli scintillava negli occhi di ghiaccio, Wortigern lo temeva. Non si fidava della apparente sottomissione di quel misterioso guerriero giunto d'oltremare, benché sembrasse che il suo scopo principale non fosse altro che trovare quel bambino per riportarne la testa a Ravenna.

Un giorno, per fargli capire cosa avrebbe significato tradirlo o anche soltanto il pensarlo, lo fece assistere all'esecuzione di un vassallo di nient'altro colpevole se non di aver tenuto per sé una parte del bottino raccolto in una razzia.

C'era un cortile, contiguo alla torre, cintato da un alto muro di pietra in cui erano tenuti rinchiusi i suoi mastini: animali tremendi, spesso usati in battaglia contro i nemici, e l'unico passatempo di Wortigern era di nutrirli, due volte al giorno, gettando pezzi di carne dalla finestra che si apriva dietro il trono. Il condannato venne spogliato delle vesti e calato di sotto lentamente, appeso a una fune, cosicché i cani, tenuti a digiuno per due interi giorni, presero a divorarlo vivo, dai piedi, man mano che scendeva dall'alto. Le urla di dolore dello sciagurato, i latrati assordanti dei molossi, frenetici per l'odore del sangue e per il pasto ferocemente conteso, rintronavano all'interno della torre dilatati e distorti, insopportabili per chiunque avesse un poco di umanità. Ma Wulfila non batté ciglio, assaporò fino all'ultimo quel tremendo spettacolo e quando volse lo sguardo a Wortigern aveva negli occhi solo un'inquietante eccitazione, una imperturbata ferocia.

XXXV

Si era ormai all'inizio della primavera e la neve resisteva soltanto sulla sommità del *Mons Badonicus,* che nel dialetto locale veniva chiamato Monte Badon, e molti fra i contadini che tornavano al lavoro nei campi, e fra i pastori che riconducevano le greggi al pascolo, avevano visto sventolare in lontananza il drago di porpora, avevano visto la sua testa d'argento forbito scintillare sulla torre più alta della fortezza, un segnale che evocava in loro ricordi lontani di coraggio e di gloria.

Ambrosinus, aggirandosi fra la gente nei mercati dei villaggi e nelle fattorie di campagna, udiva e capiva quale inquietudine quella vista stesse suscitando, quanti uomini fremessero a quel ricordo improvvisamente emerso da un passato dimenticato e rimosso, pur senza manifestare apertamente il loro pensiero. Una volta, vedendo un pastore che si era fermato a contemplare di lontano il vessillo della legione, finse di essere un forestiero e gli domandò: «Che cos'è quell'insegna? Come mai sventola su quel forte abbandonato?».

L'uomo lo guardò con un'espressione strana. «Devi venire da molto lontano» disse, «se non conosci quell'insegna. Per anni fu l'unico presidio di onore e di libertà in questa terra, guidando in battaglia un'armata leggendaria: la Legione dodicesima Draco.»

«Ne ho sentito parlare» rispose Ambrosinus. «Ma ho

sempre creduto che si trattasse di una diceria priva di fondamento, diffusa ad arte per dissuadere i barbari del Nord dalle loro razzie.»

«Ti sbagli» rispose il pastore. «Quel reparto esistette davvero, e chi ti parla ne fece parte in gioventù.»

«E che cosa accadde della legione? Fu forse sterminata? O costretta alla resa?»

«Nulla di tutto questo» replicò il pastore. «Fu tradita. Ci eravamo inoltrati oltre il vallo per inseguire una banda di Scoti che aveva rapito le donne di un nostro villaggio, e avevamo lasciato un capotribù nostro alleato a presidiare il varco nel Grande Vallo da cui saremmo entrati al nostro ritorno. Ma quando tornammo indietro, inseguiti da un'orda di nemici inferociti, il varco era sbarrato e i nostri alleati ci puntavano contro le armi. Eravamo accerchiati! Molti di noi caddero combattendo, ma molti si salvarono perché si alzò d'improvviso una nebbia fittissima che ci nascose e ci permise di metterci in salvo attraverso una valle nascosta, incassata fra alte pareti rocciose. Decidemmo di disperderci e di tornare separatamente alle nostre case. Il traditore si chiamava Wortigern, colui che tuttora ci opprime e ci dissangua con le sue imposte e le sue razzie, colui che ci domina con il terrore. Da allora viviamo nell'oscurità e nella vergogna, dediti alle nostre occupazioni, cercando di dimenticare ciò che fummo. Ma ora, quell'insegna riapparsa come per miracolo dal nulla ci ha ricordato che non può morire da schiavo chi ha combattuto a lungo per la libertà.»

«E dimmi» continuò Ambrosinus, «chi fu a sciogliere la legione? Chi vi consigliò di tornare alle vostre famiglie?»

«Il nostro comandante era caduto combattendo. Fu il luogotenente, Kustennin, a offrirci quella opportu- Era un uomo saggio e valoroso e parlava per il no- ne. La sua sposa gli aveva da poco partorito una fi- bambina bella come un bocciolo di rosa, e forse mento la vita gli parve la cosa più preziosa. An- sammo alle nostre spose, alle nostre case, ai nostri figli. Non ci rendevamo conto che solo stando insieme e uniti sotto quell'insegna avremmo potuto difenderli veramente...»

Ambrosinus avrebbe voluto parlargli ancora, ma l'uomo non poteva più continuare perché un groppo gli serrava la gola. Gettò un lungo sguardo all'insegna che sventolava nel sole e si allontanò in silenzio.

Colpito da quelle rivelazioni, il vecchio tornò più volte a far visita a Kustennin cercando di conquistarlo alla sua causa, ma invano. Sfidare il potere di Wortigern in quelle condizioni equivaleva secondo lui a suicidarsi, e la parvenza di libertà di cui ancora godeva la sua gente doveva sembrargli sufficiente se confrontata con i rischi enormi di una ribellione. A tal punto quella eventualità doveva sembrargli disastrosa che non era mai salito a far visita ai nuovi venuti.

Carvetia era ormai l'unica città nel dominio di Wortigern che poteva mantenere un simulacro di libertà, solo perché il tiranno aveva bisogno delle risorse dei suoi mercati e del suo porto, giù sull'Oceano, da cui ancora potevano giungere merci rare e notizie non meno indispensabili, al mantenimento e all'estensione del suo potere, che le spade dei suoi mercenari.

All'interno della fortezza, intanto, gli uomini avevano restaurato le difese, riparato o ricostruito i ballatoi e le torrette, armato il vallo e la fossa di pali appuntiti, induriti con il fuoco. Batiato aveva rimesso in funzione la forgia, e il suo martello risuonava incessantemente sull'incudine. Vatreno, Demetrio e Orosio avevano riattato i vecchi alloggi, le stalle, il forno e il mulino, e Livia aveva potuto regalare loro il profumo e il sapore del pane appena sfornato, del latte appena munto. Soltanto Aurelio, dopo il primo entusiasmo, sembrava incupirsi ogni giorno che passava. Trascorreva lunghe ore notturne sugli spalti, imbracciando le armi, scrutando le tenebre come se aspettasse un nemico che non giungeva mai, un nemico davanti a cui, tuttavia, si sentiva ormai smarrito e impotente, uno spettro che rivestiva, a volte, le sue stesse sembianze, sembianze di un codardo, o peggio, di un traditore. Era di nuovo sui bastioni di una cittadella a prepararne la difesa. Quando si sarebbe stretto l'assedio? Quando sarebbero apparse all'orizzonte le orde a cavallo? Quando sarebbe scoccata in quel cielo azzurro l'ora della verità? Chi avrebbe aperto questa volta le porte al nemico? Chi avrebbe introdotto il lupo nell'ovile?

Ambrosinus, che intuiva i pensieri di Aurelio e un dolore così intenso che nemmeno l'amore di Livia poteva lenire, pensava che si dovesse in qualche modo passare all'azione, forzare la mano a un destino fino ad allora beffardo e sfuggente. E mentre rifletteva sul partito migliore da prendere, apparve Kustennin in sella al suo stallone bianco. Recava tristi notizie: un ordine di Wortigern imponeva di sciogliere il senato entro la fine del mese, di rinunciare alle antiche magistrature, di accogliere all'interno delle mura un presidio di feroci mercenari venuti dal continente.

«Forse avevi ragione tu, Myrdin» disse Kustennin. «La sola libertà è quella conquistata con sudore e sangue. Ma purtroppo, ormai, è troppo tardi.»

«Non è vero» replicò Ambrosinus. «E domani saprai il perché se assisterai alla seduta del senato.»

Kustennin scosse il capo come se avesse udito parole senza senso, poi balzò in sella e si lanciò al galoppo attraverso la valle deserta.

Il giorno dopo, quando era ancora buio, Ambrosinus prese con sé il ragazzo e si incamminò verso la città.

«Dove vai?» chiese Aurelio.

«A Carvetia» fu la risposta, «al senato, o alla piazza del mercato a convocare il popolo in assemblea, se fosse necessario.»

«Vengo con te.»

«No, il tuo posto è qui, alla testa dei tuoi uomini. Abbi fede» disse, e si incamminò, con il bastone da pellegrino, lungo il sentiero che si snodava in mezzo ai prati, lungo le rive del lago della *virgo*, in direzione della città.

Carvetia aveva ancora l'aspetto di una città romana, nelle mura di pietre squadrate guardate da sentinelle, nelle strade e negli edifici, nei costumi della gente e nel linguaggio. Ambrosinus si trovò, a un certo punto, davanti all'edificio del senato e vide entrare i rappresentanti del popolo per sedere in consiglio. Altri cittadini entrarono e si accalcarono nell'atrio prima che le porte venissero chiuse.

Uno degli oratori si alzò per parlare: era un uomo austero e imponente nella sobrietà delle vesti, nei tratti onesti del volto. E doveva godere di grande rispetto e considerazione perché si fece subito silenzio quando iniziò a parlare.

«Senato e popolo di Carvetia!» cominciò. «La nostra condizione è ormai intollerabile. Il tiranno ha assoldato nuovi mercenari stranieri di inaudita ferocia con il pretesto di proteggere la popolazione delle città che ancora vivono con istituzioni autonome, e si accinge a sciogliere anche l'ultimo simulacro di libero consesso di cittadini in Britannia: il nostro senato!» Un brusio di costernazione si diffuse fra gli scranni e fra la gente accalcata nell'atrio.

«Che cosa dovremmo fare?» proseguì l'oratore. «Piegare il capo come abbiamo fatto finora? Accettare altri soprusi e altra vergogna, permettere che calpestino i nostri diritti e la nostra dignità, che profanino le nostre case, che ci strappino dalle braccia le nostre stesse spose e figlie?»

«Purtroppo non abbiamo scelta» disse un altro. «Resistere a Wortigern equivarrebbe a suicidarci.»

«È vero» disse un terzo. «Non possiamo affrontare la sua ira. Saremmo spazzati via. Se ci sottomettiamo, invece, potremmo sperare di mantenere almeno alcuni dei nostri vantaggi.»

Allora Ambrosinus si fece avanti tenendo Romolo per mano e gridò: «Chiedo la parola, nobili senatori!».

«Chi sei?» domandò il presidente dell'assemblea. «Perché disturbi questo consesso?»

Ambrosinus si scoprì il capo e avanzò al centro dell'aula tenendo sempre Romolo vicino a sé, benché sentisse la riluttanza del ragazzo a mostrarsi.

«Sono Myrdin Emreis» cominciò, «druido del bosco sacro di Gleva e cittadino romano con il nome di Meridius Ambrosinus finché vi fu legge romana in questa terra. Molti anni fa mi inviaste in Italia con la missione di implorare aiuto dall'imperatore e di tornare con un esercito che ristabilisse in questa terra martoriata l'ordine e la prosperità come ai tempi gloriosi dell'eroe san Germano inviato da Aezio, ultimo e più valoroso dei soldati di Roma.»

Lo stupore per quell'inattesa comparsa fece piombare la sala in un silenzio profondo e Ambrosinus continuò: «Non fu possibile. Perdetti i compagni durante il viaggio, vittime del freddo, della fame, delle malattie e delle aggressioni. Mi salvai per miracolo e sedetti per giorni e giorni, supplice, nella corte del palazzo imperiale di Ravenna, invano. Non fui nemmeno ammesso alla presenza dell'imperatore, un uomo imbelle in completo potere delle sue milizie barbariche. E ora torno. Tardi, è vero, ma non da solo, non a mani vuote! Voi tutti, credo, conoscete l'oracolo che annuncia l'arrivo di un giovane dal cuore puro che porterà la spada della giustizia in questa terra e le restituirà la libertà perduta. Ebbene» gridò, «io questo giovane ve l'ho portato, nobili senatori!». E fece avanzare il ragazzo esponendolo, solo, ai loro sguardi.

«Egli è Romolo Augusto Cesare, ultimo imperatore dei Romani!»

Le sue parole caddero in un profondo, stupito silenzio al quale presto seguì un brusio di meraviglia, che crebbe fino a diventare un brontolio diffuso. Alcuni sembravano colpiti da quelle affermazioni, altri, invece, cominciarono a ridere, altri addirittura a farsi beffe dell'inatteso oratore.

«E dov'è questa spada miracolosa?» chiese un senatore alzando la voce su quel frastuono.

«E dove sono le legioni del nuovo Cesare?» chiese un altro. «Lo sai quanti guerrieri ha Wortigern? Lo sai?»

Ambrosinus esitò, colpito da quelle parole, poi rispose: «La Legione dodicesima Draco si sta ricostituendo. L'imperatore verrà presentato ai soldati e sono certo che ritroveranno la forza e la volontà di combattere e di opporsi alla tirannia».

Una risata fragorosa echeggiò nell'aula e un terzo senatore si alzò a parlare. «Manchi davvero da un bel po', Myrdin» lo apostrofò chiamandolo con il suo nome celtico. «Quella legione si è sciolta da anni, nessuno si sognerebbe di riprendere le armi.»

Risuonarono altre risate e Romolo si sentì sommerso da quell'onda di derisione e di scherno che lo investiva ancora una volta, ma non si mosse. Si coprì il volto con le mani e restò immobile e in silenzio al centro dell'aula. A quella vista il frastuono si attenuò, trasformandosi in un brusio di imbarazzo e di improvvisa vergogna. Ambrosinus allora gli si avvicinò, gli appoggiò la mano sulla spalla e riprese a parlare, acceso dall'indignazione: «Ridete, nobili senatori, su, fatevi beffe di questo ragazzo. Non ha modo di difendersi né di controbattere la vostra sciocca insolenza. Egli ha visto trucidare i propri genitori, è stato braccato senza tregua e senza pietà, come un animale, da tutte le potenze di questa terra. Abituato al fasto imperiale, ha affrontato le più dure privazioni, come un piccolo eroe. Ha celato nel suo cuore il dolore, la disperazione, la paura, più che comprensibili in un ragazzo della sua età, con la forza e il coraggio di un antico eroe repubblicano.

«Dov'è il vostro onore, senatori di Carvetia? Dov'è la vostra dignità? Voi meritate la tirannia di Wortigern, è giusto che subiate quest'onta, perché avete animo di servi! Questo ragazzo ha perso tutto fuorché l'onore e la vita. La sua è la maestà dolente di un vero sovrano. L'ho portato a voi come l'ultimo seme di un albero morente per far germogliare un nuovo mondo, ma ho trovato un terreno putrido e sterile. Avete ragione a rifiutarlo, perché non lo meritate. No! Voi meritate solo il disprezzo di ogni uomo di fede e d'onore!».

Ambrosinus aveva terminato la sua accorata perorazione in un silenzio attonito. Una cappa di piombo sembrava gravare sull'assemblea sgomenta e frastornata. Ambrosinus sputò in terra in segno di estremo disprezzo, poi prese Romolo per il braccio e uscì sdegnosamente mentre qualche debole voce si alzava per richiamarlo indietro. Appena i due furono usciti, fendendo la folla, la discussione riprese assurgendo presto ai toni più accesi, ma uno dei presenti si affrettò a uscire da una porta secondaria e saltò su un carro ordinando al conducente di partire immediatamente. «A Castra Vetera» disse. «Al castello di Wortigern, presto!»

Ambrosinus, furente per lo smacco subito, uscì nella piazza cercando di incoraggiare Romolo a resistere ancora una volta agli insulti della sorte quando improvvisamente si sentì afferrare per un braccio. «Myrdin!»

«Kustennin!» esclamò a sua volta Ambrosinus. «Mio Dio, hai visto che vergogna? Eri anche tu nel senato?»

L'uomo chinò il capo. «Sì, ho visto. Hai capito ora perché ti ho detto che è troppo tardi? Wortigern ha corrotto buona parte del senato e oggi può permettersi di scioglierlo senza trovare quasi alcuna resistenza.»

Ambrosinus accennò gravemente con il capo. «Devo assolutamente parlarti» disse. «Ho bisogno di parlarti a lungo, ma ora devo andare, non posso restare qui. E devo portare via il mio ragazzo... Romolo, vieni, andiamocene.» E lo cercava con lo sguardo, ma Romolo non c'era più.

«Oh, Dio, dove sei, dov'è il ragazzo?» esclamò angosciato.

Si fece avanti Egeria, che era sopraggiunta in quel momento. «Non ti preoccupare» disse la donna con un sorriso. «Guarda, è laggiù, verso la spiaggia, e mia figlia Ygraine gli è andata dietro.»

Ambrosinus tirò un sospiro di sollievo.

«Lascia che parlino un po' insieme. I ragazzi hanno bisogno di stare fra di loro» disse ancora Egeria. «Ma dimmi, è vero quello che ho sentito dire proprio ora dalla gente che è uscita dal senato? Non potevo credere alle mie orecchie. Non c'è più nessuna dignità, e nemmeno il pudore di celare la propria viltà.»

Ambrosinus approvò con un cenno del capo, ma i suoi occhi non perdevano di vista un attimo il ragazzo che stava laggiù sulla spiaggia seduto sulla riva del mare.

Romolo guardava in silenzio le onde frangersi fra i ciottoli della riva e non poteva controllare i singhiozzi che gli scuotevano il petto.

«Come ti chiami? Perché piangi?» chiese una voce di fanciulla alle sue spalle. Una voce sonora e spensierata che lo infastidì in quel momento. Ma poi il tocco di una mano sulla sua guancia, delicata come un'ala di farfalla, gli comunicò un calore soave.

Rispose senza voltarsi perché in quel momento non avrebbe voluto che la voce e la carezza contrastassero con un volto diverso da quello che improvvisamente aveva sognato. «Piango perché ho perso tutto: i miei genitori, la mia casa, la mia terra. Perché forse perderò gli ultimi amici che mi restano, e forse anche il nome e la libertà. Piango perché non c'è pace per me in nessun luogo su questa terra.»

A quelle parole, molto più grandi di lei, la bambina rispose saggiamente con il silenzio, ma la sua mano continuava ad accarezzare i capelli di Romolo, la guancia di lui, finché capì che si era calmato. Allora disse: «Io, invece, mi chiamo Ygraine, e ho dodici anni. Posso restare un poco qui vicino a te?».

Romolo accennò di sì, asciugandosi le lacrime con l'orlo della manica, e lei si accucciò sulla sabbia, sedendosi sui talloni, di fronte a lui. Il ragazzo alzò lo sguardo per vedere se il volto fosse dolce quanto la voce e la carezza e si trovò di fronte due occhi azzurri e umidi, un viso di delicata bellezza, incorniciato da una cascata di capelli rossi come il fuoco che il vento del mare arruffava velandole a tratti la fronte e lo splendore dello sguardo. Sentì un tuffo al cuore e una vampata di calore salirgli dal petto, come mai gli era successo prima. In quello sguardo percepì in un solo istante quanto di bello e caldo e soave la vita poteva ancora riservargli. Avrebbe voluto dirle qualcosa, qualunque cosa il cuore gli avesse suggerito, ma in quel momento udì i passi di Ambrosinus e delle persone che lo accompagnavano.

«Dove dormirete questa notte?» chiese Kustennin.

«Al forte» rispose Ambrosinus.

Kustennin replicò preoccupato: «Stai attento: il tuo discorso non è passato inosservato».

«È ciò che volevo» ribatté secco Ambrosinus. Ma aveva capito in cuor suo il significato di quelle parole e ne ebbe paura.

«Vieni, Ygraine» disse Egeria. «Ci sono molte faccende da sbrigare prima di sera.» La fanciulla si alzò a malincuore e seguì la madre voltandosi spesso indietro a guardare il giovane straniero, così diverso da tutti i ragazzi che conosceva per quel pallore estenuato del volto, per quella nobiltà dei tratti e della voce, per l'intensità delle parole, per la struggente malinconia degli occhi. Anche Kustennin si congedò e si incamminò con la sua famiglia.

Egeria lasciò che Ygraine andasse avanti e attese il marito per parlargli. «Sono loro che hanno issato l'emblema del drago sulla vecchia fortezza, non è vero?»

«Sì» rispose Kustennin. «Una vera follia. E oggi al senato Myrdin ha detto che la legione si sta ricostituendo quando in realtà sono, in tutto, sei o sette. Inoltre ha rivelato ai senatori l'identità di quel ragazzo. Ti rendi conto?»

«Non riesco a immaginare quali possano essere le reazioni a una simile rivelazione» replicò Egeria. «Ma quello stendardo sta creando grande eccitazione e aspettative. Dicono che qualcuno stia disseppellendo le armi che aveva nascosto da anni. Che non pochi giovani vorrebbero unirsi a questi forestieri. Corrono voci di luci strane che balenano nella notte sugli spalti, di rumori come di tuono che rimbombano contro la montagna. Sono preoccupata:

temo che anche questo simulacro di pace, questa nostra stentata sopravvivenza possa essere sconvolta da nuovi scontri, nuove turbolenze, nuovo sangue.»

«Sono soltanto un gruppo di profughi, Egeria, un vecchio sognatore visionario e un ragazzo» rispose Kustennin. E lanciò un ultimo sguardo al suo amico ricomparso come d'incanto dopo tanti anni.

Il vecchio e il ragazzo erano in piedi, uno a fianco dell'altro: guardavano in silenzio le onde che si frangevano contro la scogliera in un ribollire di spume candide.

Il giorno dopo, verso sera, il carro del senatore si fermò alle porte di Castra Vetera. Egli venne introdotto nella residenza di Wortigern ma fu presentato dapprima a Wulfila, che ormai godeva della completa fiducia del suo signore. I due parlottarono per un poco e un sogghigno di soddisfazione distorse i lineamenti del barbaro.

«Seguimi» disse. «Devi riferire personalmente al nostro sovrano, che te ne sarà grato.» E lo introdusse nei quartieri più interni del castello, alla presenza di Wortigern. Il vecchio li accolse adagiato sul trono: la maschera d'oro era l'unica cosa rilucente in quell'atmosfera crepuscolare.

«Parla» ordinò Wulfila e il senatore parlò.

«Nobile Wortigern» disse, «ieri, nel senato di Carvetia, un uomo ha osato parlare pubblicamente contro di te, chiamarti tiranno e incitare alla ribellione. Ha detto che la vecchia legione dissolta si sta ricostituendo e ha presentato un ragazzo asserendo che è l'imperatore...»

«Sono loro» lo interruppe Wulfila. «Non c'è alcun dubbio. Il vecchio vaneggia di una profezia, di un giovane sovrano che deve venire d'oltremare. E ciò rappresenta un pericolo, credimi. Egli non è così pazzo come sembra: è astuto, invece, fa leva sulla superstizione e su vecchie nostalgie dell'aristocrazia romano-celtica. Il suo scopo è evidente: fare di quel piccolo impostore un simbolo. E usarlo contro di te.»

Wortigern levò la mano scarna in un gesto di congedo e

il senatore arretrò piegando la schiena in un interminabile inchino fino alla porta da cui uscì frettolosamente.

«Che cosa suggerisci, allora?» disse il tiranno rivolto a Wulfila.

«Lasciami mano libera, concedi che parta con i miei uomini, gli unici di cui mi fidi. Io li conosco, quelli: li troverò e li stanerò dovunque si nascondano. Ti porterò la pelle del vecchio da impagliare e io terrò la testa del ragazzo.»

Wortigern scosse lentamente il capo. «Non mi interessa la pelle del vecchio, era un altro il patto fra noi.»

Wulfila trasalì. In quell'istante la sorte gli offriva un'opportunità impagabile: tutto si compiva in un piano da tempo congegnato. Doveva solo dare il tocco finale e si sarebbe dischiuso per lui il futuro di un potere senza limiti. Rispose, trattenendo a stento l'eccitazione: «Hai ragione, Wortigern: nell'entusiasmo di vedere finalmente concludersi la mia lunga caccia, avevo dimenticato per un istante la mia promessa. È giusto, tu mi concedi la testa del ragazzo e la possibilità di annientare finalmente come meritano i disertori assassini che lo proteggono e io debbo ripagarti con il dono che ti ho promesso».

«Vedo che sai sempre interpretare i miei pensieri, Wulfila. E dunque fai venire questo dono che mi hai fatto sospirare così a lungo. Ma prima dimmi una cosa.»

«Parla.»

«Fra quegli uomini che vuoi annientare c'è anche colui che ti ha tagliato la faccia?»

Wulfila abbassò gli occhi per nascondere il lampo feroce che li attraversava in quel momento e rispose suo malgrado: «È così: è come hai detto».

Il tiranno aveva avuto la sua soddisfazione, aveva stabilito ancora una volta la superiorità della sua perfetta maschera d'oro sulla deforme maschera di carne del suo servo e potenziale antagonista. Perché il suo sfregio era opera di un uomo, mentre la cancrena che gli divorava il volto non poteva essere che opera di Dio.

«Aspetto» disse Wortigern, e la sua parola suonò cupa dentro la maschera. Come una sentenza.

Wulfila uscì, fece chiamare uno dei suoi guerrieri e gli ordinò di portargli immediatamente ciò che sapeva. Poco dopo l'uomo riapparve reggendo una cassa lunga e stretta di legno di quercia, ornata di borchie di ferro brunito, e la depose ai piedi di Wortigern.

Wulfila gli fece cenno di allontanarsi e si avvicinò al trono inginocchiandosi per aprire la preziosa custodia del dono promesso. Levò lo sguardo alla maschera impenetrabile che incombeva su di lui e in quel momento avrebbe dato qualunque cosa per scoprirne l'espressione di oscena avidità.

«Ecco il mio dono, signore» disse aprendo il coperchio con un rapido gesto. «Ecco la spada calibica di Giulio Cesare, il primo signore del mondo, il conquistatore della Britannia. È tua!»

Wortigern non seppe resistere al fascino di quell'arma superba e allungò la mano rantolando. «Dammela, dammela!»

«Subito, mio signore» rispose Wulfila, e nel suo sguardo il tiranno lesse – troppo tardi! – il destino letale che vi era impresso. Tentò di gridare ma già la spada gli affondava nel petto, trapassandogli il cuore, fino a conficcarsi nella spalliera del trono. Si accasciò senza un lamento e dalla maschera colò un rivolo di sangue, unico segno di vita che appariva su quel volto immutabile, per estrema ironia della sorte, nel momento della fine.

Wulfila estrasse la spada dal corpo esanime, ghermì la maschera d'oro di Wortigern scoprendo un volto sanguinolento e quasi irriconoscibile, poi gli incise la pelle del cranio tutto intorno al capo e gli strappò in un sol colpo la chioma candida. Trascinò il corpo, poco più che una larva, fino alla finestra che si apriva nel muro della torre dietro il trono e lo gettò nel cortile sottostante. I latrati dei mastini affamati rinchiusi nel recinto invasero la sala come urla d'inferno e poi echeggiarono i loro ringhi sordi mentre si contendevano le misere carni del loro signore.

Wulfila indossò la maschera d'oro, si mise in capo la bianca criniera di Wortigern, impugnò la spada sfolgorante e così apparve, simile a un demone, le tempie rigate di sangue, ai suoi guerrieri già pronti a cavallo nella grande corte. Tutti lo guardarono sbalorditi mentre balzava sul suo stallone e spronava gridando: «A Carvetia!».

XXXVI

Due giorni dopo un uomo a cavallo entrava a briglia sciolta nella corte di Kustennin portando una notizia incredibile. Era uno degli informatori che egli manteneva all'interno di Castra Vetera, l'unico modo che gli restava per prevenire le disastrose incursioni dei mercenari del tiranno.

«Hanno sempre detto che Wortigern ha fatto un patto con il demonio» ansimò l'uomo con gli occhi dilatati dal terrore, «ed è vero! Satana in persona gli ha restituito la forza e il vigore di un tempo ma ne ha accresciuto la ferocia a dismisura!»

«Che stai dicendo! Sei impazzito?» esclamò Kustennin afferrandolo per le spalle e scuotendolo come per richiamarlo alla ragione.

«No, signore, purtroppo è la verità. Se speravi che lui fosse ormai allo stremo, disilluditi, è come... come risorto. È posseduto da Satana, ti dico! L'ho visto con questi occhi apparire come una visione d'incubo, con la maschera d'oro sul volto, e gli grondava sangue dalle tempie anziché sudore. E aveva una voce di tuono, mai sentita prima, ma soprattutto impugnava una spada di tale splendore come non ho mai visto in tutta la mia vita. La lama affilata come un rasoio, rifletteva la luce delle torce simile a vetro trasparente, l'impugnatura era una testa d'aquila, d'oro massiccio. Solo l'arcangelo Michele potrebbe aver forgiato una simile meraviglia. O il diavolo in persona.»

«Cerca di calmarti» gli disse Kustennin. «Vaneggi.»

«No, credimi, è esattamente come ti dico. Si è messo alla testa di duecento cavalieri catafratti che avanzano seminando il terrore lungo la via, saccheggiando, bruciando, distruggendo con una furia mai vista prima. Io non mi sono mai fermato: ho preso la scorciatoia attraverso la foresta di Gowan, ho corso giorno e notte senza mai fermarmi cambiando i cavalli nelle nostre proprietà. Ma l'ho udito io stesso gridare: "A Carvetia!". Saranno qui al massimo fra due giorni.»

«Carvetia... ma è impossibile! Perché mai dovrebbe? Non ha mai toccato questa città perché gli serve, e comunque quasi tutti gli uomini più influenti gli sono sottomessi. Non ha senso, non ha senso...» Meditò in silenzio per qualche momento poi disse: «Ascolta, so che sei molto stanco ma ti chiedo un ultimo favore. Vai giù al vecchio molo romano e parla con Oribasio, il pescatore. È un mio uomo. Digli di tenersi pronto a salpare domattina all'alba con provviste a bordo e acqua in abbondanza, tutto quello che può imbarcare. Vai!».

L'uomo rimontò in sella e partì al galoppo mentre Kustennin saliva ad avvertire la moglie: «Purtroppo ci sono cattive notizie: gli uomini di Wortigern sono diretti da queste parti e temo che il mio amico Myrdin sia in grave pericolo. Forse è stato il suo discorso a provocare questa assurda spedizione, ma in ogni caso non posso permettere che quel vecchio matto rovini se stesso e quel povero ragazzo, per non parlare dei compagni. E anche loro devono essere ben pazzi se lo hanno seguito fin qua dall'Italia».

«Ma fra un poco farà scuro» lamentò Egeria. «Non sarà pericoloso?»

«Devo andare, altrimenti questa notte non potrei dormire.»

«Padre, posso venire anch'io con te? Ti prego» lo supplicò Ygraine.

«Non se ne parla nemmeno» disse Egeria. «Non ti mancheranno altre occasioni per vedere il tuo giovane amico romano.» Ygraine arrossì e se ne andò indispettita.

Egeria sospirò e accompagnò il marito alla porta, poi, pensierosa, rimase ad ascoltare il rumore dei suoi passi giù per la scala e nella corte interna.

Kustennin scelse dalle scuderie il suo stallone bianco, velocissimo. Gli balzò in sella mentre i servi aprivano la porta e spronò lanciandosi nella campagna arrossata dagli ultimi fuochi del tramonto.

Gli apparve la fortezza dalla sommità della collina che dominava la valle e il lago, e il suo sguardo corse istantaneo all'insegna che sventolava sulla torre più alta, il dragone dell'antica coorte ausiliaria sarmatica un tempo a presidio del Grande Vallo divenuto poi lo stendardo della sua legione. Dall'interno un filo di fumo testimoniava la vita fra quelle vecchie mura. La porta si aprì al suo sopraggiungere ed egli entrò al passo accolto da un abbraccio commosso di Ambrosinus che lo presentò ai compagni: «Avete già visto una volta il mio vecchio amico Kustennin, Constantinus per i Romani, un tempo *dux bellorum et magister militum*, il più caro e il più valoroso dei miei amici britannici che ora, mi auguro, viene per restare un poco con noi».

Un capriolo arrostiva su un grande fuoco di legna e gli uomini ne staccavano dei pezzi, man mano che cuoceva, con la punta delle spade. Livia aveva ancora accanto l'arco e la faretra con cui l'aveva abbattuto. Erano tutti allegri e a Kustennin si strinse il cuore pensando a ciò che avrebbe loro annunziato di lì a poco.

«Siediti» gli disse Ambrosinus. «Mangia, ce n'è in abbondanza.»

«Non c'è tempo» rispose Kustennin, «dovete andarvene. Ho informazioni sicure che Wortigern si sta dirigendo verso Carvetia alla testa di duecento cavalieri catafratti. Potrebbe essere qui già domani sera.»

«Wortigern?» chiese stupefatto Ambrosinus «Ma è troppo vecchio: non potrebbe reggersi in sella nemmeno se lo legassero.»

«Hai ragione. E anche io stento a credere alla storia che ho sentito da uno dei miei informatori. Vaneggiava, diceva che il tiranno ha fatto un patto con il diavolo. Satana lo ha invasato restituendogli la gioventù e il vigore degli anni verdi. E in più avrebbe forgiato per lui una spada fantastica, mai vista.»

Aurelio si avvicinò. «Come fa il tuo uomo a dire che si tratta di Wortigern?»

«Sua era la maschera d'oro che da oltre dieci anni gli copre il volto, suoi i lunghi capelli candidi, e la voce tonante era quella della sua gioventù.»

«Hai parlato di una spada...» insistette Aurelio.

«Sì. E lui l'ha vista bene, da vicino. Una lama lucente come il cristallo, l'impugnatura è d'oro, a forma di testa d'aquila...»

Aurelio impallidì. «Possenti dèi!» esclamò. «Non è Wortigern, è Wulfila! E vuole noi.»

Tutti si guardarono in faccia, costernati.

«Di chiunque si tratti» replicò Kustennin «dovete andarvene. Nella migliore delle ipotesi saranno qui al massimo fra due giorni. Ascoltate, domattina all'alba io metterò in salvo la mia famiglia su una barca diretta in Irlanda. C'è posto ancora per due o tre persone al massimo. Myrdin e il ragazzo, e la ragazza, non so... È tutto quello che posso fare per voi.»

Aurelio trasse un lungo sospiro e fissò Ambrosinus con gli occhi lucidi. «Forse il tuo amico ha ragione» disse. «È l'unica cosa saggia da fare. Non possiamo continuare a fuggire per l'eternità, perché già siamo agli estremi confini del mondo. Basta, dobbiamo separarci. Tutti assieme non facciamo che attirare su di noi nemici e avversari di ogni genere. E non abbiamo dove andare. Partite, tu e il ragazzo, e Livia, ti scongiuro. Mettetevi in salvo. Ormai nessuna spada è più in grado di proteggerlo.»

Romolo lo guardò come se non credesse a ciò che aveva

udito, con gli occhi pieni di lacrime. Ma Ambrosinus si ribellò: «No!» esclamò. «Non può finire così. La profezia non mente, ne sono certo. Dobbiamo rimanere, a tutti i costi!».

Livia scambiò una lunga occhiata con Aurelio, poi si rivolse ad Ambrosinus. «Devi arrenderti ai fatti» gli disse, «alla triste realtà. Se restiamo qui moriremo tutti e morirà anche lui.»

Si rivolse agli altri: «Tu, Vatreno, che cosa pensi?».

«Per me è giusto quello che avete detto. È inutile accanirsi. Mettiamo in salvo il ragazzo con il suo maestro. Noi in qualche modo troveremo una strada...»

«Orosio? Demetrio?»

I due annuirono.

«Batiato?»

Il gigante si guardò intorno con un'espressione smarrita come se non potesse credere che quell'avventura terribile e meravigliosa fosse giunta alla fine, che quella sua grande famiglia, l'unica che avesse mai conosciuto, stesse per dissolversi. Abbassò il capo per nascondere le lacrime e gli altri interpretarono quel gesto come un cenno di assenso.

«Allora... credo che sia deciso» concluse Livia. «E ora cerchiamo di riposare: domani dovremo affrontare un cammino faticoso, qualunque direzione vorrà prendere ciascuno di noi.»

Anche Kustennin si alzò per andarsene. «Ricordate» disse. «Al vecchio molo romano, all'alba. Spero che la notte vi porti consiglio.» E prese per le redini il suo cavallo.

«Aspetta» disse Aurelio. Salì sul ballatoio ad ammainare l'insegna, poi ridiscese, la ripiegò accuratamente e la consegnò a Kustennin. «Tienila tu, così non andrà distrutta.»

Kustennin la prese, poi balzò in sella e partì al galoppo. Ambrosinus assistette impietrito a quel mesto cerimoniale, poi appoggiò una mano sulla spalla di Romolo e lo strinse a sé come per proteggerlo dal gelo interiore che gli mordeva il cuore.

Aurelio si allontanò sopraffatto dall'emozione e Livia lo seguì. Gli si avvicinò, al buio, sotto la scala del ballatoio, e gli sfiorò la bocca con un bacio. «È inutile battersi contro l'impossibile: è il destino a decidere per noi e oltre un certo limite non ci è consentito andare. Torniamo in Italia, cerchiamo una nave che faccia vela per il Mediterraneo. Torniamo a Venetia...» Aurelio guardava Romolo seduto accanto ad Ambrosinus e il vecchio che lo stringeva a sé coprendolo con il mantello, e si mordeva le labbra.

«Forse li rivedremo... Chissà?» disse Livia condividendo i suoi pensieri. «*Sed primum vivere*, prima di tutto viene la vita, non credi?» E lo strinse fra le braccia. Ma Aurelio si staccò da lei. «Tu non hai mai abbandonato il tuo progetto, non è vero? Ma non capisci che io voglio bene a quel ragazzo come fosse il figlio che non ho mai avuto? E non capisci che tornare nella tua laguna è per me come gettarmi in un mare di fiamme? Lasciami solo, ti prego... lasciami solo.» Livia se ne andò, piangendo, a rifugiarsi in una delle baracche.

Aurelio tornò sul ballatoio e si appostò su una delle torrette di guardia. La notte era tranquilla e serena, una notte tiepida di primavera, ma nel suo cuore c'era il gelo e la disperazione. Avrebbe voluto non esistere, non essere mai nato. Restò così assorto e quasi assente per lungo tempo, mentre la luna spuntava dai fianchi del Monte Badon inargentando la valle. A un tratto una mano lo scosse facendolo trasalire e Ambrosinus gli fu improvvisamente davanti. Nessun rumore era venuto da quella scala di legno cigolante, nessun rumore dal ballatoio di tavole sconnesse. Si volse di scatto come all'apparizione di uno spettro. «Ambrosinus... che vuoi?»

«Vieni, andiamo.»

«Dove?»

«A cercare la verità.»

Aurelio scosse il capo. «No, lasciami stare. Domani ci aspetta un lungo viaggio.»

Ambrosinus lo afferrò per i panni. «Tu verrai con me, ora!»

Aurelio si alzò, rassegnato. «Come vuoi, così poi mi lascerai in pace.»

Ambrosinus discese la scala, e uscì all'aperto dirigendosi a passo svelto verso la grande pietra circolare contornata dai quattro monoliti che si stagliavano come giganti silenziosi nella luce lunare. Giunto davanti alla pietra fece cenno ad Aurelio di sedervisi e quello obbedì come soggiogato da una volontà invincibile. Ambrosinus versò un liquido in una ciotola e gliela porse. «Bevi.»

«Che cos'è?» chiese Aurelio interdetto.

«Un passaggio per l'inferno... se te la senti.»

Aurelio lo guardò negli occhi, nelle pupille dilatate, e si sentì risucchiato in un vortice di tenebre. Allungò la mano con un gesto meccanico, prese la coppa e la vuotò tutta d'un fiato.

Ambrosinus gli appoggiò le mani sul capo e Aurelio sentì quelle dita come artigli affilati, che gli penetravano nella pelle, poi nel cranio, e si mise a gridare per il dolore lancinante, insopportabile. Ma era come gridare in sogno: spalancava la bocca e il suono non usciva, il dolore rimaneva dentro come un leone in gabbia e lo sbranava crudelmente. Poi le dita penetrarono fino al cervello mentre la voce del druido risuonava acuta, stridula. «Lasciami entrare» gridava, tuonava, sibilava. «Lasciami entrare!»

E il grido trovò la via, esplose tutto a un tratto nella mente di Aurelio come un urlo di agonia, poi il legionario si accasciò rantolando sulla pietra, inerte.

Si risvegliò in un luogo sconosciuto, avvolto di fitte tenebre e si guardò attorno sgomento in cerca di qualcosa che lo richiamasse alla realtà. Vide la sagoma scura di una città assediata... fuochi di accampamenti tutto attorno alle mura. Meteore fiammeggianti solcavano il cielo con acuti sibili. Ma i suoni, le voci lontane e soffocate, avevano la vibrazione fluttuante e distorta dell'incubo.

«Dove sono?» disse.

La voce del druido risuonò alle sue spalle: «Nel tuo passato... ad Aquileia!».

«Non è possibile...» rispose. «Non è possibile.»

Ora vedeva in lontananza la sagoma buia di un acquedotto in rovina, una luce che appariva e scompariva fra i pilastri e gli archi. La voce di Myrdin Ambrosinus risuonò ancora alle sue spalle: «Guarda, c'è qualcuno lassù». E a quelle parole la sua vista si acuì come quella di un uccello notturno: sì, c'era una figura che si stava muovendo sull'acquedotto. Un uomo avanzava con una lanterna camminando sul secondo ordine di arcate. A un tratto si voltò e la lanterna gli illuminò il volto.

«Sei tu!» disse la voce alle sue spalle.

E Aurelio si sentì preso da un turbine improvviso, come una foglia nel vento. Era lui, ora, su quell'acquedotto in rovina, era lui che teneva in mano la lanterna e una voce dalle tenebre, una voce che conosceva, lo fece trasalire. «Hai portato l'oro?» E subito dopo un volto emerse dal buio: Wulfila!

«Tutto quello che ho» rispose. E gli consegnò una borsa.

Lui la soppesò. «Non è quello che avevamo concordato ma... l'accetterò ugualmente.»

«I miei genitori! Dove sono? Il nostro patto era che...»

Wulfila lo fissò impassibile, il suo volto di pietra non tradiva alcuna emozione. «Li troverai all'ingresso della necropoli occidentale. Sono molto indeboliti: non avrebbero mai potuto arrivare fin quassù.» Gli voltò le spalle e scomparve nel buio.

«Aspetta!» gridò. Ma non ebbe risposta. Era solo. Tormentato dal dubbio. La luce della lanterna tremò. La voce della sua guida risuonò ancora nel buio. «Non avesti scelta...»

Ora si trovava altrove, alla base delle mura, davanti a una posterla che dava sulla campagna. L'aprì con grande fatica, vincendo la ruggine e l'intrico delle piante e dei rampicanti che la tenevano nascosta e segreta da chissà quanto tempo. E si trovò all'esterno, con la sua lanterna in mano. Davanti a lui c'era la necropoli, antichi sepolcri consumati dal tempo, coperti di rovi e di erbacce. Si guardò alle spalle, circospetto, poi ai lati e infine davanti: il terreno era spoglio e aperto, apparentemente deserto. Chiamò con voce sommessa: «Padre... Madre!».

Un rantolo di dolore gli fece eco dal buio: la voce dei suoi genitori! Corse allora in avanti, con il cuore in gola, e la lanterna che teneva in mano illuminò d'improvviso una visione agghiacciante: i suoi genitori erano appesi ciascuno a un palo, agonizzanti. Sui loro corpi i segni di crudeli torture. Il padre alzò la testa mostrando il volto grondante di sangue. «Torna indietro, figlio!» gridò con l'ultimo alito di voce. Ma non fece in tempo a finire la frase perché Wulfila lo trafisse sbucando da dietro un sepolcro. Aurelio vide che altri barbari balzavano dal nulla e lo circondavano. Sentì un coltello che gli lacerava le carni alla base del collo, poi un colpo alla nuca lo fece crollare e l'ultima sua visione fu la spada di Wulfila che si immergeva nel corpo della madre. Ma continuava a percepire suoni: la voce del barbaro che incitava i suoi uomini. «La posterla è aperta, correte, la città è nostra!» E il calpestio di molti guerrieri che si slanciavano attraverso quell'apertura e ancora grida strazianti che salivano dalla città, lamenti di morte, clangore di armi, e il ruggito delle fiamme che divoravano Aquileia!

Gridò, con tutta la forza che gli restava, gridò di orrore, di odio, di disperazione. Poi sentì ancora la voce che lo aveva guidato attraverso quell'inferno e si trovò sdraiato sulla grande pietra circolare, madido di sudore, la testa che gli scoppiava. Ambrosinus gli stava di fronte e lo incitava: «Continua... continua prima che si chiuda il varco nel tuo passato. Ricorda, Aureliano Ambrosio Ventidio, ricorda!».

Aurelio trasse un lungo respiro e si alzò a sedere portandosi le mani alle tempie che gli martellavano. Ogni parola gli costava uno sforzo tremendo. «Non so quanto tempo era passato quando riacquistai i sensi. Dovevano avermi dato per morto...»

Ora, il respiro di Aurelio si era fatto più calmo. Si portò la mano alla cicatrice che aveva sul petto. «La lama che doveva recidermi la carotide aveva solo tagliato la pelle sotto le clavicole... ma il dolore al capo era insopportabile: fitte lancinanti... Non ricordavo più nulla... Vagai senza meta finché vidi una colonna di profughi che tentava di allontanarsi con barche sulla laguna. Istintivamente mi prodigai per aiutarli. Molti altri accorrevano da ogni parte cercando di salirvi e quasi le facevano rovesciare. Corsi in loro aiuto: c'erano vecchi, donne, bambini che sprofondavano nel fango in una confusione di pianti, grida d'invocazione, richiami di chi aveva perso i figli, i fratelli, i genitori...

«Non ancora sazi della strage di Aquileia, i barbari si riversavano ora fuori dalle porte brandendo torce accese e correvano a galoppo sfrenato verso la spiaggia, per massacrare anche i superstiti. L'ultima di quelle barche, carica all'inverosimile, aveva già lasciato la riva e il barcaiolo aveva tenuto per me l'ultimo posto. Mi tese la mano gridando: "Presto, sali!". Ma in quel momento udimmo l'invocazione di una donna: "Aspettate!" gridava. "Aspettate per l'amor di Dio!" Correva verso di noi affondando nell'acqua fin quasi alla cintola, trascinandosi dietro una bambina che piangeva terrorizzata. L'aiutai a salire e presi in braccio la bambina perché la madre potesse afferrare le mani del barcaiolo. E appena fu seduta gliela porsi. La piccola, atterrita alla vista dell'acqua scura, tese la mano alla madre ma con l'altra non voleva lasciare il mio collo. Così... così mi strappò la medaglia che portavo... la medaglia con l'aquila... insegna del mio reparto e della mia città distrutta. Quella bambina era Livia!»

Ambrosinus lo aiutò ad alzarsi in piedi e lo sostenne nei primi passi come fosse un infermo. I due uomini si incamminarono lentamente verso il campo.

«Fui catturato» continuò Aurelio «e ridotto in schiavitù, finché un giorno fui liberato da un attacco della Legione

Nova Invicta che divenne da allora la mia casa, la mia famiglia, la mia vita.»

Ambrosinus gli strinse la mano attorno alle spalle come per dargli un po' di calore. «Apristi la porta solo perché volevi salvare i tuoi genitori da una morte orrenda» disse. «Tu fosti l'eroe di Aquileia, colui che l'aveva difesa per tanti mesi, e nessun altro. Wulfila fu il carnefice della tua città e dei tuoi genitori.»

«Lui pagherà, per questo» disse Aurelio, «fino all'ultima goccia di sangue.» E i suoi occhi erano di ghiaccio mentre proferiva quelle parole.

Ora erano davanti alla porta dell'accampamento e Ambrosinus bussò con il suo bastone. Si trovarono di fronte Livia e Romolo che aveva vegliato con lei.

«Hai trovato quello che cercavi?» chiese la ragazza ad Aurelio.

«Sì» le rispose. «E tu mi avevi detto la verità.»

«L'amore non mente mai. Non lo sapevi?» Lo strinse in un abbraccio e lo baciò sulla bocca, sulla fronte, sugli occhi ancora pieni di orrore.

Ambrosinus si rivolse a Romolo. «Vieni, ragazzo mio» gli disse. «Vieni, devi cercare di riposare.»

Il campo era immerso nel silenzio. Ognuno se ne stava solo, vegliando in quella tranquilla notte di primavera, aspettando che il sole rivelasse loro un nuovo destino. O l'ultimo.

«Non lasciarmi sola, questa notte» disse Livia. «Ti prego.»

Aurelio la strinse a sé, poi la condusse per mano nel suo rifugio.

Ora erano l'uno di fronte all'altra, e la luce lunare, penetrando dal tetto in rovina, illuminava il volto stupendo di Livia, l'accarezzava con la sua luce pallida, diffondendole sul capo un'aura magica, un liquido splendore d'argento. Aurelio le sciolse i lacci della veste e la contemplò nuda, accarezzò estatico, con gli occhi e poi con le mani, la sua bellezza statuaria, il suo corpo divino. E anche lei lo spogliò, lentamente, con la devozione e l'attesa fremente di una sposa. Sfiorò con le dita leggere il suo corpo di bronzo, percorse quel paesaggio tormentato, la sua carne increspata da tante cicatrici, i suoi muscoli contratti da infinite, sanguinose ordalie. Poi si abbandonò sul suo povero giaciglio di paglia, sulla sua rozza coperta di soldato e lo accolse dentro di sé, inarcando le reni come una puledra ancora selvaggia, gli affondò le unghie nelle spalle, cercò la sua bocca. E si amarono, a lungo, fremendo di desiderio inesauribile, scambiandosi il flusso ardente del respiro, la torrida intimità della carne. Poi si lasciarono andare esausti e Aurelio si adagiò vicino a lei, avvolto dal profumo dei suoi capelli.

«Mi innamorai di te quella notte» mormorò Livia, «quando ti vidi, solo e inerme sulla sponda della laguna attendere immobile il tuo destino: avevo solo nove anni...»

XXXVII

Aurelio si alzò che era ancora buio, si vestì e uscì nella vasta corte deserta. Al suo apparire, come per magia, uno alla volta, i compagni emersero dall'oscurità e gli si avvicinarono, come se attendessero da lui l'ultima parola. E giunse anche Ambrosinus. Nessuno aveva dormito.

Aurelio parlò per primo. «Ho cambiato idea» disse. «Rimango.»

«Cosa?» replicò Vatreno. «Ti ha dato di volta il cervello?»

«Se rimane lui resto anch'io» disse Batiato sospendendo al cinturone la spada e l'ascia bipenne.

«Capisco» approvò Demetrio. «Restiamo a coprire la fuga di Romolo e di Ambrosinus... È giusto.»

«È giusto» ripeté Orosio. «Così anche Livia potrà salvarsi.»

Livia uscì in quel momento stretta nelle sue vesti da amazzone, con l'arco a tracolla e la faretra in mano: «Aurelio è l'uomo che amo. Vivrò assieme a lui se Dio vorrà, ma non intendo sopravvivergli. E questa è la mia ultima parola».

Romolo allora avanzò in mezzo al cerchio dei suoi compagni. «Non pensate che io fugga, se voi restate» disse. E la sua voce suonò ferma e decisa, e perfino più profonda, come quella di un uomo. «Abbiamo passato insieme ogni genere di traversie e a questo punto la mia vita non avrebbe alcun significato lontano da voi. Siete le uniche persone che mi restano al mondo, i miei amici più cari. Non mi separerò da voi per nessuna ragione e se anche mi cacciaste con la forza, tornerei. Dovranno legarmi o mi getterò in mare dalla barca e ritornerò a nuoto, io...»

Ambrosinus alzò la mano a chiedere attenzione. «Amo questo ragazzo come e più di un figlio e darei per lui il mio sangue in qualunque momento. Ma egli ormai è un uomo. Il dolore, la paura, le sofferenze e le privazioni lo hanno fatto crescere. Merita il privilegio di prendere decisioni per se stesso e noi dobbiamo rispettarle. Io per primo. Il nostro destino sta per compiersi in un modo o nell'altro, assai presto, e io voglio condividerlo con voi. Ciò che ci tiene uniti, ciò che ha impedito che ci disperdessimo al sopraggiungere della minaccia è qualcosa di così forte da sconfiggere la paura stessa della morte. È ciò che ci terrà uniti fino all'ultimo, e non so dirvi che cosa provo all'udire da voi queste parole. Non ho nulla da darvi se non l'affetto più profondo e i consigli che Dio onnipotente vorrà ispirarmi. Mi dispiace per il nostro amico Kustennin che aspetterà invano al vecchio molo. Ma ci sono appuntamenti a cui non si può mancare, come quello a cui stiamo andando incontro.»

Calò un grande silenzio denso di commozione e una profonda serenità invase tutti, la serenità di chi si accinge ad affrontare l'estremo sacrificio per amore, per amicizia, per fede, per devozione.

Vatreno reagì per primo con i suoi modi bruschi: «Allora diamoci da fare» disse. «Non mi va di farmi ammazzare come una pecora. Me ne voglio portare agli inferi un bel po' di quei figli di cani.»

«Giusto!» esclamò Batiato. «Ho sempre detestato quei bastardi lentigginosi.»

Ambrosinus non poté nascondere un sorriso. «Questo è ben noto, Batiato» disse. «Allora forse ho qualcosa per voi, qualcosa che ho scoperto questa notte non potendo prendere sonno. Venite con me.» E si incamminò verso il pretorio. I compagni lo seguirono ed entrarono con lui nella vecchia residenza del comandante. C'erano ancora il suo tavolo e la sua sedia pieghevole da campo, e alcuni rotoli di pergamena con i documenti di fureria, il ritratto sbiadito di una donna bellissima dipinto su una tavola appesa alla parete. Ambrosinus si diresse in un punto preciso del pavimento e alzò una stuoia di paglia intrecciata. Sotto c'era una botola e l'alzò facendo cenno ai compagni che potevano scendere.

Scese per primo Aurelio e si trovò di fronte a uno spettacolo incredibile: l'armeria della Legione! Disposte in bell'ordine, ancora lucide di grasso, c'erano una ventina di armature complete, costruite alla vecchia maniera: loriche segmentate, elmi e scudi, e fasci di giavellotti dalla punta triangolare, all'antica foggia degli eserciti di Traiano e di Adriano. E inoltre, smontate e perfettamente efficienti, balliste e catapulte con i loro dardi di ferro massiccio, e un gran numero di *lilia,* micidiali ordigni di ferro a tre punte da nascondere nel terreno a creare sbarramenti contro la cavalleria e la fanteria nemiche.

«Questo mi sembra il miglior contributo che tu abbia dato finora alla nostra causa» esclamò Vatreno battendo la mano sulla spalla di Ambrosinus. «Con tutto il rispetto per le tue proposizioni filosofiche. Coraggio, ragazzi, diamoci da fare. Demetrio, tu mi aiuterai a montare le catapulte e le balliste.»

«Le piazzerete per la maggior parte sul lato est» ordinò Aurelio, «quello da cui potrebbero attaccarci e quello in cui siamo più vulnerabili.»

«Orosio e Batiato» continuò Vatreno, «prendete pale e picconi e piantate i "gigli" dove vi dirà Aurelio: è lui lo stratega. Livia, tu porta i dardi per l'artiglieria sul ballatoio, in più frecce e giavellotti... e pietre, tutte le pietre che riesci a trovare. Ognuno prenda un'armatura completa: elmi, pettorali, tutto insomma, ce n'è di tutte le misure. Tranne che per Batiato, naturalmente.»

Batiato si guardò intorno perplesso. «Ehi, guardate qua, questo pettorale da cavallo: con qualche martellata lo posso adattare: andrà benissimo.»

Tutti si misero a ridere nel vedere il gigante sollevare con una mano sola la pesante corazza di un cavallo da battaglia e salire di corsa le scale.

«E io?» chiese Romolo. «Io che cosa devo fare?»

«Nulla» rispose Vatreno. «Tu sei l'imperatore.»

«Allora aiuterò Livia» disse, e si diede ad affastellare giavellotti come vedeva fare alla sua amica.

Aurelio salì per ultimo e si fermò a rovistare fra le carte che ancora stavano sul tavolo, piene di polvere. Una in particolare attrasse la sua attenzione, vergata in bella calligrafia. C'erano dei versi: «*Exaudi me regina mundi, inter sidereos Roma recepta polos...*».* Era l'inizio del *De reditu* di Rutilio Namaziano, l'ultimo commosso inno alla grandezza di Roma scritto settant'anni prima, alla vigilia del saccheggio di Alarico. Sospirò e infilò quella piccola pergamena sotto il corsetto, sul cuore, come un talismano. Ambrosinus risaliva in quel momento dal sotterraneo e Aurelio gli si avvicinò. «Quando vedrai che tutto è perduto nasconditi con il ragazzo in quel sotterraneo e aspetta che tutto sia finito. Quando sarà buio raggiungi Kustennin e accetta il suo aiuto. Romolo si convincerà e forse potrete trovare un luogo nascosto, in Irlanda forse, e lì ricominciare una nuova vita.»

«Non sarà necessario» rispose tranquillo Ambrosinus. Aurelio scosse il capo e uscì nella corte per aiutare i compagni.

Lavorarono per tutto il giorno, alacremente, con incredibile entusiasmo, come se si fossero levati dal cuore un peso intollerabile. Al tramonto, sfiniti dalla fatica, sudati e sporchi di terra e di polvere, Aurelio e i suoi contemplarono il lavoro terminato: le catapulte e le balliste allineate sugli spalti, fasci di dardi e di giavellotti disposti in ordine accanto a ciascuna delle macchine, rinforzi ai parapetti, archi in gran numero con una quantità di frecce pronti per

* «Ascoltami, Regina del mondo, Roma, tu che sei stata accolta fra i poli del firmamento» (Rutilio Namaziano, *De reditu suo*, I, 3).

l'uso davanti alle feritoie. E le armature, lucide, splendenti, allineate contro la palizzata pronte per essere indossate. C'era anche quella di Batiato, modificata sull'incudine a colpi di mazza, brunita e luccicante. Costruita per coprire il petto di un cavallo, avrebbe protetto in battaglia il torso dell'Ercole nero.

Mangiarono insieme seduti attorno al fuoco poi si prepararono per la notte.

«Dormite voi tutti perché domani dovrete combattere» disse Ambrosinus. «Veglierò io. Ci vedo ancora bene e ci sento meglio.»

Tutti dormivano. Batiato con la testa appoggiata alla sua armatura, vicino alla forgia ancora tiepida. Livia fra le braccia di Aurelio, nelle baracche. Demetrio e Orosio nelle scuderie vicino ai cavalli. Romolo, avvolto nella sua coperta da viaggio, sotto la tettoia. Vatreno sugli spalti, nella torre di guardia.

Ambrosinus vegliava presso la porta, immerso nei suoi pensieri. A un tratto, quando sentì che i compagni dormivano profondamente, aprì delicatamente la porta e si incamminò verso la grande pietra circolare. Qui giunto, cominciò ad ammassare su di essa una grande quantità di legna, rami e tronchi secchi che giacevano ai piedi delle querce secolari. Poi si avvicinò a un rovere colossale ed entrò in una spaccatura del tronco estraendone un grande oggetto rotondo e una mazza di legno. Un tamburo. Lo appese a un ramo e vibrò un gran colpo con la mazza traendone un rombo cupo che rimbalzò sulle montagne come voce di tempesta. Poi vibrò un secondo colpo e un terzo e un altro ancora.

Aurelio, al campo, si alzò dal suo giaciglio. «Cos'è stato?» chiese. Livia gli prese la mano e lo attrasse vicino a sé. «È il tuono, dormi.»

Ma il suono si faceva sempre più forte, cupo e martellante, moltiplicato dall'eco che risuonava sui fianchi della valle, sui pascoli e sulle rocce. Aurelio tese ancora l'orecchio. «No» disse. «Questo non è il tuono, sembra piuttosto un segnale di allarme... ma per chi?»

Risuonò dalla torretta la voce di Vatreno. «Venite a vedere, presto!» Tutti afferrarono le armi e salirono sugli spalti. In lontananza il cerchio megalitico sembrava essersi incendiato. Un enorme falò ardeva all'interno fra i grandi pilastri di pietra, lanciando verso il cielo nero un turbine di scintille. Si poteva distinguere un'ombra muoversi come uno spettro sullo sfondo del bagliore delle fiamme.

«È Ambrosinus che fa le sue stregonerie» disse Aurelio. «E noi che pensavamo montasse la guardia. Io me ne torno a dormire. Resta tu, Vatreno, finché non torna.»

Altri, nei casolari sparsi per la campagna videro quel fuoco, pastori e contadini, fabbri e artigiani, e ne accesero altri, sotto l'occhio stupito delle spose e dei figli, finché le fiamme arsero dovunque, sui monti e sulle colline, dalle rive dell'Oceano fino al Grande Vallo.

E il rombo del tamburo giunse anche all'orecchio di Kustennin che balzò dal letto e tese l'orecchio. Si avvicinò alla finestra, vide i fuochi e si rese conto del perché nessuno era giunto al porto quella mattina. Guardò i letti vuoti di Egeria e di Ygraine e pensò alla barca che a quell'ora navigava sulle acque tranquille portandole in un luogo sicuro. Aprì un'arca e ne trasse il drago d'argento e porpora, poi svegliò un servo e gli ordinò di prepararagli l'armatura e il cavallo.

«Dove vai, mio signore, a quest'ora?» gli chiese stupito.

«A trovare degli amici.»

«Perché allora prendi la spada?»

Si udì in quel momento, più forte, il rombo lontano sospinto dal vento.

Kustennin sospirò. «Vi sono momenti» disse «in cui bisogna scegliere fra la spada e l'aratro.» Sospese la spada al cinturone e scese le scale verso le scuderie.

All'alba Aurelio e Vatreno e i compagni, armati di tutto punto, erano sugli spalti e fissavano in silenzio l'orizzonte. Romolo passava dall'uno all'altro con una pentola di zuppa fumante finché ne versò, per ultimo, ad Aurelio.

«Com'è?» chiese.

Aurelio ne prese una cucchiaiata. «Buona. La migliore che mi sia mai stata servita in un accampamento militare.»

Romolo sorrise. «Forse abbiamo fatto tutta questa fatica per nulla. Forse non verranno.»

«Forse...»

«Sai cosa pensavo? Sarebbe bello fondare qui la nostra piccola comunità. Forse questo campo potrebbe diventare un villaggio un giorno. Anch'io potrei trovarmi una ragazza. Ne ho conosciuta una giù in città, con i capelli rossi, sai?»

Aurelio sorrise. «Questa è una cosa bellissima, voglio dire, il fatto che tu cominci a pensare alle ragazze. Significa che stai crescendo, ma significa anche che le tue ferite si stanno rimarginando, che il ricordo dei tuoi genitori cessa di essere una piaga dolorosa e diventa un ricordo soave, un pensiero d'amore che ti terrà compagnia per tutta la vita.»

Romolo sospirò. «Sì, forse hai ragione, ma non ho ancora quattordici anni: un ragazzo della mia età ha bisogno di un padre.» Si versò un po' di zuppa e si mise a mangiare, quasi per darsi un contegno. E di tanto in tanto guardava Aurelio di sottecchi per vedere se anche lui lo guardava. «Hai ragione» disse. «Questa zuppa non è male: è stata Livia a cucinarla.»

«Lo avevo immaginato» rispose Aurelio. «Ma dimmi, se ci fosse qui tuo padre, che cosa gli chiederesti?»

«Nulla di particolare. Mi piacerebbe stare con lui, fare qualcosa insieme, come noi due, adesso, che mangiamo insieme la colazione. Cose semplici, da nulla, giusto stare insieme, sapere che non sei solo, capisci?»

«Certo» rispose Aurelio. «Anche a me mancano molto i miei genitori, benché io sia molto più vecchio di te.»

Restarono per un po' a guardare l'orizzonte senza dire nulla. Poi Aurelio ruppe il silenzio. «Sai una cosa? Io non ho mai avuto figli e non so se ne avrò mai. Voglio dire... non so cosa ci aspetta e...»

«Capisco» rispose Romolo.

«Mi chiedevo se...»

«Che cosa?»

Aurelio si sfilò dal dito l'anello di bronzo con un piccolo cammeo inciso con un monogramma. «Ora so che questo mi appartiene veramente. Che è il mio anello di famiglia e mi chiedo... mi chiedo se tu lo accetteresti.»

Romolo lo guardò con gli occhi lucidi. «Vuoi dire che...»

«Sì. Se tu accetti io sarei felice di adottarti come figlio mio.»

«Qui? Ora?»

«*Hic et nunc*» rispose Aurelio. «Se tu accetti.»

Romolo gli gettò le braccia al collo. «Con tutto il cuore» disse. «Anche se... non credo che riuscirò a chiamarti "padre". Ti ho sempre chiamato Aurelio.»

«Va bene così, certo.»

Romolo tese la mano destra e Aurelio gli infilò l'anello nel pollice, dopo aver tentato tutte le altre dita troppo sottili. «Allora io ti adotto, come mio figlio, Romolo Augusto Cesare Aureliano Ambrosio Ventidio... Britannico! E così sia finché tu abbia vita.»

Romolo lo abbracciò ancora. «Grazie» disse. «Saprò onorarti come meriti.»

«Però ti avverto» replicò Aurelio. «Ora dovrai anche seguire i miei consigli, se non proprio obbedire ai miei ordini.»

Romolo stava per rispondere quando risuonò la voce di Demetrio dalla torre più alta. «Arrivano!»

Aurelio gridò: «Tutti ai propri posti! Romolo, tu vai con Ambrosinus, lui sa già cosa fare. Su, svelto!».

Echeggiarono in quel momento i suoni prolungati dei corni, gli stessi che avevano udito a Dertona il giorno dell'attacco di Mledo, e apparve sulla linea delle colline a oriente una lunga fila di cavalieri corazzati che venivano avanti al passo. A un certo punto si aprirono in due facendo avanzare un guerriero gigantesco, con il volto coperto da una maschera d'oro, che brandiva una spada rifulgente.

Aurelio fece un cenno: Vatreno e Demetrio armarono le catapulte e le balliste.

«Guardate!» gridò Demetrio. «Arriva qualcuno.»

«Forse vogliono trattare!» disse Vatreno affacciandosi dal parapetto.

Un uomo a cavallo, fiancheggiato da due guerrieri armati, avanzava reggendo un drappo bianco appoggiato a un'asta trasversale: il segno della tregua. I tre avanzarono fin sotto la palizzata.

«Che vuoi?» chiese Vatreno.

«Il mio signore Wortigern vi offre salva la vita se consegnerete il giovane usurpatore che dice di chiamarsi Romolo Augusto e il disertore che lo protegge noto con il nome di Aurelio.»

«Aspetta un momento» rispose Vatreno, «dobbiamo consultarci.» Poi si avvicinò a Batiato e gli sussurrò qualcosa sottovoce.

«Allora?» chiese il messo. «Che cosa devo riferire?»

«Che accettiamo!» rispose Vatreno.

«Ecco il ragazzo, intanto!» gridò Batiato. Si affacciò al parapetto reggendo fra le braccia una specie di fagotto e, prima che il barbaro avesse modo di rendersi conto, glielo scagliò addosso. Era un masso avvolto in una coperta che lo prese in pieno e lo sfracellò al suolo. Gli altri due voltarono i cavalli e si diedero alla fuga mentre Batiato urlava: «Aspettate, che arriva anche l'altro!».

«Questo li farà arrabbiare» disse Aurelio.

«Cambia qualcosa?» replicò Vatreno.

«No, infatti. State pronti: eccoli che avanzano.»

I corni suonarono ancora e il vasto fronte dei cavalieri si lanciò in avanti. Poi, quando furono a un quarto di miglio dal campo, si aprirono e lanciarono un ariete su ruote trainato da otto uomini a cavallo, giù per il pendio.

«Vuole ripetere il colpo di Dertona!» gridò Aurelio. «Pronti con le catapulte!»

I cavalieri nemici erano ormai lanciati alla massima velocità quando arrivarono sul terreno armato con i *lilia* e i due cavalli di testa rovinarono al suolo scagliando i loro cavalieri a infilzarsi sulle punte ferrate nascoste nell'erba. L'ariete si sbilanciò e virò sulla sinistra acquistando una velocità sempre maggiore. Le ruote non ressero al carico e volarono in pezzi, il tronco si capovolse e rotolò giù per il declivio, rimbalzando sulle rocce fino a piombare nel lago.

Le catapulte scattarono e altri quattro cavalieri furono trapassati mentre cercavano di tornare indietro. Un urlo di entusiasmo esplose sugli spalti della fortezza, ma subito echeggiarono ancora i corni. I cavalieri si erano fermati e veniva avanti ora un'ondata di fanteria leggera.

«Attenti!» gridò Demetrio. «Hanno frecce incendiarie.»

«Archi!» ordinò Aurelio. «Fermatene più che potete!»

La fanteria avanzava di corsa verso il campo e fu presto evidente che si trattava di servi sommariamente armati, destinati a farsi massacrare per aprire la via alla cavalleria pesante. Alle loro spalle gli altri guerrieri tenevano gli archi pronti per infilzare chiunque tentasse di fuggire. I fanti si accorsero dei *lilia* appena videro i primi fra loro cadere urlando di dolore con i piedi trafitti. Si divisero in due gruppi aggirando sulla destra e sulla sinistra il terreno impraticabile e cominciarono a scoccare le loro frecce incendiarie in lunga parabola. Molti di loro caddero trapassati dai dardi di Livia e degli altri, ma molti riuscirono a mettersi al riparo dietro alberi e rocce e continuarono a scoccare raggiungendo il bersaglio in più punti. Il legno della palizzata, vecchio di tanti anni e completamente secco, prese fuoco immediatamente. Altri fanti corsero in avanti portando delle scale ma furono inchiodati al suolo dai lanci delle balliste e da salve di dardi scagliati dal ballatoio.

I cavalieri, a quel punto, ripresero ad avanzare al passo.

Attendevano evidentemente che il settore in fiamme della palizzata crollasse per lanciarsi all'interno.

Aurelio radunò i suoi. «Non abbiamo acqua né uomini per spegnere l'incendio e fra un po' Wulfila lancerà i suoi nella breccia: Vatreno, tu e Demetrio abbattete tutti quelli che vi riesce con l'artiglieria, poi non ci resta che lanciarci all'esterno: il passaggio libero dagli scorpioni è là dove c'è quel piccolo frassino. Batiato, tu sarai il nostro ariete. Sfonderai al centro e noi ti verremo appresso. Li attireremo sul terreno più accidentato, dove saranno costretti a disperdersi e a salire a piedi. Abbiamo ancora una speranza.»

Un settore di palizzata crollò in quel momento in un vortice di fumo e scintille e la cavalleria nemica si lanciò al galoppo in direzione della breccia. Le catapulte e le balliste ruotarono sulle loro piattaforme e scagliarono una salva di dardi abbattendo una mezza dozzina di cavalieri che ne travolsero altri nella caduta. Una seconda salva colpì ancora nel mucchio facendo strage, poi saettarono gli archi quindi, a distanza più ravvicinata, i giavellotti, prima i più leggeri a tiro lungo, quindi i più pesanti a tiro breve. Il terreno era seminato di morti, ma i nemici continuavano ad avanzare, certi ormai di poter vibrare il colpo decisivo.

«Fuori» gridò a quel punto Aurelio, «dalla porta meridionale. Li aggireremo sul fianco! *Ambrosine*, metti in salvo il ragazzo!»

Da basso Batiato, rivestito della sua corazza, con il capo e il volto coperto da un elmo a celata, era già in sella al suo gigantesco stallone armoricano, anch'esso coperto di piastre metalliche, e brandiva l'ascia da combattimento. Non era un uomo a cavallo, era una macchina da guerra. In breve tutti gli furono dietro sulle loro cavalcature, in formazione a cuneo. «Ora!» gridò Aurelio. «Fuori!» E la porta si spalancò mentre i primi cavalieri nemici erano ormai vicinissimi alla breccia. Batiato spronò e si lanciò al galoppo seguito dai suoi amici, in terreno aperto, puntando al varco libero dagli scorpioni.

Ma Romolo si era liberato del suo precettore, e balzato in sella al suo puledro, brandendo un coltellaccio a mo' di spada, spronava per raggiungere i compagni e battersi al loro fianco.

Ambrosinus gli corse dietro gridando: «Fermati! Torna indietro!». Ma ben presto si trovò solo in terreno scoperto. Intanto Batiato caricava le linee dei cavalieri nemici travolgendo nell'impatto tremendo coloro che gli si erano fatti incontro per fermarlo. I compagni lo seguirono ingaggiando una zuffa furibonda, colpendo di spada e di scudo tutti quelli che incontravano. Wulfila, che era ancora sulla parte alta del declivio, vide Aurelio e gli si lanciò contro con la spada sguainata. Vatreno, con la coda dell'occhio, notò Romolo che correva sulla sua destra e gli gridò: «Corri verso la collina, corri Romolo, via, via di qua!».

Ambrosinus, terrorizzato, circondato da cavalieri lanciati al galoppo in tutte le direzioni, arrancò verso uno spuntone di roccia che sporgeva dal terreno alla sua destra per vedere dove fosse il ragazzo. E lo vide, trascinato dal suo puledro imbizzarrito, correre verso il cerchio megalitico.

Wulfila era ormai arrivato addosso ad Aurelio e gridava fuori di sé: «Combatti, vigliacco! Non puoi più sfuggirmi!». E vibrò il primo, micidiale colpo di spada. Batiato alzò lo scudo, un piastra di metallo massiccio, e lo salvò dal fendente. La spada colpì lo scudo con gran fragore, facendone sprizzare una miriade di scintille. Intanto i cavalieri della prima ondata si lanciavano attraverso la breccia, volando tra le fiamme del rogo e facendo irruzione nell'accampamento. Sfogarono la loro furia su tutto ciò che trovavano, appiccando il fuoco alle baracche e alle torrette di guardia che vennero subito avvolte dalle fiamme come torce gigantesche.

«Non c'è più nessuno!» gridò a un tratto uno di loro. «Sono scappati. Presto, inseguiamoli!»

Ambrosinus, raggiunta la sommità della roccia, vide

Aurelio che si batteva con disperato valore contro Wulfila, lo scudo del Romano che volava in pezzi, la sua spada che si torceva sotto i colpi dell'invincibile lama dell'avversario. Ma improvvisamente, su quel caos di grida selvagge, su quel fragore di armi che cozzavano, si levò un suono acuto, penetrante: una buccina che suonava l'attacco. Nello stesso istante, dal profilo più alto della collina verso oriente, apparve la testa scintillante e poi la coda purpurea del dragone, e subito dietro una linea compatta di guerrieri che avanzavano a lance basse, dietro un muro di scudi, lanciando a ogni passo l'antico grido di guerra della fanteria romana. La Legione del Drago, apparsa come dal nulla, si slanciava di corsa giù per il pendio, subito fiancheggiata da due schiere di cavalieri guidati da Kustennin.

Wulfila ebbe un attimo di esitazione e Batiato lo caricò con tutto il suo peso sbilanciandolo e spingendolo di lato prima che vibrasse il colpo mortale su Aurelio, ormai disarmato. Wulfila rovinò a terra, ma mentre si rialzava vide Romolo cadere da cavallo e correre a piedi verso il cerchio di pietre a cercarvi rifugio. Balzò subito in piedi e si lanciò al suo inseguimento ma Vatreno, che aveva intuito la sua intenzione, gli tagliò la strada. La spada di Wulfila calò su di lui con spaventosa potenza, gli squarciò lo scudo e la corazza e gli fece sprizzare un fiotto di sangue dalla sommità del petto. Wulfila riprese a correre gridando ai suoi: «Copritemi!» e quattro di loro si gettarono su Vatreno che continuò a battersi come un leone, arretrando, completamente coperto di sangue, per appoggiare la schiena a un albero. Lo trafissero una, due, tre volte, inchiodandolo con le lance al tronco. Vatreno ebbe ancora l'energia di ringhiare: «All'inferno, bastardi!», e reclinò il capo senza vita.

Gli altri fecero muro contro il piccolo gruppo di combattenti che continuavano a colpire con selvaggia energia. Aurelio raccolse la spada di un caduto e riprese a battersi, cercando di aprirsi la via avendo visto Wulfila correre verso il cerchio megalitico dove Romolo stava cercando rifugio. Demetrio e Orosio si posero al suo fianco per coprirlo e caddero uno dopo l'altro, sopraffatti. L'irruzione di Batiato non valse a salvarli ma forzò il muro dei nemici lanciando Aurelio sul terreno scoperto verso il cerchio megalitico. Accerchiato da ogni parte, il colosso roteava la mannaia troncando teste e braccia, sfondando scudi e corazze, inzuppando di sangue il terreno. Una lancia gli si conficcò in una spalla e dovette arretrare contro una roccia. Come un orso assediato da una muta di cani, Batiato continuava a colpire con spaventosa potenza benché il sangue gli colasse ormai copioso lungo il fianco sinistro. Lo vide Livia e cominciò a saettare correndo velocissima sul suo cavallo, trafiggendo alle spalle i nemici che facevano ressa attorno al gigante ferito.

Da ogni parte la mischia si riaccendeva, feroce, e i nuovi combattenti appena sopraggiunti continuavano ad avanzare tenendo alta l'insegna del drago spingendo indietro i nemici, frastornati dalla loro inattesa apparizione, sempre di più verso la valle.

Anche Ambrosinus, intanto, aveva visto la mossa di Wulfila e correva a perdifiato ai margini del campo di battaglia cercando di raggiungere il cerchio di pietra e gridava: «Riparati, Romolo, riparati, corri!».

Romolo era ormai giunto sulla sommità della collina e si voltò indietro per cercare con lo sguardo i suoi amici nell'infuriare della mischia.

E si trovò di fronte un guerriero gigantesco, dalla lunga criniera candida, il volto coperto da una maschera d'oro. Spaventoso a vedersi, coperto di sangue e sudore, avanzava verso di lui. Poi, con un gesto improvviso, si strappò la maschera mostrando il ghigno di un volto sfregiato: Wulfila! Romolo arretrò atterrito verso uno dei grandi pilastri protendendo in avanti il suo coltello in un debole tentativo di difesa. Poteva sentire in lontananza le grida angosciate del suo maestro e il fragore confuso della battaglia, ma il suo sguardo seguiva come magnetizzato la punta mortale che si alzava per colpire. Bastò un colpo di quella spada e il suo coltello cadde ai piedi del nemico. Romolo arretrò ancora finché urtò con la schiena contro il pilastro. La sua lunga corsa era finita. Angosce, paure, speranze: quella lama avrebbe posto fine a tutto, in un attimo. Eppure la frenesia della fuga e il terrore panico, che in un primo momento lo avevano invaso alla vista del nemico implacabile, cedettero il posto d'un tratto a una misteriosa serenità mentre si preparava a morire come un vero soldato. E mentre la spada saettava in avanti a trafiggergli il cuore sentì dentro di sé, distinta, la voce di Ambrosinus che diceva: «Difenditi!». E schivò il colpo, miracolosamente, con un fulmineo movimento di lato. La spada si piantò in una frattura della pietra e vi rimase conficcata. Egli allora afferrò, senza nemmeno voltarsi, un pugno di braci ancora ardenti dalla grande pietra e le scagliò negli occhi di Wulfila che arretrò gridando di dolore. E la voce di Ambrosinus risuonò ancora netta e pacata dentro di lui: «Prendi la spada».

E Romolo obbedì, afferrò la magnifica impugnatura d'oro e tirò con forza tranquilla. La lama seguì docile la giovane mano e quando Wulfila riaprì gli occhi vide il ragazzo che la spingeva, a due mani, contro il suo ventre, la bocca spalancata in un grido più terribile del fragore della battaglia. Sbalordito e incredulo, la vide penetrare nelle sua carni, immergersi, con un gorgoglio di visceri lacerati, nel suo ventre. La sentì uscire dalla schiena, tagliente come il grido selvaggio di quel fanciullo.

Crollò sulle ginocchia e Romolo si piantò ansante davanti a lui a contemplarne la fine. Ma Wulfila sentì che l'odio alimentava ancora in lui la vita, accendeva un'energia ancora capace di vincere e, afferrata l'impugnatura della spada, la sfilò lentamente dalla spaventosa ferita, la brandì ancora nel pugno tenendosi il ventre con l'altra, e riprese ad avanzare fissando la sua vittima, per immobilizzarla con la forza terrifica dello sguardo. Ma mentre stava per affondare il colpo, un'altra lama gli uscì dal petto, spinta da dietro attraverso la schiena. Aurelio gli era alle spalle, così vicino da potergli parlare all'orecchio con voce fredda e dura come una sentenza di morte.

«Questo è per mio padre, Cornelio Aureliano Ventidio, che trucidasti ad Aquileia.»

Un rivolo di sangue gli uscì dalla bocca ma ancora Wulfila si reggeva in piedi, ancora cercava di alzare la spada divenuta pesante, ormai, come fosse di piombo. La lama di Aurelio lo trapassò ancora, gelida, da parte a parte, e gli uscì dallo sterno.

«E questo è per mia madre, Cecilia Aurelia Silvia.»

Wulfila crollò al suolo con un ultimo rantolo. Sotto gli occhi stupiti di Aurelio Romolo si chinò, bagnò le dita nel sangue del nemico e si tracciò una striscia vermiglia sulla fronte. Poi alzò la spada al cielo lanciando un grido di trionfo che echeggiò, teso e tagliente, acuto come un corno di guerra, sul campo di sangue che si stendeva in basso ai suoi piedi.

La legione, ormai vittoriosa su tutta la linea, avanzava, riunita nei ranghi, verso il grande cerchio di pietra seguendo l'insegna gloriosa che l'aveva richiamata dal buio e guidata alla vittoria. Kustennin la stringeva nel pugno, risplendente nel sole ormai alto nel cielo. Giunto in cima alla collina scese da cavallo e la piantò in terra vicino a Romolo. Gridò: «Ave, Cesare! Ave, figlio del dragone! Ave, Pendragon!».

A un suo cenno quattro guerrieri si avvicinarono, incrociarono al suolo quattro aste, vi appoggiarono sopra un grande scudo rotondo e vi fecero salire Romolo in piedi, alzandolo sulle spalle alla maniera celtica perché tutti lo vedessero. Kustennin cominciò a battere la spada contro lo scudo e tutta la legione lo imitò: migliaia di spade si abbatterono con immenso fragore sugli scudi, migliaia di voci tuonarono più forte del clangore assordante della armi, ritmando all'infinito quel grido: "Ave, Cesare! Ave, Pendragon!".

Con il sangue di Wulfila sulla fronte, la spada scintillante stretta nel pugno, Romolo apparve ai soldati vittoriosi come un essere fatato, come il giovane guerriero della profezia, e quel grido incessante rinfranto in mille echi sui monti gli accendeva gli occhi di una passione bruciante. Ma di lassù il suo sguardo si spinse oltre, a cercare i compagni, e subito il trionfo gli parve lontano, quell'euforia frenetica cedette il posto a una commozione struggente. Balzò a terra e passò tra le file dei guerrieri che si aprirono rispettosamente al suo passaggio. Cadde il silenzio sulla valle mentre egli camminava muto e attonito attraverso il campo coperto di morti. I suoi occhi passavano su quello spettacolo spaventoso, sui corpi ancora avvinghiati nell'ultimo spasimo dell'agonia, sui feriti, sui moribondi. Ecco il gigante Batiato, con una lancia conficcata in una spalla, appoggiato a una roccia, grondante sangue, in mezzo a un cumulo di nemici uccisi, ecco i suoi compagni caduti nell'impari lotta: Vatreno, inchiodato da tre lance nemiche al tronco di un albero, gli occhi ancora aperti a inseguire un sogno impossibile, Demetrio e Orosio, inseparabili, uniti anche nella morte, l'uno a fianco dell'altro. Molti nemici, caduti tutto intorno, avevano pagato cara la loro fine.

E Livia. Viva, ma con una freccia nel fianco, appoggiata a una roccia, i lineamenti contratti dal dolore.

E Romolo scoppiò in pianto, lacrime cocenti gli inondavano le guance alla vista dei suoi compagni feriti e caduti, dei suoi amici che non avrebbe rivisto mai più. E continuava ad avanzare come un automa, lo sguardo ferito da quelle visioni strazianti, finché si trovò sulla riva del lago. Piccole onde appena increspate dal vento gli bagnavano i piedi piagati, lambivano la punta della sua spada, ancora stillante di sangue. E un infinito desiderio di pace lo invase, come un vento tiepido di primavera. Gridò: «Mai più guerra! Mai più sangue!». Poi lavò la spada nell'acqua finché la vide splendente come il cristallo. Allora si alzò e prese a rotearla, in cerchi sempre più ampi finché la scagliò con tutta la forza, nel lago. La lama volò nell'aria, rifulse accecante nel sole e precipitò come una meteora conficcandosi nel cuore dello scoglio che emergeva, verde di muschi, al centro del lago.

Cadde in quel momento l'ultimo alito di vento, la superficie delle acque si distese rivelando, riflessa, una magica visione, la figura solenne del suo maestro, riapparso d'improvviso, e il piccolo ramo d'argento che gli splendeva sul petto. Quasi non riconobbe la sua voce quando disse: «È finita, figlio mio, mio signore, mio re. Nessuno oserà più toccarti perché sei passato attraverso il ghiaccio, il fuoco e il sangue, come quella spada che ha penetrato la roccia, figlio del drago, Pendragon».

Epilogo

Così fu combattuta e vinta la battaglia del Mons Badonicus che nella nostra lingua si chiama Monte Badon, a opera di Aureliano Ambrosio, un uomo umile, l'ultimo dei Romani. E così si compì la profezia che mi aveva indotto a intraprendere un viaggio che chiunque avrebbe creduto impossibile, prima dalla mia terra natale fino all'Italia e poi dall'Italia, dopo molti anni, di nuovo fino alla Britannia. E il mio discepolo, imperatore dei Romani per pochi giorni, e poi destinato a una prigionia senza fine, divenne re dei Britanni con il nome di Pendragon, "il figlio del drago", perché così lo videro e lo acclamarono i soldati dell'ultima legione il giorno della sua vittoria. Aureliano restò al suo fianco come un padre finché si rese conto che ormai il nome di Pendragon aveva definitivamente offuscato il nome di Romolo e che l'amore per Ygraine avrebbe occupato completamente il cuore del suo figliolo adottivo. Allora si mise in viaggio con Livia, l'unica donna che avesse mai amato nella sua vita, e di loro non sapemmo più nulla. Mi piace pensare che siano tornati alla loro piccola Patria sull'acqua: Venetia, per poter continuare a vivere da Romani senza doversi comportare da barbari, e per costruire un futuro di libertà e di pace.

E anche Cornelio Batiato partì con loro, sulla stessa nave, ma forse non li seguì fino alla meta, forse si fermò alle colonne d'Ercole dove si estende la sua terra natia: l'Africa. Non dimenticherò mai che fu il calore del suo cuore a restituire la vita al mio fanciullo esanime, sulle cime ghiacciate delle Alpi, e voglia il Si-

gnore che egli incontri persone altrettanto generose e nobili sul suo cammino.

Il seme venuto da un mondo morente ha messo radici e prodotto frutti in questa terra remota, ai confini del mondo. Il figlio di Pendragon e di Ygraine compie cinque anni mentre mi accingo a terminare questa mia opera e gli è stato imposto alla nascita il nome di Artù, da Arcturius, che significa "colui che è nato sotto le stelle dell'Orsa". E solo chi era venuto dai mari caldi poteva chiamare suo figlio con un tale nome, a prova che qualunque sia il destino di un uomo le sue memorie più intime non lo abbandonano mai, fino al giorno della sua morte.

I nostri nemici sono stati respinti e il nostro regno si è esteso verso meridione includendo la città di Caerleon, che incontrammo fra le prime al nostro ritorno in Britannia, ma io ho preferito restare quassù, a vigilare e a meditare in questa torre presso il Grande Vallo, ascoltando voci affievolite del tempo. La spada mirabile è ancora conficcata nel macigno da quel giorno di sangue e di gloria e solo io ne conosco, completa, l'iscrizione per averla letta quando la vidi la prima volta: Cai.Iul.Caes.Ensis Caliburnus, *"la spada calibica di Giulio Cesare".*

Parte dell'iscrizione è infissa nella pietra, altre lettere sono state coperte dalle incrostazioni e dai licheni nei lunghi anni in cui è stata esposta alle intemperie. Le uniche lettere leggibili sono

E S CALIBUR

e con quel nome la chiama la gente di questa terra quando, nelle mattinate gelide d'inverno il ghiaccio consente di camminare fino allo scoglio al centro del lago e ammirare quell'oggetto straordinario. Dicono che solo la mano del re potrà estrarla dalla roccia il giorno in cui vi sarà ancora bisogno di combattere il male. È passato tanto tempo dai giorni lontani della mia giovinezza e perfino il mio primo nome Myrdin si è deformato nel tempo sulla bocca della gente, diventando Merlin. Ma la mia anima resta immutabile e destinata, come quella di ogni uomo creato a immagine di Dio, alla luce immortale.

Il sole comincia a sciogliere la neve sui pendii delle colline, e i primi fiori di primavera aprono le loro corolle al vento tiepido che giunge da meridione. Dio mi ha concesso di terminare il mio lavoro e gli rendo grazie. Qui termina la mia storia. Qui, forse, nasce una leggenda.

NOTA DELL'AUTORE

La caduta dell'Impero romano è uno dei grandi temi della storia dell'Occidente, e, al tempo stesso, uno dei più misteriosi per la complessità del problema e per la scarsità delle fonti e delle testimonianze riguardanti l'epoca del suo definitivo tramonto. Inoltre questo evento, tradizionalmente considerato catastrofico, è, da un punto di vista storiografico, del tutto convenzionale. Nessuno infatti si accorse, in quell'anno 476 dopo Cristo, che il mondo romano era finito: niente era accaduto di più traumatico di quanto non accadesse ogni giorno da molti anni. Semplicemente Odoacre, il capo erulo che aveva deposto Romolo Augustolo, inviò le insegne imperiali a Costantinopoli asserendo che un solo imperatore era più che sufficiente per tutto l'Impero.

In questa storia, in gran parte frutto di fantasia, ho cercato di rendere quell'evento nella sua enorme valenza epocale ma anche di mettere in rilievo il sorgere di nuovi mondi, di nuove culture e di nuove civiltà dalle radici ancora vitali del mondo romano. L'esito "arturiano" della nostra storia va colto nel suo significato simbolico di vera e propria parabola, ma non solo: è un dato di fatto ormai riconosciuto dagli studiosi che gli eventi che diedero vita alla leggenda di Artù codificata nel Medioevo da Geoffrey di Monmouth si svolsero alla fine del V secolo in Britannia e videro fra i protagonisti il misterioso ed eroico Aureliano Ambrosio, *solus Romanae gentis* ("l'ultimo dei Romani"), vincitore della battaglia di Mount Badon contro i Sassoni e predecessore di Pendragon e di Artù. A livello popolare pensiamo a quei personaggi come a cavalieri medievali, in realtà essi furono molto più vicini al mondo romano. E risponde a verità la tradizione secondo cui i britanno-romani del V secolo invocarono più volte il soccorso dell'imperatore contro gli invasori dal Nord e dal Sud, ottenendo per due volte dal generale Aezio l'invio di Germano, figura misteriosa, a metà fra il santo e il guerriero. Altri personaggi, come il celta Myrdin, il Merlino della leggenda, sono invece tratti dal *corpus* epico del ciclo arturiano che ruota intorno alla mitica spada Excalibur, il cui nome è stato recentemente interpretato da insigni celtisti come una sorta di crasi delle parole latine *ensis caliburnus*, ossia la "spada calibica", espressione che ci riconduce all'ambiente mediterraneo. Questa storia dunque si pone come un'ipotesi mitica e simbolica, ispirata a eventi storicamente riconoscibili che verso il crepuscolo del mondo antico avrebbero potuto sconfinare in quella zona d'ombra da cui trasse origine il mito arturiano.

Nella finzione narrativa, l'angolo visuale è quello di un gruppo di soldati romani lealisti, depositari delle tradizioni, che vedono i barbari come alieni feroci e devastatori, un tipo di atteggiamento effettivamente molto diffuso in quell'epoca. La durata effimera dei regni romano-barbarici fu causata proprio dal contrasto insanabile fra le popolazioni romanizzate e gli invasori. Oggi, più che di "invasioni" si preferisce parlare di *Völkerwanderung*, di migrazioni, ma il risultato non cambia, e in questi nostri giorni così turbolenti l'Occidente, che si crede in qualche modo immortale e indistruttibile (come l'Impero romano dei tempi migliori), dovrebbe meditare sul fatto che gli imperi prima o poi si dissolvono e che la ricchezza di una parte del mondo non può sopravvivere a dispetto della miseria delle altre popolazioni. Coloro che venivano chiamati "barbari" non volevano la distruzione dell'Impero, volevano farne parte e, anzi, molti di loro lo difesero a prezzo del sangue, ma è un dato di fatto che la provocarono precipitando il mondo in un lungo periodo di degrado e di caos.

Alcuni fra i personaggi del romanzo lasciano presupporre dal loro modo di esprimersi una residua sopravvivenza di sentimenti pagani storicamente non facilmente sostenibile alla fine del V secolo, ma forse non del tutto improbabile alla luce di alcuni segnali nelle fonti più tarde. Tali sentimenti si devono intendere nel loro significato di attaccamento alla tradizione e al *mos maiorum*, forse non del tutto estinto.

Per quanto riguarda il personaggio di Romolo, e l'età, controversa nelle fonti, in cui venne deposto, ho preferito la versione da *Excerpta Valesiana, 38* che lo definisce senz'altro un fanciullo: "*Odoacar... deposuit Augustulum de regno, cuius infantiam misertus concessit ei sanguinem...*" (Odoacre depose Augustolo dal regno ed avendo avuto compassione della sua tenera età gli risparmiò la vita...).

Il lettore specialista riconoscerà nel tessuto del romanzo una quantità di fonti in gran parte della tarda latinità: le *Storie* di Ammiano Marcellino, il *De reditu suo* di Rutilio Namaziano, il *De gubernatione Dei* di Salviano, la *Storia della guerra gotica* di Procopio di Cesarea, la *Storia Lausiaca* di Palladio, l'*In Rufinum* di Claudiano, l'*Anonimo Valesiano*, la *Cronaca di Cassiodoro* e la *Vita Epiphanii*, oltre a occasionali riferimenti a Plutarco, Orosio, sant'Ambrogio, sant'Agostino, san Girolamo; inoltre una serie di fonti altomedievali che sono la base dell'epilogo "britannico" della nostra vicenda: la *Storia ecclesiastica degli Angli* del Venerabile Beda, il *Comitis Chronicon* e il *De exitio Britanniae* di Gildas.

Desidero ringraziare tutti gli amici carissimi, che mi hanno sostenuto e incoraggiato con i loro consigli e la loro dottrina: Lorenzo Braccesi e Giovanni Gorini dell'Università di Padova, Gianni Brizzi e Ivano Dionigi dell'Università di Bologna, Venceslas Kruta della Sorbona, Robin Lane Fox del New College, che ha ascoltato oralmente e per intero questa storia in un lungo viaggio in auto da Luton a Oxford. Inoltre Giorgio Bonamente e la dottoressa Angela Amici dell'Università di Perugia e la mia ex collega e collaboratrice Gabriella Amiotti dell'Università Cattolica di Milano. Ovviamente errori o scelte improprie sono di mia esclusiva responsabilità.

Voglio inoltre ricordare Franco Mimmi, che mi ha assistito dalla sua residenza di Madrid, Marco Guidi, cui mi lega un'antica e inossidabile amicizia, che ho spesso consultato per le vicende legate alla tarda romanità britannica, e Giorgio Fornoni, che nel rispetto di una tradizione ormai decennale mi ha ospitato nella sua magnifica residenza alpina in completo isolamento per la stesura finale di questo romanzo. E non posso non ricordare mia moglie Christine a cui debbo il costante controllo del mio testo e la lettura più critica e attenta, oltre che affettuosa, così come i miei agenti letterari Laura Grandi e Stefano Tettamanti che mi hanno seguito e incoraggiato passo per passo, anche nei momenti meno facili. Un pensiero speciale va poi a Paolo Buonvino le cui musiche mi hanno costantemente accompagnato nella stesura del romanzo, ispirandomi le pagine più intense e drammatiche.

Infine, *last but not least*, un grazie a Damiano dell'Albergo Ardesio, che mi ha sostentato con la sua generosa cucina per tutto il mio soggiorno alpino, e la mia barista Giancarla, del bar "Freccia", che ogni mattina mi fa cominciare bene la giornata con il suo inimitabile espresso.

IL FIGLIO DEL SOGNO

(n. 1274), pp. 300, cod. 450968, € 7,80

LE SABBIE DI AMON

(n. 1275), pp. 300, cod. 450969, € 7,80

IL CONFINE DEL MONDO

(n. 1276), pp. 300, cod. 450970, € 7,80

In tre volumi l'entusiasmante epopea di Alessandro Magno, il giovane re che creò il più grande impero mai visto: i suoi sogni ardenti, le violente passioni che lo consumarono fino a distruggerlo, le imprese straordinarie, il destino di morte precoce e di gloria imperitura di un uomo che i contemporanei credettero un dio.

VALERIO MASSIMO MANFREDI

AKROPOLIS

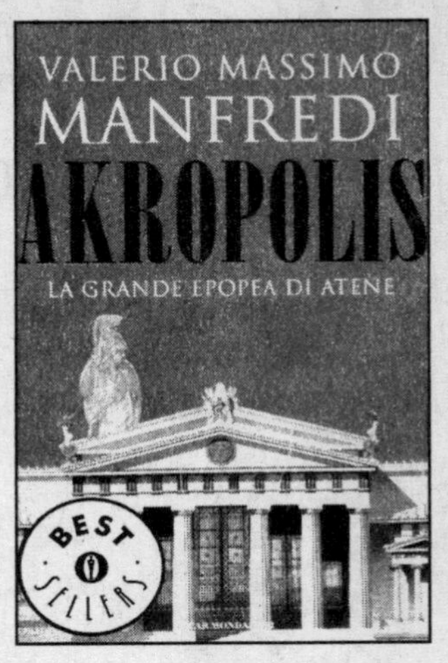

Un viaggio ideale nell'antica Grecia alla ricerca dei luoghi che sono stati teatro di gesta e leggende: tra dei, eroi, poeti, filosofi e condottieri, scopriamo la civiltà che da più di duemila anni costituisce il modello di riferimento per tutto il mondo occidentale, la patria della tragedia, dell'arte e della libertà.

(n. 1160), pp. IV-246, cod. 449138, € 7,80

PALLADION

Dalla Turchia alle sponde del Tirreno, un archeologo insegue le secolari tracce del mitico Palladio, la più sacra tra le immagini di Atena, sottratta da Ulisse alla rocca di Troia. Ma gli intrighi di un tempo sono ancora carichi di minacce, e l'archeologo si trova braccato da tanti, troppi nemici... Un romanzo originale e carico di suspence.

(n. 206), pp. 308, cod. 435005, € 7,40

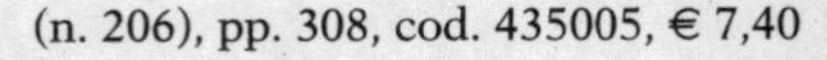

IL FARAONE DELLE SABBIE

Mentre la polveriera mediorientale sembra sul punto di esplodere, il famoso egittologo William Blake viene chiamato per esaminare una strana tomba che da millenni custodisce un inquietante mistero, capace di sconvolgere gli equilibri mondiali... Un originale thriller archeologico ricco di atmosfera e suspence.

(n. 987), pp. 384, cod. 447080, € 7,40

VALERIO MASSIMO MANFREDI

CHIMAIRA

Un mistero sembra avvolgere la famosa statuetta etrusca *L'ombra della sera*. Un mistero pericoloso, legato a inquietanti omicidi compiuti forse da una belva terrificante, a oscuri rituali, a una storia d'amore travolgente e di odio bruciante, capaci di varcare i secoli.

(n. 1211), pp. 252, cod. 450111, € 7,80

LE PALUDI DI HESPERIA

Al ritorno da Troia l'eroe greco Diomede si trova tradito e odiato dalla moglie. Lascia dunque Argo, la sua patria, per cercare rifugio lungo le coste italiche e, ancora una volta, incontra il grande Enea ormai stabilitosi nel Lazio per ingaggiare con lui l'ultimo duello. Un'avventura epica e commovente che trae ispirazione dai poemi di Omero e degli antichi aedi.

(n. 658), pp. 336, cod. 440752, € 7,40

LO SCUDO DI TALOS

Abbandonato in tenera età dai genitori per la sua deformità, lo spartano Talos riuscirà a diventare comandante di battaglione e a distinguersi come lucido e implacabile sterminatore di nemici. Un romanzo spettacolare e storicamente rigoroso sullo sfondo delle guerre persiane.

(n. 153), pp. 336, cod. 433371, € 7,40

VALERIO MASSIMO MANFREDI

I CENTO CAVALIERI

Ambientati nell'antica Grecia o tra le due guerre, nelle corti rinascimentali o in una centrale nucleare all'alba del Duemila, questi tredici racconti rivelano tutta la capacità dell'autore di rendere la Storia sempre attuale. E di raccontare le immutabili passioni del cuore umano, le sue miserie e le sue grandezze.

(n. 1280), pp. 280, cod. 449117, € 7,80

L'ORACOLO

Atene 1973: la Grecia è sconvolta dal susseguirsi di misteriosi quanto efferati omicidi. La spiegazione degli orrendi fatti sembra essere nascosta nel vaso d'oro di Tiresia, che un archeologo ha da poco portato alla luce. Così, tra passato leggendario e presente, si riannodano i fili di una millenaria avventura.

(n. 261), pp. 364, cod. 436133, € 7,40

LA TORRE DELLA SOLITUDINE

All'inizio dei tempi un popolo eresse una misteriosa torre nel cuore del Sahara. Per ritrovarla, tre uomini si avventurano nel deserto, uniti da un bizzarro destino: un archeologo, un colonnello della Legione Straniera e un sacerdote. Davanti alla torre si compirà la sorte di ognuno di loro, mentre dai confini dello spazio e del tempo riecheggerà il più superbo e sconvolgente dei messaggi.

(n. 784), pp. 308, cod. 442781, € 7,40